动态批量与预测时阈

慕银平　靖富营　著

科学出版社

北京

内 容 简 介

本书围绕动态批量与预测时阈两大核心主题，以新生产环境或新生产方式为背景展开研究。全书共三篇 15 章，分别研究了不同约束条件下的动态批量与预测时阈问题，涉及生产与外包联合决策、批量生产方式、数量折扣、联合生产和两级需求等情形。生产转换与需求替代的动态批量与预测时阈问题，涉及单向替代、双向替代等情形。易逝品动态批量与预测时阈问题，涉及需求损失、仓储能力约束、联合生产、生产转换、需求替代等情形。本书的研究结果发展了运营管理的动态批量决策理论，完善了预测时阈的存在性理论及优化方法，对新环境下解决企业实践生产运营决策提供了重要的理论依据和实践指导。

本书兼具前沿性、创新性、实践性和指导性，适合管理学、经济学等专业师生与科研工作者使用，也可以供从事企业生产运营管理工作的相关人员参考阅读。

图书在版编目(CIP)数据

动态批量与预测时阈 / 慕银平，靖富营著. —北京:科学出版社，2022.12
ISBN 978-7-03-074020-5

Ⅰ.①动⋯　Ⅱ.①慕⋯　②靖⋯　Ⅲ.①企业管理–生产管理–成批生产–
生产决策–研究　Ⅳ.①F273

中国版本图书馆 CIP 数据核字 (2022) 第 223646 号

责任编辑：陈丽华 / 责任校对：彭　映
责任印制：罗　科 / 封面设计：墨创文化

科学出版社出版
北京东黄城根北街16号
邮政编码：100717
http://www.sciencep.com

成都锦瑞印刷有限责任公司印刷
科学出版社发行　各地新华书店经销
*

2022 年 12 月第 一 版　开本：787×1092 1/16
2022 年 12 月第一次印刷　印张：20 1/2
字数：500 000

定价：199.00 元
(如有印装质量问题，我社负责调换)

序

　　批量生产是制造业实现规模效应、提高生产效率的经典模式。批量生产，又称大量生产，即在较短的时间内生产大量的标准化产品。一般认为，批量生产的经济性来自于规模，即同一时间内能生产更多的商品使得每一个单品所分担的固定成本下降。

　　批量生产的概念和使用从第一次工业革命时期就开始大量普及，但这并不意味着在此之前就没有批量生产。在中国的战国时期，组成弩的铜构件就被标准化并且大量地生产。在文艺复兴时期，威尼斯就已经开始在它著名的造船厂批量生产船只，并使用预制的零部件和装配线。在效率达到顶峰时，造船厂可以在一天内生产出一艘远洋运输船。此外，印刷机催生了另一种批量生产，为大众生产出价格低廉的标准化书籍。活字印刷的产品不仅便宜，而且无论数量多少，质量完全一致。另外，模具被用于批量生产完全相同的陶瓷和金属制品，在英国和法国，作坊里配备了数以百计的纺纱工和织布工，批量生产出统一的羊毛服装。

　　工业革命使大部分产品都能进行批量生产，甚至是一些在 19 世纪早期工业革命开始时还未被发明的事物。1914 年，亨利·福特意识到可以建造一条输送线，汽车零部件在这条线上移动，给这条线上的每个工人一些能独立完成的专业任务，这样他可以既经济又高效地制造汽车。在工厂里制造 T 型车的时间从 728 分钟降到了 98 分钟，最终降为每 24 分钟就能生产一台 T 型车。

　　随着消费者需求日益多样化和个性化，市场竞争日趋白热化和产品愈加突显差异化，企业面临的市场环境发生了巨大的变化，从而导致企业的生产批量决策必将发生改变。智能制造和个性化定制等柔性化、定制化生产方式的出现，使得生产批量决策变得更具挑战性。传统的生产批量决策需要进一步创新和完善，以适应新环境和新模式下的企业生产运营。

　　与此同时，生产批量决策的一个重要的应用前提就是需要分析今后若干时期内的时变需求和成本信息。在获取这些信息的基础上，通过优化决策确定出合理的生产批量。因此，应用生产批量模型时首先面临的问题就是分析未来一段时间的时变需求和成本信息，这被定义为预测时阈问题。预测时阈的确定对生产批量的决策至关重要，因为其长短与未来信息的收集紧密相关，较长的预测时阈意味着更多的未来信息和数据的加工及处理，预示着大量的人力和物力消耗，处理更多的数据信息也将花费更长的计算时间，导致预测成本增加，而随着时间的推移，获取的信息的准确性也在逐步降低，进而后期信息对前期决策的帮助作用也将逐渐减少；而较短的预测时阈又极有可能导致未来信息的缺失，在不完整的信息条件下，当前决策结果的准确性会大打折扣。所以，预测时阈问题既是生产批量决策的关键问题，也是企业应用资源管理等决策支持系统的先决条件。

　　慕银平、靖富营所著的《动态批量与预测时阈》一书，对动态批量决策理论和预测时阈的存在性理论及优化方法进行了深入透彻的分析，从不同视角研究了各种约束条件的动态批量与预测时阈、生产转换与需求替代的动态批量与预测时阈、易逝品动态批量与预测时阈等问题，研究成果对新环境下企业的生产批量决策与库存管理具有重要的理论价值和实践意义。

该专著结合生产运营环境和生产方式所出现的新特征，在充分考虑生产批量决策的复杂性，深刻认识新生产运营环境和方式的基础上，研究了与之相适应的新的生产批量决策理论和模型，提出新的预测时阈分析思路和方法。

该专著兼具前沿性、创新性、实践性和指导性，将为库存管理与生产管理领域的研究者和实践者绘制出动态批量与预测时阈的研究蓝图，也为学者们今后在该领域的深入研究提供了重要的研究基础和新的研究思路。

唐小我
中国青年科学家奖获得者
国家杰出青年科学基金获得者
电子科技大学原副校长
电子科技大学管理学院原院长

前　言

生产批量决策作为企业运营的关键问题长期以来都是运营管理领域的关注焦点。早在 1913 年，Harris 就提出了经济订货批量模型，运用平方根公式解决了企业的订货批量问题。因为平方根公式能够较好地平衡订货批量决策中的库存成本和启动成本，所以被普遍采用以解决成本和需求非时变的订货决策问题。然而，当成本和需求时变时，利用平方根公式的经济订货批量（economic order quantity，EOQ）模型求得的近似解与最优解误差往往较大。基于此，1958 年，Wagner 和 Whitin 构建了经济批量模型的动态形式，即动态批量模型。动态批量模型开创性地研究了企业时变生产计划中的批量决策问题：企业面对 T 个周期的时变需求，需要生产产品满足每个周期的需求，当期的需求可以通过当期的生产满足，也可以通过以前的库存满足，目标是优化生产批量使 T 个周期的总成本最小。动态批量模型一个重要的应用前提就是需要分析今后 T 时期内的时变需求和成本信息。在获取这些信息的基础上，通过优化方法决策出合理的生产批量。因此，应用动态批量模型时首先面临的问题是：应该分析今后多长时间的时变需求和成本信息？这一问题定义为预测时阈问题。更为正式的定义为：如果周期 T 之后的信息不影响 $1 \sim \tau$ 周期的最优决策，那么整数 T 称为预测时阈，τ 称为决策时阈。如果周期 T 为预测时阈，则 T-周期问题中的前 τ 周期的最优决策与任意更长的 N 周期问题中的前 τ 周期的最优决策是相同的，$N \geqslant T+1$，因此没有必要预测周期 T 之后的信息。预测时阈的确定对动态批量的决策至关重要，因为其长短与未来信息（需求、成本等）的收集紧密相关，较长的预测时阈意味着更多的未来信息和数据的加工及处理，预示着大量的人力和物力消耗，处理更多的数据信息也将花费更长的计算时间，导致预测成本增加，而随着时间的推移，获取的信息的准确性也在逐渐降低，进而后期信息对前期决策的影响也变得不可靠；而较短的预测时阈又极有可能导致未来信息的缺失，在不完整的信息下，当前决策结果的准确性会大打折扣。所以，预测时阈问题是动态批量决策的关键问题，也是应用企业资源计划等决策支持系统的先决条件。

随着消费者需求日益多样化和个性化，市场竞争日趋白热化和差异化。企业的生产环境发生了巨大的变化。随之而来的智能制造和个性化定制等柔性化、定制化生产方式的出现，使得批量决策变得更具挑战性。从而传统的动态批量和预测时阈决策需要进一步创新和完善，以适应新环境和新模式下的企业生产运营。

本书在如下新生产环境或新生产模式下，对动态批量和预测时阈问题展开系统深入的分析研究，提出新的决策思路、理论和方法。

1. 外包生产

近年来，企业自身生产结合产品外包的方式十分流行，如三星自己生产液晶显示器，但同时也会将这种显示器部分生产进行外包。主要是因为采用自身生产和外包生产的组合策略可以有效增加生产柔性、降低生产成本。不仅三星采用生产加外包的组合策略，松下、索尼和飞利浦等企业也常常采用自身生产和外包生产的组合策略。外包生产与自己生产的组合在提高企业的生产柔性和降低生产成本的同时，也增加了动态批量和预测时阈决策的复杂性。何时自己生产，生产多少？何时外包，外包多少？这些问题都需要进一步研究解决。

2. 批量生产

从生产的规模经济角度考量，企业往往会选择批量生产方式。批量生产即企业每一周期的生产数量只会在集合 $\{0, Q, 2Q, 3Q, \cdots, nQ\}$ 中选择，Q 为给定的正整数，n 为给定的非负整数。批量生产方式出现的另外一个原因是：一条装配线被分割为多个装配单元，每一个装配单元一个周期只能装配 Q 个产品，企业选择启动 n 个装配单元，从而能装配 nQ 个产品。另外，在采购过程中，为了装满一整个容器(如集装箱)，也会产生批量采购方式。批量方式的倍数生产也对传统任意数量生产的动态批量和预测时阈决策方法带来了挑战，需要研究提出新的生产方式下的动态批量和预测时阈决策理论及方法。

3. 数量折扣

在企业的采购实践中往往会遇到如下情形：采购的产品数量不同，供货商往往会给予不同程度的折扣。这一策略很大程度上是为了鼓励下游企业一次采购更多的产品，从而增加供货商的销售数量。企业在采购批量决策时往往面临两难选择，大批量采购可以降低采购价格，但随之而来的是库存成本的增加可能导致总成本增加。相反，小批量采购能够更加灵活且保持低库存成本，但采购价格会较高。同时，结合企业服务水平，即高库存可以很好地满足顾客需求，提高服务水平，而低库存可能会导致缺货或延迟交货，从而降低服务水平。因此，企业的采购批量决策和预测时阈分析需要在新的环境下重新分析和优化。

4. 联合生产

随着消费者多样化、个性化需求的不断增长，企业为了提高市场占有率、增强竞争力，往往在基本产品的基础上生产细微差别(款式、颜色、容量)的多种系列产品。例如，在20世纪90年代农业肥料只有尿素和磷酸二氢铵两种选择，今天农业肥料有硝基肥、缓控释肥、复合肥、水溶肥和微生物菌剂等，即便同一种肥料总养分含量及每一种养分含量之间的配比也是多种多样的。可口可乐最初只有原味(经典口味)，到2016年增长到32种口味。电子产品更是有多种不同的系列和款式，如华为手机有 P 系列、Mate 系列、Nova 系列、畅享系列、G 系列等，每一系列又有多种款式。信用卡行业由20世纪60～70年代只有少数几种卡发展到今天提供数千种品类。有研究表明，大多数的消费品生产企业所拥有的产品种类以每年10%的速度增长。然而，系列多产品生产在迎合消费者需求、提升企业竞争能力的同时，也带来了生产成本上升、服务水平下降的风险。主要原因是：①多产品中单个品种的需求量小而难以实现大批量生产；②多产品中单个品种的需求波动大而要求供给具有更大的柔性。由于单个品种的需求量小且波动大，增加了供需匹配的难度，从而导致成本上升、服务水平下降。企业的系列产品生产往往采用联合生产方式。由于联合生产能够给企业带来范围经济，因此多产品联合生产(采购)问题也越来越受到企业的关注。因此，多产品联合生产的动态批量和预测时阈决策问题将非常值得深入研究。

5. 多级生产

在制造业中，终端产品是由最初的原材料采购到一系列的加工制造才最终完成的，每一个环节都是增加终端产品附加值的过程。不仅制造业，电子商务平台也有类似的多级策略。例如，京东等电子商务平台一般包含一个大型仓储中心和多个前置仓，或者一个区域配送中心和多个面向客户的实体店面的多级系统。多级系统的动态批量决策和预测时阈问题将不同于传统的单级系统。因此，针对多级系统的决策研究对于企业运营降本增效有着重要的意义。

6. 生产转换

在多产品生产企业的实际运作中，针对每一种产品分别建立一条特定生产线往往并不现实。因为这样不仅耗费巨额的资金，也同样会造成大量生产线的闲置，导致生产运营的无效率。因此，为了降低成本、提高服务水平，实践生产过程中，企业往往采用一条生产线交替生产多种系列产品。例如，轧钢厂一条生产线加工多种不同强度的钢材；电子产品制造厂一条流水线装配多种不同型号的电子产品。这种生产方式越来越受到企业，特别是资金紧张的中小型企业的青睐。正如 Blocher 等所讲"在一个多产品的生产环境中，企业往往在一台'柔性'的设备上生产几种产品，而不选择每一台特定设备只生产一种产品。"这个特点也使得企业不能将多产品的生产划分为多个独立的单产品的生产组合，必须考虑不同种产品之间的生产交替性，从而使得企业的生产批量决策和预测时阈分析变得更加困难和复杂。

7. 需求替代

多产品之间往往存在替代效应，如当一种产品缺货时消费者转而选择同一产品大类的其他产品进行消费的顾客驱动替代、当较低等级产品缺货时供应商为了防止顾客流失而选用同类产品的较高等级产品来满足顾客需求的供应商驱动替代等。需求(产品)替代是指顾客原始需要的某种特定产品不能被满足时选择功能相同或相近的另外一种产品。替代本身所具有的柔性使其成为企业管理多产品库存的有效方式。替代按照由企业还是顾客驱动，可以分为供应商驱动和顾客驱动两种方式。供应商驱动的替代存在于按订单生产的环境，供应商给顾客提供等级更高的产品(与顾客需要的产品相比)以满足顾客的需求。对于供应商，此种替代成本为生产高等级产品所付出的额外的原材料或工艺成本。顾客驱动的替代存在于按库存生产的环境下，顾客对于所要选择的产品缺货时，从供应商提供的产品中选择功能相同并且能够给自己带来最大效用的产品。对于供应商，此种替代成本为企业商誉的损失。需求替代按照替代的方向可以分为单向替代和双向替代。由于替代的存在，传统的动态批量和预测时阈决策理论与方法必须进行改变以适应新的环境。

8. 易逝品生产

易逝品又称短生命周期产品或季节性产品，如杂志、果蔬、血液、时装等，此类产品与人们日常生活有着密不可分的关系。另外，随着体验经济的兴起、市场竞争的加剧和企业生产技术的快速迭代，产品更新换代的速度也在不断加快，导致商品的生命周期缩短，使得一些耐用品也表现出易逝性的特征。易逝品运营的各环节中，对批量决策有着非常高的要求，如食品加工、饮料及乳制品等企业面临着较为严峻的库存能力限制。电子产品行业中，电子产品需要防潮、防尘等，仓储需要适宜的温度、湿度等，对仓库条件要求非常高，往往会面临仓储能力的约束。医疗行业，由于血液、药品等产品对储存条件的严格要求，不可避免受到仓储能力的限制。例如，全血的保质期只有 33 天，血小板的保质期只有 7 天，由于血液的生命周期短和仓储条件要求高，医院往往面对一方面血液供应不足无法满足患者用血需求，另一方面由于超过血液的保质期，大量的血液又不得不浪费的局面。一些有着特殊储存要求的药品，如疫苗，需要全程 2～8℃冷链仓储，在极其严格的仓储条件下，疫苗从生产完成到最终用户都会不同程度地面对仓储能力限制的问题。宝贵的仓储能力对于企业批量决策的准确性提出了更高的要求，使得易逝品的生产(采购)批量决策不能照搬耐用品的批量决策理论和方法，必须考虑产品的腐坏变质、生命周期以及仓储能力等因素对决策的影响。

由于生产运营环境和生产方式出现了新的特点，企业的生产批量决策变得更为复杂，不能照搬现有的生产批量决策理论，应该在充分认识新生产运营环境和方式的基础上，研究与之相适应的新的生产批量决策理论和方法。另外，传统情景下的预测时阈的结论也不再适用于新的情景，需要提出新的预测时阈分析思路和方法。

本书围绕动态批量与预测时阈两大核心主题，以新生产环境或新生产方式为背景展开研究。全书共分为三篇 15 章。第 1 章主要介绍理论基础和研究现状。第一篇为约束篇，研究不同约束条件下的动态批量决策与预测时阈问题，包含第 2 章生产与外包联合的动态批量与预测时阈、第 3 章批量生产方式下动态批量与预测时阈、第 4 章数量折扣下动态批量与预测时阈、第 5 章联合生产方式下动态批量与预测时阈、第 6 章两级动态批量与预测时阈。第二篇为转换与替代篇，研究生产转换与需求替代下两产品动态批量决策与预测时阈问题，包含第 7 章生产转换与单向替代下动态批量与预测时阈、第 8 章生产转换与启动成本下单向替代动态批量与预测时阈、第 9 章生产转换与时变成本下单向替代动态批量与预测时阈、第 10 章生产转换与双向替代的动态批量与预测时阈。第三篇为易逝品篇，研究易逝品的动态批量决策与预测时阈问题，包含第 11 章需求损失的易逝品动态批量与预测时阈、第 12 章仓储能力约束的易逝品动态批量与预测时阈、第 13 章两替代易逝品联合生产的动态批量与预测时阈、第 14 章仓储约束的两替代易逝品联合生产动态批量与预测时阈、第 15 章生产转换的两替代易逝品动态批量与预测时阈。最后，结语总结全书并提出今后的研究方向。

本书的研究成果将进一步完善和发展运营管理领域的动态批量决策理论。同时，本书完善了预测时阈求解的相关方法，对企业应用决策支持系统提供了理论支持。本书的研究成果不仅对解决企业实际生产运营决策有良好的指导意义，而且对预测时阈存在性以及存在的充分条件提供了理论基础，将为新环境下企业的生产批量决策和预测时阈分析提供重要的理论依据和实践指导。

本书是国家自然科学基金项目(编号 72002020、71772025)的资助研究成果之一，在此感谢国家自然科学基金委员会的资助。本书写作过程中参考了众多国内外专家的研究成果，在此也表示衷心的感谢。

由于作者水平有限，书中难免存在疏漏或不足之处，恳请广大读者批评指正。

目 录

约 束 篇

转换与替代篇

易逝品篇

第1章 理 论 基 础

1.1 WW 模型与预测时阈

美国 *Management Science*（《管理科学》）杂志在创刊 50 周年之际（2004 年），评选出 50 年最具影响力的 10 篇文章（Hopp，2004），其中一篇为 Wagner 和 Whitin 在 1958 年发表的 "Dynamic version of the economic lot size model"（经济批量模型的动态形式）。在这一开创性的文章中，研究了企业单产品生产计划中的动态批量问题：企业的目标是优化生产决策使 T 个周期总成本最小，这就是著名的 WW（Wagner-Whitin）模型。文章有两个最主要的贡献：①提出了零库存性质，在零库存性质的基础上设计了 $O(T^2)$ 时间的前向动态规划算法；②利用前向动态规划算法解决了预测时阈（forecast horizon）问题（文中用计划时阈（planning horizon）的概念）。

Wagner 于 2004 年专门撰写了关于这篇开创性文章的评论（Wagner，2004），介绍了构建 WW 模型的背景、过程、理论与实践价值以及未来拓展的方向。在 Wagner 和 Whitin 所处的 20 世纪 50 年代，采用平方根公式的经济订货批量（economic order quantity，EOQ）模型被普遍采用以解决成本和需求非时变（稳定）的订货批量问题。平方根公式能够较好地平衡订货批量问题中的库存成本和启动成本。Wagner 和 Whitin 充分肯定了经济订货批量模型以及平方根公式的重要价值。然而，当放松成本和需求参数非时变这一假设后，即成本和需求参数时变情形下，再利用平方根公式（计算平均需求和成本）求得的近似解与最优解误差较大。在此背景下，Wagner 和 Whitin 放松了经济订货批量问题的假设，构建了经济批量模型的动态形式，即动态批量（dynamic lot size，DLS）模型。

在 WW 模型构建中定义的符号如表 1-1 所示。

表 1-1　符号定义 1

符号	含义
T	时间周期
$P(t)$	t -周期问题
d_t	第 t 期期初的需求，$1 \leqslant t \leqslant T$
K_t	第 t 期期初的生产启动成本，$1 \leqslant t \leqslant T$
h_t	第 t 期期末（第 $t+1$ 期期初）的单位库存成本，$1 \leqslant t \leqslant T$
c	单位生产成本
x_t	第 t 期期初的生产数量，$1 \leqslant t \leqslant T$
I_t	第 t 期期末（第 $t+1$ 期期初）的库存数量，$1 \leqslant t \leqslant T$
$\delta(x_t)$	二元变量，$\delta(x_t) = \begin{cases} 1, & x_t > 0 \\ 0, & x_t = 0 \end{cases}$，$1 \leqslant t \leqslant T$

企业的目标是在 T 周期之内达到生产启动成本、变动生产成本、库存成本之和最小。目标函数表示为

$$\min \sum_{t=1}^{T} \left[K_t \delta(x_t) + c x_t + h_t I_t \right] \tag{1-1}$$

约束条件为

$$I_t = I_{t-1} + x_t - d_t, \quad 1 \leqslant t \leqslant T \tag{1-2}$$

$$x_t, I_t \geqslant 0, \quad 1 \leqslant t \leqslant T \tag{1-3}$$

$$I_0 = I_T \tag{1-4}$$

约束条件 (1-2) 表示产品的库存平衡；约束条件 (1-3) 表示生产数量和库存数量大于等于零；约束条件 (1-4) 表示期初和期末两种产品的库存均为零。

在 WW 模型中目标函数呈现的是一种简化形式，在单位生产成本非时变的情形下，由于 T 个周期的需求全部满足，$c\sum_{t=1}^{T} x_t = c\sum_{t=1}^{T} d_t$，又因为 $c\sum_{t=1}^{T} d_t$ 为常数，即 T 个周期变动生产成本之和为常数，所以目标函数 (1-1) 中变动成本项 $c\sum_{t=1}^{T} x_t$ 可以去掉，目标函数可以简写为 $\min \sum_{t=1}^{T} \left[K_t \delta(x_t) + h_t I_t \right]$。

以上描述的动态批量问题的最优解中存在如下结构性质。

定理 1-1　在 $P(T)$ 的最优解中，对于任意周期 $t\,(1 \leqslant t \leqslant T)$，有如下性质成立：$I_{t-1} x_t = 0$。

定理 1-1 是著名的零库存性质，即若任意周期 t 的生产数量大于零，则前一期期末库存为零；若前一期期末的库存不为零，则当期生产数量为零。根据此定理，又可得到以下推论。

推论 1-1　在 $P(T)$ 的最优解中，对于任意周期 $t\,(1 \leqslant t \leqslant T)$，有 $x_t = 0$ 或 $x_t = \sum_{l=t}^{t'} d_l$ 成立，$t \leqslant t' \leqslant T$。

推论 1-1 说明任意周期 t 的生产数量要么为零，要么等于未来整数周期的需求之和。

下面给出生产点和再生点的定义。

定义 1-1　给定 $P(T)$ 的最优解，若 $I_t = 0$，则周期 t 定义为再生点，$1 \leqslant t < T$。

定义 1-2　给定 $P(T)$ 的最优解，若 $X_t > 0$，则周期 t 定义为生产点，$1 \leqslant t \leqslant T$。

由零库存性质可得，若周期 t 为生产点，则周期 $t-1$ 为再生点。

根据定理 1-1 和推论 1-1 能够设计出时间复杂度为 $O(T^2)$ 的前向动态规划算法。令 $C(t)$ 为 $P(t)$ 的最优成本，$C(j,t)$ 表示最后一个生产点是 j 时 $C(t)$ 的最优成本，根据以上定义可得

$$C(t) = \min C(j, t) \tag{1-5}$$

而

$$C(j,t) = C(j-1) + K_j + c\sum_{l=j}^{t} d_l + \sum_{u=j}^{t-1} \sum_{v=u+1}^{t} h_u d_v \tag{1-6}$$

令 $j(t)$ 为 $P(t)$ 中最优的最后一个生产点。Wagner 和 Whitin（1958a）阐述了如下预测时阈结果。

定理 1-2　在 $P(t)$ 的最优解中，若 $j(t) = t$，则周期 t 为预测时阈，周期 $t-1$ 为决策时阈。

此定理说明在单位生产成本非时变的情形下，当最优的最后一个生产点恰好是结束周期时，结束周期 t 即预测时阈，周期 $t-1$ 即决策时阈，也就是第 $1 \sim t-1$ 期的最优决策都不受周期 t 之后数据信息的影响。

然而，WW 模型有诸多很强的假设条件，如单位生产成本是非时变的、不允许需求延迟、不允许需求损失、不考虑生产能力和仓储能力约束、企业的需求是外生的、没有考虑多产品生产情形等。由于 WW 模型有很强的假设条件，不完全符合企业现实的生产情况，因此后续大量学者通过不断放松 WW 模型中的假设使其更加接近现实情况。放松假设的过程中，学者研究动态批量问题的侧重点不尽相同，如定价订货联合决策的动态批量问题、多决策主体的动态批量问题等。然而，预测时阈也伴随着动态批量拓展问题的研究得到了深入研究。另外，预测时阈思想还被拓展到多个研究领域。

在一些复杂约束下的动态批量问题中，如需求时间窗的动态批量问题、制造和再制造的动态批量问题等，预测时阈的求解十分困难，因此这类动态批量问题的研究主要聚焦于最优解结构性质的证明与算法设计，并没有探讨预测时阈。在以下的内容中针对动态批量问题的拓展研究和预测时阈问题的拓展研究分别加以阐述，其中动态批量问题的拓展研究中所涉及的文献均未分析预测时阈。

1.2　动态批量拓展研究

以下归纳的 6 类动态批量拓展研究是近年来企业生产运营过程中遇到的主要问题，也是企业亟须解决的主要问题。正是因为企业有真实存在的难题需要解决，所以以下 6 类拓展问题也是近 20 年来动态批量问题研究的热点，高频次地出现在国际主流期刊上。

1.2.1　最小批量约束的动态批量研究

由于在企业生产或采购活动中存在高额的启动成本，为了实现规模经济效应，规定最小批量生产和采购的方式是企业常用的方式之一。与生产能力上限约束相对应，最小生产批量约束是生产能力下限约束。Anderson 和 Cheah（1993）分别研究了生产能力约束和最小生产批量双重约束下的单产品和多产品动态批量决策问题，分别设计了启发式算法求解多产品情形的最优动态批量和动态规划算法求解单产品情形的最优动态批量。Constantino（1998）利用有效不等式的方法求解了多产品和单产品在最小生产批量约束下的动态批量问题。在无采购能力约束和有采购能力约束两种情形下，Okhrin 和 Richter（2011a，2011b）进一步研究了 Anderson 和 Cheah（1993）提出的单产品最小采购批量约束的动态批量问题，在证明最优解性质的基础上设计了多项式时间的动态规划算法。在生产和库存成本为凹函数的情形下，Hellion 等（2012，2013，2014）考虑了有生产能力和最小生产批量约束下的单产品动态批量决策问题并设计了多项式时间的动态规划算法。在 Constantino(1998)的研究基础上，Park 和 Klabjan(2015)利用有效不等式方法求解了单产品在最小生产批量约束下的动态批量问题。Goerler 和 Voß(2016)考虑了有缺陷产品返工和最小批量约束的动态批量决策问题。运用数值实验验证了混合整数规划算法求解此问题的效率。另外，Lee(2004)以及 Porras 和 Dekker(2006)分别从不同角度研究了单产品与多产品在最优批量约束下的动态批量决策问题。

1.2.2　需求时间窗约束的动态批量研究

在经典的动态批量模型中有一个基本的假设，即企业面临的某一周期的需求是一个加总的需求，但是没有考虑需求的宽限期。在企业的实际运作中，客户的需求往往存在一个宽限期，即需求带有时间窗，满足在时间窗内的需求不产生库存和延迟成本，时间窗不同的需求不能加总。Lee 等(2001)最早研究了单位生产成本非时变下需求带时间窗约束的动态批量问题，在需求允许延迟与不允许延迟两种情形下分别设计了多项式时间的动态规划算法。在持有库存与延迟交货没有投机性动机的假设下，Jaruphongsa 等(2004a)考虑了需求带时间窗约束的两级动态批量问题，在最优解的基础上设计了多项式时间的动态规划算法求解此问题。在 Jaruphongsa 等(2004a)研究的基础上，Jaruphongsa 等(2004b)又进一步将模型拓展到了存在仓储能力约束的情形。在非时变的单位生产成本下，Wolsey(2006)考虑了无生产能力约束和有非时变生产能力约束下的需求带时间窗约束的动态批量问题，利用定义凸二部图的方法求解了两类问题。Brahimi 等(2006)研究了多产品共用有限时变生产能力下的需求带时间窗约束的动态批量问题，设计了启发式算法求解此问题。另外，在时变和非时变的单位生产成本下，指出单产品问题有多项式时间的算法。Hwang 和 Jaruphongsa(2006)给出了一种求解时变成本下需求带时间窗约束的动态批量问题的新方法。Hwang(2007a，2007b)通过研究改进了 Hwang 和 Jaruphongsa(2006)中问题的算法复杂度。Akbalik 和 Penz(2011)考虑了一个生产能力约束且需求带时间窗约束的两级动态批量问题，设计了一类启发式算法求解了该问题，并用数值实验验证了算法的效率。更多的需求带时间窗约束的动态批量问题的研究可参见相关文献(Absi et al.，2011；Hwang et al.，2010；Hwang and Jaruphongsa，2008；Jaruphongsa and Lee，2008)。

1.2.3　生产启动成本具有学习效应的动态批量研究

生产启动的学习效应是指生产启动成本随着生产启动次数的增加而降低的现象，出现这种现象源于工人在生产启动上的学习和生产启动方法的改进。Chand(1989)指出部分企业和行业小批量生产能获得更多的收益，而工人的学习效应可以提高生产过程的质量与柔性、降低生产启动成本，促使企业小批量生产成为可能。Malik 和 Wang(1993)在单位生产成本时变的条件下研究了生产启动具有学习效应的动态批量问题，在最优解性质的基础上设计了高效动态规划算法求解该问题。Rachamadugu 和 Schriber(1995)设计了启发式算法求解生产启动成本具有学习效应的动态批量问题。Teyarachakul 等(2008)在需求非时变的假设下考虑了生产启动具有学习和遗忘双重效应的动态批量问题。Teyarachakul 等

(2011)拓展了 Teyarachakul 等(2008)的研究,进一步考虑了时变需求下的生产启动具有学习和遗忘双重效应的动态批量问题。Chiu(1997)、Chiu 等(2003)、Chiu 和 Chen(2005)也从不同角度研究了生产启动具有学习和遗忘双重效应的动态批量问题。另外,更多的生产启动具有学习效应的动态批量问题的研究可参见相关文献(Tsai,2011;Cohen et al.,2006;Jaber and Bonney,2003;Hoesel and Wagelmans,2000)。

1.2.4　再制造情形下的动态批量研究

对产品进行回收和再制造,能够有效地降低资源消耗和环境污染,提高资源利用率,在低碳经济这一背景下,企业开始重视产品使用后的回收、库存与再制造等问题。因为回收产品的再制造是制造型企业实现企业行为与环境相融的重要手段,因此再制造问题也开始受到学术界的重视(Gungor and Gupta,1999;Laan and Salomon,1997)。Richter 和 Sombrutzki(2000)研究了三类再制造动态批量模型:不考虑产品回收再制造模型、考虑产品回收再制造模型、考虑制造和回收产品再制造协同模型。在回收旧产品数量无限大的假设下指出了零库存性质在三类模型中都是成立的,依据零库存性质设计了前向动态规划算法。Richter 和 Weber(2001)又探讨了 Richter 和 Sombrutzki(2000)中的三类模型成本和需求参数非时变的特殊情形。Golany 等(2001)考虑了一个综合不可用回收产品处理过程、可用回收产品再制造过程和新产品制造过程的问题,构建了包含制造成本、再制造成本、处理成本、回收产品库存成本和制成品库存成本的数学规划模型,证明了在成本为凹函数的情形下,此问题是 NP-难问题。在成本为线性函数的情形下,设计了多项式时间的算法求解问题。Yang 等(2005)又设计了一种多项式时间的启发式算法求解 Golany 等(2001)中构造的成本为凹函数的模型。Teunter 等(2006)研究了两类再制造动态批量问题:一类是制造和再制造联合启动成本下的模型;另一类是制造和再制造单独启动成本模型。他们指出联合启动成本模型具有多项式时间解,而单独启动成本问题是 NP-难问题,分别设计了精确的动态规划算法和启发式算法求解两类问题。Helmrich 等(2014)考虑了制造和再制造变动成本和启动(单独启动和联合启动两种情形)成本以及回收产品和制成品的库存成本,证明了几种情形下回收产品的再制造问题都是 NP-难问题,用数值实验验证了线性松弛方法和有效不等式方法的效率。Li 等(2014)利用禁忌搜索算法求解了制造和再制造动态批量问题,但仅考虑了制造和再制造的启动成本以及回收产品和制成品的库存成本。Cunha 和 Melo(2016)、Cunha 等(2017)讨论了多产品制造和再制造动态批量问题。更多的制造与再制造下动态批量问题的研究参见相关文献(Sifaleras et al.,2015;Baki et al.,2014;Zhang et al.,2012;Ahn et al.,2011;Konstantaras and Papachristos,2007)

1.2.5　生产与定价联合决策的动态批量研究

在生产与定价的联合决策问题中,产品需求不再外生,而是依赖产品的价格,是产品价格的减函数。另外,生产与定价联合决策问题以利润最大化为目标,区别于以往生产决策研究中以成本最小化为目标。因此,生产与定价联合决策问题的研究可以将生产运作管理与市场营销两个相互独立的研究领域合二为一,得出对企业更加实用和有意义的结果。

Wagner 和 Whitin(1958b)、Wagner(1960)两篇文献进一步探讨了需求依赖于价格情形的 WW 模型。在所有周期制定相同价格的情形下，Kunreuther 和 Schrage(1973)考虑了单产品动态批量生产与定价联合决策问题，设计了启发式算法求解此问题。在所有周期制定相同价格的情形下，Gilbert(1999，2000)在生产和库存成本非时变的假设下考虑了单产品和多产品动态批量生产与定价联合决策问题，利用数值实验分析了相应的管理启示。Bhattacharjee 和 Ramesh(2000)考虑了易逝品的动态批量采购与定价联合决策问题，给出了最优的采购与定价策略。在由一个制造商和分销商组成的两级多周期动态供应链系统中，Zhao 和 Wang(2002)首次研究了分散化决策下的制造商生产与定价以及分销商的采购与定价问题，然后研究了集中化决策的生产、采购与定价问题。Geunes 等(2004)研究了多类需求曲线下的动态批量生产与定价联合决策问题。Heuvel 和 Wagelmans(2006)提出了一种精确算法求解 Kunreuther 和 Schrage(1973)提出的问题。Deng 和 Yano(2006)考虑了有生产能力约束的动态批量生产与定价联合决策问题，在时变与非时变的生产能力以及持有库存有/无投机性动机等情形下证明了最优解的性质。有限生产能力约束下的单产品与多产品动态批量生产与定价问题的研究可参见 Haugen 等(2007)、Geunes 等(2009)、Onal 和 Romeijn(2010)的文献。Chen 和 Hu(2012)研究了价格可调整的动态批量生产与定价联合决策问题，假设当后一周期的价格进行调整时会发生价格调整成本，设计了多项式时间的动态规划算法求解企业的最大利润决策问题。Wu 等(2017)研究了有新产品进入及扩散情形下的动态批量生产与定价联合决策问题，并分析了产品扩散和价格参数对最优决策的影响。国内学者在动态批量生产与定价联合决策研究方面也有大量研究（戴道明，2010；戴道明和杨善林，2009；戴道明等，2008，2009）。

1.2.6　多主体决策的动态批量研究

传统的动态批量问题都聚焦在单个决策主体而忽视了多个决策主体之间的互动与影响，如竞争与合作。非合作博弈和合作博弈是分析多决策主体之间互动的经典工具，因此将非合作博弈与合作博弈纳入动态批量问题的研究能够使企业制定的运营决策更为准确有效。

1.2.5 节中生产与定价联合决策的动态批量问题的研究没有考虑多个企业之间的竞争。换言之，1.2.5 节中的文献研究的是市场完全垄断的情形，而没有考虑市场中最为常见的寡头垄断和垄断竞争情形。Federgruen 和 Meissner(2009)考虑了多个企业多周期下的价格竞争问题(伯川德竞争模型)，每一个企业的采购成本为固定-线性函数，库存成本为线性函数，在所有周期制定相同价格的情形下给出了所有企业的竞争均衡价格，并设计了动态规划算法求解均衡价格和最优采购批量。Lamas 和 Chevalier(2018)研究了两个企业多周期下的价格竞争问题，与 Federgruen 和 Meissner(2009)不同的是每一个企业每一周期允许制定不同的价格，设计了一种整数规划方法计算得出了纳什均衡解。Carvalho 等(2018)研究了多个企业多周期下的产量竞争问题(古诺竞争模型)，证明了存在多个纯策略纳什均衡解。在单个周期的情形下，证明了多项式时间内的均衡解。

　　多产品联合采购动态批量问题的研究是针对一个企业对多种产品的联合采购,简言之是多产品的联合采购,不同于以下文献中多个企业的联合采购。在企业动态批量生产/采购问题中,相比于企业单独采购方式,通过合作博弈机制设计多个企业联合采购的方式能够有效降低采购成本,一个直观的解释是由于生产或采购成本中存在固定成本部分,企业联合采购分担了固定成本。Heuvel 等(2007)研究了动态批量合作博弈问题,证明了动态批量合作博弈解的平衡性与两种特殊情形的解的凹性。Guardiola 等(2008,2009)利用欧文点的性质给出了动态批量合作博弈问题的一类解。在固定-线性采购成本函数及线性库存成本和延迟交货成本情形下,Xu 和 Yang(2009)提出了动态批量合作博弈问题的一种近似成本分摊方法。Gopaladesikan 等(2012)研究了动态批量合作博弈成本分配的对偶算法。Toriello 和 Uhan(2014)研究了采购成本为凹函数情形下的动态批量合作博弈问题,在博弈强序列核中说明了如何计算动态成本分配。Chen 和 Zhang(2016)研究了采购成本为凹函数、库存成本和延迟交货成本为线性函数情形下的动态批量合作博弈问题,证明了在所有零售商成本参数相同的情况下核分配在多项式时间内可解。动态批量合作博弈问题的研究可参见相关文献(Fiestras-Janeiro et al.,2011;Meca et al.,2004)。

　　以上 6 类拓展问题没有涵盖近年来动态批量研究的所有热点问题,如易逝品的动态批量问题、产品替代的动态批量问题、多级动态批量问题、Batch 生产方式的动态批量问题等。本书后续篇章将对这几类问题予以具体阐述。动态批量拓展问题的研究还呈现出两个或多个主题的交叉研究,如易逝品和库存能力约束的动态批量问题的研究、Batch 生产方式和多级动态批量问题的研究、需求时间窗和生产能力约束的动态批量问题的研究等。

1.3　预测时阈拓展研究

　　本节将系统地介绍预测时阈的拓展研究,主要分为动态批量决策中的预测时阈与一般性动态优化决策中的预测时阈研究两部分。动态批量决策中的预测时阈研究又分为凹成本函数和凸成本函数两种情形,其中凹成本函数进一步分为特殊情形的凹成本函数和一般性的凹成本函数两种子类。固定-线性形式的函数和线性函数都是特殊情形的凹函数。在绝大部分动态批量问题的研究中,生产成本函数设定为固定-线性形式,而库存成本函数设定为线性形式。生产成本函数为固定-线性形式下的动态批量决策的预测时阈研究又进一步细分为单位生产成本非时变和时变两种情形。值得注意的是,本书中单位生产成本时变是指无条件变动,而持有库存没有投机性动机或者需求延迟没有投机性动机要求时生产成本会有条件地变动。因为无投机性动机成本情形下预测时阈的求解与单位生产成本非时变情形相同,所以本书将这一类动态批量决策的预测时阈研究归于单位生产成本非时变情形下的预测时阈研究。针对以上各种情形下的预测时阈研究,以下内容予以系统阐述。

1.3.1　单位生产成本非时变的预测时阈研究

　　本节介绍单位生产成本非时变情形下动态批量决策的预测时阈研究,其中重点阐述 WW 模型的一个早期拓展——允许需求延迟情形的动态批量问题。对于其余单位生产成本非时变情形下的预测时阈研究将不再详尽阐述，仅简略介绍研究的问题及贡献。

Blackburn 和 Kunreuther（1974）考虑延迟交货情形下的动态批量模型，在表 1-1 符号的基础上，延迟交货的动态批量模型增加表 1-2 符号定义。

表 1-2　符号定义 2

符号	含义
b_t	第 t 期的单位延迟交货成本，$1 \leqslant t \leqslant T$
B_t	第 t 期延迟交货的数量，$1 \leqslant t \leqslant T$

企业的目标是在 T 个周期之内达到生产启动成本、变动生产成本、库存成本和延迟交货成本之和最小。目标函数表示为

$$\min \sum_{t=1}^{T} \left[K_t \delta(x_t) + c_t x_t + h_t I_t + b_t B_t \right] \tag{1-7}$$

约束条件为

$$I_t - B_t = I_{t-1} - B_{t-1} + x_t - d_t, \quad 1 \leqslant t \leqslant T \tag{1-8}$$

$$x_t, I_t, B_t \geqslant 0, \quad 1 \leqslant t \leqslant T \tag{1-9}$$

$$I_0 = I_T = B_0 = B_T = 0 \tag{1-10}$$

约束条件(1-8)表示产品的库存平衡；约束条件(1-9)表示产品的生产数量、库存数量和延迟交货数量非负；约束条件(1-10)表示期初和期末两种产品的库存和延迟交货数量为零。

在需求延迟的动态批量问题中存在如下结构性质。

定理 1-3　在 $P(T)$ 的最优解中，对于任意周期 $t(1 \leqslant t \leqslant T)$，有如下性质成立：① $I_{t-1} x_t = 0$；② $I_t B_t = 0$；③ $x_t B_t = 0$；④ $I_{t-1} B_t = 0$。

在有需求延迟的情形下，生产点的定义没有变化，而再生点的定义变为如下形式。

定义 1-3　给定 $P(T)$ 的最优解，若 $I_t = B_t = 0$，则周期 t 定义为再生点，$1 \leqslant t \leqslant T$。

根据定理 1-3，设计如下前向动态规划算法。令 $C(t)$ 为 $P(t)$ 的最优成本，$C(i, j, t)$ 表示倒数第二个再生点为 i，最后一个生产点是 j 时 $C(t)$ 的最优成本，根据以上定义可得

$$C(t) = \min C(i, j, t) \tag{1-11}$$

而

$$C(i, j, t) = C(i) + \sum_{u=i+1}^{j-1} \sum_{v=i+1}^{u} b_u d_v + K_j + c_j \sum_{u=i+1}^{t} d_u + \sum_{u=j}^{t-1} \sum_{v=u+1}^{t} h_u d_v \tag{1-12}$$

对于 $\forall 1 \leqslant \lambda < k \leqslant T$，若有如下数学表达式成立，则称这种成本结构为持有库存没有投机性动机：

$$c_\lambda + \sum_{l=\lambda}^{k-1} h_l > c_k \tag{1-13}$$

类似地，对于 $\forall 1 \leqslant \gamma < k \leqslant T$，若有如下数学表达式成立，则称这种成本结构为需求延迟没有投机性动机：

$$c_k + \sum_{l=\gamma}^{k-1} b_l > c_\gamma \tag{1-14}$$

由式(1-13)和式(1-14)可得，单位生产成本非时变或单调不增都是持有库存和需求延迟没有投机性动机的特殊情形。

令 $i(t)$ 和 $j(t)$ 分别为 $P(t)$ 中最优的倒数第二个再生点和最后一个生产点，则

$$C(t) = \min C(i,j,t) = C(i(t), j(t), t) \tag{1-15}$$

Blackburn 和 Kunreuther(1974)在持有库存和延迟交货没有投机性动机的条件下阐述了再生点和生产点的单调性。

定理 1-4　在 $P(t+1)$ 的最优解中，有 $i(t+1) \geqslant i(t)$ 和 $j(t+1) \geqslant j(t)$ 成立。

在持有库存和延迟交货没有投机性动机的条件下，Blackburn 和 Kunreuther(1974)阐述了两个求解预测时阈的充分条件：其一为类似 WW 模型中的预测时阈求解，是一种特殊情形；其二为一般形式。

定理 1-5　在 $P(t)$ 的最优解中，若 $i(t) = t-1$，则周期 t 为预测时阈，周期 $t-1$ 为决策时阈。

以上求解预测时阈的定理类似于 Wagner 和 Whitin(1958a)的预测时阈结果，这是一种特殊情形。Blackburn 和 Kunreuther(1974)还阐述了一种更为一般的情形。

令 $x_e(t)$ 分别代表在 $P(t)$ 中周期 e 的最优生产数量，$1 \leqslant e \leqslant t$。

定理 1-6　在 $P(t)$ 的最优解中，若有 $x_l(i(t)-1) = x_l(i(t)) = \cdots = x_l(t-1)$ 对于 $l = 1, 2, \cdots, \tau$ 成立，$1 \leqslant \tau \leqslant i(t)-1$，则周期 t 为预测时阈，周期 τ 为相应的决策时阈。

Morton(1978c)在成本非时变的情形下研究了结束周期允许需求延迟的动态批量问题，因为单位生产成本非时变是持有库存没有投机性动机的一种特殊情形，因此该文章同样得出了生产点和再生点的单调性以及预测时阈的充分条件。同时，Morton(1978c)还进一步利用最优解的结构性质设计了算法复杂度更低的前向动态规划算法。Kunreuther 和 Morton(1973)在没有生产启动成本情况下研究了平稳生产的动态批量问题，若 x_t 和 x_{t-1} 分别为周期 t 和 $t-1$ 的生产数量，t 为单位惩罚成本，则周期 t 因为生产数量波动产生的惩罚成本为 $e|x_t - x_{t-1}|$。单位生产成本和库存成本均为非时变，运用线性规划方法求解了预测时阈。Kunreuther 和 Morton(1974)拓展了 Kunreuther 和 Morton(1973)的研究，考虑了需求延迟的情形。Miller(1979)用线性对偶方法拓展和强化了 Kunreuther 和 Morton(1973)的研究结果。Chung 等(1989)用启发式算法求解了 Kunreuther 和 Morton(1973)提出的问题。在不允许需求延迟的假设下，Chand 和 Sethi(1986)给出了分析最小预测时阈的方法和思路。Sethi 和 Chand(1981)在单位生产成本非时变和需求不允许延迟的情形下研究了 Batch 生产方式下的动态批量问题，生产启动成本仅发生于生产数量从零转换到大于零的情形。Chand 和 Sethi(1983)研究了 Batch 生产数量有上限约束下的动态批量问题，生产数量在 $\{0, Q, 2Q\}$ 任取一值，生产启动成本仅发生于生产数量从低转换到高(0 转换到 Q、0 转换到 $2Q$、Q 转换到 $2Q$)的情形，也假设了单位生产成本非时变和需求不允许延迟。因为在 Batch 生产方式下，定义再生点为库存为零的周期不再合适，Sethi 和 Chand(1981)、Chand 和 Sethi(1983)都重新定义了再生点，并证明了新定义的再生点的单调性，给出了求解区块预测时阈的充分条件。Chand 和 Sethi(1990)研究了生产启动具有学习效应的动态批量

问题，并构造二维再生集求解预测时阈。Chand 等(1990)考虑了一类特殊的动态批量问题
——EOQ 问题，成本参数(包括生产启动成本和库存成本)和需求参数都是固定不变的。
在 EOQ 问题下，巧妙地运用最优采购周期的循环长度构造了再生集，进而求解了预测时
阈问题。Chand 等(1992)拓展了 Chand 等(1990)的研究，考虑了有贴现因子情况下的 EOQ
问题。在 Chand 等(1990)的基础上，Bylka 和 Sethi(1992)研究了库存成本为任意不减函数
的情形。Sandbothe 和 Thompson(1990)研究了生产能力约束和缺货下的动态批量问题，根
据问题的特殊性给出了三种求解预测时阈的方法。Sandbothe 和 Thompson(1993)进一步拓
展了 Sandbothe 和 Thompson(1990)的研究，考虑了生产能力和仓储能力双重约束的情形。
在每一级生产成本函数为固定-线性和库存成本函数为线性的条件下，Chand(1983)研究了
多级动态批量预测时阈问题。Chand 等(2007)考虑了一个制造商供应单一产品给多个客户
的动态批量问题，每一个客户的需求延迟成本与运输成本都是不相同的，证明了此问题为
NP-难问题。在需求延迟没有投机性动机的条件下，设计了多项式时间算法。在单位生产
成本和运输成本非时变的假设下分析了预测时阈问题。Federgruen 和 Tzur(1996)在假设只
有联合启动成本而无单独启动成本的条件下，讨论了在持有库存没有投机性动机下多个独
立产品动态批量问题的预测时阈的存在性问题。运用整数规划方法求解预测时阈是一种新
的求解预测时阈的方法。Dawande 等(2006，2007)在离散需求的假设下运用整数规划的方
法研究了单产品的预测时阈问题。Dawande 等(2009)研究了两类两独立产品的动态批量模
型，一个为两产品共用有限仓储能力，另一个为存在联合启动成本。两个模型中单独启动
成本、库存成本和联合启动成本均为非时变，用整数规划的方法求解了两产品的预测时阈
问题。Teyarachakul 等(2016)针对生产启动具有学习和遗忘双重效应的动态批量问题给出
了求解预测时阈的充分条件。

1.3.2　单位生产成本时变的预测时阈研究

对于单位生产成本时变情形下动态批量决策的预测时阈研究，本节着重阐述 Eppen
等(1969)提出的边际成本分析法，这一方法是求解单位生产成本时变情形下预测时阈的重
要工具。

Zabel(1964)拓展了 Wagner 和 Whitin(1958a)的研究，考虑了单位生产成本时变情形，
指出了零库存性质在单位生产成本时变情形下仍然成立，前向动态规划算法仍然可以求解
单位生产成本时变情形下的动态批量模型。Eppen 等(1969)首次运用边际成本分析方法，
在单位生产成本变动情形下给出了求解预测时阈的充分条件，他们提出的边际成本分析方
法是预测时阈研究的优秀理论成果，是解决单位生产成本时变下预测时阈问题的有效方
法。令 c_t 为第 t 期单位生产成本，其余符号同 1.1 节。

目标函数表示为

$$\min \sum_{t=1}^{T} \left[K_t \delta(x_t) + c_t x_t + h_t I_t \right] \tag{1-16}$$

约束条件为

$$I_t = I_{t-1} + x_t - d_t , \quad 1 \leqslant t \leqslant T \tag{1-17}$$

$$x_t, I_t \geqslant 0 , \quad 1 \leqslant t \leqslant T \tag{1-18}$$

$$I_0 = I_T \tag{1-19}$$

约束条件的含义同 1.1 节。值得一提的是，若单位生产成本时变，则目标函数中变动生产成本项不能去掉。

再生点 $C(t)$ 和生产点 $C(j,t)$ 的定义同 1.1 节，根据零库存性质及其推论可得

$$C(t) = \min C(j,t) \tag{1-20}$$

而

$$C(j,t) = C(j-1) + K_j + c_j \sum_{u=j}^{t} d_u + \sum_{u=j}^{t-1} \sum_{v=u+1}^{t} h_u d_v \tag{1-21}$$

令 $j(t)$ 为 $P(t)$ 中最优的最后一个生产点，则

$$C(t) = \min C(j,t) = C(j(t),t) \tag{1-22}$$

对于单位生产成本时变情形下的预测时阈求解，Eppen 等(1969)考虑了两种情形：①持有库存没有投机性动机，即单位生产成本有条件变动；②单位生产成本无条件变动。

在持有库存没有投机性动机的条件下，可以得到生产点的单调性。

定理 1-7　在 $P(t+1)$ 的最优解中，有 $j(t+1) \geqslant j(t)$ 成立。

根据零库存性质和再生点的定义可得，周期 $j(t)-1$ 为 $P(t)$ 中最优的倒数第二个再生点（结束周期 t 为最后一个再生点）。令 $i(t) = j(t)-1$，则由生产点的单调性可以直接得到再生点的单调性。

推论 1-2　在 $P(t+1)$ 的最优解中，有 $i(t+1) \geqslant i(t)$ 成立。

在生产点和再生点单调性的基础上，也有类似于 Wagner 和 Whitin(1958a)的预测时阈结果。

定理 1-8　在 $P(t)$ 的最优解中，若 $j(t) = t$，则周期 t 为预测时阈，周期 $t-1$ 为决策时阈。

在单位生产成本无条件变动的情形下，生产点和再生点的单调性不再"天然"地成立，因此适用于持有库存无投机性动机条件下预测时阈的求解方法不再适用于单位生产成本无条件变动的情形。Eppen 等(1969)运用边际成本分析方法求解了此种情形下的预测时阈。

令 $a_{\lambda t}$ 代表第 λ 期生产以满足一单位第 t 期需求的变动成本，$1 \leqslant \lambda \leqslant t$，即 $a_{\lambda t} = c_\lambda + \sum_{l=\lambda}^{t-1} h_l$，若 $\lambda = t$，则 $a_{\lambda\lambda} = c_\lambda$。令 $m(t)$ 为使 $a_{\lambda t}$ 最小的周期 λ 的取值，$1 \leqslant \lambda \leqslant t$。

定义集合 $\mu(t_1,t_2)$，$\mu(t_1,t_2) = \{t \in \{1,2,\cdots,t_2\} : a_{t,t_2} < a_{t_1,t_2}\}$，$t_1 < t_2$。

集合 $\mu(t_1,t_2)$ 包含了集合 $\{1,2,\cdots,t_2\}$ 中具有边际成本从 c_{t_1} 向两侧递减特征的周期。利用 $\mu(t_1,t_2)$ 的定义可得如下结论。

定理 1-9　若 $C(j(t+1),t+1) < C(j(t),t+1)$，则 $j(t+1) \in \mu(j(t),t+1)$。

根据 Eppen 等(1969)的研究，定理 1-9 的一种等价表述为：对于任意周期 t 和 t^*，$t < t^*$，有 $C(t^*) = C(j(t),t^*)$ 或者 $j(t^*) \in \mu(j(t),t+1)$。

由定理 1.9 以及 $m(t)$ 的定义可得如下预测时阈结果。

定理 1-10 在 $P(t)$ 的最优解中，若 $j(t) = m(t)$，则周期 t 为预测时阈，周期 $j(t) - 1$ 为决策时阈。

定理 1-10 说明在 $P(t)$ 的最优解中，若最后一个生产点恰好发生在边际成本最小的周期，则此时可以确定预测时阈。

在 Eppen 等（1969）提出的边际成本分析方法之后不久，又有学者继续运用此方法解决了单位生产成本时变情形下的动态批量预测时阈问题。Thomas（1970）在生产与定价联合决策下给出了求解预测时阈的充分条件。Elmaghraby 和 Bawle（1972）在生产启动成本非时变、单位生产成本时变的情形下考虑了 Batch 生产的动态批量问题，同时考虑了需求延迟。在不考虑生产启动成本的情形下，给出了求解预测时阈的充分条件。Friedman 和 Hoch（1978）研究了易腐品动态批量问题，指出零库存性质在易腐品动态批量问题中不再成立，在"先进先出"的性质下给出了动态规划算法，同样利用边际成本分析方法求解了预测时阈。

在单位生产成本时变情形下，Federgruen 和 Tzur（1993，1994）系统地解决了无需求延迟和有需求延迟两动态批量模型最小预测时阈问题。Federgruen 和 Tzur（1993，1994）是继 Eppen 等（1969）之后解决单位生产时变下动态批量模型预测时阈问题的又一优秀理论成果。Tzur（1996）运用 Federgruen 和 Tzur（1993，1994）的思想与方法，在单位生产成本时变和生产启动成本时变且生产启动成本具有学习效应的情形下研究了最小预测时阈的存在性问题。

在时间依赖的库存损失率和库存成本下，Jing 和 Mu（2019，2020）考虑了两易逝品在联合采购和需求单向替代下的动态批量决策问题，在最优解性质的基础上，设计了前向动态规划算法分别求解单位生产成本无条件变动和持有库存没有投机性动机两类问题。最后，利用边际成本分析方法给出了求解两产品预测时阈的充分条件。同时指出在易逝品动态批量问题中，只有当单位生产成本无约束的变动下，零库存性质才不成立，若单位生产成本固定不变或满足持有库存没有投机性动机，零库存性质依然是成立的。即给出零库存性质在易逝品动态批量问题中是否成立的边界条件。

1.3.3 一般凹成本函数的预测时阈研究

在系统总结前人研究成果（Blackburn and Kunreuther，1974；Kunreuther and Morton，1973，1974；Thomas，1970；Eppen et al，1969；Zabel，1964；Wagner and Whitin，1958a）的基础上，Lundin 和 Morton（1975）创造性地提出建立再生集是求解预测时阈的关键，并将再生集理论拓展到一般性的凹生产成本和库存成本函数情形（固定-线性和线性函数都是凹函数的特殊形式）。再生集是指这样一段时间周期：令 Z 为有限连续周期的集合，集合中最大和最小的元素分别为 z^u 和 z^l，对于任意 $t > z^u$ 周期，至少有一个 t-周期问题的子问题最优解的再生点属于集合 Z，集合 Z 称为再生集，其中再生点为库存为零的周期。进一步指出如何构造再生集，令 $l(t)$ 为 t-周期问题最优解的倒数第二个再生点，若 $l(t)$ 是单调的，则集合 $\{l(t), l(t)+1, \cdots, t-1\}$ 就是再生集。在固定-线性生产函数的情形下求解预测时阈的文献,如 Sethi 和 Chand(1981)、Chand 和 Sethi(1983,1990)、Chand 等(1990,1992)、Sandbothe 和 Thompson(1990,1993)、Bylka 和 Sethi(1992)都利用了 Lundin 和 Morton(1975)提出的构造再生集的方法。由再生集理论可知,Wagner 和 Whitin(1958a)阐述的预测时阈结果是一种比较特殊的情形,即再生集中只有 $t-1$ 这一个元素。

在一般性的凹成本函数(包括生产成本和库存成本)的动态批量问题中,零库存性质依然是成立的,因此前向动态规划算法求解最优批量与固定-线性或线性成本函数类似。但是在一般性的凹成本函数和固定-线性(或线性)成本函数两种情形下再生点单调性证明的方法并不相同,前者再生点单调性的证明难度远远高于后者再生点单调性的证明难度,这也导致一般性的凹成本函数下预测时阈的求解难度远远高于固定-线性生产成本下预测时阈的求解难度。因此,一般性的凹成本函数下求解预测时阈的理论文献比较少,主要有如下文献:在凹成本函数下,Bensoussan 等(1991)运用最优控制的方法给出了求解预测时阈的充分条件;Federgruen 和 Tzur(1995)运用 Lundin 和 Morton(1975)、Federgruen 和 Tzur(1993,1994)的思想和方法,进一步讨论了凹成本函数(包括生产成本、库存成本和需求延迟成本)下预测时阈的存在性问题。

1.3.4　一般凸成本函数的预测时阈研究

凸成本函数下的动态批量问题中零库存性质和最后一个生产点的单调性都不再成立,分析框架及方法与凹成本函数下截然不同,因此凸成本函数下求解预测时阈的文献比较少。另外,在预测时阈的研究文献中,通常认为预测时阈的研究起源于 Wagner 和 Whitin(1958a)的研究,但有趣的是 Modigliani 和 Hohn(1955)关于预测时阈的研究要早于 Wagner 和 Whitin(1958a)的研究,预测时阈的研究始于 Modigliani 和 Hohn(1955)的研究。

在非时变的凸生产成本和线性库存成本下,Modigliani 和 Hohn(1955)研究了企业多周期生产计划和预测时阈问题,同样用了计划时阈的概念,两位学者用拉格朗日乘数的方法解决了预测时阈问题。这一重要研究发表在经济学期刊 *Econometrica*(《计量经济学》)。对于预测时阈问题的研究,Modigliani 和 Hohn 的研究要早于 1958 年 Wagner 和 Whitin 的研究,1955 年 Modigliani 和 Hohn 的研究是 1958 年 Wagner 和 Whitin 的研究的参考文献之一。Modigliani 和 Hohn 关于企业动态批量生产问题中预测时阈的研究并未形成广泛而深远的影响,运用拉格朗日乘数的思路和方法的后续研究只有寥寥数篇文献(Johnson and McClain,1978;Lee and Orr,1977;Lieber,1973),而且这为数不多的后续研究时间上止于 20 世纪 70 年代,也因此通常认为预测时阈的研究发轫于 1958 年 Wagner 和 Whitin 的研究。值得一提的是,Modigliani 因第一个提出储蓄的生命周期假设而获得了 1985 年诺贝尔经济学奖。20 世纪 50 年代,关注企业生产计划和库存问题的经济学家,不止 Modigliani 一人,还有现代经济学理论的奠基人肯尼斯·约瑟夫·阿罗(因在一般均衡理论和福利经济学理论的突出贡献于 1972 年获得诺贝尔经济学奖,也是迄今为止诺贝尔经济学奖最年轻得主)。阿罗于 1951 发表在 *Econometrica* 的一篇关于库存理论的文章和 1958 年斯坦福大学出版社出版的一部关于生产和库存理论的专著是后续生产和库存理论研究的重要参考文献。

运用动态规划方法求解凸成本函数下动态批量决策的预测时阈的研究有三篇重要文献：Morton(1978b)在非时变的生产成本函数和库存成本(延迟交货成本)函数为凸函数的情形下提出了动态规划方法求解预测时阈的基本思路；Smith 和 Zhang(1998)在时变的生产成本和库存成本为凸函数且有折现因子的情形下证明了预测时阈存在的充分条件，但假定需求不允许延迟和损失；Smith 和 Zhang(1998)提出的思想与方法不仅奠定了时变凸成本函数下预测时阈问题研究的思想与方法基础(如 Ghate 和 Smith(2009)运用文献 Smith 和 Zhang(1998)中的思想和方法研究了凸成本函数下允许需求延迟的预测时阈问题)，同时 Smith 和 Zhang(1998)提出的思想和方法也为研究随机需求的预测时阈问题提供了重要的启示(Cheevaprawatdomrong and Smith，2004)。

1.3.5　其他动态优化决策中的预测时阈研究

在确定环境下，除了以上动态批量决策的预测时阈研究，运营管理的其他领域关于预测时阈的研究主要有机器更换(machine replacement)问题、能力扩张(capacity expansion)问题、动态选址(dynamic location)问题、资金平衡(cash balance)问题、债券换新(bond refunding)问题等。Sethi 和 Chand(1979)在技术改进的环境下研究了机器设备的动态更换问题，构造了包含机器的购买成本、维护成本及机器残值在内的成本最小化模型，并设计了前向动态规划算法求解了模型。针对所构造问题的特性重新定义了再生点，在证明再生点单调性的基础上构造了再生集并给出了求解预测时阈的充分条件。在 Sethi 和 Chand(1979)研究的基础上，Chand 和 Sethi(1982)、Goldstein 等(1986)、Nair 和 Hopp(1992)、Bylka 等(1992)从不同侧重点对机器更换决策中的预测时阈问题进行了深入的拓展分析。Smith(1981)、Bean 和 Smith(1985)在连续时间情形下分析了能力扩张决策的预测时阈问题。Udayabhanu 和 Morton(1988)研究了离散多周期情形下能力扩张决策的预测时阈问题，根据问题的特征重新定义了再生点并证明了再生点的单调性，最后构造再生集，给出了求解预测时阈的充分条件。Rajagopalan(1992，1994)进一步拓展了 Udayabhanu 和 Morton(1988)的研究。Chand(1988)构造了包含固定成本和变动成本在内的工厂动态多周期选址问题的数学优化模型，设计了前向动态规划算法求解了此成本最小化的数学模型，重新定义了再生点并证明了再生点的单调性，最后构造再生集给出了求解预测时阈的充分条件。之后，Daskin 等(1992)、Bastian 和 Volkmer(1992)、Andreatta 和 Mason(1994)拓展了 Chand(1988)的研究。Sethi(1971)依据动态批量问题中预测时阈的研究思路初步探讨了资金平衡决策中预测时阈的存在性问题。在这一研究基础之上，Mensching 等(1978)、Chand 和 Morton(1982)给出了资金平衡决策中预测时阈存在的充分条件。Friedman 和 Lieber(1975)分析了债券换新决策中的预测时阈问题，给出了求解预测时阈的充分条件。进一步分析以上确定环境下预测时阈的拓展研究发现，这几类研究都运用了动态批量决策中预测时阈研究的方法与思路。因此，近年来关于确定环境下预测时阈的研究文献都是以动态批量决策为背景的。

在随机环境下，学者研究的侧重点是从理论上证明预测时阈的存在性及存在的充分条件(Cheevaprawatdomrong et al.，2007；Bean and Smith，1993；Bean and Smith，1990；Hopp，

1989；Rempala，1989；Schochetman and Smith，1989；Bes and Sethi，1988；Lerma and Lasserre，1988；Hopp et al.，1987；Sethi and Bhaskaran，1985；Lasserre and Bes，1984；Morton，1979）。随机环境下预测时阈的应用研究比较少，主要集中在动态批量决策方面（Garcia and Smith，2000；Bhaskaran and Sethi，1988，1987；Kleindorfer and Kunreuther，1978；Morton，1978a）。另外，随机环境下预测时阈的应用研究已不仅仅局限于企业运营管理领域，而是拓展到了更为一般的具有动态优化特征的研究领域，如马尔可夫完美均衡问题（Garcia，2004）以及水库实时调度问题（Arena et al.，2017；You and Yu，2013；Zhao et al.，2012；You and Cai，2008）。以上四篇水库实时调度决策问题的文献探讨了降水量随机的情形下预测时阈的存在性及存在的充分条件，其中前三篇文献发表在水文科学领域的顶级期刊美国地球物理学会会刊 *Water Resources Research*，第四篇文献发表在水文科学领域的另一顶级期刊 *Water Resources Management*。预测时阈思想融入其他学科的研究也符合科学研究中跨学科交叉研究的趋势。预测时阈和水库调度结合研究的三篇文献发表在水文科学领域的顶级期刊并不是个案，运营管理领域的学者 Limeng Pan、Xin Chen 和水文科学领域的学者 Mashor Housh、Pan Liu、Ximing Cai 合作的一篇文章同样也发表在了 *Water Resources Research* 上，文章的主要内容是运用鲁棒优化方法解决水库调度问题（Pan et al.，2015）。

　　通过分析随机环境下预测时阈理论与应用的研究发现，发表在顶级期刊上的文献总体比较少。这说明随机环境下的预测时阈问题解决难度较大，而且理论和方法并不完善，还处于探索阶段，这也是未来预测时阈拓展研究的一个重要方向。

参 考 文 献

戴道明. 2010. 考虑库存能力约束的批量问题与定价的联合决策[J]. 系统工程，28（2）：90-94.

戴道明，杨善林. 2009. 动态定价与允许需求延迟订货批量模型的联合决策[J]. 管理工程学报，23（4）：116-120.

戴道明，杨善林，鲁奎. 2008. 固定定价与允许需求延迟批量模型的联合决策[J]. 系统工程理论与实践，28（6）：22-29.

戴道明，程刚，杨善林. 2009. 考虑资源约束和变质期的订货批量与定价的联合决策[J]. 系统工程理论与实践，29（1）：81-88.

Absi N，Kedad-Sidhoum S，Dauzere-Peres S. 2011. Uncapacitated lot-sizing problem with production time windows，early production，backlog and lost sale[J]. International Journal of Production Research，49（9）：2551-2566.

Ahn D，Lee D H，Kim H J. 2011. Solution algorithms for dynamic lot-sizing in remanufacturing systems[J]. International Journal of Production Research，49（22）：6729-6748.

Akbalik A，Penz B. 2011. Comparison of just-in-time and time window delivery policies for a single-item capacitated lotsizing problem[J]. International Journal of Production Research，49（9）：2567-2585.

Anderson E J，Cheah B S. 1993. Capacitated lot sizing with minimum batch sizes and setup times[J]. International Journal of Production Economics，30：137-152.

Andreatta G，Mason F M. 1994. A note on "A perfect forward procedure for a single facility dynamic location/relocation problem" [J]. Operations Research Letters，15（2）：81-83.

Arena C，Cannarozzo C，Mazzola M R. 2017. Exploring the potential and the boundaries of the rolling horizon technique for the management of reservoir systems with over-year behaviour[J]. Water Resources Management，31（3）：867-884.

Arrow K J，Harris T，Marschak J. 1951. Optimal inventory policy[J]. Econometrica，19（3）：250-272.

Arrow K J，Karlin S，Scarf H. 1958. Studies in the Mathematical Theory of Inventory and Production[M]. Stanford：Stanford University Press.

Baki M F，Chaouch B A，Abdul-Kader W. 2014. A heuristic solution procedure for the dynamic lot sizing problem with remanufacturing and product recovery[J]. Computers & Operations Research，43：225-236.

Bastian M，Volkmer M. 1992. A perfect forward procedure for a single facility dynamic location/relocation problem[J]. Operations Research Letters，12(1)：11-16.

Bean J C，Smith R L. 1985. Optimal capacity expansion over an infinite horizon[J]. Management Science，31(12)：1523-1532.

Bean J C，Smith R L. 1990. Denumerable state nonhomogeneous Markov decision process[J]. Journal of Mathematical Analysis and Applications，153(1)：64-77.

Bean J C，Smith R L. 1993. Conditions for the discovery of solution horizons[J]. Mathematical Programming，59(1)：215-229.

Bensoussan A，Proth J M，Queyranne M. 1991. A planning horizon algorithm for deterministic inventory management with piecewise linear concave cost[J]. Naval Research Logistics，38(5)：729-742.

Bes C，Sethi S P. 1988. Concepts of forecast and decision horizons：Applications to dynamic stochastic optimization problems[J]. Mathematics of Operations Research，13(2)：295-310.

Bhaskaran S，Sethi S P. 1987. Decision and forecast horizons in a stochastic environment：A survey[J]. Optimal Control Applications and Methods，8(3)：201-217.

Bhaskaran S，Sethi S P. 1988. The dynamic lot size model with stochastic demands：A decision horizon study[J]. INFOR，26(3)：213-224.

Bhattacharjee S，Ramesh R. 2000. A multi-period profit maximizing model for retail supply chain management：An integration of demand and supply-side mechanisms[J]. European Journal of Operational Research，122(3)：584-601.

Blackburn J D，Kunreuther H. 1974. Planning horizons for the dynamic lot size model with backlogging[J]. Management Science，21(3)：251-255.

Brahimi N，Dauzere-Peres S，Najid N M. 2006. Capacitated multi-item lot-sizing problems with time windows[J]. Operations Research，54(5)：951-967.

Bylka S，Sethi S. 1992. Existence and derivation of forecast horizons in a dynamic lot sizing model with nonincreasing holding costs[J]. Production and Operations Management，1(2)：212-224.

Bylka S，Sethi S，Sorger G. 1992. Minimal forecast horizons in equipment replacement models with multiple technologies and general switching costs[J]. Naval Research Logistics，39(4)：487-507.

Carvalho M，Pedroso J P，Telha C，et al. 2018. Competitive uncapacitated lot-sizing game[J]. International Journal of Production Economics，204：148-159.

Chand S. 1983. Rolling horizon procedures for the facilities in series inventory model with nested scheduling[J]. Management Science，29(2)：237-249.

Chand S. 1988. Decision/forecast horizon results for a single facility dynamic location/relocation problem[J]. Operations Research Letters，7(5)：247-251.

Chand S. 1989. Lot sizes and setup frequency with learning in setups and process quality[J]. European Journal of Operational Research，42(2)：190-202.

Chand S，Morton T E. 1982. A perfect planning horizon procedure for a deterministic cash balance problem[J]. Management Science，28(6)：652-669.

Chand S，Sethi S. 1982. Planning horizon procedures for machine replacement models with several possible replacement alternatives[J]. Naval Research Logistics，29(3)：483-593.

Chand S，Sethi S. 1983. Finite-production-rate inventory models with first and second shift setups[J]. Naval Research Logistics，30(3)：401-414.

Chand S, Sethi S. 1986. Minimal forecast horizon procedures for dynamic lot size mode[J]. Naval Research Logistics, 33(1)：111-122.

Chand S，Sethi S. 1990. A dynamic lot sizing model with learning in setups[J]. Operations Research，38(4)：644-655.

Chand S，Sethi S P，Proth J M. 1990. Existence of forecast horizons in undiscounted discrete time lot-size model[J]. Operations Research，38(5)：884-892.

Chand S，Sethi S P，Sorger G. 1992. Forecast horizons in the discounted dynamic lot size model[J]. Management Science，38(7)：1034-1048.

Chand S，Hsu V N，Sethi S，et al. 2007. A dynamic lot sizing problem with multiple customers：Customers-specific shipping and backlogging costs[J]. IIE Transactions，39(11)：1059-1069.

Cheevaprawatdomrong T，Smith R L. 2004. Infinite horizon production scheduling in time-varying systems under stochastic demand[J]. Operations Research，52(1)：105-115.

Cheevaprawatdomrong T，Schochetman I E，Smith R L，et al. 2007. Solution and forecast horizons for infinite-horizon nonhomogeneous Markov Decision Process[J]. Mathematics of Operations Research，32(1)：51-72.

Chen X，Hu P. 2012. Joint pricing and inventory management with deterministic demand and costly price adjustment[J]. Operations Research Letters，40：385-389.

Chen X，Zhang J W. 2016. Duality approaches to economic lot-sizing games[J]. Production and Operations Management，25(7)：1203-1215.

Chiu H N. 1997. Discrete time-varying demand lot-sizing models with learning and forgetting effects[J]. Production Planning & Control，8(5)：484-493.

Chiu H N，Chen H M，Weng L C. 2003. Deterministic time-varying demand lot-sizing models with learning and forgetting in setups and production[J]. Production and Operations Management，12(1)：120-127.

Chiu H N，Chen H M. 2005. An optimal algorithm for solving the dynamic lot-sizing model with learning and forgetting in setups and production[J]. International Journal of Production Economics，95(2)：179-193.

Chung C H，Chen I J，Cheng G L Y. 1989. Planning horizons for the production smoothing problem：A heuristic search procedure[J]. Computers & Industrial Engineering，16(1)：37-44.

Cohen Y，Vitner D，Sarin S C. 2006. Optimal allocation of work in assembly lines for lots with homogenous learning[J]. European Journal of Operational Research，168：922-931.

Constantino M. 1998. Lower bounds in lot sizing models：A polyhedral study[J]. Mathematics & Operations Research，23(1)：101-118.

Cunha J O，Melo R A. 2016. A computational comparison of formulations for the economic lot-sizing with remanufacturing[J]. Computers & Industrial Engineering，92：72-81.

Cunha J O，Konstantaras I，Melo R A，et al. 2017. On multi-item economic lot-sizing with remanufacturing and uncapacitated production[J]. Applied Mathematical Modelling，50：772-780.

Daskin M S，Hopp W J，Medina B. 1992. Forecast horizons and dynamic facility location planning[J]. Annals of Operations Research，40(1)：125-151.

Dawande M，Gavirneni S，Naranpanawe S，et al. 2006. Computing minimal forecast horizons: An integer programming approach[J]. Journal of Mathematical Modelling and Algorithm，5(2): 239-258.

Dawande M，Gavirneni S，Naranpanawe S，et al. 2007. Forecast horizons for a class of dynamic lot-size problems under discrete future demand[J]. Operations Research，55(4): 688-702.

Dawande M，Gavirneni S，Naranpanawe S，et al. 2009. Discrete forecast horizons for two-product variants of the dynamic lot-size problem[J]. International Journal of Production Economics，120(2): 430-436.

Deng S M，Yano C A. 2006. Joint production and pricing decisions with setup costs and capacity constraints[J]. Management Science，52(5): 741-756.

Elmaghraby S E，Bawle V Y. 1972. Optimization of batch ordering under deterministic variable demand[J]. Management Science，18(9): 508-517.

Eppen G D，Gould F J，Pashigian B P. 1969. Extensions of the planning horizon theorem in the dynamic lot size model[J]. Management Science，15(5): 268-277.

Federgruen A，Tzur M. 1993. The dynamic lot-sizing model with backlogging: A simple $O(n\log n)$ algorithm and minimal forecast horizon procedure[J]. Naval Research Logistics，40(4): 459-478.

Federgruen A，Tzur M. 1994. Minimal forecast horizons and a new planning procedure for the general dynamic lot sizing model: Nervousness revisited[J]. Operations Research，42(3): 456-468.

Federgruen A，Tzur M. 1995. Fast solution and detection of minimal forecast horizons in dynamic programs with a single indicator of the future: Applications to dynamic lot-sizing models[J]. Management Science，41(5): 874-893.

Federgruen A，Tzur M. 1996. Detection of minimal forecast horizons in dynamic programs with multiple indicators of the future[J]. Naval Research Logistics，43(2): 169-189.

Federgruen A，Meissner J. 2009. Competition under time-varying demands and dynamic lot sizing costs[J]. Naval Research Logistics，56(6): 57-73.

Fiestras-Janeiro M G，Garcia-Jurado I，Meca A，et al. 2011. Cooperative game theory and inventory management[J]. European Journal of Operational Research，210: 459-466.

Friedman Y，Lieber Z. 1975. Planning and forecast horizons for the bond refunding problem[J]. Management Science，21(11): 1332-1337.

Friedman Y，Hoch Y. 1978. A dynamic lot-size model with inventory deterioration[J]. INFOR，16(2): 183-188.

Garcia A. 2004. Forecast horizons for a class of dynamic games[J]. Journal of Optimization Theory and Applications，122(3): 471-486.

Garcia A，Smith R L. 2000. Solving nonstationary infinite horizon stochastic production planning problems[J]. Operations Research Letters, 27(3): 135-141.

Geunes J，Romeijn H E，Taaffe K. 2004. Requirements planning with pricing and order selection flexibility[J]. Operations Research，54(2): 394-401.

Geunes J，Merzifonluoglu Y，Romeijn H E. 2009. Capacitated procurement planning with price-sensitive demand and general concave-revenue functions[J]. European Journal of Operational Research，194: 390-405.

Ghate A，Smith R L. 2009. Optimal backlogging over an infinite horizon under time-varying convex production and inventory costs[J]. Manufacturing & Service Operations Management，11(2): 362-368.

Gilbert S M. 1999. Coordination of pricing and multiple-period production for constant priced goods[J]. European Journal of Operational Research, 114(2): 330-337.

Gilbert S M. 2000. Coordination of pricing and multiple-period production across multiple constant priced goods[J]. Management Science, 46(12): 1602-1616.

Goerler A, Voß S. 2016. Dynamic lot-sizing with rework of defective items and minimum lot-size constraints[J]. International Journal of Production Research, 54(8): 2284-2297.

Golany B, Yang J, Yu G. 2001. Economic lot-sizing with remanufacturing options[J]. IIE Transactions, 33(11): 995-1003.

Goldstein T, Ladany S P, Mehrez A. 1986. A dual machine replacement model: A note on planning horizon procedures for machine replacements[J]. Operations Research, 34(6): 938-941.

Gopaladesikan M, Uhan N A, Zhou J K. 2012. A primal-dual algorithm for computing a cost allocation in the core of economic lot-sizing games[J]. Operations Research Letters, 40(6): 453-458.

Guardiola L A, Meca A, Puerto J. 2008. Production-inventory games and PMAS-games: Characterizations of the Owen point[J]. Mathematical Social Science, 56(1): 96-108.

Guardiola L A, Meca A, Puerto J. 2009. Production-inventory games: A new class of totally balanced combinatorial optimization games[J]. Games and Economic Behavior, 65: 205-219.

Gungor A, Gupta S M. 1999. Issues in environmentally conscious manufacturing and product recovery: A survey[J]. Computers & Industrial Engineering, 36: 811-853.

Haugen K K, Olstad A, Pettersen B I. 2007. The profit maximizing capacitated lot-size (PCLSP) problem[J]. European Journal of Operational Research, 176: 165-176.

Hellion B, Mangione F, Penz B. 2012. A polynomial time algorithm to solve the single-item capacitated lot sizing problem with minimum order quantities and concave costs[J]. European Journal of Operational Research, 222(1): 10-16.

Hellion B, Mangione F, Penz B. 2013. Corrigendum to "A polynomial time algorithm to solve the single-item capacitated lot sizing problem with minimum order quantities and concave costs" [J]. European Journal of Operational Research, 229(1): 279-279.

Hellion B, Mangione F, Penz B. 2014. A polynomial time algorithm for the single-item lot sizing problem with capacities, minimum order quantities and dynamic time windows[J]. Operations Research Letters, 42: 500-504.

Helmrich M J R, Jans R, Heuvel W V D, et al. 2014. Economic lot-sizing with remanufacturing: Complexity and efficient formulations[J]. IIE Transactions, 46(1): 67-86.

Heuvel W V D, Wagelmans A P M. 2006. A polynomial time algorithm for a deterministic joint pricing and inventory model[J]. European Journal of Operational Research, 170(2): 463-480.

Heuvel W V D, Borm P, Hamers H. 2007. Economic lot-sizing games[J]. European Journal of Operational Research, 176(2): 1117-1130.

Hoesel C P M V, Wagelmans A P M. 2000. Parametric analysis of setup cost in the economic lot-sizing model without speculative motives[J]. International Journal of Production Economics, 66: 13-22.

Hopp W J. 1989. Identifying forecast horizons in nonhomogeneous Markov decision processes[J]. Operations Research, 37(2): 339-343.

Hopp W J. 2004. The most influential papers of Management Science's first fifty years[J]. Management Science, 50(12): 1763.

Hopp W J, Bean J C, Smith R L. 1987. A new optimality criterion for nonhomogeneous Markov decision processes[J]. Operations Research, 35(6): 875-883.

Hwang H C. 2007a. An efficient procedure for dynamic lot-sizing model with demand time windows[J]. Journal of Global Optimization，37（1）：11-26.

Hwang H C. 2007b. Dynamic lot-sizing model with production time windows[J]. Naval Research Logistics，54（6）：692-701.

Hwang H C，Jaruphongsa W. 2006. Dynamic lot-sizing model with demand time windows and speculative cost structure[J]. Operations Research Letters，34（3）：251-256.

Hwang H C，Jaruphongsa W. 2008. Dynamic lot-sizing model for major and minor demands[J]. European Journal of Operational Research，184（2）：711-724.

Hwang H C，Jaruphongsa W，Cetinkaya S，et al. 2010. Capacitated dynamic lot-sizing problem with delivery/production time windows[J]. Operations Research Letters，38（5）：408-413.

Jaber M Y，Bonney M. 2003. Lot sizing with learning and forgetting in set-ups and in product quality[J]. International Journal of Production Economics，83：95-111.

Jaruphongsa W，Lee C Y. 2008. Dynamic lot-sizing problem with demand time windows and container-based transportation cost[J]. Optimization Letters，2（1）：39-51.

Jaruphongsa W，Cetinkaya S，Lee C Y. 2004a. A two-echelon inventory optimization model with demand time window considerations[J]. Journal of Global Optimization，30（4）：347-366.

Jaruphongsa W，Cetinkaya S，Lee C Y. 2004b. Warehouse space capacity and delivery time window considerations in dynamic lot-sizing for a simple supply chain[J]. International Journal of Production Economics，92（2）：169-180.

Jing F Y，Mu Y P. 2019. Forecast horizon for dynamic lot sizing model under product substitution and perishable inventories[J]. Computers & Operations Research，110：77-87.

Jing F Y，Mu Y P. 2020. Dynamic lot sizing model under perishability，substitution and limited storage capacity[J]. Computers & Operations Research，DOI：10.1016/j.cor. 104978.

Johnson R E，McClain J O. 1978. On "Further results on planning horizons in the production smoothing problem"[J]. Management Science，24（12）：1774-1776.

Kleindorfer P，Kunreuther H. 1978. Stochastic horizons for the aggregate planning problem[J]. Management Science,24（5）:485-497.

Konstantaras I，Papachristos S. 2007. Optimal policy and holding cost stability regions in a periodic review inventory system with manufacturing and remanufacturing options[J]. European Journal of Operational Research，178：433-448.

Kunreuther H C，Morton T E. 1973. Planning horizons for production smoothing with deterministic demands：All demand met from regular production[J]. Management Science，20（1）：110-125.

Kunreuther H C，Schrage L. 1973. Joint pricing and inventory decisions for constant priced items[J]. Management Science，19（7）：732-738.

Kunreuther H C，Morton T E. 1974. General planning horizons for production smoothing with deterministic demands：Extensions to overtime，undertime，and backlogging[J]. Management Science，20（7）：1037-1046.

Laan E V，Salomon M. 1997. Production planning and inventory control with remanufacturing and disposal[J]. European Journal of Operational Research，102：264-278.

Lamas A，Chevalier P. 2018. Joint dynamic pricing and lot-sizing under competition[J]. European Journal of Operational Research，266（3）：864-876.

Lasserre J，Bes C. 1984. Infinite horizon nonstationary stochastic optimal control problem：A planning horizon result[J]. IEEE Transactions on Automatic Control，29（9）：836-837.

Lee C Y. 2004. Inventory replenishment model: Lot sizing versus just-in-time delivery[J]. Operations Research Letters, 32: 581-590.

Lee D R, Orr D. 1977. Further results on planning horizons in the production smoothing problem[J]. Management Science, 23(5): 490-498.

Lee C Y, Cetinkaya S, Wagelmans A P M. 2001. A dynamic lot-sizing model with demand time windows[J]. Management Science, 47(10): 1384-1395.

Lerma H O, Lasserre J B. 1988. A forecast horizon and a stopping rule for general Markov decision processes[J]. Journal of Mathematical Analysis and Applications, 132(2): 388-400.

Li X Y, Baki F, Tian P, et al. 2014. A robust block-chain based tabu search algorithm for the dynamic lot sizing problem with product returns and remanufacturing[J]. Omega—The International Journal of Management Science, 42(1): 75-87.

Lieber Z. 1973. An extension to Modigliani and Hohn's planning horizons results[J]. Management Science, 20(3): 319-330.

Lundin R A, Morton T E. 1975. Planning horizons for the dynamic lot size model: Zabel vs. protective procedures and computational results[J]. Operations Research, 23(4): 711-734.

Malik K, Wang Y F. 1993. An improved algorithm for the dynamic lot-sizing problem with learning effect in setups[J]. Naval Research Logistics, 40(7): 925-931.

Meca A, Timmer J, Garcia-Jurado I, et al. 2004. Inventory games[J]. European Journal of Operational Research, 156: 127-139.

Mensching J, Garstka S, Morton T E. 1978. Protective planning-horizon procedures for a deterministic cash balance problem[J]. Operations Research, 26(4): 638-651.

Miller L W. 1979. Using linear programming to derive planning horizons for a production smoothing problem[J]. Management Science, 25(12): 1232-1244.

Modigliani F, Hohn F E. 1955. Production planning over time and the nature of the expectation and planning horizon[J]. Econometrica, 23(1): 46-66.

Morton T E. 1978a. The nonstationary infinite horizon inventory problem[J]. Management Science, 24(14): 1474-1482.

Morton T E. 1978b. Universal planning horizons for generalized convex production scheduling[J]. Operations Research, 26(6): 1046-1058.

Morton T E. 1978c. An improved algorithm for the stationary cost dynamic lot size model with backlogging[J]. Management Science, 24(8): 869-873.

Morton T E. 1979. Infinite-horizon dynamic programming models—A planning-horizon formulation[J]. Operations Research, 27(4): 730-742.

Nair S K, Hopp W J. 1992. A model for equipment replacement due to technological obsolescence[J]. European Journal of Operational Research, 63(2): 207-221.

Okhrin I, Richter K. 2011a. An $O(T_3)$ algorithm for the capacitated lot sizing problem with minimum order quantities[J]. European Journal of Operational Research, 211(3): 507-514.

Okhrin I, Richter K. 2011b. The linear dynamic lot sizing problem with minimum order quantity[J]. International Journal of Production Economics, 133(2): 688-693.

Onal M, Romeijn H E. 2010. Multi-item capacitated lot-sizing problems with setup times and pricing decisions[J]. Naval Research Logistics, 57(2): 172-187.

Pan L M, Housh M, Liu P, et al. 2015. Robust stochastic optimization for reservoir operation[J]. Water Resources Research, 51(1): 409-429.

Park Y W，Klabjan D. 2015. Lot sizing with minimum order quantity[J]. Discrete Applied Mathematics，181：235-254.

Porras E，Dekker R. 2006. An efficient optimal solution method for the joint replenishment problem with minimum order quantities[J]. European Journal of Operational Research，174：1595-1615.

Rachamadugu R，Schriber T J. 1995. Optimal and heuristic policies for lot sizing with learning in setups[J]. Journal of Operations Management，13：229-245.

Rajagopalan S. 1992. Deterministic capacity expansion under deterioration[J]. Management Science，38(4)：525-539.

Rajagopalan S. 1994. Capacity expansion with alternative technology choices[J]. European Journal of Operational Research，77(3)：392-403.

Rempala R. 1989. Forecast horizon in nonstationary Markov decision problems[J]. Optimization，20(6)：853-857.

Richter K，Sombrutzki M. 2000. Remanufacturing planning for the reverse Wagner/Whitin models[J]. European Journal of Operational Research，121(2)：304-315.

Richter K，Weber J. 2001. The reverse Wagner/Whitin model with variable manufacturing and remanufacturing cost[J]. International Journal of Production Economics，71(1)：447-456.

Sandbothe R A，Thompson G L. 1990. A forward algorithm for the capacitated lot size model with stockouts[J]. Operations Research，38(3)：474-486.

Sandbothe R A，Thompson G L. 1993. Decision horizons for the capacitated lot size model with inventory bounds and stockouts[J]. Computers and Operations Research，20(5)：455-465.

Schochetman I E，Smith R L. 1989. Infinite horizon optimization[J]. Mathematics of Operations Research，14(3)：559-574.

Sethi S. 1971. A note on a planning horizon model of cash management[J]. Journal of Financial and Quantitative Analysis，6(1)：659-664.

Sethi S，Chand S. 1979. Planning horizon procedures for machine replacement models[J]. Management Science，25(2)：140-151.

Sethi S，Chand S. 1981. Multiple finite production rate dynamic lot size inventory models[J]. Operations Research，29(5)：931-944.

Sethi S，Bhaskaran S. 1985. Conditions for the existence of decision horizons for discounted problems in a stochastic environment: A note[J]. Operations Research Letters，4(2)：61-64.

Sifaleras A，Konstantaras I，Mladenovic N. 2015. Variable neighborhood search for the economic lot sizing problem with product returns and recovery[J]. International Journal of Production Economics，160：133-143.

Smith R L. 1981. Planning horizons for the deterministic capacity problem[J]. Computers & Operations Research，8(3)：209-220.

Smith R L，Zhang R Q. 1998. Infinite horizon production planning in time-varying systems with convex production and inventory costs[J]. Management Science，92(3)：1314-1320.

Tsai D M. 2011. An optimal production and shipment policy for a single-vendor single-buyer integrated system with both learning effect and deteriorating items[J]. International Journal of Production Research，49(3)：903-922.

Teunter R H，Bayindir Z P，Heuvel W V D. 2006. Dynamic lot sizing with product returns and remanufacturing[J]. International Journal of Production Research，44(20)：4377-4400.

Teyarachakul S，Chand S，Ward J. 2008. Batch sizing under learning and forgetting: Steady state characteristics for the constant demand case[J]. Operations Research Letters，36：589-593.

Teyarachakul S，Chand S，Ward J. 2011. Effect of learning and forgetting on batch size[J]. Production and Operations Management，20(1)：116-128.

Teyarachakul S，Chand S，Tzur M. 2016. Lot sizing with learning and forgetting in setups：Analytical results and insights[J]. Naval Research Logistics，63 (2)：93-108.

Thomas J. 1970. Price-production decisions with deterministic demand[J]. Management Science，16 (11)：747-750.

Toriello A，Uhan N A. 2014. Dynamic cost allocation for economic lot sizing games[J]. Operations Research Letters，42 (1)：82-84.

Tzur M. 1996. Learning in setups：Analysis，minimum forecast horizons，and algorithms[J]. Management Science，42 (12)：1732-1743.

Udayabhanu V，Morton T E. 1988. Planning horizons for capacity expansion[J]. European Journal of Operational Research，34 (3)：297-307.

Wagner H M. 1960. A postscript to "Dynamic problems in the theory of the firm" [J]. Naval Research Logistics，7 (1)：7-12.

Wagner H M. 2004. Comments on "Dynamic version of the economic lot size model" [J]. Management Science，50 (12S)：1775-1777.

Wagner H M，Whitin T M. 1958a. Dynamic version of the economic lot size model[J]. Management Science，5 (1)：89-96.

Wagner H M，Whitin T M. 1958b. Dynamic problems in the theory of the firm[J]. Naval Research Logistics，5 (1)：53-74.

Wolsey L A. 2006. Lot-sizing with production and delivery time windows[J]. Mathematical Programming，107 (3)：471-489.

Wu X，Gong Y M，Xu H X，et al. 2017. Dynamic lot-sizing models with pricing for new products[J]. European Journal of Operational Research，260 (1)：81-92.

Xu D C，Yang R C. 2009. A cost-sharing method for an economic lot-sizing game[J]. Operations Research Letters，37 (2)：107-110.

Yang J，Golany B，Yu G. 2005. A concave-cost production planning with remanufacturing options[J]. Naval Research Logistics，52 (5)：443-458.

You J Y，Cai X M. 2008. Determining forecast and decision horizons for reservoir operations under hedging policies[J]. Water Resources Research，44 (11)：2276-2283.

You J Y，Yu C W. 2013. Theoretical error convergence of limited forecast horizon in optimal reservoir operating decisions[J]. Water Resources Research，49 (3)：1728-1734.

Zabel E. 1964. Some generalizations of an inventory planning horizon theorem[J]. Management Science，10 (3)：465-471.

Zhang Z H，Jiang H，Pan X Z. 2012. A Lagrangian relaxation based approach for the capacitated lot sizing problem in closed-loop supply chain[J]. International Journal of Production Economics，140：249-255.

Zhao W，Wang Y Z. 2002. Coordination of joint pricing-production decisions in a supply chain[J]. IIE Transactions，34：701-715.

Zhao T T G，Yang D W，Cai X M，et al. 2012. Identifying effective forecast horizon for real-time reservoir operation under a limited inflow forecast[J]. Water Resources Research，48 (1)：1-15.

约 束 篇

第2章　生产与外包联合的动态批量与预测时阈

2.1　问题背景

企业自身生产产品并结合产品外包生产的方式在现实中是很常见的,如三星自己生产某一种液晶显示器,同时也会将这种显示器进行生产外包。这是因为综合采用自身生产和外包生产的组合策略可以有效降低生产运营成本。不仅三星采用这种组合策略,松下、索尼和飞利浦等企业也常常采用自身生产和外包生产的组合策略。生产外包与企业自己生产相结合可以提高企业的生产运营柔性,从而进一步降低企业生产运营成本(Hallak et al.,2021;Firouz et al.,2017;Aksen et al.,2014;Kaya,2011)。另外,企业自身生产的固定成本很大、生产能力约束、Batch 生产方式以及最小生产批量等现实约束也会引起企业生产(采购)外包。在多周期生产和外包联合决策的情形下,生产运营经理需要解决如下三个问题:①何时生产? 何时外包? ②生产与外包的数量分别是多少? ③在做当前的决策时,需要预测未来多长时间的需求与成本信息?

Lee 和 Zipkin(1989)在企业自身有生产能力约束的情形下研究了生产和外包联合决策的动态批量问题,设计了多项式时间的动态规划算法求解问题。Liu 等(2008)也研究了生产能力约束情形下生产和外包联合决策的动态批量问题,其中考虑了外包数量有最小批量和最大能力双重约束情形以及库存能力约束情形,利用遗传算法求解了所构造的问题并用数值实验验证了算法的效率。Liu 和 Tu(2008)又进一步采用一个案例验证了 Liu 等(2008)所提出的算法的有效性。Zhang(2015)也设计了一款动态规划算法求解有生产能力约束的生产和外包联合决策的动态批量问题。也有学者从供应商选择的角度研究具有外包决策的动态批量问题。Basnet 和 Leung(2005)研究了 I 种产品从 J 个零售商采购外包的动态批量问题,每一种产品从任意一个零售商处外包采购的成本是独立的,每一种产品的库存成本也是独立的,利用最优解的性质,设计了两类启发式算法求解所构造的问题。Zhao 和 Klabjan(2012)利用定义有效不等式的方法求解了考虑选择供应商情形下的采购外包的动态批量问题。Cárdenas-Barrón 等(2015)和 Arslan 等(2016)也从供应商选择的角度分析了具有外包决策的动态批量问题。外包与生产联合决策的动态批量问题还可参见 F. Chu 和 C.B. Chu(2007,2008)、Chu 等(2013)、Zhong 等(2016)的文献。另外,关于运营管理中的外包决策研究可参见综述性文献(Tsay et al.,2018)。以上生产和外包联合决策的动态批量文献聚焦于有效算法设计,在理论上回答了企业何时生产与外包以及生产与外包的数量是多少这两个问题,但是以上文献没有回答企业在做当前决策时需要考虑未来多久的数据信息这一问题,即并未分析多周期生产与外包联合决策的预测时阈问题。基于此,本章重点解决考虑生产和外包的动态批量决策中的预测时阈问题。

2.2 模 型 构 建

生产和外包联合决策增加了企业决策柔性，从而能够降低企业成本，但同时也增加了企业决策的复杂性。在没有外包决策时，生产运营经理只需决策何时生产以及生产多少，但在有外包决策时，需要综合考虑何时生产与外包以及生产和外包多少。在基础的动态批量模型的基础上，本节构造企业自身生产和仅有一种外包情形的动态批量模型。生产和外包成本为固定-线性函数形式，库存成本为线性函数形式。不考虑生产能力和仓储能力约束，需求也不允许延迟。

在模型构建中需要定义如表 2-1 所示符号。

表 2-1 符号定义

变量	含义
T	时间周期
$P(t)$	t -周期问题，$t = 1, 2, \cdots, T$
d_t	第 t 期期初产品的需求，$t = 1, 2, \cdots, T$
K_t	第 t 期期初生产启动(固定)成本，$t = 1, 2, \cdots, T$
c_t	第 t 期期初产品的单位生产成本，$t = 1, 2, \cdots, T$
k_t	第 t 期期初外包启动(固定)成本，$t = 1, 2, \cdots, T$
o_t	第 t 期期初的单位外包成本，$t = 1, 2, \cdots, T$
h_t	第 t 期产品的库存成本，$t = 1, 2, \cdots, T$
X_t	第 t 期期初产品的生产数量，$t = 1, 2, \cdots, T$
O_t	第 t 期期初产品的外包数量，$t = 1, 2, \cdots, T$
I_t	第 t 期期末产品的库存数量，$t = 1, 2, \cdots, T$
$\delta(x)$	二元变量，$\delta(x) = \begin{cases} 1, & x > 0 \\ 0, & x = 0 \end{cases}$

根据 Lee 和 Zipkin(1989)的研究，在企业自身生产和外包的情形下，单位外包成本要大于单位生产成本，而外包的固定成本要大于生产的固定成本。以下研究内容也遵循这一假设，即 $o_t > c_t$ 和 $k_t < K_t$，$1 \leqslant t \leqslant T$。这在现实中也是一个非常合理的假设，如果外包的单位成本和固定成本都大于生产的单位成本和固定成本，即 $o_t > c_t$ 和 $k_t > K_t$，则企业不会有外包决策，企业一直选择自己生产便是最优的决策。类似地，若外包的单位成本和固定成本都小于生产的单位成本和固定成本，即 $o_t < c_t$ 和 $k_t < K_t$，则企业不会有生产决策。

不失一般性，假设初始周期和结束周期产品库存为零，在以上假设和定义的基础上，该问题可以用以下优化模型描述，企业的目标是在 T 周期内达到总成本最小，目标函数表示为

$$\min \sum_{t=1}^{T} \left(K_t \delta(X_t) + k_t \delta(O_t) + c_t X_t + o_t O_t + h_t I_t \right) \tag{2-1}$$

约束条件为

$$I_t = I_{t-1} + X_t + O_t - d_t, \quad 1 \leqslant t \leqslant T \tag{2-2}$$

$$X_t, I_t, O_t \geqslant 0, \quad 1 \leqslant t \leqslant T \tag{2-3}$$

$$I_0 = I_T = 0 \tag{2-4}$$

约束条件(2-1)代表产品的库存平衡；约束条件(2-3)是非负性约束；约束条件(2-4)代表初始周期和结束周期产品库存为零。

生产和外包成本函数可以用图 2-1 来表示。从图 2-1 中可以得到如下直观的管理启示：在当期及未来周期需求比较大的情况下，企业会选择生产策略，反之企业会选择外包策略。

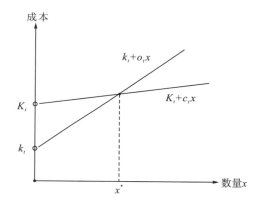

图 2-1　生产和外包成本函数示意图

2.3　前向动态规划算法

本节首先展示最优解中存在的两个结构性质，然后依据这两个性质设计前向动态规划算法求解问题。

定理 2-1　在 $P(T)$ 的最优解中，有如下性质成立：

(1) $X_t O_t = 0$，$1 \leqslant t \leqslant T$；

(2) $I_{t-1} X_t = 0$，$I_{t-1} O_t = 0$，$1 \leqslant t \leqslant T$。

此定理中所述性质的证明可参见 Basnet 和 Leung(2005)的文献。$X_t O_t = 0$ 说明同一周期中企业不会有生产和外包两种决策，即两种决策在同一周期中不会同时发生，这一性质降低了企业决策的复杂程度。$I_{t-1} X_t = 0$ 是著名的零库存性质，这一性质表明在某一周期 t 如果生产数量或者外包数量大于零，则前一个周期期末的库存为零。

在 $P(T)$ 的最优解中，某一周期(如周期 t)期末库存为零，则 $P(T)$ 可以通过裂解为两个子问题求解：其一是从第 1 期到第 t 期问题，其二为从第 $t+1$ 期到第 T 期问题。

为了方便设计前向动态规划算法和分析预测时阈，首先定义再生点、生产点和外包点。

定义 2-1　给定 $P(T)$ 的最优解，若 $I_t = 0$，则周期 t 定义为再生点，$1 \leqslant t \leqslant T$。

定义 2-2　给定 $P(T)$ 的最优解，若 $X_t > 0$ ，则周期 t 定义为生产点，$1 \leqslant t \leqslant T$ 。

定义 2-3　给定 $P(T)$ 的最优解，若 $O_t > 0$ ，则周期 t 定义为外包点，$1 \leqslant t \leqslant T$ 。

根据下一个周期是生产点还是外包点，将再生点分为两种类型：

（1）Ⅰ类再生点。考虑再生点 j ，假设周期 $j+1$ 是一个生产点，则 j 期的期末库存为零，定义这种再生点 j 为Ⅰ类再生点（图 2-2）。

（2）Ⅱ类再生点。考虑再生点 j ，假设周期 $j+1$ 是一个外包点，则 j 期的期末库存同样为零，定义这种再生点 j 为Ⅱ类再生点（图 2-2）。

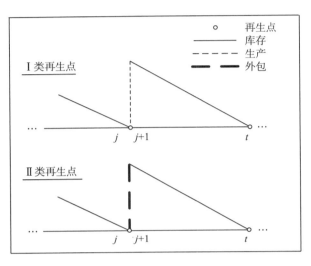

图 2-2　两类再生点的示意图

下面设计多项式时间的前向动态规划算法求解 $P(T)$ 。令 $P^1(T)$ 和 $P^2(T)$ 代表 $P(T)$ 的两种特殊情形，即只有Ⅰ类和Ⅱ类再生点。首先设计动态规划算法求解两种特殊情形，然后拓展此算法求解 $P(T)$ 。

情形 1　对于 $P^1(T)$ ，考虑 j_1 是最后一个Ⅰ类再生点、$j_1 + 1$ 是最后一个生产点时的一个最优解。令 $C(j_1)$ 代表 $P^1(j_1)$ 的最优成本，$C^1(j_1+1, T)$ 代表从周期 j_1+1 到周期 T 的最优成本，其中包括固定生产成本、变动生产成本和库存成本。从以上定义可得 $C_{j_1}(T) = C(j_1) + C^1(j_1+1, T)$ 。而 $C^1(j_1+1, T)$ 的计算公式如下所示：

$$C^1(j_1+1, T) = K_{j_1+1} + c_{j_1+1} \sum_{u=j_1+1}^{T} d_u + \sum_{u=j_1+1}^{T-1} \sum_{v=u+1}^{T} h_u d_v \tag{2-5}$$

情形 2　对于 $P^2(T)$ ，考虑 j_2 是最后一个Ⅱ类再生点，$j_2 + 1$ 是最后一个外包点时的一个最优解。则有 $C_{j_2}(T) = C(j_2) + C^2(j_2+1, T)$ ，其中 $C(j_2)$ 是 $P^2(j_2)$ 的最优成本，而 $C^2(j_2+1, T)$ 代表从周期 j_2+1 到周期 T 的最优成本，包括固定外包成本、变动外包成本和库存成本。$C^2(j_2+1, T)$ 的计算公式如下所示：

$$C^2(j_2+1, T) = k_{j_2+1} + o_{j_2+1} \sum_{u=j_2+1}^{T} d_u + \sum_{u=j_2+1}^{T-1} \sum_{v=u+1}^{T} h_u d_v \tag{2-6}$$

以上分析的每一种情形都假设在 $P(T)$ 的最优解中只有一种类型的再生点。然而真实

的情况可能是在 $P(T)$ 的最优解中存在两类再生点的组合, 因此需要拓展前向动态规划算法以求解 $P(T)$ 。

令 $C(T)$ 代表 $P(T)$ 的最优成本, $C_j(T)$ 代表最后一个再生点是 j 时的 $P(T)$ 的最优成本。由以上定义可得

$$C(T) = \min_{0 \leqslant j < T} \{ C_j(T) \} \tag{2-7}$$

因为周期 j 是最后一个再生点, 所以周期 $j+1$ 可能是生产点, 也可能是外包点, 因此可得

$$C_j(T) = C(j) + \min \begin{cases} C^1(j+1,T) \\ C^2(j+1,T) \end{cases} \tag{2-8}$$

其中, $C(j)$ 是 $P(j)$ 的最优成本, 即 $P(T)$ 中前 j 个周期的最优成本, $C^1(j+1,T)$ 是 $P(T)$ 中从周期 $j+1$ 到周期 T 的最优成本, 而 $j+1$ 是生产点。同样, $C^2(j+1,T)$ 也是 $P(T)$ 中从周期 $j+1$ 到周期 T 的最优成本, 而 $j+1$ 是外包点。由情形 1 和情形 2 可得

$$C^1(j+1,T) = K_{j+1} + c_{j+1} \sum_{u=j+1}^{T} d_u + \sum_{u=j+1}^{T-1} \sum_{v=u+1}^{T} h_u d_v \tag{2-9}$$

$$C^2(j+1,T) = k_{j+1} + o_{j+1} \sum_{u=j+1}^{T} d_u + \sum_{u=j+1}^{T-1} \sum_{v=u+1}^{T} h_u d_v \tag{2-10}$$

根据式 (2-7)~式 (2-10) 可以得出算法的时间复杂度为 $O(2T^2)$ 。

另外, 根据定理 2-1 还可以设计出与式 (2-7)~式 (2-10) 所展示的动态规划算法等价的另外两种动态规划算法, 请参见附录一。

2.4　预测时阈分析

在多周期动态的决策环境下需要一个鲁棒性好的决策过程, 因此运营经理在做当前决策时需要预测评估未来周期的数据信息 (如成本、需求等)。本节给出一个获得预测时阈的充分条件, 当预测时阈被找到时, 决策时阈所覆盖周期的最优解是预测时阈之后更长时间周期最优解的一部分。换言之, 不需要获得预测时阈以外的数据信息, 运营经理便可确定决策时阈内最优的生产和外包数量。以下内容分为两种情形建立预测时阈: ①单位生产和外包成本非时变情形; ②单位生产和外包成本时变情形。

2.4.1　单位生产和外包成本非时变情形

令 $j_i(T)$ 为 $P(T)$ 最优解中最后一个 i 类再生点 ($i=1,2$), $j(T)$ 为 $P(T)$ 最优解中最后一个再生点。根据 $j_i(T)$ 和 $j(T)$ 的定义, 若 $j_1(T) > j_2(T)$, 则 $j(T) = j_1(T)$; 若 $j_2(T) > j_1(T)$, 则 $j(T) = j_2(T)$ 。

$$C(T) = \min_{0 \leqslant j < T} \{ C_j(T) \} = C_{j(T)}(T) = C(j(T)) + \min \begin{cases} C^1(j(T)+1,T) \\ C^2(j(T)+1,T) \end{cases} \tag{2-11}$$

在 $P(T)$ 的最优解中如果最后一个再生点是 II 类再生点，即 $j(T) = j_2(T)$，则在 $P(T+1)$ 的最优解中，存在一种可能是最后一个再生点是 I 类再生点，即 $j(T+1) = j_1(T+1) < j_2(T) = j(T)$。这一现象可以用如下数值算例说明。

例 2-1　考虑一个 12 周期的算例，假设 12 期的需求为 $(30，30，30，5，5，10，2，5，8，2，10，50)$。令 $(100，150，200，180，190，200，200，200，200，100，300，300)$ 和 $(60，80，100，30，80，100，30，80，80，60，50，60)$ 分别为生产和外包每一周期的固定成本。其他成本参数为 $c_t = 6$，$o_t = 10$，$h_t = 2$，$t = 1,2,\cdots,12$。

计算结果如图 2-3 和图 2-4 所示。从图 2-3 可以看出，$P(11)$ 的最优解中最后一个生产点为 II 类再生点，即 $j(11) = j_2(11) = 10$；而 $P(12)$ 的最优解中最后一个生产点为 I 类再生点，即 $j(12) = j_1(12) = 9$。

$$T = 1：\ j(T) = 0，\ C(1) = C(0) + C^1(1,1) = 280$$
$$T = 2：\ j(T) = 0，\ C(2) = C(0) + C^1(1,2) = 520$$
$$T = 3：\ j(T) = 0，\ C(3) = C(0) + C^1(1,3) = 820$$
$$T = 4：\ j(T) = 0，\ C(4) = C(0) + C^1(1,4) = 880$$
$$T = 5：\ j(T) = 0，\ C(5) = C(0) + C^1(1,5) = 950$$
$$T = 6：\ j(T) = 3，\ C(6) = C(3) + C^2(4,6) = 1100$$
$$T = 7：\ j(T) = 3，\ C(7) = C(3) + C^2(4,7) = 1132$$
$$T = 8：\ j(T) = 6，\ C(8) = C(6) + C^2(7,8) = 1210$$
$$T = 9：\ j(T) = 6，\ C(9) = C(6) + C^2(7,9) = 1350$$
$$T = 10：\ j(T) = 6，\ C(10) = C(6) + C^2(7,10) = 1382$$
$$T = 11：\ j(T) = 10，\ C(11) = C(10) + C^2(11,11) = 1532$$
$$T = 12：\ j(T) = 9，\ C(12) = C(9) + C^1(10,12) = 2042$$

图 2-3　例 2-1 计算结果

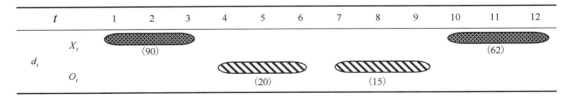

图 2-4　例 2-1 的最优决策结果

根据例 2-1 的分析过程，可以得到如下性质。

引理 2-1　在 $P(T)$ 的最优解中，若 $j(T) = j_2(T) > j_1(T)$，则 $P(T+1)$ 的最优解中，存在 $j(T+1) = j_1(T+1) < j(T) = j_2(T)$。

引理 2-1 表明若 $P(T)$ 最优解中最后一个再生点是 II 类再生点，则 $P(T+1)$ 最优解中最后一个再生点可能会小于 $P(T)$ 最优解中最后一个再生点。但是 $P(T+1)$ 最优解中最后一个

再生点会不会小于 $P(T)$ 最优解中最后一个 I 类再生点？定理 2-2 给出了这一答案。

定理 2-2　若在 $P(T)$ 的最优解中至少存在一个 I 类再生点，则在 $P(T+1)$ 的最优解中有 $j(T+1)\geqslant j_1(T)$。

为了验证某一周期 t 是否为预测时阈，Lundin 和 Morton（1975）在一篇开创性的文献中提出了再生集（regeneration set）的概念。在单产品的情况下，令 $j(t)>0$ 代表 $P(t)$ 最优解中最后一个生产点，在 $j(t)$ 单调的情形下，对于任意更长周期的问题 $P(t^*)$，$t^*>t$，至少有一个最优解的再生点属于集合 $\{j(t),j(t)+1,\cdots,t-1\}$，集合 $\{j(t),j(t)+1,\cdots,t-1\}$ 定义为再生集。因此，若所有的 $P(\gamma)$ $\left(\gamma\in\{j(t),j(t)+1,\cdots,t-1\}\right)$，存在共同的 τ 周期决策，则周期 t 为预测时阈，周期 τ 为决策时阈。对于两种产品问题，为了判断某一周期 t 是否为预测时阈，首先需要验证两种产品的最后一个再生点都具有单调性，并在此基础上建立两种产品再生集。两种产品的再生集需要对任意更长周期问题的最优解中至少有一个产品 1 的再生点且至少有一个产品 2 的再生点在集合中。

根据再生点的单调性，可以得到如下获得预测时阈的一个充分条件。令 $X_t(T)$ 和 $O_t(T)$ 分别代表在 $P(T)$ 中周期 t 的最优生产数量和外包数量，$1\leqslant t\leqslant T$。

定理 2-3　在 $P(T)$ 的最优解中，若有 $X_l(j(T))=X_l(j(T)+1)=\cdots=X_l(T-1)$ 和 $O_l(j(T))=O_l(j(T)+1)=\cdots=O_l(T-1)$ 对于 $l=1,2,\cdots,\tau$ 成立，$1\leqslant\tau\leqslant j(T)$，则周期 T 为预测时阈，周期 τ 为相应的决策时阈。

证明　根据 Lundin 和 Morton（1975）的再生集理论，在 $j(T)$ 单调不减的情况下，任意更长周期的问题 $P(T^*)$ 的最优解，$T^*\geqslant T+1$，至少有一个 I 类再生点在集合 $\{j(T),j(T)+1,\cdots,T-1\}$ 中。因此，对于 $r\in\{j(T),j(T)+1,\cdots,T-1\}$，至少有一个 $P(r)$ 的最优解是 $P(T^*)$ 的最优解的一部分。若 $X_l(j(T))=X_l(j(T)+1)=\cdots=X_l(T-1)$ 和 $O_l(j(T))=O_l(j(T)+1)=\cdots=O_l(T-1)$ 对于 $l=1,2,\cdots,\tau$ 成立，每一个子问题 $P(j(T))$，$P(j(T)+1)\cdots$ $P(T-1)$ 有相同的 τ 期最优生产与外包决策，因此这个 τ 期最优决策是任何更长周期问题 $P(T^*)$ 最优解的一部分，则 τ 为决策时阈，又因为仅仅需要 T 个周期的信息确定决策时阈，所以周期 T 为预测时阈。

值得注意的是，若再生集 $\{j(T),j(T)+1,\cdots,T-1\}$ 中仅有一个元素，则周期 $T-1$ 为决策时阈，周期 T 为预测时阈。在这种特殊情形下，前 $T-1$ 个周期的最优决策不受周期 T 以后周期信息的影响。

从以上过程分析可得在 $P(T)$ 的最优解中，若没有 I 类再生点，则无法获得预测时阈。

下面用例 2-1 的计算结果说明预测时阈的求解过程，计算结果如表 2-2 所示。因为 $j_1(12)=9$，则构造再生集 $\{9,10,11\}$。发现 $X_1(9)=X_1(10)=X_1(11)=90$，$O_1(9)=O_1(10)=O_1(11)=0$，$X_2(9)=X_2(10)=X_2(11)=0$，$O_2(9)=O_2(10)=O_2(11)=0$，$X_3(9)=X_3(10)=X_3(11)=0$，$O_3(9)=O_3(10)=O_3(11)=0$，$X_4(9)=X_4(10)=X_4(11)=0$，$O_4(9)=O_4(10)=O_4(11)=20$，$X_5(9)=X_5(10)=X_5(11)=0$，$O_5(9)=O_5(10)=O_5(11)=0$，$X_6(9)=X_6(10)=X_6(11)=0$，$O_6(9)=O_6(10)=O_6(11)=0$。因此，周期 12 是预测时阈，周期 6 是决策时阈。

表 2-2　例 2-1 预测时阈计算结果

T	1	2	3	4	5	6	7	8	9	10	11	12
$j_1(T)$	0	0	0	0	0	0	0	0	0	0	0	9
$j_2(T)$	0	0	0	0	0	3	3	6	6	6	10	6
$j(T)$	0	0	0	0	0	3	3	6	6	6	10	9
	(30, 0)											
	(60, 0)	(0, 0)										
	(90, 0)	(0, 0)	(0, 0)									
	(95, 0)	(0, 0)	(0, 0)	(0, 0)								
	(100, 0)	(0, 0)	(0, 0)	(0, 0)	(0, 0)							
(X_t, O_t)	(90, 0)	(0, 0)	(0, 0)	(0, 20)	(0, 0)	(0, 0)						
	(90, 0)	(0, 0)	(0, 0)	(0, 22)	(0, 0)	(0, 0)	(0, 0)					
	(90, 0)	(0, 0)	(0, 0)	(0, 20)	(0, 0)	(0, 0)	(0, 7)	(0, 0)				
	(90, 0)	(0, 0)	(0, 0)	(0, 20)	(0, 0)	(0, 0)	(0, 15)	(0, 0)	(0, 0)			
	(90, 0)	(0, 0)	(0, 0)	(0, 20)	(0, 0)	(0, 0)	(0, 17)	(0, 0)	(0, 0)	(0, 0)		
	(90, 0)	(0, 0)	(0, 0)	(0, 20)	(0, 0)	(0, 0)	(0, 17)	(0, 0)	(0, 0)	(0, 0)	(0, 10)	
	(90, 0)	(0, 0)	(0, 0)	(0, 20)	(0, 0)	(0, 0)	(15, 0)	(0, 0)	(0, 0)	(62, 0)	(0, 0)	(0, 0)

2.4.2　单位生产和外包成本时变情形

令 $l(T)$ 和 $g(T)$ 分别代表 $P(T)$ 最优解中最后一个生产点和外包点。由定理 2-1 可得

$$l(T) = j_1(T) + 1, \quad g(T) = j_2(T) + 1 \tag{2-12}$$

为了分析单位生产和外包成本时变情形下Ⅰ类再生点的单调性，需要定义如下概念。令 a_{iT} 代表第 i 期生产以满足一单位第 T 期需求的变动成本，$1 \leqslant i \leqslant T$，即 $a_{iT} = c_i + \sum_{l=i}^{T-1} h_l$，若 $i = T$，则 $a_{ii} = c_i$。令 $m(T)$ 为使 a_{iT} 最小的周期 i 的取值 $(1 \leqslant i \leqslant T)$，$b_{iT}$ 代表第 i 期外包以满足一单位第 T 期需求的变动成本 $(1 \leqslant i \leqslant T)$，即 $b_{iT} = o_i + \sum_{l=i}^{T-1} h_l$，若 $i = T$，则 $b_{ii} = c_i$。令 $n(T)$ 为使 b_{iT} 最小的周期 i 的取值 $(1 \leqslant i \leqslant T)$，由 $m(T)$ 和 $n(T)$ 的定义以及 $c_t < o_t$，有 $a_{m(T)T} < b_{n(T)T}$，$1 \leqslant t \leqslant T$。进一步，由 $m(T)$ 和 $n(T)$ 的定义可得如下关于边际成本的不等式关系。

对于任意周期 q，若 $q < m(T)$（$q < n(T)$），则有 $c_q + \sum_{u=q}^{T-1} h_u > c_{m(T)} + \sum_{u=m(T)}^{T-1} h_u$（$o_q + \sum_{u=q}^{T-1} h_u$

$> o_{n(T)} + \sum_{u=n(T)}^{T-1} h_u$），即

$$c_q + \sum_{u=q}^{m(T)-1} h_u > c_{m(T)}, \quad o_q + \sum_{u=q}^{n(T)-1} h_u > o_{n(T)} \tag{2-13}$$

对于任意周期 q，若 $q > m(T)$（$q > n(T)$），则有 $c_q + \sum_{u=q}^{T-1} h_u > c_{m(T)} + \sum_{u=m(T)}^{T-1} h_u$（$o_q + \sum_{u=q}^{T-1} h_u$

$> o_{n(T)} + \sum_{u=n(T)}^{T-1} h_u$），即

$$c_{m(T)} + \sum_{u=m(T)}^{q-1} h_u > c_q, \qquad o_{n(T)} + \sum_{u=n(T)}^{q-1} h_u > o_q \tag{2-14}$$

引理 2-2　在 $P(T)$ 的最优解中若有 $l(T) = m(T)$ 成立，则在 $P(T)$ 和 $P(T+1)$ 的最优解中从周期 $l(T)+1$ 到周期 T 没有生产点和外包点。

引理 2-2 说明在 $P(T)$ 的最优解中，若有 $l(T) = m(T)$，则 $j_1(T) > j_2(T)$。换言之，在 $P(T)$ 的最优解中，若有 $l(T) = m(T)$，则 I 类再生点在 II 类再生点之后。

定理 2-4　在 $P(T)$ 的最优解中，若 $l(T) = m(T)$，则在 $P(T+1)$ 的最优解中有 $\min\{l(T+1), g(T+1)\} \geqslant l(T)$。

根据 $l(T)$、$g(T)$ 和 $j(T)$ 的定义，由定理 2-4 中可以直接得出推论 2-1。

推论 2-1　在 $P(T)$ 的最优解中，若有 $l(T) = m(T)$，则在 $P(T+1)$ 的最优解中有 $j(T+1) \geqslant j_1(T)$ 成立。

类似于定理 2-3，单位生产和外包成本时变的情形下，在再生点单调性的基础上仍然可以获得求解预测时阈的充分条件。

定理 2-5　在 $P(T)$ 的最优解中，若有 $l(T) = m(T)$，$X_l(l(T)-1) = X_l(l(T)) = \cdots = X_l(T-1)$ 和 $O_l(l(T)-1) = O_l(l(T)) = \cdots = O_l(T-1)$ 对于 $l = 1, 2, \cdots, \tau$ 成立，$1 \leqslant \tau \leqslant l(T)-1$，则周期 T 为预测时阈，周期 τ 为相应的决策时阈。

从以上对于单位生产和外包成本时变情形下的分析来看，在 $P(T)$ 的最优解中，若存在生产点，也是可以获得预测时阈的。

2.5　模型拓展：多源外包情形

2.2 节构造了单源外包情形下的生产和外包决策的动态批量模型。本节研究在多源外包情形下生产和外包决策的动态批量问题。多源外包在现实中也是有广泛应用的，如可以应用到供应商选择的情形下。

2.5.1　多源外包情形下的模型构建

假设一个制造商有 N 种不同的外包选择，$N \geqslant 2$。令 k_t^n 和 o_t^n 分别代表第 t 期第 n 种外包的固定（启动）成本和单位成本，$n = 1, 2, \cdots, N$，$t = 1, 2, \cdots, T$。令 O_t^n 代表第 t 期第 n 种外包数量，其他符号同 2.2 节。不失一般性，假设 $c_t < o_t^1 < o_t^2 < \cdots < o_t^N$ 和 $K_t > k_t^1 > k_t^2 > \cdots > k_t^N$。

根据以上定义和假设，多源外包情形下的问题可以用以下优化模型描述：

$$\min \sum_{t=1}^{T} \left[K_t \delta(X_t) + c_t X_t + \sum_{n=1}^{N} \left(k_t^n \delta(O_t^n) + o_t^n O_t^n \right) + h_t I_t \right] \tag{2-15}$$

约束条件为

$$I_t = I_{t-1} + X_t + \sum_{n=1}^{N} O_t^n - d_t, \quad 1 \leqslant t \leqslant T \tag{2-16}$$

$$X_t, I_t, O_t^n \geqslant 0, \quad 1 \leqslant t \leqslant T, \quad 2 \leqslant n \leqslant N \tag{2-17}$$

$$I_0 = I_T = 0 \tag{2-18}$$

约束条件(2-16)～(2-18)的含义同约束条件(2-2)～(2-4)，这里不再重复阐述。

生产和多源外包成本函数的示意图如图 2-5 所示。从图 2-5 可以看出加粗的线是凹包络线，据此可以得出一个直观的管理启示：生产和外包发生在包络线上。

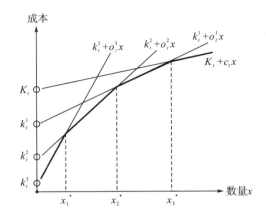

图 2-5　生产和多源外包成本函数示意图

2.5.2　前向动态规划算法

定理 2-1 中所示的性质需要变换为如下形式。

定理 2-6　在 $P(T)$ 的最优解中，有如下性质成立：

(1) $X_t O_t^1 O_t^2 \cdots O_t^N = 0$，$1 \leqslant t \leqslant T$；

(2) $I_{t-1} X_t = 0$，$I_{t-1} O_t^n = 0$，$1 \leqslant t \leqslant T$，$1 \leqslant n \leqslant N$。

根据定理 2-6，可以设计如下动态规划算法求解多源外包情形下的动态批量问题。首先定义不同类型的外包点。

定义 2-4　给定 $P(T)$ 的最优解，若 $O_t^n > 0$，$1 \leqslant t \leqslant T$，$1 \leqslant n \leqslant N$，则周期 t 定义为第 n 类外包点。

根据下一个周期是生产点还是第 n（$1 \leqslant n \leqslant N$）类外包点，接下来定义 $N+1$ 种类型的再生点。Ⅰ类再生点的定义同 2.3 节。第 n（$2 \leqslant n \leqslant N+1$）种类型的再生点定义如下。

n（$2 \leqslant n \leqslant N+1$）类再生点：考虑再生点 j，假设周期 $j+1$ 是一个 $n+1$（$1 \leqslant n \leqslant N$）类外包点，则 j 期的期末库存为零，定义这种再生点 j 为 n 类再生点（图 2-6）。

根据 $N+1$ 种类型的再生点，依然可以设计出多项式时间的前向动态规划算法求解多源外包情形下的动态批量问题。

$C(T)$ 和 $C_j(T)$ 的含义同 2.3 节，因此可得

$$C(T) = \min_{0 \leqslant j < T} \{C_j(T)\} \tag{2-19}$$

因为周期 j 是最后一个再生点，所以周期 $j+1$ 是生产点或第 n（$n = 1, 2, \cdots, N$）类外包点。因此可得

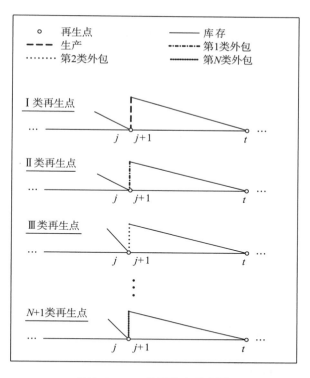

图 2-6　$N+1$ 种再生点示意图

$$C_j(T) = C(j) + \min \begin{cases} C^1(j+1,T) \\ C^2(j+1,T) \\ C^3(j+1,T) \\ \quad\vdots \\ C^{N+1}(j+1,T) \end{cases} \qquad (2\text{-}20)$$

$C(j)$ 和 $C^1(j+1,T)$ 的含义同 2.3 节。而 $C^n(j+1,T)$ 是在周期 j 为 n（$2 \leqslant n \leqslant N+1$）类再生点时从周期 $j+1$ 到周期 T 的最优成本，因此有

$$C^1(j+1,T) = K_{j+1} + c_{j+1} \sum_{u=j+1}^{T} d_u + \sum_{u=j+1}^{T-1} \sum_{v=u+1}^{T} h_u d_v \qquad (2\text{-}21)$$

$$C^n(j+1,T) = K_{j+1}^{n-1} + o_{j+1}^{n-1} \sum_{u=j+1}^{T} d_u + \sum_{u=j+1}^{T-1} \sum_{v=u+1}^{T} h_u d_v, \quad 2 \leqslant n \leqslant N+1 \qquad (2\text{-}22)$$

由式（2-20）~式（2-22）可得此动态规划算法的时间复杂度为 $O((N+1)T^2)$。

多源采购情形下预测时阈的求解与单源采购情形类似，也需要分为单位生产成本和外包成本时变与非时变情形，因此这里不再具体阐述。

2.6　数值实验及管理启示

本节通过构造数值实验来进一步理解有无外包情形以及不同的成本参数对预测时阈

和总成本的影响：首先比较有无外包机会对预测时阈和总成本的影响；然后比较多源外包和单源外包对预测时阈和总成本的影响；最后比较不同的固定成本和单位成本对预测时阈的影响。

为了比较有无外包机会对预测时阈和总成本的影响，设计如下数值实验：每一周期的需求假设服从均值为 15、标准差为 12 的正态分布。任何情形下，如果产品需求小于等于 0，则设定为 1。生产和外包的固定成本分别设定为 200 和 80。生产和外包的单位成本分别设定为 6 和 10。库存成本设定为 2。为了获得预测时阈和总成本的值，实验运行 11 次。

图 2-7 和图 2-8 分别描述了有无外包对预测时阈和总成本（计算 13 个周期的成本）的影响。我们发现在有外包的情形下预测时阈将会显著增加而总成本显著降低，主要原因是有外包选择的情形下拓展了可行决策的集合。相比于没有外包决策，外包决策增加了每一个周期决策的复杂性。因此，当期决策只有优化更长决策期限的问题才可以得到。这也表明若企业想利用外包来降低企业成本，则其必须具有处理复杂决策的能力。

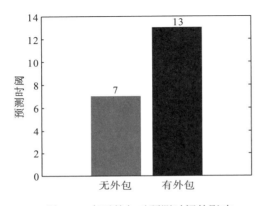

图 2-7　有无外包对预测时阈的影响

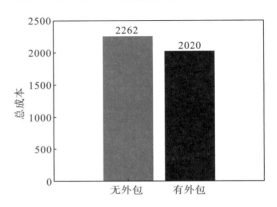

图 2-8　有无外包情形对总成本的影响

为了比较单源和多源外包对预测时阈和总成本的影响，假设企业有三种不同的外包选择。三种外包的固定成本分别为 100、80 和 50，三种外包的单位成本分别为 8、10 和 12。其他成本参数同单源外包情形。实验同样运行 11 次。

图 2-9 和图 2-10 分别描述了单源外包和多源外包对预测时阈和总成本（计算 13 个周期的成本）的影响。相比于单源外包，在多源外包情形下预测时阈的长度进一步增加，同时总成本进一步降低。这是因为多种外包选择进一步拓展了可行决策的集合，每一个周期决策的复杂性进一步增加。

在单源外包的情形下研究不同的固定成本对预测时阈的影响。数值实验设计如下：每一个周期的需求假设服从均值为 5、10、15、25 以及标准差为 3 的正态分布。如果生产的需求小于等于 0，则需求设定为 1。生产的固定成本设定为 200，外包的固定成本取 9 个值：195、175、150、120、80、55、35、15 和 5。因此，生产和外包的固定成本之差为 5、25、50、80、120、145、165、185 和 195。生产和外包的单位成本分别设定为 6 和 10。库存成本设定为 2。对每一组参数组合，实验运行 11 次。因此，实验运行的总次数为 $4 \times 9 \times 11 = 396$。

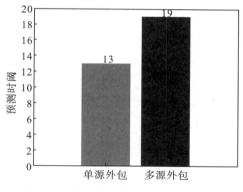
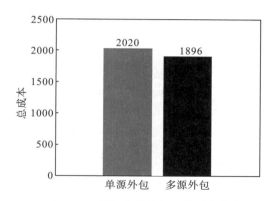

　图 2-9　单源多源外包对预测时阈的影响　　　图 2-10　单源多源外包对总成本的影响

　　图 2-11 描述了预测时阈作为启动成本差值和需求均值的函数。对于每一个给定的需求均值，预测时阈随着生产和外包启动成本差值的增加而递增。对于给定的启动成本差值，预测时阈随着需求均值的增加而降低。这是因为较大的启动成本差值意味着外包的启动成本较小，在这种情况下企业选择外包策略的频率会增加，这将会导致Ⅰ类再生点的数量比较少。在Ⅰ类再生点较少的情况下，只有考虑更长周期的问题以建立再生集，因而导致预测时阈的长度增加。另外，较大的需求均值导致较短的预测时阈也有如下的直观解释：在成本参数固定的情况下，需求均值较大即意味着企业一次生产或外包的产品数量不会覆盖很长周期的需求，也就是企业生产或外包的频率会增加，这将会导致Ⅰ类再生点的数量比较多，因而导致预测时阈的长度会降低。

　　同样在单源外包的情形下研究不同的单位成本对预测时阈的影响。实验设计如下：生产和外包的固定成本分别为 200 和 80，生产的单位成本设定为 6，外包的单位成本取 10 个值，即 7、8、9、10、15、21、31、51、61 和 71，因此生产和外包的单位成本之差为 1、2、3、4、9、15、25、45、55 和 65。需求均值和库存成本的设定与固定成本对预测时阈影响的实验设计一样。对每一组参数组合，同样实验运行 11 次。因此，实验运行的总次数为 $4 \times 10 \times 11 = 440$。

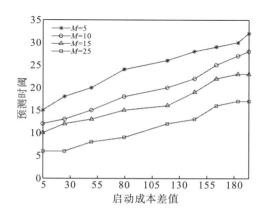

图 2-11　作为启动成本差值和需求均值函数的预测时阈

  图 2-12 描述了预测时阈作为单位成本差值和需求均值的函数。对于每一个给定的需求均值，预测时阈随着生产和外包单位成本差值的增加而递减，然后保持不变。这是因为较大的差值意味着较大的单位外包成本，在此种情形下，企业选择生产的频率会增加，这也导致较多的 I 类再生点。因此，只有考虑较短周期的问题便可建立再生集，因而预测时阈的长度较小。在外包的单位成本非常大的情况下，企业不会选择外包决策，即企业只有生产决策，因此预测时阈不再变化。

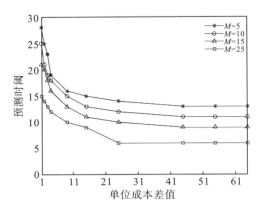

图 2-12 作为单位成本差值和需求均值函数的预测时阈

2.7 本 章 小 结

  在多周期生产和外包联合决策的情形下，生产运营经理需要决策出何时生产与外包以及生产与外包的数量是多少，更进一步，还需要决策出预测未来多长时间的数据信息。但已有的研究主要侧重于设计有效算法求解生产和外包联合决策的动态批量问题，而本章的研究侧重于外包策略对动态批量问题中预测时阈的影响。因此，本章首先构造了企业自身生产和仅有一种外包情形的动态批量模型，利用最优解的结构性质设计前向动态规划算法求解模型。在单位生产和外包成本非时变的情形下，证明了再生点的单调性，进一步构造再生集给出求解预测时阈的充分条件。在单位生产和外包成本时变的情形下，利用边际成本分析法给出了建立生产点和再生点单调性的充分条件，在此基础上构造再生集给出求解预测时阈的充分条件。本章还将单一外包情形拓展到多种外包选择情形。运用数值实验得出了如下结论：在有外包的情形下预测时阈将会显著增加而成本显著降低，相比于单源外包，在多源外包情形下预测时阈的长度会进一步增加，同时总成本会进一步降低。预测时阈随着生产和外包启动成本差值的增加而递增，随着生产和外包单位成本差值的增加而递减，随后保持不变。

参 考 文 献

Aksen D，Akca S S，Aras N. 2014. A bilevel partial interdiction problem with capacitated facilities and demand outsourcing[J].
  Computers & Operations Research，41：346-358.

Arslan A N，Richard J P P，Guan Y P. 2016. On the polyhedral structure of two-level lot-sizing problems with supplier selection[J]. Naval Research Logistics，63(8)：647-666.

Basnet L，Leung J M L. 2005. Inventory lot-sizing with supplier selection[J]. Computers & Operations Research，32：1-14.

Cárdenas-Barrón L E，González-Velarde J L，Treviño-Garza G. 2015. A new approach to solve the multi-product multi-period inventory lot sizing with supplier selection problem[J]. Computers & Operations Research，64：225-232.

Chu F，Chu C B. 2007. Polynomial algorithms for single-item lot-sizing models with bounded inventory and backlogging or outsourcing[J]. IEEE Transactions on Automation Science and Engineering，4(2)：233-251.

Chu F，Chu C B. 2008. Single-item dynamic lot-sizing models with bounded inventory and outsourcing[J]. IEEE Transactions on Systems，Man，and Cybernetics—Part A：Systems and Humans，38(1)：70-77.

Chu C B，Chu F，Zhong J H，et al. 2013. A polynomial algorithm for a lot-sizing problem with backlogging，outsourcing and limited inventory[J]. Computers & Industrial Engineering，64(1)：200-210.

Firouz M，Keskin B B，Melouk S H. 2017. An integrated supplier selection and inventory problem with multi-sourcing and lateral transshipments[J]. Omega—The International Journal of Management Science，70：77-93.

Hallak B K，Nasr W W，Jaber M Y. 2021. Re-ordering policies for inventory systems with recyclable items and stochastic demands—Outsourcing vs. in-house recycling[J]. Omega—The International Journal of Management Science，DOI：10.1016/j.omega.2021.102514.

Lee S B，Zipkin P H. 1989. A dynamic lot-size model with make-or-buy decisions[J]. Management Science，35(4)：447-458.

Liu X，Tu Y. 2008. Capacitated production planning with outsourcing in an OKP company[J]. International Journal of Production Research，46(20)：5781-5795.

Liu X，Tu Y，Zhang J，et al. 2008. A genetic algorithm heuristic approach to general outsourcing capacitated production planning problems[J]. International Journal of Production Research，46(18)：5059-5074.

Lundin R A，Morton T E. 1975. Planning horizons for the dynamic lot size model：Zabel vs. protective procedures and computational results[J]. Operations Research，23(4)：711-734.

Kaya O. 2011. Outsourcing vs. in-house production：A comparison of supply chain contracts with effort dependent demand[J]. Omega—The International Journal of Management Science，39(2)：168-178.

Tsay A A，Gray J V，Noh I J，et al. 2018. A review of production and operations management research on outsourcing in supply chains：Implications for the theory of the firm[J]. Production and Operations Management，27(7)：1177-1220.

Zhang M J. 2015. Capacitated lot-sizing problem with outsourcing[J]. Operations Research Letters，43：479-483.

Zhao Y J，Klabjan D. 2012. A polyhedral study of lot-sizing with supplier selection[J]. Discrete Optimization，9：65-76.

Zhong J H，Chu F，Chu C B，et al. 2016. Polynomial dynamic programming algorithms for lot sizing models with bounded inventory and stockout and/or backlogging[J]. Journal of Systems Science and Systems Engineering，25(3)：370-397.

第 3 章　批量生产方式下动态批量与预测时阈

3.1　问 题 背 景

在企业的实际生产(或采购、运输)中,有一种现象普遍存在,即生产数量是某一批量 Q 的整数倍,这种生产方式称为批量生产(batch production)。WW 模型中假设了企业每一周期可以生产任意非负整数的产品数量,但在实际中,从生产的规模经济角度考量,企业往往不会选择生产任意数量的产品,而是选择批量生产。批量生产即企业每一周期的生产数量只会在集合 $\{0, Q, 2Q, \cdots, nQ\}$ 中选择,Q 为给定的正整数,n 为给定的非负整数。批量生产方式出现的另外一个原因是:一条装配线被分割为多个装配单元,每一个装配单元在一个周期内只能装配 Q 个产品,企业选择启动 n 个装配单元从而能装配 nQ 个产品。在采购问题中,为了装满一整个容器(如集装箱),也会产生批量方式的采购。在运输问题中,整车运输(full truck load)是典型的批量方式的运输。在学术文献中,部分研究用多个有限生产率(multiple finite production rate)代替批量(batch)这个术语。企业往往在采用批量生产方式的同时还采用生产外包或者延迟交货以增加企业决策的柔性。当企业的需求相比于企业生产批量 Q 较小时,若企业仍然自身生产以满足需求,则企业库存成本会大幅度增加,此时采用生产外包或者延迟交货可以大幅度降低企业的库存成本,以增加企业的效益。批量生产方式也是引起企业外包和延迟交货的重要原因。在批量生产方式下,生产运营经理需要解决如下三个问题:①某一周期生产时,前一周期的库存数量有何特征?②成本时变和非时变对生产和库存数量的特征有何影响?③在做当前决策时,需要预测未来多长时间的需求与成本信息?

Bitran 和 Matsuo(1986)研究了批量生产且批量有上限约束的动态批量问题,在不同的成本结构下设计了动态规划算法,并求解了模型的解。Li 等(2004)在时变生产启动成本、单位生产成本、库存成本和需求延迟情形下考虑了批量生产模式下的动态批量问题,且进一步将模型拓展到批量折扣情形,运用蒙日(Monge)矩阵降低了算法的复杂度。Gaafar(2006)应用遗传算法求解了批量采购且允许需求延迟的动态批量问题。Vyve(2007)利用子模函数的性质设计贪婪算法求解批量生产方式下的动态批量问题,考虑了有需求延迟和无需求延迟两个模型的情形。Gaafar 和 Aly(2009)应用粒子群优化算法求解了批量采购且允许需求延迟的动态批量问题。以上批量生产方式下的动态批量文献重点探讨了最优解的结构性质和算法设计,并未分析预测时阈。在不考虑生产启动成本和单位生产成本时变的情形下,Elmaghraby 和 Bawle(1972)分析了批量生产方式下动态批量决策中的预测时阈问题。Sethi 和 Chand(1981)以及 Chand 和 Sethi(1983)在单位生产成本时变情形下研究了批量生产方式下动态批量决策中的预测时阈问题。在以上三篇文献研究的批量生产方式的动态批量与预测时阈理论的基础上,本章重点分析时变成本(包括生产启动成本和单位生产成本)下的预测时阈问题,并将研究拓展到批量生产方式和生产外包联合决策情形。

3.2　模型构建

批量生产方式即企业每一周期的生产数量只会在集合 $X_t \in \{0, Q, 2Q, 3Q, \cdots, nQ\}$ 中选择, Q 为给定的正整数, n 为给定的非负整数。若 $Q=1$,则批量生产与 WW 模型是等价的。本节研究批量生产方式下无生产外包情形的动态批量模型。

在模型构建中定义如表 3-1 所示符号。

表 3-1　符号定义

变量	含义
T	时间周期
$P(t)$	t-周期问题,$1 \leqslant t \leqslant T$
X_t	第 t 期期初生产数量,$1 \leqslant t \leqslant T$
d_t	第 t 期期初产品需求,$1 \leqslant t \leqslant T$
I_t	第 t 期期末(第 $t+1$ 期期初)库存数量,$1 \leqslant t \leqslant T$
c_t	第 t 期单位生产成本,$1 \leqslant t \leqslant T$
h_t	第 t 期单位库存成本,$1 \leqslant t \leqslant T$
K_t	第 t 期生产启动成本,$1 \leqslant t \leqslant T$
$\delta(x)$	二元变量,$\delta(x) = \begin{cases} 1, & x > 0 \\ 0, & x = 0 \end{cases}$

不失一般性,假设初始周期库存为零。在以上假设和定义的基础上,批量生产方式下的动态批量决策问题可用以下优化模型描述,企业的目标是 T 周期总成本最小,目标函数可表示为

$$\min \sum_{t=1}^{T} \left(K_t \delta(X_t) + c_t X_t + h_t I_t \right) \tag{3-1}$$

约束条件为

$$I_t = I_{t-1} + X_t - d_t, \quad 1 \leqslant t \leqslant T \tag{3-2}$$

$$X_t, I_t \geqslant 0, \quad 1 \leqslant t \leqslant T \tag{3-3}$$

约束条件(3-2)表示产品的库存平衡,当期的库存数量等于上期的库存数量加上当期期初的生产数量减去当期需求量;约束条件(3-3)是非负约束,表示产品的生产数量和库存数量大于等于零。

3.3　前向动态规划算法

定理 3-1　在 $P(t)$ 最优解中,若周期 t 是生产点,则周期 $t-1$ 期末的产品库存 I_{t-1} 小于 Q,即 $I_{t-1} < Q$,$1 \leqslant t \leqslant T$。

证明　假设在 $P(t)$ 的最优解中有 $I_{t-1} \geqslant Q$,周期 t' 为 t 之前产品 i 的最大生产点,$t' < t$,则可以构造如下可行解:若 $c_{t'} + \sum_{l=t'}^{t-1} h_l > c_t$,则将周期 t' 的生产数量降低 Q 个单位,周期 t 的生产数量增加 Q 个单位,此生产计划的改变使成本降低了 $\left(c_{t'} + \sum_{l=t'}^{t-1} h_l - c_t \right) Q$;若 $c_{t'} + \sum_{l=t'}^{t-1} h_l \leqslant c_t$,则将周期 t 的生产数量降为零,同时增加周期 t' 的生产数量,此生产计划的改变使成本降低了 $K_t + \left(c_t - c_{t'} - \sum_{l=t'}^{t-1} h_l \right) X_t$,此种情形下周期 t 不是生产点。综合以上分析可得,若周期 t 是生产点,则周期 $t-1$ 期末的产品库存小于 Q。

在 WW 模型及其拓展模型中,零库存性质成立的条件下,将库存为零的周期定义为再生点。而在批量生产方式下,零库存性质不再成立,因此将再生点的定义更改为如下形式。

定义 3-1　给定 $P(T)$ 的最优解,若 $0 \leqslant I_t < Q$,$1 \leqslant t < T$,则周期 t 为再生点。

为了与 3.4 节有外包情形相统一,本节再生点的定义不包含结束周期。

生产点的定义没有变化,仍然是将生产数量大于零的周期定义为生产点,即若 $X_t > 0$,$1 \leqslant t \leqslant T$,则周期 t 定义为生产点。

令 $d_{kt} = \sum_{l=k}^{t} d_l$,$1 \leqslant k \leqslant t$。令 $\overline{I}_t = Q \lceil d_{1t} / Q \rceil - d_{1t}$,$\lceil x \rceil$ 为大于等于 x 的最小整数。若第 t 期为再生点,则有 $I_t = \overline{I}_t$。

定理 3-1 有一种等价的表述方式:在 $P(T)$ 的最优解中,若 $I_{t-1} \geqslant Q$,则 $X_t = 0$,$1 \leqslant t \leqslant T$。

根据定义 3-1,定理 3-1 还有一种等价的表述方式:在 $P(T)$ 的最优解中,若周期 t 是生产点,则周期 $t-1$ 为再生点,$1 \leqslant t \leqslant T$。

根据定理 3-1,可以设计如下动态规划算法。

首先定义

$$\overline{X}_{kt} = \overline{I}_t - \overline{I}_{k-1} + d_{kt} \tag{3-4}$$

令 $F(t)$ 为 $P(t)$ 的最优成本,$F(i,t)$ 为从第 i 期到第 t 期的最优成本,包括第 i 期的生产启动成本和生产变动成本,以及从第 i 期到第 t 期的库存成本。根据以上定义可得

$$F(t) = \min_{0 \leqslant i \leqslant t} \{ F(i-1) + F(i,t) \} \tag{3-5}$$

其中

$$F(i,t) = K_i + c_i \overline{X}_{it} + \sum_{u=i}^{t} h_u I_u = K_i + c_i (\overline{I}_t - \overline{I}_{i-1} + d_{it}) + \sum_{u=i}^{t} h_u (\overline{I}_t + d_{u+1,t}) \tag{3-6}$$

批量生产方式使得生产点之前的周期(再生点)期末的产品库存不一定为零,批量生产方式的示意图如图 3-1 所示。

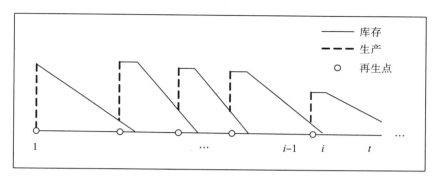

图 3-1　Batch 生产方式示意图

3.4　预测时阈分析

令 $i(t)$ 代表 $P(t)$ 最优解中的最后一个生产点，则

$$F(t) = F(i(t)-1) + F(i(t),t) \tag{3-7}$$

其中

$$F(i(t),t) = K_{i(t)} + c_{i(t)}\overline{X}_{i(t)t} + \sum_{u=i(t)}^{t} h_u I_u = K_i + c_{i(t)}(\overline{I}_t - \overline{I}_{i(t)-1} + d_{i(t)t}) + \sum_{u=i(t)}^{t} h_u(\overline{I}_t + d_{u+1,t}) \tag{3-8}$$

在批量生产方式和单位生产成本时变情形下，利用边际成本分析法建立生产点和再生点的单调性。令 a_{it} 代表第 i 期生产以满足一单位第 t 期需求的变动成本 $(1 \leqslant i \leqslant t)$，即 $a_{it} = c_i + \sum_{l=i}^{t-1} h_l$，若 $i=t$，则 $a_{ii}=c_i$。令 $m(t)$ 为使 a_{it} 最小的周期 i 的取值 $(1 \leqslant i \leqslant t)$，由 $m(t)$ 的定义可得如下关于边际成本的不等式。

对于任意周期 q，若 $q < m(t)$，则有 $c_q + \sum_{u=q}^{t-1} h_u > c_{m(t)} + \sum_{u=m(t)}^{t-1} h_u$，即

$$c_q + \sum_{u=q}^{m(t)-1} h_u > c_{m(t)} \tag{3-9}$$

对于任意周期 q，若 $q > m(t)$，则有 $c_q + \sum_{u=q}^{t-1} h_u > c_{m(t)} + \sum_{u=m(t)}^{t-1} h_u$，即

$$c_{m(t)} + \sum_{u=m(t)}^{q-1} h_u > c_q \tag{3-10}$$

定理 3-2　在 $P(t)$ 的最优解中，若有 $i(t) = m(t)$，则 $i(t+1) \geqslant i(t)$，即最后一个生产点是单调的。

令 $e(t) = i(t)-1$，因为再生点的定义并没有包含第 t 期，即结束周期，所以周期 $e(t)$ 是最后一个最优再生点，若定义结束周期 t 为最后一个再生点，则周期 $e(t)$ 为倒数第二个最优再生点。则由再生点和生产点的关系可得再生点的单调性：在 $P(t)$ 的最优解中，若有 $i(t) = m(t)$，则 $e(t+1) \geqslant e(t)$。

令 X_z^t 是 $P(t)$ 最优解中第 z 期的生产数量 $(1\leqslant z\leqslant t)$，则定义生产序列 $\{X_1^t,X_2^t,\cdots,X_t^t\}$ 是最优生产序列。若生产序列 $\{X_1^t,X_2^t,\cdots,X_{t'}^t\}$ 是最优生产序列，则定义生产序列 $\{X_1^t,X_2^t,\cdots,X_{t'}^t\}$（$t'\leqslant t$）是最优生产子序列。根据 Lundin 和 Morton（1975）再生集和预测时阈的理论，可得如下预测时阈结果。

定理 3-3 在 $P(t)$ 的最优解中，若有 $i(t)=m(t)$ 和 $X_l^{i(t)-1}=X_l^{i(t)}=\cdots=X_l^{t-1}$ 成立，$l=1,2,\cdots,\tau$（$1\leqslant\tau\leqslant i(t)-1$），则 t 为预测时阈，τ 为决策时阈，$t\leqslant T$。

证明 由定理 3-2 最后一个生产点的单调性可知，在 $P(t)$ 的最优解中，对于任意 t^*（$t+1\leqslant t^*\leqslant T$），$P(t^*)$ 的最优解中至少有一个生产点属于集合 $\{i(t),i(t)+1,\cdots,t\}$。因此，对于 $r\in\{i(t)-1,i(t),\cdots,t-1\}$，至少有一个 $P(r)$ 的最优解是 $P(t^*)$ 最优解的一部分。若 $X_k^{i(t)-1}=X_k^{i(t)}=\cdots=X_k^{t-1}$，对于 $l=1,2,\cdots,\tau$ 成立，意味着每一个问题 $P(i(t)-1)$，$P(i(t))$，$\cdots$，$P(t-1)$ 有相同的 τ 期最优生产子序列，因此这个 τ 期生产子序列是任何更长周期 t^*（$t\leqslant t^*$）最优解的一部分，则 τ 为决策时阈，又因为仅仅需要 t 周期的信息决定决策时阈，所以 t 为预测时阈。

在固定生产成本和变动成本均为非时变的情形下有如下定理成立。

定理 3-4 在 $P(T)$ 的最优解中，若周期 t 是生产点，则周期 $t-1$ 期末的产品库存 I_{t-1} 小于 $\min\{Q,d_t\}$，$1\leqslant t\leqslant T$。

证明 在定理 3-1 的基础上，只需证明周期 t 是生产点，则周期 $t-1$ 期末的产品库存小于 d_t。假设在 $P(T)$ 的最优解中有 $I_{t-1}>d_t$，则分两种情形构造可行解：若 $I_{t-1}>\sum_{u=t}^{T}d_u$，则可以降低周期 t 的生产至零，即周期 t 不生产，此生产计划的改变可以降低周期 t 的生产启动成本和变动生产成本至零；若 $\sum_{u=t}^{t''}d_u\leqslant I_{t-1}<\sum_{u=t}^{t'}d_u$，$t''\geqslant t+1$，则将周期 t 的生产数量转移至周期 t''，此生产计划的改变降低了库存成本。综上分析可得，若周期 t 是生产点，则周期 $t-1$ 期的库存小于 $\min\{Q,d_t\}$。

值得一提的是，即便单位生产成本非时变，但若生产启动成本是时变的（或生产启动成本非时变，但单位生产成本时变），定理 3-4 也是不成立的，只有定理 3-1 成立。只有在生产启动成本和单位生产成本均为非时变的情形下，定理 3-4 才成立。

在非时变的生产启动成本和单位生产成本下，对再生点进行如下定义：若 $I_t<\min\{Q,d_{t+1}\}$，则周期 t 定义为再生点，$i=1,2$，$1\leqslant t\leqslant T$。

定理 3-4 的变形也有两种等价表述方式：在 $P(T)$ 的最优解中，若 $I_{t-1}\geqslant\min\{Q,d_t\}$，则 $X_t=0$，$1\leqslant t\leqslant T$（或在 $P(T)$ 的最优解中，若周期 t 是生产点，则周期 $t-1$ 为再生点）。

在单位生产成本非时变情形下，可以直接得到生产点和再生点的单调性。

定理 3-5 在 $P(t+1)$ 的最优解中，有 $i(t+1)\geqslant i(t)$，$e(t+1)\geqslant e(t)$，即最后一个生产点和再生点是单调的。

证明与定理 3-2 的证明类似，略。

在生产点和再生点单调性的基础上同样有如下预测时阈结果。

定理 3-6 在 $P(t)$ 的最优解中，若有 $X_l^{i(t)-1}=X_l^{i(t)}=\cdots=X_l^{t-1}$ 成立，$l=1,2,\cdots,\tau$（$1\leqslant\tau\leqslant i(t)-1$），则周期 t 为预测时阈，周期 τ 为决策时阈，$t\leqslant T$。

证明略。

下面举例分析预测时阈的求解过程。

例 3-1 假设产品前 7 周期的需求为 $d_t=(12,5,6,13,7,4,21)$，基准批量 $Q=5$。成本参数为 $K=35$，$c=3$，$h_t=1$，$1\leqslant t\leqslant7$。

运用前向动态规划算法，计算结果如表 3-2 所示。由表 3-2 可知，$i(7)=7$，因此再生集中只有周期 6 一个元素。又由 $X_1^6=25$，$X_2^6=0$，$X_3^6=0$，$X_4^6=25$，$X_5^6=0$，$X_6^6=0$，可知周期 7 是预测时阈，相应的决策时阈为 $\tau=6$。

表 3-2　例 3-1 计算结果

t	1	2	3	4	5	6	7
d_t	12	5	6	13	7	4	21
X_t^1	15						
X_t^2	20	0					
X_t^3	25	0	0				
X_t^4	25	0	0	15			
X_t^5	25	0	0	20	0		
X_t^6	25	0	0	25	0	0	
X_t^7	25	0	0	25	0	0	20
$F(t)$	83	106	133	217	239	267	364

3.5　生产外包情形下的预测时阈分析

3.5.1　模型构建与算法设计

Batch 生产方式和延迟交货下动态批量问题的研究可见 Li 等（2004）、Gaafar（2006）、Vyve（2007）、Gaafar 和 Aly（2009）的文献，尚未有批量生产方式和生产外包联合决策的研究，因此本节研究批量生产和外包情形下的动态批量决策问题。

令 k_t 为第 t 期生产外包固定成本，o_t 为第 t 期单位外包成本，O_t 为第 t 期外包数量。企业自身生产和外包的成本大小关系遵循假设：企业单位生产成本小于单位外包成本（$c_t<o_t$），而企业生产的固定成本大于外包的固定成本（$K_t>k_t$）。

根据以上符号和假设，批量生产方式和生产外包情形下的动态批量决策问题可以用以下优化模型描述，企业的目标是 T 个周期总成本最小，目标函数表示为

$$\min\sum_{t=1}^{T}\left(K_t\delta(X_t)+c_tX_t+k_t\delta(O_t)+o_tO_t+h_tI_t\right) \tag{3-11}$$

约束条件为

$$I_t=I_{t-1}+X_t+O_t-d_t,\quad 1\leqslant t\leqslant T \tag{3-12}$$

$$X_t, I_t, O_t \geqslant 0, \quad 1 \leqslant t \leqslant T \tag{3-13}$$

约束条件(3-12)表示产品的库存平衡，当期的库存数量等于上期的库存数量加上当期期初的生产数量和外包数量减去当期需求量；约束条件(3-13)是非负约束。

外包点的定义是将外包数量大于零的周期定义为外包点，即若 $O_t > 0$，$1 \leqslant t \leqslant T$，则周期 t 定义为外包点。

在生产没有批量限制，可以生产任意数量产品的情形下，在第 2 章中的定理 2-1 中阐述了最优解的结构性质，即同一周期中企业不会有生产和外包两种决策，就是两种决策在同一周期不会同时发生。然而，在批量生产方式下，这一性质不再成立，同一周期既可以有生产决策也可以有外包决策。

因为有生产外包，因此定理 3-1 中所阐述的最优解的性质需要做出一些更改。

定理 3-7　在 $P(T)$ 的最优解中，若周期 t 是生产点或者外包点，或者既是生产点也是外包点，则周期 $t-1$ 期末的产品库存 I_{t-1} 小于 Q，即 $I_{t-1} < Q$，$1 \leqslant t \leqslant T$。

定理 3-7 有一种等价的表述方式：在 $P(T)$ 的最优解中，若 $I_{t-1} \geqslant Q$，则 $X_t = 0$ 和 $O_t = 0$，$1 \leqslant t \leqslant T$。

同样，定理 3-7 还有一种等价的表述方式：在 $P(T)$ 的最优解中，若周期 t 是生产点或者外包点，或者既是生产点也是外包点，则周期 $t-1$ 为再生点，$1 \leqslant t \leqslant T$。

类似第 2 章的研究，根据下一个周期是生产点还是外包点，或者既是生产点又是外包点，将再生点分为三种类型。

(1) I 类再生点：考虑再生点 g，假设周期 $g+1$ 是一个生产点，定义这种再生点 g 为 I 类再生点(图 3-2)。

(2) II 类再生点：考虑再生点 g，假设周期 $g+1$ 是一个外包点，定义这种再生点 g 为 II 类再生点(图 3-2)。

(3) III 类再生点：考虑再生点 g，假设周期 $g+1$ 既是一个生产点也是一个外包点，定义这种再生点 g 为 III 类再生点(图 3-2)。

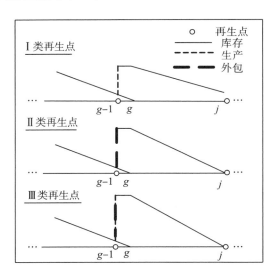

图 3-2　I、II 和 III 类再生点示意图

根据定理 3-7 和三类再生点的定义，可以设计如下动态规划算法。令 $F_g(t)$ 代表最后一个再生点是 g 时 $P(t)$ 的最优成本，$0 \leqslant g < t$。因为再生点的定义不包含第 t 期，即结束周期，所以周期 g 是最后一个再生点，若定义结束周期 t 为最后一个再生点，则周期 g 为倒数第二个再生点。由以上定义可得

$$F(t) = \min_{0 \leqslant g < t} F_g(t) \tag{3-14}$$

因为周期 g 是最后一个再生点，则周期 $g+1$ 可能是最后一个生产点，也可能是最后一个外包点，同时也有可能既是生产点也是外包点。令 $F^1(g+1, t)$ 代表周期 $g+1$ 生产满足从第 $g+1$ 期到第 t 期的需求时产生的成本，包括固定生产成本、变动生产成本以及从第 $g+1$ 期到第 t 期的库存成本。因为从第 1 期至第 g 期可能存在批量生产方式，所以第 g 期期末的库存不一定为零，而第 $g+1$ 期是生产点，使得第 t 期期末的库存也不一定为零，第 $g+1$ 期的生产数量为 $X_{g+1} = \left\lceil (I_g + d_{g+1,t}) / Q \right\rceil Q$。同样，令 $F^2(g+1, t)$ 代表周期 $g+1$ 外包满足从第 $g+1$ 期到第 t 期的需求时产生的成本，包括固定外包成本、变动外包成本以及从第 $g+1$ 期到第 t 期的库存成本。因为从第 $g+1$ 期到第 t 期的产品需求由第 $g+1$ 期的外包满足，且第 g 期期末的库存不一定为零，所以第 $g+1$ 期外包的数量为第 $g+1$ 期到第 t 期的产品需求之和减去第 g 期期末的库存数量，这也使得第 t 期期末库存数量恰好为零。令 $F^3(g+1, t)$ 代表周期 $g+1$ 生产和外包共同满足从第 $g+1$ 期到第 t 期的需求时产生的成本，包括固定的生产和外包成本、变动的生产和外包成本以及从第 $g+1$ 期到第 t 期的库存成本。第 $g+1$ 期生产和外包的数量之和为第 $g+1$ 期到第 t 期的产品需求之和减去第 g 期期末的库存数量。因为单位生产成本小于单位外包成本，所以可得第 $g+1$ 期的生产数量为 $X_{g+1} = \left(\left\lceil (I_g + d_{g+1,t}) / Q \right\rceil - 1 \right) Q$，第 $g+1$ 期的外包数量为 $O_{g+1} = d_{g+1,t} - \left(\left\lceil (I_g + d_{g+1,t}) / Q \right\rceil - 1 \right) Q - I_g$。因此可得

$$F_g(t) = F(g) + \min \begin{cases} F^1(g+1, t) \\ F^2(g+1, t) \\ F^3(g+1, t) \end{cases} \tag{3-15}$$

其中

$$F^1(g+1, t) = K_{g+1} + c_{g+1} X_{g+1} + \sum_{u=g+1}^{t} h_u I_u = K_{g+1} + c_{g+1} \left\lceil (I_g + d_{g+1,t}) / Q \right\rceil Q$$
$$+ \sum_{u=g+1}^{t} h_u \left(I_g + \left\lceil (I_g + d_{g+1,t}) / Q \right\rceil Q - d_{g+1,u} \right) \tag{3-16}$$

$$F^2(g+1, t) = k_{g+1} + o_{g+1} O_{g+1} + \sum_{u=g+1}^{t} h_u I_u = k_{g+1} + o_{g+1}(d_{g+1,t} - I_g) + \sum_{u=g+1}^{t-1} \sum_{v=u+1}^{t} h_u d_v \tag{3-17}$$

$$F^3(g+1, t) = K_{g+1} + c_{g+1} X_{g+1} + k_{g+1} + o_{g+1} O_{g+1} + \sum_{u=g+1}^{t} h_u I_u$$
$$= K_{g+1} + c_{g+1} \left(\left\lceil (I_g + d_{g+1,t}) / Q \right\rceil - 1 \right) Q$$
$$+ k_{g+1} + o_{g+1} \left[d_{g+1,t} - \left(\left\lceil (I_g + d_{g+1,t}) / Q \right\rceil - 1 \right) Q - I_g \right]$$
$$+ \sum_{u=g+1}^{t} h_u \left[d_{ut} - \left(\left\lceil (I_g + d_{g+1,t}) / Q \right\rceil - 1 \right) Q - I_g \right] \tag{3-18}$$

以上式(3-14)～式(3-18)中所展示的前向动态规划算法还有两种等价形式，参见附录二。

3.5.2　预测时阈分析

令 $g_1(t)$、$g_2(t)$ 和 $g_3(t)$ 分别代表 $P(t)$ 最优解中最后一个 I 类、II 类和 III 类再生点，令 $g(t)$ 为 $P(t)$ 最优解中的最后一个再生点。根据 $g_1(t)$（$g_2(t)$ 和 $g_3(t)$）和 $g(t)$ 的定义，若 $g_1(t) > g_2(t)$，则 $g(t) = g_1(t)$；若 $g_2(t) > g_1(t)$，则 $g(t) = g_2(t)$。另外，若 $g_1(t) = g_2(t)$，则定义 $g(t) = g_1(t)$。根据以上定义可得

$$F(t) = \min_{0 \leqslant g < t} F_g(t) = F_{g(t)}(t) = F(g(t)) + \min \begin{cases} F^1(g(t)+1, t) \\ F^2(g(t)+1, t) \\ F^3(g(t)+1, t) \end{cases} \tag{3-19}$$

令 $j(t)$ 代表 $P(t)$ 最优解中最后一个外包点，$i(t)$ 的含义同 3.4 节，即在 $P(t)$ 最优解中生产数量大于零的周期。令 a_{it}^O 代表第 i 期采购以满足一单位第 t 期需求的变动成本，$1 \leqslant i \leqslant t$，即 $a_{it}^O = o_i + \sum_{l=i}^{t-1} h_l$，若 $i = t$，则 $a_{ii}^O = o_i$。令 $m^O(t)$ 为使 a_{it}^O 最小的周期 i 的取值，$1 \leqslant i \leqslant t$。

由企业单位生产成本小于单位外包成本，生产的固定成本大于外包的固定成本这一假设直观可得：若企业当期和未来一段时间的需求比较小，则企业采用外包策略可以降低成本；若企业当期和未来一段时间的需求比较大，则企业采用生产策略可以降低成本。这一直观结果可由图 3-3 得出，不失一般性，假设第 $i-1$ 期末库存为零，则第 i 期期初，运营经理要决策生产数量和外包数量，发现：若第 i 期至第 t 期的需求之和小于等于 x^*，则采用外包策略较优；若第 i 期至第 t 期的需求之和大于 x^*，则假设第 i 期至第 t 期的需求之和为 D，$(m-1)Q < D \leqslant mQ$；若采用生产策略，则要生产 D^{batch} 单位，$D^{\text{batch}} = mQ$；若采用外包策略，则直接生产 D 单位。因为采用生产策略要多持有一部分库存，所以要考虑两种可能性，若 D 相对 x^* 很大，则生产策略较优，相比于外包策略增加了部分固定成本和部分库存成本，但是因为需求很大，单位生产成本较小，所以企业采用生产策略能够节省大量的变动成本；若 D 相对 x^* 较小，则可能采用外包策略较优，因为企业采用生产策略节省的变动成本不足以抵消增加的库存成本和固定成本。因此，若 $D > x^*$，还要结合各成本和需求的大小才能决策出企业是采用生产策略还是外包策略。

进一步分析可得，若 j^* 是 $P(t)$ 的最后一个最优外包点，且 j^* 至 t 之间没有生产点，则 i^* 是 j^* 之前最大的生产点；若第 $t+1$ 期的产品需求很大，选择第 j^* 期外包满足第 j^* 期至第 $t+1$ 期的需求，则可能造成外包变动成本很大，此时若选择在第 i^* 期生产满足第 i^* 期至第 $t+1$ 期需求的策略可能较优。此情形下，单独的外包点并不一定具有单调性特征。若 i^* 是 $P(t)$ 的最后一个最优生产点，且 i^* 至 t 之间没有外包点，j^* 是 i^* 之前最大的外包点。此时若第 $t+1$ 期的需求较小但单位库存成本很大，选择第 i^* 期生产满足第 i^* 期至第 $t+1$ 期的需求，则可能造成库存成本很大，此时选择在第 j^* 期外包满足第 j^* 期至第 $t+1$ 期的需求，则第 $t+1$ 期的库存成本为零。此种情形下选择在第 j^* 期外包满足第 j^* 期至第 $t+1$ 期需求的

策略可能最优。可以看出，单独的生产点也不一定具有单调性特征。受第 2 章建立生产点、外包点和再生点单调性的启发，将生产点和外包点混合起来考虑建立单调性的方法是可行的。同样需要区分单位生产成本和单位外包成本是时变和非时变的情形。定理 3-8 阐述了如何在单位生产成本和单位外包成本时变情形下建立生产点和外包点混合单调性。

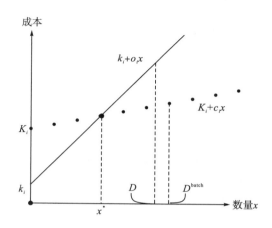

图 3-3　生产和外包成本函数示意图

定理 3-8　在 $P(t)$ 的最优解中，若有 $i(t) = m(t)$ 和 $j(t) = m^O(t)$ 成立，则在 $P(t+1)$ 的最优解中有 $\max\{i(t+1), j(t+1)\} \geqslant \min\{i(t), j(t)\}$。

此定理的证明是定理 3-1 的证明和第 2 章定理 2-3 的证明的综合，略。

由定理 3-7 的等价表述及三类再生点的定义可得 $i(t) = g_1(t) + 1$，$j(t) = g_2(t) + 1$，$i(t) = j(t) = g_3(t) + 1$。

由以上 I 类再生点和生产点的关系以及 II 类再生点和外包点的关系，进一步由定理 3-8 可得 I 类和 II 类再生点的混合单调性：在 $P(t)$ 的最优解中，若有 $i(t) = m(t)$ 和 $j(t) = m^O(t)$ 成立，则在 $P(t+1)$ 的最优解中有 $\max\{g_1(t+1), g_2(t+1)\} \geqslant \min\{g_1(t), g_2(t)\}$。

令 $\lambda(t) = \min\{i(t), j(t)\}$。在生产外包决策下，令 O_z^t 是 $P(t)$ 最优解中第 z 期的外包数量，$1 \leqslant z \leqslant t$，则定义生产序列 $\{O_1^t, O_2^t, \cdots, O_t^t\}$ 是最优外包序列。若 $\{O_1^t, O_2^t, \cdots, O_t^t\}$ 是最优外包序列，则定义外包序列 $\{O_1^t, O_2^t, \cdots, O_{t'}^t\}$（$t' \leqslant t$）是最优外包子序列。可得如下预测时阈结果。

定理 3-9　在 $P(t)$ 的最优解中，若有 $i(t) = m(t)$，$j(t) = m^O(t)$，$X_l^{\lambda(t)-1} = X_l^{\lambda(t)} = \cdots = X_l^{t-1}$ 和 $O_l^{\lambda(t)-1} = O_l^{\lambda(t)} = \cdots = O_l^{t-1}$ 成立，$l = 1, 2, \cdots, \tau$，则 t 为预测时阈，τ 为决策时阈，$\tau \leqslant t \leqslant T$。

证明略。

值得注意的是，在批量生产方式和有生产外包决策下，若在 $P(t)$ 的最优解中没有生产点或者没有外包点，即从第 1 期至第 t 期产品需求全部由外包或者生产满足，则无法获得生产点和外包点的单调性，即无法获得再生点的单调性，进而无法获得预测时阈。

在单位生产成本和单位外包成本非时变的情形下，不需要令生产和外包边际成本最小的周期等于最后一个生产点和外包点，可以直接得到生产点和外包点的混合单调性。

定理 3-10　在 $P(t+1)$ 的最优解中有 $\max\{i(t+1), j(t+1)\} \geqslant \min\{i(t), j(t)\}$。

证明类似于第 2 章定理 2-2 的证明，这里略。

同样根据定理 3-8，由Ⅰ类与Ⅱ类再生点和生产点与外包点的关系，可得Ⅰ类和Ⅱ类再生点的混合单调性：在 $P(t+1)$ 的最优解中有 $\max\{g_1(t+1),g_2(t+1)\} \geqslant \min\{g_1(t),g_2(t)\}$。

在生产点、外包点和再生点单调的情形下，有如下预测时阈结果。

定理 3-11 在 $P(t)$ 的最优解中，若有 $X_l^{\lambda(t)-1}=X_l^{\lambda(t)}=\cdots=X_l^{t-1}$ 和 $O_l^{\lambda(t)-1}=O_l^{\lambda(t)}=\cdots=O_l^{t-1}$ 成立，$l=1,2,\cdots,\tau$，则 t 为预测时阈，τ 为决策时阈，$\tau \leqslant t \leqslant T$。

3.6 数值实验及管理启示

本节通过构造数值实验来进一步理解Batch生产方式和生产外包下动态批量预测时阈的特征。各周期的需求均值设为 10，标准差设为 2。

图 3-4 描述了预测时阈作为基准批量 Q 的函数的变化趋势。成本参数设为 $K=50$，$c=3$，$h_t=1$，外包成本设为无穷大。基准批量 Q 取 5、10、15、20、25 五个值。为了方便找到预测时阈，对每一组参数运行 11 次。研究发现，随着基准批量的递增，预测时阈显著增加。这是因为在基准批量很大的情形下，企业即便只生产一个基准批量的产品，那么这一批产品也能满足未来多个周期的需求，进一步导致企业生产的频次降低，生产频次的降低也就意味着生产点和再生点的减少，最优解的再生点需要在更长的时间周期中去选择。基准批量很大导致企业需要优化更长的时间周期才能做出最优决策，进而导致预测时阈递增。

图 3-5 描述了预测时阈作为单位外包成本 o 的函数的变化趋势。其他成本参数设为 $K=50$，$c=3$，$h_t=1$，$k=0$。单位外包成本 o 取 3.5、4、5、9、15、20 和 25 七个值，同样对每一组参数运行 11 次。相比于无外包策略的情形，外包策略使预测时阈增加，这是因为在没有外包策略的情形下，企业只需考虑生产决策即可，而在有外包策略的情形下，企业决策的复杂程度增加，需要考虑更长的时间周期才能做出最优的生产和外包决策。最优的再生点需要在更长的时间周期中选择，导致预测时阈递增。然而，随着单位外包成本的递增，预测时阈呈降低趋势，是因为如果单位外包成本很大，企业将不会采取外包策略，此时等价于没有外包策略。

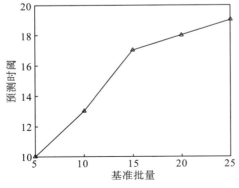

图 3-4 作为基准批量函数的预测时阈

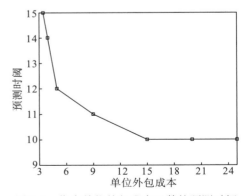

图 3-5 作为单位外包成本函数的预测时阈

综合图 3-4 和图 3-5 能够得到如下管理启示：若基准批量相对较大或单位外包成本较大，则在做生产决策时只需考虑未来较短时期的数据信息，反之则需要处理较长时期的数据信息以确定更为准确的生产数量。综上，企业当前的生产决策受各种成本参数和基准批量的影响，因此企业在生产决策时必须综合考虑各种因素，以期取得合理的决策结果。

3.7　本　章　小　结

Batch 生产是企业生产中非常普遍的一种生产方式，企业选择这种生产方式的原因有很多，如 Batch 生产可以产生规模经济效应，一条装配线被分割为多个装配单元，每一个装配单元一个周期只能装配 Q 个产品，企业选择启动 n 个装配单元从而能装配 nQ 个产品等。在此背景下，本章研究了 Batch 生产方式下的动态批量与预测时阈决策。在无外包情形下证明了最优解的结构性质，依据最优解的结构性质设计了前向动态规划算法求解模型。运用边际成本分析法在单位生产成本时变的情形下建立了生产点和再生点的单调性，构建了单位生产成本时变和非时变情形下的再生集，并给出了求解预测时阈的充分条件。因为 Batch 生产方式也是引起生产外包的重要原因，因此本章进一步将无外包情形下的成本最小化模型拓展到存在外包的情形，依据最优解的结构性质设计了三种等价的前向动态规划算法求解模型。在分析预测时阈时，同样考虑了单位生产成本和单位外包成本时变与非时变情形，建立了生产点、外包点和再生点的单调性，构建再生集给出了求解预测时阈的充分条件。最后通过数值实验给出了基准批量和单位外包成本对预测时阈长度的影响。

参 考 文 献

Bitran G R，Matsuo H. 1986. Approximation formulations for the single product capacitated lot size problem[J]. Operations Research，34(1)：63-74.

Chand S，Sethi S. 1983. Finite-production-rate inventory models with first and second shift setups[J]. Naval Research Logistics，30(3)：401-414.

Elmaghraby S E，Bawle V Y. 1972. Optimization of batch ordering under deterministic variable demand[J]. Management Science，18(9)：508-517.

Gaafar L. 2006. Applying genetic algorithms to dynamic lot sizing with batch ordering[J]. Computers & Industrial Engineering，51(3)：433-444.

Gaafar L，Aly A S. 2009. Applying particle swarm optimization to dynamic lot sizing with batch ordering[J]. International Journal of Production Research，47(12)：3345-3361.

Li C L，Hsu V N，Xiao W Q. 2004. Dynamic lot sizing with batch ordering and truckload discounts[J]. Operations Research，52(4)：639-654.

Lundin R A, Morton T E. 1975. Planning horizons for the dynamic lot size model: Zabel vs. protective procedures and computational results[J]. Operations Research, 23(4)：711-734.

Sethi S, Chand S. 1981. Multiple finite production rate dynamic lot size inventory models[J]. Operations Research, 29(5)：931-944.

Vyve M V. 2007. Algorithms for single-item lot sizing problems with constant batch size[J]. Mathematics of Operations Research, 32(3)：594-613.

第4章　数量折扣下动态批量与预测时阈

4.1　问题背景

在企业产品采购实践中往往会遇到如下情形：采购的产品数量不同时，上游供货商往往会给予不同程度的折扣(Karray and Surti，2016；Huang et al.，2015)。给予下游客户价格折扣也是上游企业促销的一种常用策略(Zissis et al.，2015；Khouja et al.，2013)，这一策略也很大程度上促进了下游企业采购更多的产品，增加了上游企业产品的销量。而折扣数量和等级往往会影响上下游企业的生产批量和采购批量。

Federgruen 和 Lee(1990)在生产启动成本和单位生产成本非增的假设下研究了全数量折扣(all units discount)和增量折扣(incremental discount)两种情形下的动态批量问题。发现在全数量折扣情形下，零库存性质不再成立；而在增量折扣情形下，零库存性质依然成立，研究在最优解性质的基础上设计前向动态规划算法对问题进行求解。而 Xu 和 Lu(1998)指出了 Federgruen 和 Lee(1990)文献中的全数量折扣动态规划算法是错误的，并给出了正确的动态规划算法。Chen 等(1994)研究了有数量折扣且允许延迟交货情形下的动态批量问题，设计算法并用数值实验验证了所设计算法的效率。对于全数量折扣的单产品动态批量问题，Chyr 等(1999)在最优解性质的基础上给出了一种高效的动态规划算法。Chung 等(2000)考虑了增量折扣的多产品联合补货动态批量问题，利用原始对偶方法得出问题的下界，并将此下界结合分支定界方法对该问题进行了求解。Hu 和 Munson(2002)以及 Hu 等(2004)设计了启发式算法求解增量折扣情形下的动态批量问题，并用数值实验验证了启发式算法的效率。Chan 等(2002a)研究了改进的全数量折扣(modified all units discount)动态批量问题，此种成本函数很好地刻画了零担运输中的运输成本。他们证明了此种成本结构的动态批量问题是 NP-难问题，并设计了一种近似算法求解问题并证明了该近似解是最优解的上界。在 Chan 等(2002a)的基础上，他们(Chan et al.，2002b)研究了一个仓储中心多个零售商的动态批量问题，给出了多项式时间近似算法并证明了该近似解是最优解的上界。Li 等(2012)考虑了一个全数量折扣且允许售出多余库存的单产品动态批量模型，证明了在任意数量断点的情形下，此问题为 NP-难问题；设计了当断点数量为有限个数时的多项式时间动态规划算法。对于一个仓储中心多个零售商的改进的全数量折扣动态批量问题，Chang(2017)给出了一种更为精确的多项式时间近似算法。Mazdeh 等(2015)在两种折扣方式下研究了可以选择多个供应商情形下的单产品动态批量问题，设计了启发式算法求解了该问题。

在企业的生产运营中，有两个主要目标：一是尽可能降低生产运营成本；二是尽可能及时高效地满足客户需求，即提高服务水平。然而，这两个目标往往是相悖的，如增加产品库存水平能够最大化地满足客户需求，但随之而来的是库存成本的增加，进而导致总成本增加。因此，企业为了降低总成本，并不能无限高效地满足客户需求，而是选择延迟交货甚至缺货(stockout)。延迟交货即需求延迟(backlogging)，缺货即需求损失(lost sales)。企业从生产规模经济的角度考量，也会造成需求延迟或需求损失。例如，如果未来一段时间的需求较小，而企业选择生产会产生高昂的启动成本，此时企业会选择延迟满足客户需求或者不满足客户需求。造成需求延迟和需求损失的另外一个重要原因是企业有生产能力和仓储能力的限制。在存在采购数量折扣的情形下，企业偏好选择需求延迟策略以平衡成本和服务水平。允许需求延迟的动态批量问题的研究可参见 Li 等(2004)和 Khan 等(2021)的文献。

4.2　基　础　模　型

4.2.1　模型构建与算法设计

本节重点研究不允许需求延迟和数量折扣情形下的动态批量问题，4.2.2 节将进一步拓展到允许需求延迟的情形。在需求不允许延迟和允许延迟两种情形下又分别考虑采购成本非时变和时变两种情形。首先研究采购成本非时变情形，采购成本包含采购固定(启动)成本 K 和采购变动成本 $C(X_t)$ 两部分，其中 X_t 为第 t 期采购数量。数量折扣体现在采购的变动成本，当下游企业采购的产品数量不同时，上游企业给予不同的价格折扣力度，因此造成下游企业采购的变动成本不同。假设上游企业为下游客户提供 N 种不同的折扣率 $0 < r_1 < r_2 < r_3 < \cdots < r_N < 1$，为了表述形式的统一，令 $r_0 = 0$，$Q_1 < Q_2 < Q_3 < \cdots < Q_N$ 为不同折扣率的数量分界点(断点)。令 c 为没有折扣情形下的单位采购成本，则数量折扣情形下的变动采购成本函数形式如下：

$$C(X_t) = \begin{cases} c(1-r_0)X_t, & 0 < X_t < Q_1 \\ c(1-r_1)X_t, & Q_1 \leqslant X_t < Q_2 \\ c(1-r_2)X_t, & Q_2 \leqslant X_t < Q_3 \\ \quad\quad \vdots \\ c(1-r_{N-1})X_t, & Q_{N-1} \leqslant X_t < Q_N \\ c(1-r_N)X_t, & Q_N \leqslant X_t \end{cases}$$

以上变动采购成本函数的几何形式如图 4-1 所示。

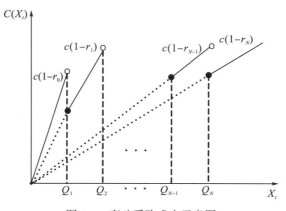

图 4-1　变动采购成本示意图

构建模型需要定义如表 4-1 所示的符号。

表 4-1　符号定义

符号	含义
T	时间周期
$P(t)$	t-周期问题，$t=1,2,\cdots,T$
d_t	第 t 期需求，$t=1,2,\cdots,T$
K	采购固定(启动)成本
c	采购单位变动成本
h_t	第 t 期单位库存成本，$t=1,2,\cdots,T$
X_t	第 t 期采购数量，$t=1,2,\cdots,T$
I_t	第 t 期期末库存数量，$t=1,2,\cdots,T$
$\delta(x)$	二元变量，$\delta(x)=\begin{cases}1,& x>0\\0,& x=0\end{cases}$

不失一般性，假设初始库存为零。根据以上符号定义，数量折扣情形下的动态批量问题可以用以下数学规划模型描述：

$$\min \sum_{t=1}^{T}\left(K\delta(X_t)+C(X_t)+h_t I_t\right) \tag{4-1}$$

约束条件为

$$I_t = I_{t-1}+X_t-d_t，\quad 1\leqslant t\leqslant T \tag{4-2}$$

$$X_t,I_t\geqslant 0，\quad 1\leqslant t\leqslant T \tag{4-3}$$

目标函数(4-1)是最小化 T 个周期的采购和库存成本；约束条件(4-2)代表库存平衡；约束条件(4-3)是非负约束。

在采购固定成本和变动成本非时变的情形下，数量折扣情形下的动态批量问题的最优解存在如下性质。

定理 4-1　$P(T)$ 的最优解存在如下性质：

(1)当且仅当 $I_{t-1}<d_t$ 时，$X_t>0$，$1\leqslant t\leqslant T$；

(2)若 $I_{t-1}\geqslant d_t$，则 $X_t=0$，$1\leqslant t\leqslant T$；

(3)若 $I_{t-1}<d_t$，则 $X_t=Q_n$ 或者 $X_t=\sum_{l=t}^{v}d_l-I_{t-1}$，$1\leqslant n\leqslant N$，$1\leqslant t\leqslant v\leqslant T$。

定理 4-1 所述的最优解的结构性质类似于 Federgruen 和 Lee(1990)文献的引理 1 和定理 1，证明略。定理 4-1(1)说明若当期有采购，则前一周期的库存一定小于当期的需求；定理 4-1(2)说明若前一周期的库存大于等于当期的需求，则当期没有采购；定理 4-1(3)给出了前一周期的库存小于当期需求的情形下当期采购数量的特征，即采购数量要么等于某一折扣点，要么等于未来周期之和减去前一期的库存数量。值得注意的是，只有在采购固定成本非时变或单调不增以及持有库存没有投机性动机的(包括单位变动成本非时变和单调不增)情形下，定理 4-1 才成立。

根据以上性质，定义如下再生点。

定义 4-1　给定 $P(T)$ 的最优解，若 $0 \leq I_t < d_{t+1}$，则周期 t 定义为再生点，$1 \leq t < T$。

将采购数量大于零的周期定义为采购点，即若 $X_t > 0$，则周期 t 定义为采购点，$1 \leq t < T$。

根据定义 4-1 以及采购点和再生点的定义可得采购点和再生点之间的关系：在 $P(T)$ 的最优解中，若周期 t 为采购点，则周期 $t-1$ 为再生点。

根据定义 4-1 中描述的采购点的特征和采购数量的取值范围可设计动态规划算法。令 $F(T)$ 代表 $P(T)$ 的最优成本，$F(j,T)$ 代表最后一个采购点 j 采购产品以满足第 j 期到第 T 期需求发生的成本，$1 \leq j \leq T$。根据以上定义可得

$$F(T) = \min\{F(j-1) + F(j,T)\} \tag{4-4}$$

其中

$$F(j,T) = K + C(X_j) + \sum_{l=j}^{T} h_l I_l \tag{4-5}$$

根据 X_j 取值的不同，$F(j,T)$ 又有两种不同的表述形式：若 $X_j = Q_n$，则由于生产数量为 Q_n，因此从周期 j 到结束周期 T 时间段内每一周期 l 的库存数量为 $I_{j-1} + Q_n - \sum_{u=j}^{l} d_u$，$j \leq l \leq T$，$1 \leq n \leq N$，结束周期的库存不一定为零。此种情形的示意图如图 4-2 所示。由此可得

$$F(j,T) = K + c(1-r_n)Q_n + \sum_{l=j}^{T} h_l \left(I_{j-1} + Q_n - \sum_{u=j}^{l} d_u \right) \tag{4-6}$$

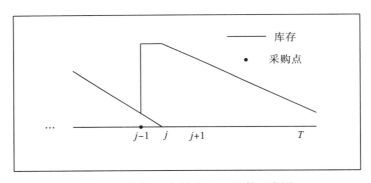

图 4-2　当 $X_j = Q_n$ 时 $F(j,T)$ 计算示意图

若 $X_j = \sum_{l=j}^{T} d_l - I_{j-1}$ 且 $Q_n < X_j < Q_{n+1}$（或 $0 < X_j < Q_1$），$1 \leq n \leq N$，$Q_{N+1} = +\infty$，则从周期 j 到结束周期 T 时间段内每一周期 l 的库存数量为第 $l+1$ 期到第 T 期需求之和，而结束周期的库存也恰好为零。此种情形的示意图如图 4-3 所示。由此可得

$$F(j,T) = K + c(1-r_n)\left(\sum_{l=j}^{T} d_l - I_{j-1} \right) + \sum_{l=j}^{T-1} \sum_{k=l+1}^{T} h_l d_k \tag{4-7}$$

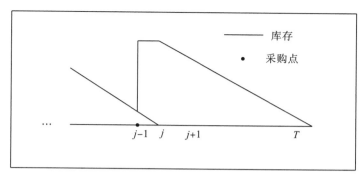

图 4-3　当 $X_j = \sum_{l=j}^{T} d_l - I_{j-1}$ 时 $F(j,T)$ 计算示意图

4.2.2　预测时阈分析

令 $j(T)$ 代表最优的最后一个采购点，因此根据 $j(T)$ 的定义和式(4-4)、式(4-5)可得

$$F(T) = \min_{1 \leqslant j \leqslant T}\{F(j-1) + F(j,T)\}$$
$$= F(j(T)-1) + F(j(T),T) \qquad (4-8)$$
$$= F(j(T)-1) + K + C(X_{j(T)}) + \sum_{l=j(T)}^{T} h_l I_l$$

同样 $F(j(T),T)$ 有两种不同的表述形式：

(1)若 $X_{j(T)} = Q_n$，则

$$F(j(T),T) = K + c(1-r_n)Q_n + \sum_{l=j(T)}^{T} h_l \left(I_{j(T)-1} + Q_n - \sum_{u=j(T)}^{l} d_u \right) \qquad (4-9)$$

(2)若 $X_{j(T)} = \sum_{l=j(T)}^{T} d_l - I_{j(T)-1}$ 且 $Q_n \leqslant X_{j(T)} < Q_{n+1}$，$1 \leqslant n \leqslant N$，$Q_{N+1} = +\infty$，则

$$F(j(T),T) = K + c(1-r_n)\left(\sum_{l=j(T)}^{T} d_l - I_{j-1} \right) + \sum_{l=j(T)}^{T-1} \sum_{k=l+1}^{T} h_l d_k \qquad (4-10)$$

下面通过一个具体的数值算例说明在数量折扣情形下的动态批量问题，即便单位采购成本非时变，采购点也不总是在任何情形下都单调。

例 4-1　考虑一个 7 周期的问题，假设前 7 个周期的需求为(3, 2, 1, 19, 6, 2, 2)。折扣数量的分界点为 15 和 30，当采购数量大于 0 而小于 15 时，单位采购成本为 10；当采购数量大于等于 15 而小于 30 时，单位采购成本为 8；当采购数量大于等于 30 时，单位采购成本为 5。生产启动成本设为 50，第 1~6 期库存成本为 2，第 7 期的库存成本为 1000。

计算结果如图 4-4 所示。从图 4-4 可以看出，$P(6)$ 的最优解中最后一个生产点为 4，即 $j(6) = 4$；而 $P(7)$ 的最优解中最后一个生产点为 3，即 $j(7) = 3$。因此，例 4-1 最优解的生产点不具有单调性。

例 4-1 说明具有折扣情形的动态批量问题采购点不是在任意情形下都具有单调性的，那么采购点具备哪些特征才是单调的呢？定理 4-2 回答了这一问题。

$$T = 1: \quad j(T) = 1, \quad F(1) = F(0) + F(1,1) = 50 + 10 \times 3 = 80$$

$$T = 2: \quad j(T) = 1, \quad F(2) = F(0) + F(1,2) = 50 + 10 \times 5 + 2 \times 2 = 104$$

$$T = 3: \quad j(T) = 1, \quad F(3) = F(0) + F(1,3) = 50 + 10 \times 6 + 2 \times 3 + 2 \times 1 = 118$$

$$T = 4: \quad j(T) = 4, \quad F(4) = F(3) + F(4,4) = 118 + 50 + 8 \times 19 = 320$$

$$T = 5: \quad j(T) = 4, \quad F(5) = F(4) + F(4,5) = 118 + 50 + 5 \times 30 + 2 \times 11 + 2 \times 5 = 350$$

$$T = 6: \quad j(T) = 4, \quad F(6) = F(3) + F(4,6) = 118 + 50 + 5 \times 30 + 2 \times 11 + 2 \times 5 + 2 \times 3 = 356$$

$$T = 7: \quad j(T) = 3, \quad F(7) = F(2) + F(3,7) = 104 + 50 + 5 \times 30 + 2 \times 29 + 2 \times 10 + 2 \times 4 + 2 \times 2 = 394$$

图 4-4　例 4-1 计算结果

定理 4-2　在 $P(T)$ 的最优解中，若有 $X_{j(T)} = \sum_{l=j(T)}^{T} d_l - I_{j(T)-1} \geqslant Q_N$ 成立，则有 $j(T+1) \geqslant$ $j(T)$，即最后一个采购点是单调的（证明见附录三）。

由于假设没有需求延迟，因此根据采购点和再生点之间的关系可得，周期 $j(T)-1$ 是最优的最后一个再生点（因为周期 T 没有定义为最后一个再生点，若周期 T 定义为最后一个再生点，则周期 $j(T)-1$ 为最优的倒数第二个再生点）。因此，根据生产点的单调性可直接得出再生点的单调性，令 $i(T)$ 为最优的最后一个再生点，则 $i(T) = j(T)-1$。

推论 4-1　在 $P(T)$ 的最优解中，若有 $X_{j(T)} = \sum_{l=j(T)}^{T} d_l - I_{j(T)-1} \geqslant Q_N$ 成立，则有 $i(T+1) \geqslant$ $i(T)$。

令 $X_l^*(T)$ 代表 $P(T)$ 中第 l 期的最优产量，则在生产点和再生点单调性的基础上有如下预测时阈定理成立。

定理 4-3　在 $P(T)$ 的最优解中，若有 $X_{j(T)} = \sum_{l=j(T)}^{T} d_l - I_{j(T)-1} \geqslant Q_N$ 且 $X_l^*(j(T)-1) =$ $X_l^*(j(T)) = \cdots = X_l^*(T-1)$ 对于 $l = 1,2,\cdots,\tau$（$1 \leqslant \tau \leqslant j(T)-1$）成立，则周期 T 为更长周期 T^* 的预测时阈，τ 为决策时阈，$T^* \geqslant T+1$。

例 4-2　在例 4-1 的基础上考虑一个 8 周期的问题，前 7 期的需求与例 4-1 相同，第 8 期的需求假设为 50。第 8 期采购的固定成本和变动成本与前 7 期相同，库存成本设为 200。

下面用例 4-2 的计算结果说明预测时阈的求解过程，计算结果如表 4-2 所示。因为 $j(8) = 8$，即最后一个生产点恰好为结束周期，所以再生集中只有一个元素 7。此时周期 8 为预测时阈，周期 7 为决策时阈，即第 1~7 期的最优决策不受第 8 期之后数据信息的影响。

表 4-2　例 4-1 预测时阈计算结果

T	1	2	3	4	5	6	7	8
$j(T)$	1	1	3	3	3	3	3	8
	3							
	5	0						
	5	0	30					

T	1	2	3	4	5	6	7	8
	5	0	30	0				
X_t	5	0	30	0	0			
	5	0	30	0	0	0		
	5	0	30	0	0	0	0	50

4.3　模型拓展：需求延迟情形

4.3.1　模型构建与算法设计

企业采用需求延迟策略虽然会产生一部分延迟成本，但需求延迟策略可以使得企业在享受更大折扣力度的同时降低库存成本。因此，在数量折扣情形下，企业有更为强烈的采用需求延迟策略的动机。令 b_t 代表第 t 期需求的延迟成本，B_t 代表第 t 期需求的延迟数量，数量折扣且允许需求延迟情形下的动态批量问题可以描述为如下数学规划模型：

$$\min \sum_{t=1}^{T} \left(K\delta(X_t) + C(X_t) + h_t I_t + b_t B_t \right) \tag{4-11}$$

约束条件为

$$I_t - B_t = I_{t-1} - B_{t-1} + X_t - d_t , \quad 1 \leqslant t \leqslant T \tag{4-12}$$

$$X_t, I_t, B_t \geqslant 0 , \quad 1 \leqslant t \leqslant T \tag{4-13}$$

目标函数 (4-11) 是最小化 T 个周期的采购、库存和缺货成本；约束条件 (4-12) 为库存平衡约束；约束条件 (4-13) 为非负约束。

在采购固定成本和变动成本非时变的情形下，数量折扣且允许需求延迟情形下的动态批量问题的最优解存在如下性质。

定理 4-4　$P(T)$ 的最优解存在如下性质：

(1) $I_t B_t = 0$ ，$1 \leqslant t \leqslant T$ ；

(2) $x_t B_t = 0$ ，$1 \leqslant t \leqslant T$ ；

(3) 若 $I_{t-1} \geqslant d_t$ ，则 $X_t = 0$ ，$1 \leqslant t \leqslant T$ ；

(4) 若 $I_{t-1} < d_t$ ，则 $X_t = Q_n$ 或者 $X_t = \sum_{l=u}^{v} d_l - I_{u-1}$ ，$1 \leqslant n \leqslant N$ ，$1 \leqslant u \leqslant t \leqslant v \leqslant T$ 。

定理 4-4(1) 是著名的正交条件，即某一周期有库存，则当期不再有需求延迟。定理 4-4(2) 说明当某一周期有采购发生时，当期不会有需求延迟。其余两条性质与定理 4-1 一致。

根据定理 4-4，可以将再生点的定义做如下更改。

定义 4-2　给定 $P(T)$ 的最优解，若 $0 \leqslant I_t < d_{t+1}$ 且 $B_t = 0$ ，则周期 t 定义为再生点，$1 \leqslant t < T$ 。

在允许需求延迟的条件下，采购点的前一个周期不一定为再生点。

根据定理 4-4 设计动态规划算法，令 $F(i+1, j, T)$ 代表最后一个采购点为 j ，最后一个

再生点为 i，且采购点 j 采购产品满足第 $i+1$ 期至第 T 期需求时 $P(T)$ 的最优成本，$0 \leqslant i < T$，$i+1 \leqslant j \leqslant T$。根据以上定义可得

$$F(T) = \min_{0 \leqslant i < T,\ i+1 \leqslant j \leqslant T} \{F(i) + F(i+1, j, T)\} \tag{4-14}$$

其中

$$F(i+1, j, T) = K + C(X_j) + \sum_{l=i+1}^{j-1} b_l B_l + \sum_{l=j}^{T} h_l I_l \tag{4-15}$$

根据 X_j 取值的不同，$F(i+1, j, T)$ 有两种不同的表述形式：

(1) 若 $X_j = Q_n$，则此种情形下，因为周期 i 为再生点，所以根据再生点的定义可得第 $i+1$ 期延迟需求的数量为 $d_{i+1} - I_i$，第 $i+2$ 期至第 $j-1$ 期每一周期的需求全部延迟，第 $i+1$ 期至第 $j-1$ 期延迟的需求直至第 j 期生产得到满足。因为生产的数量为 Q_n，所以从周期 j 到结束周期 T 这一时间段内每一周期 l 的库存数量为 $I_i + Q_n - \sum_{u=i+1}^{l} d_u$，$j \leqslant l \leqslant T$，结束周期的库存不一定为零。此种情形的示意图如图 4-5 所示，因此可得

$$F(i+1, j, T) = K + c(1-r_n)Q_n + b_{i+1}(d_{i+1} - I_i) + \sum_{l=i+2}^{j-1} \sum_{k=i+2}^{l} b_l d_k$$
$$+ \sum_{l=j}^{T} h_l \left(I_i + Q_n - \sum_{k=i+1}^{l} d_k \right) \tag{4-16}$$

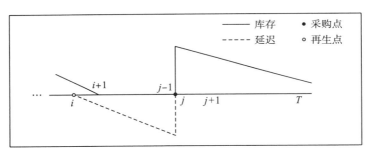

图 4-5   当 $X_j = Q_n$ 时 $F(i+1, j, T)$ 计算示意图

(2) 若 $X_j = \sum_{l=i+1}^{T} d_l - I_i$ 且 $Q_n \leqslant X_i < Q_{n+1}$，$0 \leqslant n \leqslant N$，$Q_{N+1} = +\infty$，则此种情形下，第 $i+1$ 期至第 $j-1$ 期延迟的需求数量特征与 $X_j = Q_n$ 一致，又因为 $X_j = \sum_{l=i+1}^{T} d_l - I_i$，则从周期 j 到结束周期 T 这一时间段内每一周期 l 的库存数量为第 $l+1$ 期到第 T 期需求之和，结束周期的库存为零。此种情形的示意图如图 4-6 所示，因此可得

$$F(i+1, j, T) = K + c(1-r_n)\left(\sum_{l=i+1}^{T} d_l - I_i \right) + b_{i+1}(d_{i+1} - I_i) + \sum_{l=i+2}^{j-1} \sum_{k=i+2}^{l} b_l d_k + \sum_{l=j}^{T-1} \sum_{k=l+1}^{T} h_l d_k \tag{4-17}$$

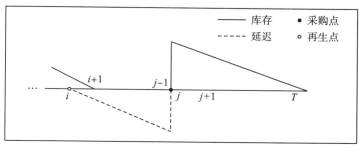

图 4-6　当 $X_j = \sum\limits_{l=i+1}^{T} d_l - I_i$ 时 $F(i+1,j,T)$ 计算示意图

4.3.2　预测时阈分析

令 $i(T)$ 代表 $j(T)$ 之前最优的最后一个再生点。根据 $j(T)$ 和 $i(T)$ 的定义以及式 (4-14) 和式 (4-15) 可得

$$
\begin{aligned}
F(T) &= \min_{0 \leqslant i < T, 1 \leqslant j \leqslant T, i \leqslant j} \{F(i) + F(i+1,j,T)\} \\
&= F(i(T)) + F(i(T)+1, j(T), T) \\
&= F(i(T)) + K + C(X_{j(T)}) + \sum_{l=i(T)+1}^{j(T)-1} b_l B_l + \sum_{l=j(T)}^{T} h_l I_l
\end{aligned} \tag{4-18}
$$

$F(i(T), j(T), T)$ 有两种不同的表述形式：

（1）若 $X_{j(T)} = Q_n$，则

$$
\begin{aligned}
F(i(T)+1, j(T), T) = {} & K + c(1-r_n)Q_n + b_{i(T)+1}(d_{i(T)+1} - I_{i(T)}) + \sum_{l=i(T)+2}^{j(T)-1} \sum_{k=i(T)+2}^{l} b_l d_k \\
& + \sum_{l=j(T)}^{T} h_l \left(I_{i(T)} + Q_n - \sum_{k=i(T)+1}^{l} d_k \right)
\end{aligned} \tag{4-19}
$$

（2）若 $X_{j(T)} = \sum\limits_{l=i(T)+1}^{T} d_l - I_{j(T)}$ 且 $Q_n \leqslant X_{j(T)} < Q_{n+1}$，$0 \leqslant n \leqslant N$，$Q_{N+1} = +\infty$，则

$$
\begin{aligned}
F(i(T)+1, j(T), T) = {} & K + c(1-r_n)\left(\sum_{l=i(T)+1}^{T} d_l - I_{i(T)} \right) + b_{i(T)+1}(d_{i(T)+1} - I_{i(T)}) \\
& + \sum_{l=i(T)+2}^{j(T)-1} \sum_{k=i(T)+2}^{l} b_l d_k + \sum_{l=j(T)}^{T-1} \sum_{k=l+1}^{T} h_l d_k
\end{aligned} \tag{4-20}
$$

在允许需求延迟的情形下，采购点的前一个周期不一定为再生点，以下定理阐述了再生点和采购点仍然具有单调性。

定理 4-5　在 $P(T)$ 的最优解中，若有 $X_{j(T)} = \sum\limits_{l=i(T)+1}^{T} d_l - I_{i(T)} \geqslant Q_N$ 成立，则有 $i(T+1) \geqslant i(T)$ 和 $j(T+1) \geqslant j(T)$（证明见附录三）。

根据再生点的单调性可构建再生集，并给出求解预测时阈的充分条件。

定理 4-6　在 $P(T)$ 的最优解中，若有 $X_{j(T)} = \sum\limits_{l=i(T)+1}^{T} d_l - I_{i(T)} \geqslant Q_N$ 且 $X_l^*(i(T)) =$

$X_l^*(i(T)+1) = \cdots = X_l^*(T-1)$ 对于 $l = 1, 2, \cdots, \tau$（$1 \leqslant \tau \leqslant i(T)$）成立，则周期 T 为更长周期 T^* 的预测时阈，τ 为决策时阈，$T^* \geqslant T+1$。

4.4   模型拓展：时变采购成本情形

4.4.1   需求不延迟情形

前两节在采购成本非时变的情形下研究了数量折扣的动态批量问题。本节将采购成本非时变拓展到采购成本时变情形，令 K_t 为第 t 期采购固定（启动）成本，c_t 为没有折扣情形下第 t 期单位采购成本，$C_t(X_t)$ 为采购变动成本，其余符号同非时变情形，则变动采购成本函数 $C_t(X_t)$ 变成如下形式：

$$C(X_t) = \begin{cases} c_t(1-r_0)X_t, & 0 < X_t < Q_1 \\ c_t(1-r_1)X_t, & Q_1 \leqslant X_t < Q_2 \\ c_t(1-r_2)X_t, & Q_2 \leqslant X_t < Q_3 \\ \vdots & \\ c_t(1-r_{N-1})X_t, & Q_{N-1} \leqslant X_t < Q_N \\ c_t(1-r_N)X_t, & Q_N \leqslant X_t \end{cases}$$

根据以上符号定义，时变采购成本及数量折扣情形下的动态批量问题目标函数变换为如下形式：

$$\min \sum_{t=1}^{T} \left(K_t \delta(X_t) + C_t(X_t) + h_t I_t \right) \tag{4-21}$$

约束条件同约束条件（4-2）和（4-3）。

在采购固定成本或变动成本时变的情形下，定理 4-1 中所阐述的最优解的性质将变换为如下形式。

定理 4-7 $P(T)$ 的最优解存在如下性质：对于某一周期 t，有 $X_t(X_t - Q_n)\left(I_{t-1} + X_t - \sum_{l=t}^{t'} d_l \right) = 0$ 成立，$1 \leqslant n \leqslant N$，$1 \leqslant t \leqslant t' \leqslant T$。

定理 4-7 的另外一种表述形式为：在 $P(T)$ 的最优解中，X_t 的取值有如下三种情形：

$$X_t = \begin{cases} 0 \\ \sum_{l=t}^{t'} d_l - I_{t-1} \\ Q_n \end{cases}$$

根据定理 4-7，可以设计如下动态规划算法。令 $F(j, \lambda, T)$ 代表最后一个采购点 j 采购产品以满足第 λ 期到第 T 期的需求所发生的成本，$1 \leqslant j \leqslant \lambda \leqslant T$。根据以上定理可得

$$F(T) = \min\{F(\lambda-1) + F(j, \lambda, T)\} \tag{4-22}$$

其中

$$F(j, \lambda, T) = K_j + C_j(X_j) + \sum_{l=j}^{T} h_l I_l \tag{4-23}$$

类似地，根据 X_j 取值的不同，$F(j,\lambda,T)$ 也有两种表述形式。另外，因为在采购点 j 采购的产品是用来满足第 λ 期到第 T 期的需求，并不用来满足第 j 期到第 $\lambda-1$ 期的需求，所以第 j 期到第 $\lambda-1$ 期的库存成本和第 λ 期到第 T 期的库存成本函数的具体表述形式也不相同。

若 $X_j = Q_n$，则

$$F(j,\lambda,T) = K_j + c_j(1-r_n)Q_n + \sum_{l=j}^{\lambda-1} h_l(I_{j-1}+Q_n) + \sum_{l=\lambda}^{T} h_l\left(I_{j-1}+Q_n-\sum_{u=j}^{l} d_u\right) \tag{4-24}$$

若 $X_j = \sum_{l=j}^{T} d_l - I_{j-1}$ 且 $Q_n \leqslant X_j < Q_{n+1}$，$0 \leqslant n \leqslant N$，$Q_{N+1} = +\infty$，则

$$F(j,\lambda,T) = K_j + c_j(1-r_n)\left(\sum_{l=j}^{T} d_l - I_{j-1}\right) + \sum_{l=j}^{\lambda-1} h_l\left(\sum_{l=j}^{T} d_l - I_{j-1}\right) + \sum_{l=\lambda}^{T-1}\sum_{k=l+1}^{T} h_l d_k \tag{4-25}$$

以上内容依据最优解的性质设计了前向动态规划算法求解采购成本时变情形下的数量折扣动态批量模型。下面运用边际成本分析法建立采购点和再生点的单调性，进一步建立再生集，并给出求解预测时阈的充分条件。

令 a_{iT} 代表第 i 期生产以满足一单位第 T 期需求的变动成本，$1 \leqslant i \leqslant T$，即 $a_{iT} = c_i + \sum_{l=i}^{T-1} h_l$，若 $i = T$，则 $a_{ii} = c_i$。令 $m(T)$ 为使 a_{iT} 最小的周期 i 的取值，$1 \leqslant i \leqslant T$。进一步由 $m(T)$ 的定义可得如下关于边际成本的不等式关系。

对于任意周期 q，若 $q < m(T)$，则有 $c_q + \sum_{u=q}^{T-1} h_u > c_{m(T)} + \sum_{u=m(T)}^{T-1} h_u$，即

$$c_q + \sum_{u=q}^{m(T)-1} h_u > c_{m(T)} \tag{4-26}$$

对于任意周期 q，若 $q > m(T)$，则有 $c_q + \sum_{u=q}^{T-1} h_u > c_{m(T)} + \sum_{u=m(T)}^{T-1} h_u$，即

$$c_{m(T)} + \sum_{u=m(T)}^{q-1} h_u > c_q \tag{4-27}$$

根据 $m(T)$ 的定义有如下采购点的单调性。

定理 4-8　在 $P(T)$ 的最优解中，若有 $j(T) = m(T)\left(0 \leqslant I_{j(T)-1} < d_{j(T)}\right)$ 和 $X_{j(T)} = \sum_{l=j(T)}^{T} d_l - I_{j(T)-1} \geqslant Q_N$ 成立，则有 $j(T+1) \geqslant j(T)$。

证明过程类似于定理 4-2，略。

值得注意的是，因为定理中假设 $I_{j(T)-1} < d_{j(T)}$，所以周期 $j(T)-1$ 是再生点，定理 4-8 用边际成本分析法建立了采购点的单调性，同时也得到了再生点的单调性。在此基础上，可得如下求解预测时阈的充分条件。

定理 4-9　在 $P(T)$ 的最优解中，若有 $j(T) = m(T)\left(0 \leqslant I_{j(T)-1} < d_{j(T)}\right)$、$X_{j(T)} = \sum_{l=j(T)}^{T} d_l - I_{j(T)-1} \geqslant Q_N$ 且 $X_l^*(j(T)-1) = X_l^*(j(T)) = \cdots = X_l^*(T-1)$ 对于 $l = 1,2,\cdots,\tau$（$1 \leqslant \tau \leqslant j(T)-1$）成立，则周期 T 为更长周期 T^* 的预测时阈，τ 为决策时阈，$T^* \geqslant T+1$。

4.4.2 需求延迟情形

在采购成本时变且需求延迟情形下，数量折扣的动态批量目标函数可表示为如下形式：

$$\min \sum_{t=1}^{T} \left(K_t \delta(X_t) + C_t(X_t) + h_t I_t + b_t B_t \right) \tag{4-28}$$

约束条件同式(4-12)和式(4-13)。

定理 4-4(1)～(3)和定理 4-7 在采购成本时变的情形下仍然成立，依据这四条最优解的结构性质，设计如下动态规划算法：

$$F(T) = \min\{F(i) + F(i+1, j, T); F(\lambda - 1) + F(j, \lambda, T)\} \tag{4-29}$$

$F(i+1, j, T)$ 和 $F(j, \lambda, T)$ 的含义同 4.2.1 节和 4.3.1 节，动态规划循环公式 $F(i) + F(i+1, j, T)$ 的计算也同 4.2.1 节和 4.3.1 节。可以发现，采购成本时变且需求延迟情形的算法是采购成本非时变且需求延迟情形的算法以及采购成本时变且无需求延迟情形的算法的综合。

根据以上动态规划算法，求解预测时阈也需要根据 $j(T) - 1$ 期是否是再生点分两种情形考虑。首先令 $b_{1j} = c_j + \sum_{l=1}^{j-1} b_l$，$1 \leqslant j \leqslant T$，若 $j = 1$，则 $b_{11} = c_1$。令 $e(T)$ 为使 b_{1j} 最小的周期 j 的取值，如对任意的 $g\,(1 \leqslant g \leqslant T)$ 有 $b_{1g} \geqslant b_{1j}$ 成立，则 $j = e(T)$。在以上定义的基础上可以得到采购点和再生点的单调性。

定理 4-10 在 $P(T)$ 的最优解中，若有 $j(T) = m(T) = e(T)$、$B_{j(T)-1} > 0$ 和 $X_{j(T)} = \sum_{l=i(T)+1}^{T} d_l - I_{i(T)} \geqslant Q_N$（或者 $j(T) = m(T) = e(T)$、$0 \leqslant I_{j(T)-1} < d_{j(T)}$ 和 $X_{j(T)} = \sum_{l=j(T)}^{T} d_l - I_{j(T)-1} \geqslant Q_N$）成立，则有 $j(T+1) \geqslant j(T)$ 和 $i(T+1) \geqslant i(T)$（$j(T+1) \geqslant j(T)$）。

此定理假设条件的第一种情形，周期 $j(T) - 1$ 不是再生点，$i(T)$ 是再生点，因此得出了采购点和再生点单调的表达式，这一情形类似于定理 4-5；而假设条件的第二种情形 $j(T) - 1$ 是再生点，在得出采购点单调性的同时也相当于得出了再生点的单调性，这一情形类似于定理 4-2。在此基础上，有如下求解预测时阈的充分条件。

定理 4-11 在 $P(T)$ 的最优解中，若 $j(T) = m(T) = e(T)$、$B_{j(T)-1} > 0$ 和 $X_{j(T)} = \sum_{l=i(T)+1}^{T} d_l - I_{i(T)} \geqslant Q_N$，且 $X_l^*(i(T)) = X_l^*(i(T)+1) = \cdots = X_l^*(T-1)$ 对于 $l = 1, 2, \cdots, \tau\,(1 \leqslant \tau \leqslant i(T))$ 成立（或者如果 $j(T) = m(T) = e(T)$、$0 \leqslant I_{j(T)-1} < d_{j(T)}$ 和 $X_{j(T)} = \sum_{l=j(T)}^{T} d_l - I_{j(T)-1} \geqslant Q_N$ 成立，且 $X_l^*(j(T)-1) = X_l^*(j(T)) = \cdots = X_l^*(T-1)$ 对于 $l = 1, 2, \cdots, \tau\,(1 \leqslant \tau \leqslant j(T)-1)$ 成立），则周期 T 为更长周期 T^* 的预测时阈，τ 为决策时阈，$T^* \geqslant T+1$。

4.5　数值实验及管理启示

本节通过构造数值实验来进一步理解数量折扣下动态批量预测时阈的特征。各周期的需求均值设为 5，标准差设为 3，库存成本设为 2，生产启动成本取 6 个值：50、60、70、80、90 和 100。不允许需求延迟。

首先折扣数量的分界点取两组数值，即 15 和 30、10 和 20，当采购数量大于 0 而小于 15(10)时，单位采购成本为 10；当采购数量大于等于 15(10)而小于 30(20)时，单位采购成本为 8；当采购数量大于等于 30(20)时，单位采购成本为 5。其次将折扣数量的分界点设为 10 和 20，而折扣率取两组不同的值，从而得到两组单位采购成本：10、8 和 5，10、6 和 3。具体来说，当采购数量大于 0 而小于 10 时，单位采购成本为 10；当采购数量大于等于 10 而小于 20 时，单位采购成本为 8(6)；当采购数量大于等于 20 时，单位采购成本为 5(3)。为了方便找到预测时阈，对每一组参数运行 11 次。

图 4-7 描述了预测时阈作为启动成本和折扣数量的分界点函数的变化趋势。发现随着启动成本递增，预测时阈显著增加，这一结果也可见 Dawande 等(2007)的文献。另外，在折扣数量分界点的值较大的情形下，预测时阈的长度也较大。这是因为在其他参数不变的情形下，折扣数量的分界点的值越大，企业为了获得折扣，采购的数量将越大，从而满足未来需求的周期将越长，进一步加大了再生集的长度，从而导致预测时阈的长度增加。

图 4-8 描述了预测时阈作为启动成本和折扣率函数的变化趋势。在折扣率较大的情形下，即单位采购成本较小的情形下，预测时阈的长度增加。原因与数量折扣点情形类似，企业为了获得最大的折扣力度，导致采购数量增加，从而导致覆盖的周期较长，再生集的长度变大，进而导致预测时阈的长度增加。

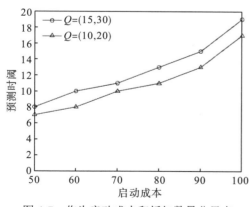

图 4-7　作为启动成本和折扣数量分界点
函数的预测时阈

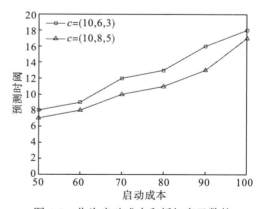

图 4-8　作为启动成本和折扣率函数的
预测时阈

4.6　本　章　小　结

在企业的采购实践中经常会遇到供货商给予一定折扣的情形，采购的数量越多，折扣的力度也越大：一方面，企业采购的数量越多，单位采购成本越低；另一方面，采购数量多将会产生更高的库存成本。同时，需求延迟策略可以使得企业在享受更大的折扣力度时降低库存成本，但会产生需求延迟成本。基于以上背景，本章研究了数量折扣情形下的动态批量问题：首先在采购固定成本和变动成本非时变的情形下构建了不允许需求延迟和允许需求延迟两类情形的成本最小化模型；然后在最优解性质的基础上设计了前向动态规划算法求解模型，在不允许需求延迟模型中，给出了采购点具有单调性的特征，建立了采购点的单调性，根据再生点和采购点的关系得出了再生点的单调性，进一步构建再生集给出了求解预测时阈的充分条件；在允许需求延迟模型中，利用同样的思想构建了采购点和再生点的单调性；在采购固定成本和变动成本时变的情形下，同样构建了不允许需求延迟和允许需求延迟两种情形下的成本最小化模型；利用最优解的性质设计了前向动态规划算法求解模型，并利用边际成本分析法给出了求解预测时阈的充分条件。

参　考　文　献

Chan L M A，Muriel A，Shen Z J M，et al. 2002a. On the effectiveness of zero-inventory-ordering policies for the economic lot-sizing model with a class of piecewise linear cost structures[J]. Operations Research，50(6)：1058-1067.

Chan L M A，Muriel A，Shen Z J M，et al. 2002b. Effective of zero-inventory-ordering policies for the single-warehouse multiretailer problem with piecewise linear cost structures[J]. Management Science，48(11)：1446-1460.

Chang C T. 2017. An effective zero-inventory-ordering policy for a single-warehouse multiple retailer problem with a modified all-unit discount[J]. Computers & Industrial Engineering，109：204-210.

Chen H D，Hearn D W，Lee C Y. 1994. A dynamic programming algorithm for dynamic lot size models with piecewise linear costs[J]. Journal of Global Optimization，4：397-413.

Chung C S，Hum S H，Kirca O. 2000. An optimal procedure for the coordinated replenishment dynamic lot-sizing problem with quantity discounts[J]. Naval Research Logistics，47(8)：686-695.

Chyr F C. 1999. A dynamic lot-sizing model with quantity discount[J]. Production Planning & Control，10(1)：67-75.

Dawande M，Gavirneni S，Naranpanawe S，et al. 2007. Forecast horizons for a class of dynamic lot-size problems under discrete future demand[J]. Operations Research，55(4)：688-702.

Federgruen A，Lee C Y. 1990. The dynamic lot size model with quantity discount[J]. Naval Research Logistics，37(5)：707-713.

Hu J，Munson C L. 2002. Dynamic demand lot-sizing rules for incremental quantity discounts[J]. Journal of the Operational Research Society，53(8)：855-863.

Hu J，Munson C L，Silver E A. 2004. A modified silver-meal heuristic for dynamic lot sizing under incremental quantity discounts[J]. Journal of the Operational Research Society，55(6)：661-673.

Huang Y S，Ho R S，Fang C C. 2015. Quantity discount coordination for allocation of purchase orders in supply chains with multiple suppliers[J]. International Journal of Production Research，53(22)：6653-6671.

Karray S，Surti C. 2016. Channel coordination with quantity discounts and/or coorperative advertising[J]. International Journal of Production Research，54(17)：5317-5335.

Khan M A，Shaikh A A，Cárdenas-Barrón L E. 2021. An inventory model under linked-to-order hybrid partial advance payment，partial credit policy，all units discount and partial backlogging with capacity constraint[J]. Omega—The International Journal of Management Science，DOI：10.1016/j.omega.2021.102418.

Khouja M，Rajagopalan H K，Zhou J. 2013. Analysis of the effectiveness of manufacturer-sponsored retailer gift cards in supply chains[J]. Omega—The International Journal of Management Science，2013，41：665-678.

Li C L，Hsu V N，Xiao W Q. 2004. Dynamic lot sizing with batch ordering and truckload discounts[J]. Operations Research，52(4)：639-654.

Li C L，Qu J W，Hsu V N. 2012. Dynamic lot sizing with all units discount and resales[J]. Naval Research Logistics，59(3)：230-243.

Mazdeh M M，Emadikhiav M，Parsa I. 2015. A heuristic to solve the dynamic lot sizing problem with supplier selection and quantity discounts[J]. Computers & Industrial Engineering，85：33-43.

Xu J F，Lu L L. 1998. The dynamic lot size model with quantity discount：Counterexamples and correction[J]. Naval Research Logistics，45(4)：419-422.

Zissis D，Ioannou G，Burnetas A. 2015. Supply chain coordination under discrete information asymmetries and quantity discounts[J]. Omega—The International Journal of Management Science，53：21-29.

第5章　联合生产方式下动态批量与预测时阈

5.1　问 题 背 景

在企业的实际生产中，存在着规模经济与规模不经济的现象，规模经济是指随着生产数量的增加，企业平均成本呈递减的现象，规模不经济则反之。在理论研究中，若企业的生产函数为单调递增的凹函数(concave function)，则企业生产具有规模经济性；若企业的生产函数为单调递增的凸函数(convex function)，则企业生产规模不经济。

在大量动态批量问题的研究中，生产成本设定为生产启动成本(固定成本)和单位生产成本(变动成本)，即如下形式：

$$C_t(x_t) = \begin{cases} a_t + b_t x_t, & x_t > 0 \\ 0, & x_t = 0 \end{cases}$$

其中，$C_t(x_t)$ 为每一周期 t 的生产成本；a_t 为生产启动成本；b_t 为单位生产成本。此生产成本函数是固定-线性的形式，固定-线性的生产函数形式是一种特殊的凹函数形式，由于能够简洁地刻画企业的规模经济现象而被学者广泛采用。

企业的采购或生产中，不仅存在规模经济，还存在范围经济。由于多产品联合生产能够给企业带来范围经济，因此多产品联合生产(采购)问题也越来越受到企业的关注。在多产品联合生产(采购)问题的研究中，除了生产每一种产品的单独启动成本(individual setup cost)，还有联合启动成本(joint setup cost)。单独启动成本是当生产某一种产品时才产生的固定成本，类似于单产品问题中的启动成本，而联合启动成本是当无论生产一种产品还是多种产品都会发生的一种固定成本。多产品联合生产动态批量问题的研究大多聚焦于有效算法的设计(Li et al.，2012；Lu and Qi，2011；Jans，2009；Ertogral，2008；Federgruen and Tzur，1994；Federgruen and Zheng，1992；Erenguc，1988；Haseborg，1982；Kao，1979)。

第4章介绍了需求延迟的动态批量问题的研究，与需求延迟紧密联系的一个概念是需求损失。需求损失是缺货不补，需求延迟需要之后将缺货补上，因此也可以将需求损失看成需求延迟的一种特殊形式。在无能力约束下研究需求损失的动态批量文献比较少(Absi et al.，2013；Aksen et al.，2003)。研究需求损失的动态批量文献大多结合企业有限的生产能力或者库存能力，如生产能力约束和需求损失的动态批量问题(Hnaien and Afsar，2017；Absi et al.，2013；Absi and Sidhoum，2009)、库存能力约束和需求损失的动态批量问题(Hwang et al.，2013；Liu，2008；Liu and Tu，2008；Liu et al.，2007)。部分文献采用缺货的概念代替需求损失，从收益的角度看，企业损失部分需求将导致收益损失；从成本的角度看，损失的收益为缺货成本。

如第4章所述，高昂的启动成本是造成需求延迟和需求损失的一个重要原因。在未来一段时间需求较小的情形下，企业将会选择需求延迟策略以平衡启动成本和需求延迟成本，最大限度地降低运营总成本。因此，在联合启动成本下研究需求延迟(或损失)的动态批量决策问题对降低企业运营成本是有重要意义的。对联合生产与需求延迟(或损失)下两产品动态批量最优决策和预测时阈问题的深入研究，在理论上有助于推动多产品近似算法的设计与预测时阈存在性的研究，丰富算法设计与预测时阈求解的方法和技术。另外，本章的研究也为解决两产品替代情形下动态批量决策及预测时阈问题提供了有益的视角。

5.2　需求延迟情形

5.2.1　模型构建与算法设计

由于多产品联合生产能够给企业带来范围经济，因此多产品联合生产问题也越来越受到企业的关注。令 K_t 为第 t 期期初生产的联合启动(固定)成本，k_{nt} 为第 t 期期初产品 n 的单独启动(固定)成本。若第 t 期期初同时生产两种产品，则启动成本为 $K_t + k_{1t} + k_{2t}$，若第 n 期期初只生产产品 1(产品 2)，则启动成本为 $K_t + k_{1t}$($K_t + k_{2t}$)。两产品的需求可以延迟若干周期后满足，但会发生需求延迟成本。企业生产产品时也会产生变动生产成本。当企业持有产品从前一个周期到下一个周期时会产生库存成本。企业制订生产计划使得 T 个周期的联合启动成本、单独启动成本、变动生产成本、库存成本和需求延迟成本之和最小。

在模型构建中需要定义如表 5-1 所示的符号。

表 5-1　符号定义 1

符号	含义
T	时间周期
$P(t)$	t -周期问题，$1 \leqslant t \leqslant T$
X_{nt}	第 t 期期初产品 n 的生产(采购)数量，$1 \leqslant t \leqslant T$，$n = 1, 2$
d_{nt}	第 t 期期初产品 n 的需求，$1 \leqslant t \leqslant T$，$n = 1, 2$
I_{nt}	第 t 期期末(第 $t+1$ 期期初)产品 n 的库存数量，$1 \leqslant t \leqslant T$，$n = 1, 2$
B_{nt}	第 t 期产品 n 的需求延迟数量，$1 \leqslant t \leqslant T$，$n = 1, 2$
c_{nt}	第 t 期期初产品 n 的单位生产(采购)成本，$1 \leqslant t \leqslant T$，$n = 1, 2$
h_{nt}	第 t 期产品 n 的单位库存成本，$1 \leqslant t \leqslant T$，$n = 1, 2$
b_{nt}	第 t 期产品 n 的单位需求延迟成本，$1 \leqslant t \leqslant T$，$n = 1, 2$
k_{nt}	第 t 期期初产品 n 的单独启动(固定)成本，$1 \leqslant t \leqslant T$，$n = 1, 2$
K_t	第 t 期期初生产的联合启动(固定)成本，$1 \leqslant t \leqslant T$
$\delta(x)$	二元变量，$\delta(x) = \begin{cases} 1, & x > 0 \\ 0, & x = 0 \end{cases}$

首先分析结束周期不允许需求延迟的情形，然后放宽这一假设，设计出结束周期允许需求延迟情形的前向动态规划算法。不失一般性，假设初始周期和结束周期两产品的库存均为零，初始周期需求延迟数量为零。在以上假设和定义的基础上，需求延迟下的两产品联合生产动态批量决策问题可以用以下优化模型描述，企业的目标是在 T 周期内达到总成本最小，目标函数可表示为

$$\min \sum_{t=1}^{T}\left[K_t \delta\left(\sum_{n=1}^{2} X_{nt} \right) + \sum_{n=1}^{2}\left(k_{nt}\delta(X_{nt}) + c_{nt}X_{nt} + h_{nt}I_{nt} + b_{nt}B_{nt} \right) \right] \tag{5-1}$$

约束条件为

$$I_{nt} = I_{n,t-1} - B_{n,t-1} + X_{nt} - d_{nt} + B_{nt} , \quad 1 \leqslant t \leqslant T , \quad n=1,2 \tag{5-2}$$

$$X_{nt}, I_{nt}, B_{nt} \geqslant 0 , \quad 1 \leqslant t \leqslant T , \quad n=1,2 \tag{5-3}$$

$$I_{n0} = I_{nT} = B_{n0} = B_{nT} = 0 , \quad n=1,2 \tag{5-4}$$

约束条件(5-2)表示两产品的库存平衡；约束条件(5-3)是非负性约束。约束条件(5-4)代表初始周期和结束周期库存及延迟数量都为零。

定义 5-1 给定 T-周期问题的最优解，若 $I_{nt} = B_{nt} = 0$ ， $1 \leqslant t \leqslant T$ ， $n=1,2$ ，则周期 t 定义为产品 n 的再生点。

定义 5-2 给定 T-周期问题的最优解，若 $X_{nt} > 0$ ， $1 \leqslant t \leqslant T$ ， $n=1,2$ ，则周期 t 定义为产品 n 的采购点。

根据 Zangwill(1969)无生产能力约束的单产品需求延迟动态批量问题的结论，本章的两产品联合生产动态批量问题最优解有如下性质。

定理 5-1 在 T-周期问题的最优解中，对于产品 n （ $n=1,2$ ）和任意 t （ $1 \leqslant t \leqslant T$ ），有如下性质成立：① $I_{n,t-1}X_{nt} = 0$ ；② $I_{nt}B_{nt} = 0$ ；③ $X_{nt}B_{nt} = 0$ ；④ $I_{n,t-1}B_{nt} = 0$ 。

证明略。

根据以上最优解的性质，可以设计如下动态规划算法。令 $F(t)$ 为 t-周期问题的最优成本，$F_{i_1,j_1,i_2,j_2}(t)$ 为产品 1 的倒数第二个再生点为 i_1 和最后一个生产点为 j_1 ，产品 2 的倒数第二个再生点为 i_2 和最后一个生产点为 j_2 时 $P(t)$ 的最优成本。根据以上定义可得

$$F(t) = \min_{0 \leqslant i_1 < j_1 \leqslant t, \, 0 \leqslant i_2 < j_2 \leqslant t} F_{i_1,j_1,i_2,j_2}(t) \tag{5-5}$$

令 $F(i_1+1,j_1,i_2+1,j_2,t)$ 为产品 1 的最后一个生产点 j_1 生产产品 1 满足第 i_1+1 期到第 t 期产品 1 的需求，产品 2 的最后一个生产点 j_2 生产产品 2 满足第 i_2+1 期到第 t 期产品 2 的需求时发生的成本，则有

$$F_{i_1,j_1,i_2,j_2}(t) = \min\{F(i_1) + F(i_1+1,j_1,i_2+1,j_2,t); F(i_2) + F(i_1+1,j_1,i_2+1,j_2,t)\} \tag{5-6}$$

下面根据 i_1 、 i_2 、 j_1 和 j_2 的大小关系讨论计算 $F(i_1+1,j_1,i_2+1,j_2,t)$ 。

(1)若 $i_2 \leqslant i_1 \leqslant j_2$ 且 $j_1 \neq j_2$ ，则

$$\begin{aligned}
F(i_1+1,j_1,i_2+1,j_2,t) = &\sum_{u=i_1+1}^{j_1-1}\sum_{v=i_1+1}^{u} b_{1u}d_{1v} + K_{j_1} + k_{1j_1} + c_{1j_1}\sum_{u=i_1+1}^{t} d_{1u} + \sum_{u=j_1}^{t-1}\sum_{v=u+1}^{t} h_{1u}d_{1v} \\
&+ \sum_{u=i_1+1}^{j_2-1}\sum_{v=i_2+1}^{u} b_{2u}d_{2v} + K_{j_2} + k_{2j_2} + c_{2j_2}\sum_{u=i_2+1}^{t} d_{2u} + \sum_{u=j_2}^{t-1}\sum_{v=u+1}^{t} h_{2u}d_{2v}
\end{aligned} \tag{5-7}$$

(2)若 $i_2 \leqslant i_1 \leqslant j_2$ 且 $j_1 = j_2$ ，则

$$F(i_1+1,j_1,i_2+1,j_2,t) = \sum_{u=i_1+1}^{j_2-1}\sum_{v=i_1+1}^{u} b_{1u}d_{1v} + K_{j_1} + k_{1j_1} + c_{1j_1}\sum_{u=i_1+1}^{t} d_{1u} + \sum_{u=j_1}^{t-1}\sum_{v=u+1}^{t} h_{1u}d_{1v}$$
$$+ \sum_{u=i_2+1}^{j_2-1}\sum_{v=i_2+1}^{u} b_{2u}d_{2v} + k_{2j_2} + c_{2j_2}\sum_{u=i_2+1}^{t} d_{2u} + \sum_{u=j_2}^{t-1}\sum_{v=u+1}^{t} h_{2u}d_{2v} \tag{5-8}$$

（3）若 $i_2 < j_2 < i_1$，则

$$F(i_1+1,j_1,i_2+1,j_2,t) = \sum_{u=i_1+1}^{j_1-1}\sum_{v=i_1+1}^{u} b_{1u}d_{1v} + K_{j_1} + k_{1j_1} + c_{j_1}\sum_{u=i_1+1}^{t} d_{2u} + \sum_{u=j_1}^{t-1}\sum_{v=u+1}^{t} h_{1u}d_{1v}$$
$$+ c_{2j_2}\sum_{u=i_1+1}^{t} d_{2u} + \sum_{u=j_2}^{i_1}\sum_{v=i_1+1}^{t} h_{2u}d_{2v} + \sum_{u=i_1+1}^{t-1}\sum_{v=u+1}^{t} h_{2u}d_{2v} \tag{5-9}$$

（4）若 $i_1 < i_2 \leq j_1$ 且 $j_1 \neq j_2$，则

$$F(i_1+1,j_1,i_2+1,j_2,t) = \sum_{u=i_2+1}^{j_1-1}\sum_{v=i_2+1}^{u} b_{1u}d_{1v} + K_{j_1} + k_{1j_1} + c_{1j_1}\sum_{u=i_1+1}^{t} d_{1u} + \sum_{u=j_1}^{t-1}\sum_{v=u+1}^{t} h_{1u}d_{1v}$$
$$+ \sum_{u=i_2+1}^{j_2-1}\sum_{v=i_2+1}^{u} b_{2u}d_{2v} + K_{j_2} + k_{2j_2} + c_{2j_2}\sum_{u=i_2+1}^{t} d_{2u} + \sum_{u=j_2}^{t-1}\sum_{v=u+1}^{t} h_{2u}d_{2v} \tag{5-10}$$

（5）若 $i_1 < i_2 \leq j_1$ 且 $j_1 = j_2$，则

$$F(i_1+1,j_1,i_2+1,j_2,t) = \sum_{u=i_2+1}^{j_1-1}\sum_{v=i_1+1}^{u} b_{1u}d_{1v} + K_{j_1} + k_{1j_1} + c_{1j_1}\sum_{u=i_1+1}^{t} d_{1u} + \sum_{u=j_1}^{t-1}\sum_{v=u+1}^{t} h_{1u}d_{1v}$$
$$+ \sum_{u=i_2+1}^{j_2-1}\sum_{v=i_2+1}^{u} b_{2u}d_{2v} + k_{2j_2} + c_{2j_2}\sum_{u=i_2+1}^{t} d_{2u} + \sum_{u=j_2}^{t-1}\sum_{v=u+1}^{t} h_{2u}d_{2v} \tag{5-11}$$

（6）若 $i_1 < j_1 < i_2$，则

$$F(i_1+1,j_1,i_2+1,j_2,t) = c_{1j_1}\sum_{u=i_2+1}^{t} d_{1u} + \sum_{u=j_1}^{i_2}\sum_{v=i_2+1}^{t} h_{1u}d_{1v} + \sum_{u=i_2+1}^{t-1}\sum_{v=u+1}^{t} h_{1u}d_{1v}$$
$$+ \sum_{u=i_2+1}^{j_2-1}\sum_{v=i_2+1}^{u} b_{2u}d_{2v} + K_{j_2} + k_{2j_2} + c_{2j_2}\sum_{u=i_2+1}^{t} d_{2u} + \sum_{u=j_2}^{t-1}\sum_{v=u+1}^{t} h_{2u}d_{2v} \tag{5-12}$$

5.2.2　预测时阈分析

令 $i_1(t)$ 和 $j_1(t)$ 为 $P(t)$ 最优解中产品 1 的倒数第二个再生点和最后一个生产点，$i_2(t)$ 和 $j_2(t)$ 为产品 2 的倒数第二个再生点和最后一个生产点，$1 \leq t \leq T$。则由以上定义可得

$$F(t) = \min_{0 \leq i_1 < j_1 \leq t, 0 \leq i_2 < j_2 \leq t} F_{i_1,j_1,i_2,j_2}(t) = F_{i_1(t),j_1(t),i_2(t),j_2(t)}(t)$$
$$= \min\{F(i_1(t)) + F(i_1(t)+1,j_1(t),i_2(t)+1,j_2(t),t); \tag{5-13}$$
$$F(i_2(t)) + F(i_1(t)+1,j_1(t),i_2(t)+1,j_2(t),t)\}$$

令 $a_{nit} = c_{ni} + \sum_{l=i}^{t-1} h_{nl}$，$1 \leq i \leq t \leq T$，若 $i = t$，则 $a_{nii} = c_{ni}$。令 $m(nt)$ 为使 a_{nit} 最小的周期 i 的取值，$1 \leq i \leq t \leq T$，若对任意的 k（$1 \leq k \leq t$）有 $a_{nkt} \geq a_{nit}$ 成立，则 $i = m(nt)$。令 $b_{n1j} = c_{nj} + \sum_{l=1}^{j-1} b_{nl}$，$1 \leq j \leq t \leq T$，若 $j = 1$，则 $b_{n11} = c_{n1}$。令 $e(nt)$ 为使 b_{n1j} 最小的周期 j 的取值，若对任意的 g（$1 \leq g \leq t$）有 $b_{n1g} \geq b_{n1j}$ 成立，则 $j = e(nt)$。依据以上定义，需求延迟

下的生产点和采购点的单调性如下。

定理 5-2 在 $P(t)$ 的最优解中，若 $j_1(t) = m(1t) = e(1t)$ 和 $j_2(t) = m(2t) = e(2t)$ 成立，则在 $P(t+1)$ 的最优解中有 $i_1(t+1) \geq i_1(t)$、$j_1(t+1) \geq j_1(t)$、$i_1(t+1) \geq i_2(t)$ 和 $j_2(t+1) \geq j_2(t)$ 成立，$1 \leq t \leq T$。

证明过程与 Blackburn 和 Kunreuther（1974）无能力约束的单产品需求延迟动态批量问题的证明类似，这里略。

在两产品再生点单调的基础上构建两产品再生集，即可给出求解预测时阈的充分条件。

定义 5-3 若 X_{ni}^t 为 $P(t)$ 最优解中产品 n 在第 i 期的生产数量，则生产序列 $\{X_{n1}^t, X_{n2}^t, \cdots, X_{nt}^t\}$ 是产品 n 的最优生产序列，$n = 1, 2$。

定义 5-4 若生产序列 $\{X_{n1}^t, X_{n2}^t, \cdots, X_{nt}^t\}$ 为产品 n 的最优生产序列，则生产序列 $\{X_{n1}^t, X_{n2}^t, \cdots, X_{nt'}^t\}$ $(t' \leq t)$ 为产品 n 的最优生产子序列，$n = 1, 2$。

令 $i(t) = \min\{i_1(t), i_2(t)\}$，则如下定理成立。

定理 5-3 在 $P(t)$ 的最优解中，若 $j_1(t) = m(1t) = e(1t)$，$j_2(t) = m(2t) = e(2t)$，且 $X_{11}^{i(t)} = X_{12}^{i(t)+1} = \cdots = X_{1l}^{t-1}$ 和 $X_{21}^{i(t)} = X_{22}^{i(t)+1} = \cdots = X_{2l}^{t-1}$ 对于 $l = 1, 2, \cdots, \tau$ $(1 \leq \tau \leq i(t))$ 成立，则周期 t 为更长周期 t^* 的预测时阈，τ 为决策时阈，$t+1 \leq t^* \leq T$。

证明 根据定理 5-3，在 $P(t)$ 的最优解中，若 $j_1(t) = m(1t) = e(1t)$，$j_2(t) = m(2t) = e(2t)$，则对于任意 t^*，$t+1 \leq t^* \leq T$，$P(t^*)$ 的最优解中至少有一个产品 1 的再生点和产品 2 的再生点属于集合 $\{i(t), i(t)+1, \cdots, t-1\}$。因此，对于 $r \in \{i(t), i(t)+1, \cdots, t-1\}$，至少有一个 $P(r)$ 的最优解是 $P(t^*)$ 最优解的一部分。若 $X_{1l}^{i(t)} = X_{1l}^{i(t)+1} = \cdots = X_{1l}^{t-1}$ 且 $X_{2l}^{i(t)} = X_{2l}^{i(t)+1} = \cdots = X_{2l}^{t-1}$ 对于 $l = 1, 2, \cdots, \tau$ 成立，意味着每一个问题 $P(i(t))$，$P(i(t)+1)$，$\cdots$，$P(t-1)$ 有相同的 τ 期最优生产子序列，因此该 τ 期生产子序列是任何更长周期 t^* $(t \leq t^*)$ 最优解的一部分，则 τ 为决策时阈，又因为仅仅需要 t 周期的信息决定决策时阈，所以 t 为预测时阈。

以上分析了单位采购成本无条件变动情形下的预测时阈求解问题，下面阐述持有库存和需求延迟没有投机性动机情形下的预测时阈问题。

对于 $\forall 1 \leq i < k \leq T$，$n = 1, 2$，若如下表达式成立，则称这种成本结构为持有库存没有投机性动机：

$$c_{ni} + \sum_{l=i}^{k-1} h_{nl} > c_{nk} \tag{5-14}$$

另外，对于 $\forall 1 \leq j < k \leq T$，$n = 1, 2$，若如下表达式成立，则称这种成本结构为需求延迟没有投机性动机：

$$c_{nk} + \sum_{l=j}^{k-1} b_{nl} > c_{nj} \tag{5-15}$$

在持有库存和需求延迟没有投机性动机的条件下可以直接获得两产品生产点和再生点的单调性。

定理 5-4 在 $P(t+1)$ 的最优解中有 $i_1(t+1) \geq i_1(t)$、$j_1(t+1) \geq j_1(t)$、$i_1(t+1) \geq i_2(t)$ 和 $j_2(t+1) \geq j_2(t)$ 成立，$1 \leq t \leq T$。

在两产品生产点和再生点单调的基础上，求解预测时阈的充分条件如下。

定理 5-5 在 $P(t)$ 的最优解中，若 $X_{11}^{i(t)} = X_{12}^{i(t)+1} = \cdots = X_{1l}^{t-1}$ 和 $X_{21}^{i(t)} = X_{22}^{i(t)+1} = \cdots = X_{2l}^{t-1}$ 对于 $l = 1,2,\cdots,\tau$（$1 \leqslant \tau \leqslant i(t)$）成立，则周期 t 为更长周期 t^* 的预测时阈，τ 为决策时阈，$t+1 \leqslant t^* \leqslant T$。

5.3 需求损失情形

5.3.1 模型构建

令 S_{nt} 为第 t 期产品 n 的需求损失（缺货）数量，s_{nt} 为第 t 期产品 n 的单位需求损失（缺货）成本，$1 \leqslant t \leqslant T$，$n = 1,2$。根据 Aksen 等（2003）的研究，做如下假设。

假设 5-1 $s_{nt} > c_{nt}$，$n = 1,2$，$1 \leqslant t \leqslant T$，即两产品需求损失（缺货）的成本大于单位生产成本。该假设具有合理性，否则，若需求损失的成本小于单位生产成本，则需求全部不满足最优策略。

不失一般性，假设初始周期和结束周期两产品的库存均为零。在以上假设和定义的基础上，需求损失下的两产品联合生产动态批量决策问题可以用以下优化模型描述，企业的目标是在 T 周期内达到总成本最小，目标函数可表示为

$$\min \sum_{t=1}^{T} \left[K_t \delta\left(\sum_{n=1}^{2} X_{nt}\right) + \sum_{n=1}^{2} (k_{nt}\delta(X_{nt}) + c_{nt}X_{nt} + h_{nt}I_{nt} + s_{nt}S_{nt}) \right] \tag{5-16}$$

约束条件为

$$I_{nt} = I_{n,t-1} + X_{nt} - (d_{nt} - S_{nt}), \quad 1 \leqslant t \leqslant T, \quad n = 1,2 \tag{5-17}$$

$$S_{nt} \leqslant d_{nt}, \quad 1 \leqslant t \leqslant T, \quad n = 1,2 \tag{5-18}$$

$$X_{nt}, I_{nt}, S_{nt} \geqslant 0, \quad 1 \leqslant t \leqslant T, \quad n = 1,2 \tag{5-19}$$

约束条件（5-17）表示两产品的库存平衡，当期的库存数量等于上一期的库存数量加上当期期初的生产数量减去实际满足的需求数量；约束条件（5-18）表示当期需求损失（缺货）的数量小于等于当期的需求；约束条件（5-19）表示两产品的生产数量、库存数量和需求损失（缺货）数量均非负。

上述模型和 Aksen 等（2003）的研究主要有两方面的不同：①Aksen 等（2003）考虑的是单产品生产决策问题，本章考虑的是两产品联合生产决策问题，本章设置的两产品联合生产的启动成本具有子模性（Cheung et al.，2016），而具有子模性的成本能很好地刻画企业在生产过程中的范围经济，这是单产品问题所不具备的。另外，针对单产品动态批量问题设计的动态规划算法不适用于两产品联合生产的动态批量问题。②Aksen 等（2003）没有考虑预测时阈问题，本章的重点是研究两产品联合生产和需求损失下动态批量的预测时阈问题。

定义 5-5 给定 T-周期问题的最优解，若 $I_{nt} = 0$，$1 \leqslant t \leqslant T$，$n = 1,2$，则周期 t 定义为产品 n 的再生点。

5.3.2 算法设计

定理 5-6 在 T-周期问题的最优解中，对于产品 $n(n=1,2)$ 和任意 $t\,(1\leqslant t\leqslant T)$，有如下性质成立：① $I_{n,t-1}X_{nt}=0$；② $S_{nt}(S_{nt}-d_{nt})=0$；③ $X_{nt}S_{nt}=0$。

证明过程与 Aksen 等（2003）的文献类似。定理 5-6 中的①是著名的零库存性质，若某一周期 t 的生产大于零，则上一期的库存为零；定理 5-6 中的②表明若某一周期 t 有需求损失，则损失的数量一定为当期的需求；定理 5-6 中的③说明若某一周期 t 生产大于零，则不会有需求损失，这一性质可以由假设 5-1 得到。

Aksen 等（2003）设计的前向动态规划算法只适用于单产品情况，不适用于两产品联合生产的情况，根据定理 5-6 中的三个性质，以下内容将设计出两产品联合生产的前向动态规划算法。

令 $F(i,j,t)$ 为产品 1 的最后一个生产点为 i、产品 2 的最后一个生产点为 j 时 t-周期问题的成本，若产品 1 或者产品 2 在 t-周期问题中无生产点，则设置 $i=0$ 或 $j=0$，根据以上定义可得

$$F(t) = \min_{0\leqslant i\leqslant t,\, 0\leqslant j\leqslant t} F(i,j,t) \tag{5-20}$$

下面分类讨论计算动态规划循环式 $F(i,j,t)$。

首先计算初始值 $F(1)$：$F(1)=\min\{F(1,1,1);F(0,1,1);F(1,0,1);F(0,0,1)\}$，而 $F(1,1,1)=K_1+k_{21}+c_{21}d_{21}+s_{11}d_{11}$，$F(0,1,1)=K_1+s_{11}d_{11}+k_{21}+c_{21}d_{21}$，$F(1,0,1)=K_1+k_{11}+c_{11}d_{11}+s_{21}d_{21}$，$F(0,0,1)=s_{11}d_{11}+s_{22}d_{22}$。

当 $t\geqslant2$ 时，需要根据 $0\leqslant i\leqslant t-1$ 还是 $i=t$，以及 $0\leqslant j\leqslant t-1$ 还是 $j=t$ 来计算 $F(i,j,t)$。若 $i=0$（$j=0$），则令 $\left(c_{1i}+\sum_{l=i}^{t-1}h_{1l}\right)d_{1t}=+\infty$ $\left(\left(c_{2j}+\sum_{l=j}^{t-1}h_{2l}\right)d_{2t}=+\infty\right)$。若 $i=t$（$j=t$），则将 $F(i,j,t-1)$ 标记为 $F(j,t-1)$（$F(i,t-1)$）。

若 $0\leqslant i<t-1$，$0\leqslant j\leqslant t-1$，则

$$F(i,j,t)=F(i,j,t-1)+\min\left\{s_{1t},c_{1i}+\sum_{l=i}^{t-1}h_{1l}\right\}d_{1t}+\min\left\{s_{2t},c_{2j}+\sum_{l=j}^{t-1}h_{2l}\right\}d_{2t} \tag{5-21}$$

若 $t-1\leqslant i<t$，$0\leqslant j\leqslant t-1$，则

$$F(i,t,t)=F(i,t-1)+\min\left\{s_{1t},c_{1i}+\sum_{l=i}^{t-1}h_{1l}\right\}d_{1t}+K_t+k_{2t}+c_{2t}d_{2t} \tag{5-22}$$

若 $i=t$，$0\leqslant j\leqslant t-1$，则

$$F(t,j,t)=F(j,t-1)+K_t+k_{1t}+c_{1t}d_{1t}+\min\left\{s_{2t},c_{2j}+\sum_{l=j}^{t-1}h_{2l}\right\}d_{2t} \tag{5-23}$$

若 $i=j=t$，则

$$F(t,t,t)=F(t-1)+K_t+\sum_{n=1}^{2}k_{nt}+\sum_{n=1}^{2}c_{nt}d_{nt} \tag{5-24}$$

5.3.3　预测时阈分析

令 $i(t)$ 和 $j(t)$ 代表 t -周期问题最优解中产品 1 和产品 2 的最后一个生产点，$1 \leqslant t \leqslant T$ 。令 $a_{1it} = c_{1i} + \sum_{l=i}^{t-1} h_{1l}$ ，$1 \leqslant i \leqslant t \leqslant T$ ，若 $i = t$ ，则 $a_{1ii} = c_{1i}$ 。令 $m(1t)$ 为使 a_{1it} 最小的周期 i 的取值，$1 \leqslant i \leqslant t \leqslant T$ ，若对任意的 k（$1 \leqslant k \leqslant t$）有 $a_{1kt} \geqslant a_{1it}$ 成立，则 $i = m(1t)$ 。同理，令 $a_{2jt} = c_{2j} + \sum_{l=j}^{t-1} h_{2l}$ ，$1 \leqslant j \leqslant T$ ，则 $m(2t)$ 为使 a_{2jt} 最小的周期 j 的取值。

定理 5-7　在 $P(t)$ 的最优解中，若至少有一个产品 1 的生产点和一个产品 2 的生产点，且有 $i(t) = m(1t)$ 和 $j(t) = m(2t)$ 成立，则在 $P(t+1)$ 的最优解中，有 $i(t+1) \geqslant i(t)$ 和 $j(t+1) \geqslant j(t)$ ，即两产品最后一个生产点是单调的，$1 \leqslant t \leqslant T$ 。

定理 5-7（证明见附录四）建立了生产点的单调性，由零库存性质可得，周期 $i(t)-1$ 和 $j(t)-1$ 分别是 $P(t)$ 最优解中产品 1 和产品 2 的再生点，而周期 $i(t+1)-1$ 和 $j(t+1)-1$ 分别是 $P(t+1)$ 最优解中产品 1 和产品 2 的再生点。根据定理 5-7 可得，两产品生产点之前且相邻的再生点也具有单调性。值得注意的是，在需求损失下，并不是所有再生点都具有单调性。例如，如果产品 1(2) 的库存在周期 e 和周期 $e+1$ 都为零，且两个周期的需求均损失，周期 $e+1$ 也不是产品 1(2) 的生产点，则此时周期 e 和周期 $e+1$ 都是产品 1(2) 的再生点，但产品 1(2) 的再生点 i 并不一定具有单调性。这类似于第 3 章中再生点单调性的分析。在本章中的需求损失动态批量模型中，只有生产点之前且相邻的再生点才具有单调性。若 $P(t)$ 中没有生产点，则无法建立生产点的单调性，同样也无法建立再生点的单调性。

令 $\lambda(t) = \min\{i(t), j(t)\}$ ，有了两产品生产点和再生点的单调性，可以构建再生集并给出求解预测时阈的充分条件。

定理 5-8　在 $P(t)$ 的最优解中，若 $i(t) = m(1t)$ ，$j(t) = m(2t)$ ，且 $X_{11}^{\lambda(t)-1} = X_{12}^{\lambda(t)} = \cdots = X_{1l}^{t-1}$ 和 $X_{21}^{\lambda(t)-1} = X_{22}^{\lambda(t)} = \cdots = X_{2l}^{t-1}$ 对于 $l = 1, 2, \cdots, \tau$ 成立，$1 \leqslant \tau \leqslant \lambda(t)-1$ ，则周期 t 为预测时阈，τ 为相应的决策时阈。

以上运用边际成本分析方法求解了单位生产成本无约束变动情形下的预测时阈，在持有库存没有投机性动机的条件下，如式 (5-25) 所示，可以直接得出两产品生产点的单调性。

$$c_{nt} + \sum_{l=t}^{t'-1} h_{nl} > c_{nt'}, \quad \forall 1 \leqslant t < t' \leqslant T, \quad n = 1, 2 \tag{5-25}$$

定理 5-9　在 $P(t)$ 的最优解中，若至少有一个产品 1 的生产点和一个产品 2 的生产点，则在 $P(t+1)$ 的最优解中，有 $i(t+1) \geqslant i(t)$ 和 $j(t+1) \geqslant j(t)$ ，$1 \leqslant t \leqslant T$ 。

相应地，求解预测时阈的充分条件变为如下形式。

定理 5-10　在 $P(t)$ 的最优解中，若有 $X_{11}^{\lambda(t)-1} = X_{12}^{\lambda(t)} = \cdots = X_{1l}^{t-1}$ 和 $X_{21}^{\lambda(t)-1} = X_{22}^{\lambda(t)} = \cdots = X_{2l}^{t-1}$ 对于 $l = 1, 2, \cdots, \tau$ 成立，$1 \leqslant \tau \leqslant \lambda(t)-1$ ，则周期 t 为预测时阈，τ 为相应的决策时阈。

在持有库存没有投机性动机的条件下，若在 $P(t)$ 的最优解中没有产品 1 的生产点，或者没有产品 2 的生产点，或者两产品的生产点都没有，则无法建立生产点的单调性，也就无法获得预测时阈的充分条件。

下面举例分析预测时阈的求解过程。

例 5-1 假设产品 1 和产品 2 前 7 期的需求分别为 $d_{1t} = (10,7,6,13,8,8,12)$，$d_{2t} = (10,6,8,12,9,6,13)$。成本参数为 $K_t = (50,60,60,50,60,70,50)$，$k_{1t} = (10,11,9,9,11,10,10)$，$k_{2t} = (10,11,9,9,10,11,9)$，$s_{1t} = (8,8,6,9,9,10,10)$，$s_{2t} = (9,8,8,9,9,7,10)$，$h_{1t} = (1,2,2,1,1,2,1)$，$h_{2t} = (1,1,2,2,2,1,1)$，$c_{1t} = c_{2t} = (4,5,5,5,5,5,4)$。

运用前向动态规划算法，计算结果如表 5-2 所示。由表 5-2 可知，$i(17) = m(17) = 7$，$i(27) = m(27) = 7$，因此生产集中只有周期 7 一个元素，再生集中只有周期 6 一个元素。又由 $X_{11}^6 = 17$，$X_{12}^6 = 0$，$X_{13}^6 = 0$，$X_{14}^6 = 29$，$X_{15}^6 = 0$，$X_{16}^6 = 0$；$X_{21}^6 = 24$，$X_{22}^6 = 0$，$X_{23}^6 = 0$，$X_{24}^6 = 21$，$X_{25}^6 = 0$，$X_{26}^6 = 0$。因此可知周期 7 是预测时阈，相应的决策时阈为 $\tau = 6$。

表 5-2 例 5-1 计算结果

t	1	2	3	4	5	6	7
(d_{1t}, d_{2t})	(10,10)	(7,6)	(6,8)	(13,12)	(8,9)	(8,6)	(12,13)
(X_{1t}^1, X_{2t}^1)	(10,10)						
(X_{1t}^2, X_{2t}^2)	(17,16)	(0,0)					
(X_{1t}^3, X_{2t}^3)	(17,24)	(0,0)	(0,0)				
(X_{1t}^4, X_{2t}^4)	(17,24)	(0,0)	(0,0)	(13,12)			
(X_{1t}^5, X_{2t}^5)	(17,24)	(0,0)	(0,0)	(21,21)	(0,0)		
(X_{1t}^6, X_{2t}^6)	(17,24)	(0,0)	(0,0)	(29,21)	(0,0)	(0,0)	
(X_{1t}^7, X_{2t}^7)	(17,24)	(0,0)	(0,0)	(29,21)	(0,0)	(0,0)	(12,13)
$F(t)$	150	215	299	492	603	701	870

5.4 两产品共用生产能力情形

企业实际生产运营中，往往存在生产能力受限的情况，造成企业生产能力受限的原因主要有两个：①企业自身的原因，如企业因为自身厂房、设备、雇员、运营资金等较有限造成开工率不足，或者原材料不足造成企业生产能力受限，这些原因也可以称为内因；②外因，如政府的管控。如近年来，一到冬季，我国的很多城市便会出现雾霾天气，为了应对雾霾天气，政府会对企业做出停限产等规定。面对生产能力受限，企业只有在生产能力约束下优化企业的决策以最大限度地降低产能受限带来的不利影响，提高企业的运营效率。因此，在企业生产能力有约束的情形下研究生产动态批量决策具有重要的实际意义。

生产能力约束是引起企业需求损失的重要原因，在 5.3 节研究的基础上，本节研究两产品共用有限生产能力情形下的动态批量决策和预测时阈问题。在时变成本下生产能力约束的动态批量与预测时阈求解是学术界尚未解决的一大难题，对这一问题的深入讨论超出了本书的研究范围，因此本书将在成本非时变情形下研究两产品共用有限生产能力的动态批量问题。模型构建中用到表 5-3 中定义的非时变参数。

表 5-3　符号定义 2

符号	含义
c_n	产品 n 的单位生产(采购)成本，$n=1,2$
h_n	产品 n 的单位库存成本，$n=1,2$
s_n	产品 n 的单位需求损失(缺货)成本，$n=1,2$
k_n	产品 n 的单独启动成本，$n=1,2$
K	联合启动成本
$X^{\max}$	每一周期 t 有限的生产能力，$1\leqslant t\leqslant T$

目标函数可表示为

$$\min\sum_{t=1}^{T}\left[K\delta\left(\sum_{n=1}^{2}X_{nt}\right)+\sum_{n=1}^{2}\left(k_n\delta(X_{nt})+c_nX_{nt}+h_nI_{nt}+s_nS_{nt}\right)\right] \tag{5-26}$$

约束条件为

$$I_{nt}=I_{n,t-1}+X_{nt}-(d_{nt}-S_{nt})，\quad 1\leqslant t\leqslant T，\quad n=1,2 \tag{5-27}$$

$$S_{nt}\leqslant d_{nt}，\quad 1\leqslant t\leqslant T，\quad n=1,2 \tag{5-28}$$

$$X_{nt},I_{nt},S_{nt}\geqslant 0，\quad 1\leqslant t\leqslant T，\quad n=1,2 \tag{5-29}$$

$$\sum_{n=1}^{2}X_{nt}\leqslant X^{\max}，\quad 1\leqslant t\leqslant T \tag{5-30}$$

约束条件(5-27)~(5-29)与约束条件(5-17)~(5-19)一致；约束条件(5-30)表示在任意周期 t，两产品的生产数量之和不能超过最大的生产能力。

在有生产能力约束的情形下，定理 5-6 中的性质不再成立，因此需要提出新的性质。

定理 5-11　在 T-周期问题的最优解中，对于产品 $n(n=1,2)$ 和任意 $t(1\leqslant t\leqslant T)$，有如下性质成立：

(1) $I_{1,t-1}(X^{\max}-X_{1t}-X_{2t})X_{1t}=0$，$I_{2,t-1}(X^{\max}-X_{1t}-X_{2t})X_{2t}=0$。

(2) $S_{nt}I_{nt}=0$。

(3) 若 $p_1-c_1\geqslant p_2-c_2$，则 $L_{1t}(d_{2t}-L_{2t})=0$；若 $p_1-c_1<p_2-c_2$，则 $L_{2t}(d_{1t}-L_{1t})=0$。

(4) 若 $p_1-c_1\geqslant p_2-c_2$ 且 $X_{1t}>0$，则 $X_{1t}\geqslant\dfrac{K}{p_1-c_1}$；若 $p_1-c_1<p_2-c_2$ 且 $X_{2t}>0$，则 $X_{2t}\geqslant\dfrac{K}{p_2-c_2}$。

定理 5-11(1) 证明　运用反证法，假设 $I_{1,t-1}(X^{\max}-X_{1t}-X_{2t})X_{1t}>0$，即 $I_{1,t-1}>0$，$X_{1t}>0$，$X^{\max}-X_{1t}-X_{2t}>0$，然而若降低 $I_{1,t-1}$ 的数量同时增加 X_{1t} 的数量，此生产计划的调整使成本降低了 $h_1I_{1,t-1}$，又由于两种产品共用有限的生产能力，X_{1t} 增加的最大数量为 $X_{1t}=X^{\max}-X_{2t}$，因此可得 $I_{1,t-1}(X^{\max}-X_{1t}-X_{2t})X_{1t}=0$；同理可得 $I_{2,t-1}(X^{\max}-X_{1t}-X_{2t})X_{2t}=0$。

定理 5-11(2) 证明见 Sandbothe 和 Thompson(1990)文献的引理 3。

定理 5-11(3)证明　运用反证法，如果 $p_1 - c_1 \geqslant p_2 - c_2$，假设 $L_{1t}(d_{2t} - L_{2t}) > 0$，若增加一单位产品 2 的需求损失数量而降低一单位产品 1 的需求损失数量，则此生产计划的调整可降低成本 $p_1 - c_1 - (p_2 - c_2)$，又由约束条件(5-28)，产品 2 需求损失的最大数量为当期的需求数量，因此增加产品 2 需求损失数量至需求数量时成本降至最低，可得 $L_{1t}(d_{2t} - L_{2t}) = 0$。若 $p_1 - c_1 < p_2 - c_2$，同理可得 $L_{2t}(d_{1t} - L_{1t}) = 0$。

定理 5-11(4)证明　若 $p_1 - c_1 \geqslant p_2 - c_2$，由定理 5-11(3)可得第 t 期优先生产产品 1，满足产品 1 的需求是最优策略。运用反证法，对于不等式左边，假设 $X_{1t} < \dfrac{K}{p_1 - c_1}$，变形为 $p_1 X_{1t} < K + c_1 X_{1t}$，此不等式意味着第 t 期生产 X_{1t} 数量产品的成本大于缺 X_{1t} 数量产品的成本，与假设矛盾，因此 $X_{1t} \geqslant \dfrac{K}{p_1 - c_1}$。若 $p_1 - c_1 < p_2 - c_2$，则同理可得 $X_{2t} \geqslant \dfrac{K}{p_2 - c_2}$。

通过以上性质的分析，生产能力有限的条件下两产品联合生产动态批量问题可以通过动态规划算法解决。动态规划算法的目标是在可行域内找到两种产品的最优生产数量。令 Q_{nt} 代表两产品在第 $t-1$ 期期末(第 t 期期初)的库存状态，$Z_{nt}(I_{1,t-1}, I_{2,t-1})$ 代表两产品在第 $t-1$ 期期末(第 t 期期初)的库存水平为 $I_{1,t-1}$ 和 $I_{2,t-1}$ 时产品 n 在第 t 期期初的生产数量，$n = 1, 2$。由此可得

$$Z_{nt}(I_{1,t-1}, I_{2,t-1}) = \left\{ \sum_{n=1}^{2} X_{nt} = X^{\max} \right\} \bigcup \{0\} \bigcup \left\{ X_{nt} = \sum_{l=t}^{t} d_{nt} \right\}$$

令 $I'_{nt} = I_{nt} + X_{nt} - (d_{nt} - L_{nt})$，则 I'_{nt} 代表产品 n 在第 t 期期末的库存水平，根据 I'_{nt}、I_{nt}、L_{nt} 的定义可得 $I_{nt} = \max\{I'_{nt}, 0\}$，$L_{nt} = \max\{-I'_{nt}, 0\}$，进一步可得 $h'_n I'_{nt} = \begin{cases} h_n I'_{nt}, & I'_{nt} > 0 \\ p_n(-I'_{nt}), & I'_{nt} \leqslant 0 \end{cases}$。

令 $F_t(I_{1t}, I_{2t})$ 为 $1 \sim t$ 周期最小总成本，包括两产品的启动成本、变动生产成本、库存成本和缺货成本。初始条件为 $F_0(0, 0) = 0$，通过以上定义可得动态规划递推式：

$$F_t(I_{1t}, I_{2t}) = \min \left\{ K\delta\left(\sum_{n=1}^{2} X_{nt} \right) + \sum_{n=1}^{2} (c_n X_{nt} + h'_n I'_{nt}) + F_{t-1}(I_{1,t-1}, I_{2,t-1}) \right\} \qquad (5\text{-}31)$$

令 $\lambda_n = \left\lfloor \dfrac{p_n - c_n}{h_n} \right\rfloor$，则根据 Sandbothe 和 Thompson(1990)的研究结论，有如下性质成立。

性质 5-1　在 $P(T)$ 的最优解中，产品 n 的最大库存持有周期为 λ_n，$n = 1, 2$。

性质 5-1 表明产品 n 生产出来之后持有的周期不超过 λ_n 个周期，产品 n 持有的库存时间若超过 λ_n 个周期，则企业选择缺货的成本更低，即产品 n 在 t 周期的需求不会由 $t - \lambda_n + 1$ 周期之前生产的产品满足。

性质 5-2　在 $P(T)$ 的最优解中，两种产品的最优库存分配策略是"后进先出"。

性质 5-2 表明在成本参数以及生产能力非时变的条件下，有能力约束且允许缺货的动态批量问题，企业采取后进先出的产品库存管理方式是最优的。

令 $\lambda = \max\{\lambda_1, \lambda_2\}$，则根据性质 5-1 和性质 5-2 可得如下引理。

引理 5-1　在 $P(T)$ 的最优解中，任意连续 λ 个周期形成一个两产品的再生集，即任

意连续 λ 个周期中至少有一个周期产品 1 的库存为零，同时至少有一个周期产品 2 的库存为零。

因为连续 λ 个周期形成一个两产品的再生集，所以根据 Lundin 和 Morton（1975）再生集理论可得如下预测时阈定理。

定理 5-12　在 $P(t)$ 的最优解中，若 $t > \lambda$ 且有 $X_{1l}^{t-\lambda} = X_{1l}^{t-\lambda+1} = \cdots = X_{1l}^{t}$ 和 $X_{2l}^{t-\lambda} = X_{2l}^{t-\lambda+1}$ $= \cdots = X_{2l}^{t}$ 对于 $l = 1,2,\cdots,\tau$ （$1 \leqslant \tau \leqslant t-k$）成立，则对于任意更长周期的问题 $P(t^*)$，周期 t 为预测时阈，周期 τ 为相应的决策时阈，$t^* > 0$。

证明略。

另外，根据生产能力约束的特征也有一种简单的判定预测时阈的方法。

定理 5-13　在 $P(t)$ 的最优解中，若有 $t > \lambda$、$X_{1j}^{t} + X_{2j}^{t} = X^{\max}$、$L_{1j} > 0$ 和 $L_{2j} > 0$ 对于所有的 $j = t-k+1, t-k+2, \cdots, t$ 成立，则周期 t 为预测时阈，t 也为决策时阈，$1 \leqslant t \leqslant T$。

证明　若 t-周期问题的最优解中，每一个周期两种产品的生产都消耗了最大的生产能力，且最后一个周期产品 1 和产品 2 在最后一个周期都有需求损失，又由定理 5-11（2）中的性质得两产品在第 t 期的库存均为零，即第 $t+1$ 期及以后周期两种产品的需求由第 $t+1$ 期及以后周期的生产满足，因此两种产品最优的生产序列 $\{X_{11}^{t}, X_{12}^{t}, \cdots, X_{1t}^{t}\}$ 和 $\{X_{21}^{t}, X_{22}^{t}, \cdots, X_{2t}^{t}\}$ 不会被发生在第 $t+1$ 期及以后周期的需求和成本信息所改变。即两产品 t 期生产序列的最优解是任何更长周期 t^*（$t \leqslant t^*$）最优解的一部分，因此 t 是决策时阈，又因为仅仅需要 t 周期的需求信息决定决策时阈，所以周期 t 是预测时阈。

若 $t < \lambda$，则以上定理变为：在 t-周期问题的最优解中，若 $X_{1j}^{t} + X_{2j}^{t} = X^{\max}$、$L_{1t} > 0$ 和 $L_{2t} > 0$ 对于所有的 $j = 1,2,\cdots,t$ 成立，则周期 t 为预测时阈，t 也为决策时阈，$1 \leqslant t \leqslant T$。

当预测时阈被找到时，因为前几个周期的最优解是更长周期最优解的一部分，所以可得前向动态规划算法就可以停止，这也节省了企业的计算成本，提高了决策效率。

下面通过构造数值实验进一步理解两产品共用有限生产能力下联合生产总成本和预测时阈的特征。两种产品各周期的需求均值设为 10，标准差设为 2。成本参数设为 $K = 80$，$p_1 = 15$，$p_2 = 10$，$c_1 = 5$，$c_2 = 3$，$h_1 = h_2 = 1$。生产能力 $I^{\max}$ 取 15、20、25、30、40、50 六个值。为了方便找到成本和预测时阈中值，对每一组参数运行 11 次。

图 5-1 描述了生产运营成本（10 个周期）作为生产能力 $I^{\max}$ 的函数的变化趋势。在成本参数固定的情形下，发现生产运营成本随着生产能力的增加而下降。这是因为在缺货成本和需求较大而启动成本相对较小的情况下，企业会以最大生产能力生产，从而最大限度地满足需求，此时因为生产能力较小，企业会选择每一周期都处于生产状态，从而产生较高的联合启动成本。随着生产能力的增加，企业不选择每一周期都生产也可满足需求，因此联合启动成本降低，进一步运营总成本也降低。

图 5-2 描述了预测时阈作为生产能力 $I^{\max}$ 的函数的变化趋势。发现随着生产能力的递增，预测时阈显著增加。这是因为当生产能力相比于需求较小时，企业当前几个周期的最优生产数量即最大的生产能力，是随着生产能力的递增而递增，每一周期的生产数量将会满足未来更多周期的需求，再生集的长度增加导致预测时阈递增。

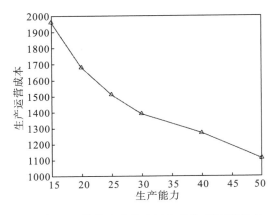

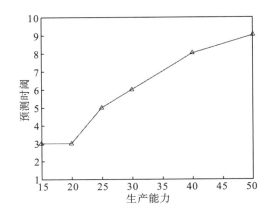

图 5-1　作为生产能力函数的生产运营成本　　　　图 5-2　作为生产能力函数的预测时阈

　　根据图 5-1 和图 5-2 的研究结果能够得到如下管理启示：在企业成本相对稳定的情况下，扩大企业的生产能力有助于降低企业的成本，增加企业收益，但同时也需要优化未来更长周期的数据信息才能做出更准确的决策，要求企业具有处理未来更长周期数据信息的能力。

5.5　本　章　小　结

　　本章研究了两独立耐用品联合生产决策问题，构建了需求延迟和需求损失两类成本最小化模型。在需求延迟模型中，又考虑了结束周期不允许需求延迟和允许需求延迟两种情形。在最优解结构性质的基础上，设计了前向动态规划算法求解这两种不同情形的模型。在求解预测时阈部分同样考虑单位生产成本时变和单位生产成本非时变两种情形。针对单位生产成本时变情形，运用边际成本分析法建立了两产品生产点和再生点的单调性，进一步构造两产品再生集给出求解预测时阈的充分条件。对于单位生产成本非时变情形，直接得到两产品生产点和再生点的单调性，然后构造两产品再生集，给出求解预测时阈的充分条件。在需求损失模型中，利用最优解的结构性质设计了前向动态规划算法求解模型，同样运用边际成本分析法在单位生产成本非时变的情形下建立了生产点和再生点的单调性，然后构造两产品再生集给出求解预测时阈的充分条件。本章还进一步构造了两产品共用有限生产能力和需求损失下联合生产的动态批量决策模型。同样，利用最优解的结构性质设计了前向动态规划算法求解模型。运用问题特性，给出了求解预测时阈的充分条件。最后运用数值实验给出了生产能力的大小对总成本和预测时阈的影响。

参 考 文 献

Absi N，Sidhoum S K. 2009. The multi-item capacitated lot-sizing problem with safety stocks and demand shortage costs[J]. Computers & Operations Research，36(11): 2926-2936.

Absi N，Detienne B，Peres S D. 2013. Heuristics for the multi-item capacitated lot-sizing problem with lost sales[J]. Computers & Operations Research，40(1): 264-272.

Aksen D. 2007. Loss of customer goodwill in the uncapacitated lot-sizing problem[J]. Computers & Operational Research，34: 2805-2823.

Aksen D，Altinkemer K，Chand S. 2003. The single-item lot-sizing problem with immediate lost sales[J]. European Journal of Operational Research，147(3): 558-566.

Blackburn J D，Kunreuther H. 1974. Planning horizons for the dynamic lot size model with backlogging[J]. Management Science，21(3): 251-255.

Cheung M，Elmachtoub A N，Levi R，et al. 2016. The submodular joint replenishment problem[J]. Mathematical Programming，158(1): 207-233.

Erenguc S S. 1988. Multiproduct dynamic lot-sizing model with coordinated replenishments[J]. Naval Research Logistics，35(1): 1-22.

Ertogral K. 2008. Multi-item single source ordering problem with transportation cost: A Lagrangian decomposition approach[J]. European Journal of Operational Research，191(1): 156-165.

Federgruen A，Zheng Y S. 1992. The joint replenishment problem with general joint cost structures[J]. Operations Research，40(6): 384-403.

Federgruen A，Tzur M. 1994. The joint replenishment problem with time-varying costs and demands: Efficient asymptotic and optimal solutions[J]. Operations Research，42(6): 1067-1086.

Haseborg F T. 1982. On the optimality of joint ordering policies in a multi-product dynamic lot size model with individual and joint set-up costs[J]. European Journal of Operational Research，9(1): 47-55.

Hnaien F，Afsar H M. 2017. Robust single-item lot-sizing problems with discrete-scenario lead time[J]. International Journal of Production Economics，2017，185: 223-229.

Hwang H C，Heuvel W V D，Wagelmans A P M. 2013. The economic lot-sizing problem with lost sales and bounded inventory[J]. IIE Transactions，45(8): 912-924.

Jans R. 2009. Solving lot-sizing problems on parallel identical machines using symmetry-breaking constraints[J]. INFORMS Journal on Computing，21(1): 123-136.

Kao E P C. 1979. A multi-product dynamic lot-size model with individual and joint set-up costs[J]. Management Science，27(2): 279-289.

Li Y Z，Tao Y，Wang F. 2012. An effective approach to multi-item capacitated dynamic lot-sizing problems[J]. International Journal of Production Research，50(19): 5348-5362.

Liu X. 2008. A polynomial time algorithm for production planning with bounded inventory[J]. The International Journal of Advanced Manufacturing Technology，39(7): 774-782.

Liu X，Tu Y. 2008. Production planning with limited inventory capacity and allowed stockout[J]. International Journal of Production Economics，111(1): 180-191.

Liu X，Chu F，Chu C B，et al. 2007. Lot sizing with bounded inventory and lost sales[J]. International Journal of Production Research，45(24): 5881-5894.

Lu L，Qi X T. 2011. Dynamic lot sizing for multiple products with a new joint replenishment model[J]. European Journal of Operational Research，211(1): 74-80.

Lundin R A，Morton T E. 1975. Planning horizons for the dynamic lot size model: Zabel vs. protective procedures and computational results[J]. Operations Research，23(4): 711-734.

Sandbothe R A，Thompson G L. 1990. A forward algorithm for the capacitated lot size model with stockouts[J]. Operations Research，
    38(3): 474-486.

Zangwill W I. 1969. A backlogging model and a multi-echelon model of a dynamic economic lot size production system—A network
    approach[J]. Management Science，15(9): 506-527.

第6章 两级动态批量与预测时阈

6.1 问 题 背 景

多级动态批量决策问题类似于集中化供应链决策问题(Kaminsky and Levi,2003)。在制造业中,终端产品是由最初的原材料采购到一系列的加工制造才最终完成,每一个环节都是增加终端产品附加值的过程。不仅制造业,电子商务平台也采用类似的策略,例如,京东等众多电子商务平台的多级供应链系统一般包含一个大型仓储中心和多个前置仓,或者一个区域配送中心和多个面向客户的实体店面。无论是制造企业还是电子商务平台,它们的运营决策都可以视为多级动态批量问题。传统的多级动态批量问题假设最后一级有外生需求,而中间各级没有外生需求,而这一假设越来越不符合现实情形(Zhao and Zhang,2020;Zhang et al.,2012),例如,在一个制造企业的两级供应链系统中,企业在第一级加工生产零部件主要供应给第二级组装终端产品,但是企业也会将第一级生产的零部件满足维修服务等产生的外部需求。又如,一个大型区域仓储中心直接从供应商采购产品然后给多个前置仓进行配送,但是这个大型区域仓储中心也会直接给地理位置较近的客户直接进行产品配送。在每一级都有外生需求的情形下,生产运营经理需要解决如下三个问题:①每一级应何时生产?②每一级的最优生产数量应是多少?③在做当前决策时需要预测未来多长时间的需求与成本信息?

多级动态批量问题的研究在动态批量研究中长期受到极大的关注,产生了很多经典的文献。早期的多级动态批量问题的研究主要是在 WW 模型基础上的拓展,见 Zangwill(1966,1969)和 Love(1972)的文献。然而,近年来的多级动态批量问题的研究主要在能力约束等具体企业实践情境下进行,主要有生产能力约束下的多级动态批量问题(Tian and Zhang,2019;Hellion et al.,2015;Hwang et al.,2013;Wang et al.,2010;Pan et al.,2009;Sargut and Romeijn,2007;Hoesel et al.,2005)、库存能力约束下的多级动态批量问题(Phouratsamay et al.,2018;Gayon et al.,2016;Jaruphongsa et al.,2004)、Batch 运输方式下的多级动态批量问题(Hwang and Kang,2020a,2020b;Jaruphongsa et al.,2007;Lee et al.,2003,2005)、多产品下的多级动态批量问题(Vyve et al.,2014;Wu et al.,2013;Stadtler,2011;Begnaud et al.,2009)、供应商选择情形下的多级动态批量问题(Arslan et al.,2016;Ventura et al.,2013)。以上多级动态批量文献普遍假设每一级都没有外生需求,也没有考虑产品的库存成本依赖于持有时间的情形。况且,以上文献没有回答企业在做当前决策时需要考虑未来多久的数据信息这一问题,即并未分析多级动态批量的预测时阈问题。基于此,本章研究各级都存在外生需求的两级动态批量问题,分别考虑库存成本时间非依赖和时间依赖两种模型,且分析了两种模型下的预测时阈问题。

6.2　模型构建与算法设计

6.2.1　模型构建

传统的多级动态批量问题只考虑最后一级有外生需求，而中间各级没有外生需求，而这一假设并不符合现实情形，例如，在包含一个配送中心和多个零售连锁店的两级配送系统中，配送中心也会直接配送产品给地理位置比较近的终端顾客。基于以上背景，本节首先研究库存成本非时间依赖且两级都有外生需求的两级动态批量问题。

在模型构建中需要定义如表 6-1 所示的符号。

表 6-1　符号定义 1

符号	含义
T	时间周期
$P(t)$	t-周期问题，$t=1,2,\cdots,T$
d_t^n	第 n 级第 t 期的需求，$n=1,2$，$t=1,2,\cdots,T$
σ_t^n	第 n 级第 t 期生产(采购)的固定(启动)成本，$n=1,2$，$t=1,2,\cdots,T$
c_t^n	第 n 级第 t 期单位生产(采购)的成本，$n=1,2$，$t=1,2,\cdots,T$
h_t^n	第 n 级第 t 期生产(采购)的单位库存成本，$n=1,2$，$t=1,2,\cdots,T$
x_t^n	第 n 级第 t 期期初生产(采购)数量，$n=1,2$，$t=1,2,\cdots,T$
I_t^n	第 n 级第 t 期生产(采购)的库存数量，$n=1,2$，$t=1,2,\cdots,T$
$\delta(x)$	二元变量，$\delta(x)=\begin{cases} 1, & x>0 \\ 0, & x\leqslant 0 \end{cases}$

若 $x_t^n>0$，则周期 t 定义为第 n 级生产(采购)点，$n=1,2$，$t=1,2,\cdots,T$。

不失一般性，假设每一级的生产没有提前期，每一级各个周期的需求在期初及时地得到满足，每一级的需求不允许延迟和缺货；没有生产能力和库存能力约束。根据以上符号和假设，存在外生需求的两级动态批量问题可以表述为如下数学规划模型：

$$\min \sum_{n=1}^{2}\sum_{t=1}^{T}\left(\sigma_t^n \delta(x_t^n)+c_t^n x_t^n+h_t^n I_t^n\right) \tag{6-1}$$

约束条件为

$$I_t^1=I_{t-1}^1+x_t^1-d_t^1-x_t^2，\quad t=1,2,\cdots,T \tag{6-2}$$

$$I_t^2=I_{t-1}^2+x_t^2-d_t^2，\quad t=1,2,\cdots,T \tag{6-3}$$

$$x_t^n,I_t^n\geqslant 0，\quad n=1,2，\quad t=1,2,\cdots,T \tag{6-4}$$

$$I_0^n=I_T^n=0，\quad n=1,2 \tag{6-5}$$

目标函数为最小化第 1 级和第 2 级 T 个周期的固定生产成本、变动生产成本和库存成本之和；约束条件(6-2)和(6-3)代表各级的库存平衡；约束条件(6-4)说明每一级的生产和库存数量非负；约束条件(6-5)假设每一级初始周期和结束周期库存均为零。

图 6-1 是第 1 级和第 2 级都存在外生需求的两级动态批量网络示意图，节点 (n,t) 代表第 n 级和第 t 期。

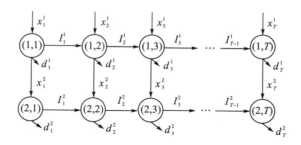

图 6-1　两级动态批量网络示意图

6.2.2　前向动态规划算法

本节根据零库存性质设计动态规划算法求解所构造的两级动态批量问题。

零库存性质：在 $P(T)$ 的最优解中存在 $I_{t-1}^n x_t^n = 0$，$n=1,2$，$1 \leqslant t \leqslant T$。

若 $I_t^n = 0$，则周期 t 定义为第 n 级的再生点，$n=1,2$，$1 \leqslant t \leqslant T$。

根据零库存性质可知，若周期 t 是第 n 级的生产点，则周期 $t-1$ 是第 n 级的再生点，$n=1,2$，$1 \leqslant t \leqslant T$。根据再生点(产品库存为零的周期)，可以将一个长周期的问题划分为两个短周期的问题加以解决。具体来说，假设周期 l 和 k 分别是第 1 级和第 2 级的最后一个生产点，$1 \leqslant l,k \leqslant T$，根据 $k \geqslant l$ 和 $k < l$ 分别考虑两种情形。图 6-2 说明了所设计的动态规划算法的两种情形。

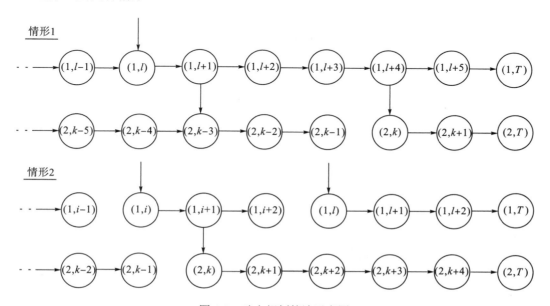

图 6-2　动态规划算法示意图

令 $F(T)$ 代表 $P(T)$ 的最优成本，若 $k \geq l$，则第 1(2) 级从第 k 期至第 T 期的需求由第 l（l 和 k）期的生产满足。令 $F(l,k,t)$ 代表 $P(T)$ 中第 1(2) 级从第 k 期至第 T 期的需求由第 l（l 和 k）期的生产满足时所发生的最优成本。类似地，若 $k < l$，假设周期 i 是第 1 级小于等于周期 k 的最大的生产点，则第 1(2) 级从第 l 期至第 T 期的需求由第 l（i 和 k）期的生产满足。令 $F(i,k,l,T)$ 代表 $P(T)$ 中第 1(2) 级从第 l 期至第 T 期的需求由第 l（i 和 k）期的生产满足时所发生的最优成本。动态规划算法的初始值为 $F(1) = F(0) + \sigma_1^1 + c_1^1(d_1^1 + d_1^2) + \sigma_1^2 + c_1^2 d_1^2$，而 $F(0) = 0$，对于 $T \geq 2$，则有

$$F(T) = \min\{\min_{1 \leq l \leq k \leq T} F(k-1) + F(l,k,T); \min_{1 \leq i \leq k < l \leq T} F(l-1) + F(i,k,l,T)\} \quad (6\text{-}6)$$

其中

$$F(l,k,T) = c_l^1 \sum_{n=1}^{2} \sum_{u=k}^{T} d_u^n + \sum_{u=l}^{k-1} \sum_{n=1}^{2} \sum_{v=k}^{T} h_u^1 d_v^n + \sum_{u=k}^{T-1} \sum_{v=u+1}^{T} h_u^1 d_v^1 + \sigma_k^2 + c_k^2 \sum_{u=k}^{T} d_u^2 + \sum_{u=k}^{T-1} \sum_{v=u+1}^{T} h_u^2 d_v^2 \quad (6\text{-}7)$$

$$F(i,k,l,T) = \sigma_l^1 + c_l^1 \sum_{u=l}^{T} d_u^1 + \sum_{u=l}^{T-1} \sum_{v=u+1}^{T} h_u^1 d_v^1 + c_i^1 \sum_{u=l}^{T} d_u^2 + \sum_{u=i}^{k-1} \sum_{v=l}^{T} h_u^1 d_v^2 + c_k^2 \sum_{u=l}^{T} d_u^2$$
$$+ \sum_{u=k}^{l-1} \sum_{v=l}^{T} h_u^2 d_v^2 + \sum_{u=l}^{T-1} \sum_{v=u+1}^{T} h_u^2 d_v^2 \quad (6\text{-}8)$$

以上算法等价于 Zhang 等 (2012) 设计的动态规划算法，算法的时间复杂度为 $O(T^4)$。然而，Zhang 等 (2012) 所设计的动态规划算法不适宜求解预测时阈，因此变换为以上形式。另外，附录五中也提供了其他两种等价算法。

值得注意的是，若第 1 级没有外生需求，则动态规划算法可以简化为如下形式：

$$F(T) = \min_{1 \leq l \leq k \leq T} F(k-1) + F(l,k,T) \quad (6\text{-}9)$$

若大于等于 l 的周期中仅有 1 个第 2 级生产点，则

$$F(l,k,T) = \sigma_l^1 + c_l^1 \sum_{u=k}^{T} d_u^2 + \sum_{u=l}^{k-1} \sum_{v=k}^{T} h_u^1 d_v^2 + \sigma_k^2 + c_k^2 \sum_{u=k}^{T} d_u^2 + \sum_{u=k}^{T-1} \sum_{v=u+1}^{T} h_u^2 d_v^2 \quad (6\text{-}10)$$

若大于等于 l 的周期中有 2 个或多个第 2 级生产点，则

$$F(l,k,T) = c_l^1 \sum_{u=k}^{T} d_u^2 + \sum_{u=l}^{k-1} \sum_{v=k}^{T} h_u^1 d_v^2 + \sigma_k^2 + c_k^2 \sum_{u=k}^{T} d_u^2 + \sum_{u=k}^{T-1} \sum_{v=u+1}^{T} h_u^2 d_v^2 \quad (6\text{-}11)$$

对于第 1 级没有外生需求和无生产能力约束情形下的两级动态批量问题算法的研究，请参见 Melo 和 Wolsey (2010) 的文献。

下面用一个具体的数值算例展示如何利用以上算法求解两级动态批量问题。

例 6-1　考虑一个 10 周期的例子，第 1 级和第 2 级每一周期的需求分别为（30，30，30，120，100，30，150，100，30，30）和（25，25，25，25，90，25，25，90，25，25）。成本参数如下：$\sigma_t^1 = $（100，900，900，100，900，900，100，900，900，900），$\sigma_t^2 = $（100，800，800，800，100，800，800，100，800，800），$c_t^1 = $（10，7，7，10，10，10，5，10，10，10），$c_t^2 = $（9，5，6，6，9，9，9，3，9，9），$h_t^1 = h_t^2 = 1$，$1 \leq t \leq T$。

具体的计算结果和最优决策如图 6-3 和图 6-4 所示。

$T=1$：　$F(1)=100+(30+25)\times10+100$
　　　　　$+25\times9=975$

$T=7$：　$F(7)=F(6)+100+150\times10$
　　　　　$+25\times10+25\times1+25\times9$
　　　　　$+25\times(1+1)=13575$

$T=2$：　$F(2)=100+(30+25+30+25)\times10$
　　　　　$+30\times1+100+(25+25)\times9$
　　　　　$+25\times1=1805$

$T=8$：　$F(8)=F(7)+(100+90)\times5+(100$
　　　　　$+90)\times1+100+90\times3=15085$

$T=3$：　$F(3)=100+(30+25+30+25+30$
　　　　　$+25)\times10+30\times2+30\times1+100$
　　　　　$+(25+25+25)\times9+25\times2$
　　　　　$+25\times1=2690$

$T=9$：　$F(9)=F(7)+(100+90+30+25)\times5$
　　　　　$+(100+90+30+25)\times1+30\times1$
　　　　　$+100+(90+25)\times3+25\times1$
　　　　　$=17055$

$T=4$：　$F(4)=F(3)+100+120\times10+25\times10$
　　　　　$+25\times9+25\times(1+1+1)=4540$

$T=10$：　$F(10)=F(7)+(100+90+30$
　　　　　$+25+30+25)\times5+(100$
　　　　　$+90+30+25+30+25)\times1$

$T=5$：　$F(5)=F(4)+(100+90)\times10+(100$
　　　　　$+90)\times1+100+90\times9=7540$

$T=6$：　$F(6)=F(4)+(100+30+90+25)\times10$
　　　　　$+(100+30+90+25)\times1+30\times1$
　　　　　$+100+(90+25)\times9+25\times1$
　　　　　$=11425$

　　　　　$+(30+30)\times1+30\times1+100$
　　　　　$+(90+25+25)\times3$
　　　　　$+(25+25)\times2+25\times1$
　　　　　$=19590$

图 6-3　例 6-1 的计算结果

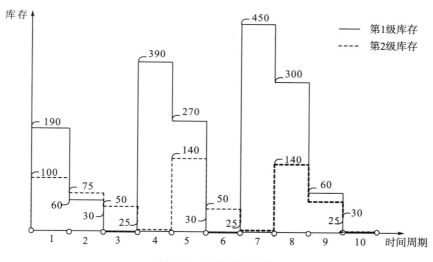

图 6-4　最优解示意图

6.3　预测时阈

　　本节分析第 1 级和第 2 级生产点和再生点的单调性，并在再生点单调性的基础上构造再生集，给出求解预测时阈的充分条件。

　　令 $l(T)$ 和 $k(T)$ 分别代表最优的第 1 级和第 2 级的最后一个生产点，$i(T)$ 代表第 1 级最优的小于等于 $k(T)$ 的最大生产点。根据以上定义，若 $l(T)\leqslant k(T)$，则

$$F(T)=\min\{_{1\leqslant l\leqslant k\leqslant T}F(k-1)+F(l,k,T)\}=F(k(T)-1)+F(l(T),k(T),T) \qquad (6\text{-}12)$$

其中

$$F(l(T),k(T),T) = c_{l(T)}^1 \sum_{n=1}^{2} \sum_{u=k(T)}^{T} d_u^n + \sum_{u=l(T)}^{k(T)-1} \sum_{n=1}^{2} \sum_{v=k(T)}^{T} h_u^1 d_v^n + \sum_{u=k(T)}^{T-1} \sum_{v=u+1}^{T} h_u^1 d_v^1$$

$$+ \sigma_{k(T)}^2 + c_{k(T)}^2 \sum_{u=k(T)}^{T} d_u^2 + \sum_{u=k(T)}^{T-1} \sum_{v=u+1}^{T} h_u^2 d_v^2 \tag{6-13}$$

若 $l(T) > k(T)$ ，则

$$F(T) = \min\{_{1 \leqslant i \leqslant k < l \leqslant T} F(l-1) + F(i,k,l,T)\} = F(l(T)-1) + F(i(T),k(T),l(T),T) \tag{6-14}$$

其中

$$F(i(T),l(T),k(T),T) = \sigma_{l(T)}^1 + c_{l(T)}^1 \sum_{u=l(T)}^{T} d_u^1 + \sum_{u=l(T)}^{T-1} \sum_{v=u+1}^{T} h_u^1 d_v^1 + c_{i(T)}^1 \sum_{u=l(T)}^{T} d_u^2$$

$$+ \sum_{u=i(T)}^{k(T)-1} \sum_{v=l(T)}^{T} h_u^1 d_v^2 + c_{k(T)}^2 \sum_{u=l(T)}^{T} d_u^2 + \sum_{u=k(T)}^{l(T)-1} \sum_{v=l(T)}^{T} h_u^2 d_v^2 + \sum_{u=l(T)}^{T-1} \sum_{v=u+1}^{T} h_u^2 d_v^2 \tag{6-15}$$

根据式（6-12）和式（6-13）可得

$$F(T) = \min\{F(k(T)-1) + F(l(T),k(T),T); F(l(T)-1) + F(i(T),k(T),l(T),T)\} \tag{6-16}$$

对于单级情形，令 $l(T)$ 代表 $P(T)$ 最优解中最后一个生产点，Lundin 和 Morton（1975）证明了如下结果：若 $l(T)$ 是单调的，则对于任意更长周期 T^*，在 $P(T^*)$ 的最优解中，至少有一个再生点在集合 $\{l(T)-1, l(T), \cdots, T-1\}$ 中，$T^* \geqslant T+1$ 。因此，如果所有的 $P(\gamma)$ $(\gamma \in \{l(T)-1, l(T), \cdots, T-1\})$，都有一个共同的 τ 周期决策，则周期 T 为预测时阈，周期 τ 为决策时阈。然而，对于两级情形，为了求解预测时阈，需要证明每一级的最后一个生产点都是单调的，然后才能建立再生集。两级情形下的再生集需要对于任意更长周期问题的最优解中至少有一个第 1 级的再生点和一个第 2 级的再生点在此集合中。

证明生产点和再生点的单调性是求解预测时阈的一个重要步骤，相比于单位成本非时变情形，单位成本时变情形下生产点和再生点单调性的证明要复杂得多。受 Elmaghraby 和 Bawle（1972）研究的启发，以下根据边际成本将一个长周期区间划分成多个子区间。

首先，定义 $c_{gqt}^{12} = c_g^1 + \sum_{u=g}^{q-1} h_u^1 + c_q^2 + \sum_{v=q}^{t-1} h_v^2$，$1 \leqslant g \leqslant t \leqslant T$，$1 \leqslant q \leqslant t \leqslant T$ 。若 $g = q = t$，则定义 $c_{gqt}^{12} = c_t^1 + c_t^2$；若 $g = q < t$，则定义 $c_{gqt}^{12} = c_t^1 + c_t^2 + \sum_{v=g}^{t-1} h_v^2$ 。

其次，令 $c_{g^*q^*t}^{12} = \min_{1 \leqslant g \leqslant T, 1 \leqslant q \leqslant T}(c_{gqt}^{12})$，$1 \leqslant t \leqslant T$ 。若出现相等的情况，则令 g^* 和 q^* 等于最小的 g 和 q 。令 $G_{g^*q^*}^{12}$ 是第 1 级和第 2 级最小化边际成本周期 g^* 和 q^* 的集合，则有 $G_{g^*q^*}^{12} = \{t : c_{g^*q^*t}^{12} = \min_{g,q}(c_{gqt}^{12})\}$，$(g^*, q^*) = (g^*(1), q^*(1)), (g^*(2), q^*(2)), \cdots, (g^*(e), q^*(e)), \cdots, (g^*(E), q^*(E))$，根据两级边际成本之和将 T 个周期的区间划分成 E 个子区间，$1 \leqslant e \leqslant E \leqslant T$ 。

类似地，定义第 1 级的最小边际成本，令 $c_{gt}^1 = c_g^1 + \sum_{u=g}^{t-1} h_u^1$，$1 \leqslant g \leqslant t \leqslant T$，若 $g = t$，则 $c_{gt}^1 = c_t^1$ 。令 $c_{g^*t}^1 = \min_{1 \leqslant g \leqslant T}(c_{gt}^1)$，$1 \leqslant t \leqslant T$ 。$G_{g^*}^1$ 是第 1 级最小化边际成本周期 g^* 的集合，则有 $G_{g^*}^1 = \{t : c_{g^*t}^1 = \min_{g^1}(c_{g^1t}^1)\}$，$g^* = g^*(1), g^*(2), \cdots, g^*(m), \cdots, g^*(M)$ 。根据第 1 级边际成

本将 T 个周期的区间划分成 M 个子区间，$1 \leqslant m \leqslant M \leqslant T$。

根据 $r^*(m)$、$g^*(e)$ 和 $q^*(e)$ 的定义，可得如下性质。

引理 6-1　对于任意周期 λ 和 γ，$\lambda < r^*(m)$，$\lambda < g^*(e)$，$\gamma < q^*(e)$，有 $c_{\lambda T}^1 \geqslant c_{r^*(m)T}^1$ 和 $c_{\lambda \gamma T}^{12} \geqslant c_{g^*(e)q^*(e)T}^{12}$ 成立。

证明根据定义直观可得。

下面证明每一级生产点的单调性。

定理 6-1(a)　在 $P(T)$ 的最优解中，若有 $l(T) \leqslant k(T)$，$l(T) = r^*(m)$、$l(T) = g^*(e)$ 和 $k(T) = q^*(e)$ 成立，则有 $l(T+1) \geqslant l(T)$ 和 $k(T+1) \geqslant k(T)$，即每一级的生产点是单调的。

定理 6-1(b)　在 $P(T)$ 的最优解中，若有 $l(T) > k(T)$、$l(T) = r^*(m)$、$i(T) = g^*(e)$ 和 $k(T) = q^*(e)$ 成立，则有 $i(T+1) \geqslant i(T)$、$l(T+1) \geqslant l(T)$ 和 $k(T+1) \geqslant k(T)$。

评论 1　若第 1 级和第 2 级的单位生产成本是非时变的，则在 $P(T)$ 的最优解中不需要令 $l(T) = r^*(m)$、$l(T) = g^*(e)$ 和 $k(T) = q^*(e)$（或者 $l(T) = r^*(m)$、$i(T) = g^*(e)$ 和 $k(T) = q^*(e)$），可直接得出第 1 级和第 2 级生产点的单调性，即在 $P(T+1)$ 的最优解中，有 $l(T+1) \geqslant l(T)$ 和 $k(T+1) \geqslant k(T)$。这一结果类似于 Chand（1983）文献中的定理 1 和 Chand 等（2007）文献中的引理 4。

因为没有需求延迟和缺货，根据零库存性质，可得 $l(T)-1$ 和 $k(T)-1$ 分别是第 1 级和第 2 级最优的倒数第二个再生点（周期 T 为最后一个再生点）。因此，根据定理 6-1(a) 可得出再生点的单调性。令 $j_1(T) = l(T)-1$ 和 $j_2(T) = k(T)-1$，则以下推论阐述了再生点的单调性。

推论 6-1　在 $P(T)$ 的最优解中，若 $l(T) \leqslant k(T)$、$l(T) = r^*(m)$、$l(T) = g^*(e)$ 和 $k(T) = q^*(e)$（或者若 $l(T) > k(T)$、$l(T) = r^*(m)$、$i(T) = g^*(e)$ 和 $k(T) = q^*(e)$），则有 $j_1(T+1) \geqslant j_1(T)$ 和 $j_2(T+1) \geqslant j_2(T)$，即第 1 级和第 2 级的最优再生点是单调的。大多数文献都是将最后一个周期当成最后一个再生点，最后一个周期是符合再生点定义的，只有很少的文献最后一个周期不好定义为某种再生点时才不将最后一个周期纳入最后一个再生点。

在两级再生点单调性的基础上可以构造两级再生集。在 $P(T)$ 的最优解中，若有 $l(T) \leqslant k(T)$、$l(T) = r^*(m)$、$l(T) = g^*(e)$ 和 $k(T) = q^*(e)$ 成立，则构造两级再生集 $\{l(T)-1, l(T), \cdots, T-1\}$；在 $P(T)$ 的最优解中，若 $l(T) > k(T)$、$l(T) = r^*(m)$、$i(T) = g^*(e)$ 和 $k(T) = q^*(e)$，则构造两级再生集 $\{k(T)-1, k(T), \cdots, T-1\}$。两级再生集的含义为对于任意更长时间周期的问题 $P(T^*)$，至少有 1 个第 1 级的再生点和 1 个第 2 级的再生点在集合 $\{l(T)-1, l(T), \cdots, T-1\}$（或者 $\{k(T)-1, k(T), \cdots, T-1\}$）中，$T^* \geqslant T+1$。

对于 $n = 1,2$，$1 \leqslant t \leqslant T$，令 $x_t^{n*}(T)$ 代表 $P(T)$ 中第 n 级第 t 期的最优产量，根据 Lundin 和 Morton（1975）的再生集理论，可以得出如下求解两级动态批量问题预测时阈的充分条件。

定理 6-2　在 $P(T)$ 的最优解中，若 $l(T) \leqslant k(T)$、$l(T) = r^*(m)$、$l(T) = g^*(e)$ 和 $k(T) = q^*(e)$ 成立，且有 $x_r^{n*}(l(T)-1) = x_r^{n*}(l(T)) = \cdots = x_r^{n*}(T-1)$ 对于 $r = 1,2,\cdots,\tau$（$1 \leqslant \tau \leqslant l(T)-1$）成立（或者若 $l(T) > k(T)$、$l(T) = r^*(m)$、$i(T) = g^*(e)$ 和 $k(T) = q^*(e)$ 成立，且 $x_r^{n*}(k(T)-1) = x_r^{n*}(k(T)) = \cdots = x_r^{n*}(T-1)$ 对于 $r = 1,2,\cdots,\tau$（$1 \leqslant \tau \leqslant k(T)-1$）成立），则周期 T

是更长周期问题 $P(T^*)$ 的预测时阈，周期 τ 是相应的决策时阈，$n=1,2$，$T^* \geqslant T+1$。

下面展示例 6-1 所示问题的预测时阈计算结果，如表 6-2 所示。因为 $l(10)=7<k(10)=8$，$l(10)=r^*(4)$，$l(10)=g^*(4)$，$k(10)=q^*(4)$，所以再生集为 $\{6,7,8,9\}$。进一步可得 $x_1^{1*}(6)=x_1^{1*}(7)=x_1^{1*}(8)=x_1^{1*}(9)=190$，$x_1^{2*}(6)=x_1^{2*}(7)=x_1^{2*}(8)=x_1^{2*}(9)=100$，$x_2^{1*}(6)=x_2^{1*}(7)=x_2^{1*}(8)=x_2^{1*}(9)=0$，$x_2^{2*}(6)=x_2^{2*}(7)=x_2^{2*}(8)=x_2^{2*}(9)=0$，$x_3^{1*}(6)=x_3^{1*}(7)=x_3^{1*}(8)=x_3^{1*}(9)=0$，$x_3^{2*}(6)=x_3^{2*}(7)=x_3^{2*}(8)=x_3^{2*}(9)=0$。因此，周期 10 为预测时阈，周期 3 是相应的决策时阈。

表 6-2 预测时阈计算结果

T	1	2	3	4	5	6	7	8	9	10
$l(T)$	1	1	1	4	4	4	7	7	7	7
$k(T)$	1	1	1	1	5	5	5	8	8	8
	(30, 25)									
	(110, 50)	(0, 0)								
	(165, 75)	(0, 0)	(0, 0)							
	(190, 100)	(0, 0)	(0, 0)	(120, 0)						
$(x_t^{1*}(T), x_t^{2*}(T))$	(190, 100)	(0, 0)	(0, 0)	(310, 0)	(0, 90)					
	(190, 100)	(0, 0)	(0, 0)	(365, 0)	(0, 115)	(0, 0)				
	(190, 100)	(0, 0)	(0, 0)	(390, 0)	(0, 140)	(0, 0)	(150, 0)			
	(190, 100)	(0, 0)	(0, 0)	(390, 0)	(0, 140)	(0, 0)	(340, 0)	(0, 90)		
	(190, 100)	(0, 0)	(0, 0)	(390, 0)	(0, 140)	(0, 0)	(395, 0)	(0, 115)	(0, 0)	
	(190, 100)	(0, 0)	(0, 0)	(390, 0)	(0, 140)	(0, 0)	(450, 0)	(0, 140)	(0, 0)	(0, 0)

6.4 模型拓展

本节将以上构造的动态批量模型拓展到库存成本时间依赖的情形，在拓展模型中需要定义如下额外符号，如表 6-3 所示。

表 6-3 符号定义 2

符号	含义
h_{it}^n	第 n 级第 t 期持有第 i 期生产的产品的单位库存成本，$n=1,2$，$1 \leqslant i \leqslant t \leqslant T$
I_{it}^n	第 n 级第 i 期期初生产的产品用以满足第 t 期需求后的库存数量，$n=1,2$，$1 \leqslant i \leqslant t \leqslant T$
x_{it}^2	第 1 级第 i 期生产的产品在第 2 级第 t 期进一步加工生产的数量，$1 \leqslant i \leqslant t \leqslant T$
c_{it}^2	第 1 级第 i 期生产的产品在第 2 级第 t 期进一步加工生产时的单位生产成本，$1 \leqslant i \leqslant t \leqslant T$
z_{it}^n	第 n 级第 i 期生产的产品用以满足第 t 期需求的数量，$n=1,2$，$1 \leqslant i \leqslant t \leqslant T$

类似于单级情形(Hsu and Lowe，2001；Hsu，2000，2003)，时间依赖的库存成本有如下关系存在：$h_{it}^n \geqslant h_{kt}^n$，$1 \leqslant i \leqslant k \leqslant t \leqslant T$，$n=1,2$。其余符号和假设同库存成本非时间

依赖情形，则库存成本时间依赖且第 1 级有外生需求的两级动态批量问题可以表述为如下数学规划模型：

$$\min \sum_{t=1}^{T} \left(\sigma_t^1 \delta(x_t^1) + c_{tt}^1 x_t^1 + \sigma_t^2 \delta\left(\sum_{i=1}^{t} x_{it}^2 \right) + \sum_{i=1}^{t} c_{it}^2 x_{it}^2 + \sum_{n=1}^{2} \sum_{i=1}^{t} h_{it}^n I_{it}^n \right) \quad (6\text{-}17)$$

约束条件为

$$x_t^1 - z_{tt}^1 - x_{tt}^2 = I_{tt}^1, \quad 1 \leqslant t \leqslant T \quad (6\text{-}18)$$

$$I_{it}^1 = I_{i,t-1}^1 - z_{it}^1 - x_{it}^2, \quad 1 \leqslant i < t \leqslant T \quad (6\text{-}19)$$

$$x_{tt}^2 - z_{tt}^2 = I_{tt}^2, \quad 1 \leqslant t \leqslant T \quad (6\text{-}20)$$

$$I_{it}^2 = I_{i,t-1}^2 - z_{it}^2, \quad 1 \leqslant i < t \leqslant T \quad (6\text{-}21)$$

$$\sum_{i=1}^{t} z_{it}^n = d_t^n, \quad n = 1, 2, \quad 1 \leqslant i \leqslant t \leqslant T \quad (6\text{-}22)$$

$$x_t^1, x_{it}^2, I_{it}^n, z_{it}^1, z_{iqt}^2 \geqslant 0, \quad n = 1, 2, \quad 1 \leqslant i \leqslant t \leqslant T \quad (6\text{-}23)$$

$$I_{0t}^n = I_{tT}^n = 0, \quad n = 1, 2, \quad 1 \leqslant t \leqslant T \quad (6\text{-}24)$$

约束条件 (6-18)～(6-21) 代表库存平衡；约束条件 (6-22) 代表第 t 期第 1(2) 级的需求由第 1 期至第 t 期的生产满足；约束条件 (6-23) 和 (6-24) 的含义同约束条件 (6-4) 和 (6-5)。

在时间依赖的库存成本和时间不依赖的库存成本的动态批量问题中有一个显著的不同，零库存性质在时间依赖的库存成本情形下不一定总成立，只有在单位生产成本非时变或者持有库存没有投机性动机的条件下才成立。下面用一个具体的数值算例说明时间依赖的库存成本的特殊性。

例 6-2　考虑一个 6 周期的例子。第 1 级和第 2 级每一周期的需求分别为（50，30，30，20，50，30）和（30，25，25，10，30，25）。成本参数如下：$\sigma_t^1 = $（100，900，900，100，900，900），$\sigma_t^2 = $（100，800，800，100，800，800），$c_t^1 = $（6，10，10，10，10，10），$c_{11}^2 = 5$，$c_{1t}^2 = 9$（$2 \leqslant t \leqslant 6$），$c_{it}^1 = 9$（$2 \leqslant i \leqslant t \leqslant 6$），$h_{it}^n = 1$（$1 \leqslant i \leqslant t \leqslant 6$，$0 \leqslant t - i \leqslant 2$，$n = 1, 2$），$h_{it}^n = +\infty$（$1 \leqslant i \leqslant t \leqslant 6$，$3 \leqslant t - i \leqslant 5$，$n = 1, 2$）。

此问题的最优解是在两级的第 1、4 期生产。第 1 级第 1～4 期的需求由第 1 级第 1 期的生产满足，第 1 级第 5、6 期的需求由第 1 级第 4 期的生产满足。第 2 级第 1～4 期的需求由第 1 级第 1 期和第 2 级第 1 期的生产满足，第 2 级第 5、6 期的需求由第 1 级第 4 期和第 2 级第 4 期的生产满足。根据以上最优解可知进入第 1 级和第 2 级第 4 期的库存（第 3 期期末）并不为零，因此零库存性质不成立，原因在于库存成本的时间依赖性以及单位生产成本的波动性。

6.2.2 节依据零库存性质设计的动态规划算法也不适用于时间依赖的库存成本和单位生产成本波动较大的情形。在单级情形下，Hsu（2000，2003）、Hsu 和 Lowe（2001）研究了两个最优解的结构性质，这两个性质在两级情形下可以表述如下。

引理 6-2　在 $P(T)$ 的最优解中，对于任意周期 t，$1 \leqslant t \leqslant T$，存在唯一的周期 i 使得 $z_{it}^n = d_t^n$，$1 \leqslant i \leqslant t$，$n = 1, 2$。

引理 6-2 说明第 1 级和第 2 级某一周期 t 的需求完全由某一周期 i 生产的产品满足，$1 \leqslant i \leqslant t$。

引理 6-3 在 $P(T)$ 的最优解中，若 $i < r$ 是第 1 级或者第 2 级的两个生产点，且对任意周期 s，$s \geq r$，有 $z_{rs}^n = d_s^n$ 成立，则对于任意周期 t，$s \leq t \leq T$，有 $z_{it}^n = 0$ 成立。

引理 6-3 说明在时间依赖的库存成本情形下企业采用"先进先出"（first-in-first out，FIFO）的库存管理方式。

根据以上两个最优解的结构性质，同样可以设计一类动态规划算法求解拓展的两级动态批量问题。假设周期 l 和 k 分别是第 1 级和第 2 级最后的生产点，周期 i_β 是第 1 级小于等于 k 的最大的生产点，周期 $i_{\beta-1}$ 是第 1 级 i_β 之前的最大的生产点，$1 \leq l, k \leq T$，$1 \leq i_{\beta-1} < i_\beta \leq k$。假设第 1 级从第 l' 期至第 T 期的需求由第 1 级第 l 期的生产满足，第 2 级从周期 k' 至 T 的需求由第 1 级第 $i_{\beta-1}$（或 i_β）期和第 2 级第 k 期的生产满足，第 1 级第 i_β 期至第 i'_β 期的需求由第 1 级第 $i_{\beta-1}$ 期的生产满足，$1 \leq l \leq l' \leq T$，$1 \leq k \leq k' \leq T$，$1 \leq i_{\beta-1} < i_\beta \leq k$，$i_\beta \leq i'_\beta$。

若 $k' \geq l'$，则第 1 级从第 k' 期至第 T 期的需求由第 1 级第 l 期的生产满足，第 2 级第 k' 期至第 T 期的需求由第 1 级第 $i_{\beta-1}$（或 i_β）期和第 2 级第 k 期的生产满足。令 $F(l, l', i_{\beta-1}, i_\beta, i'_\beta, k, k', T)$ 代表 $P(T)$ 中第 1(2) 级从第 k' 期至第 T 期的需求由第 l（$i_{\beta-1}$（或 i_β）和 k）期的生产满足情形下的最优成本。类似地，若 $k' < l'$，则第 1(2) 级从第 l' 期至第 T 期的需求由第 l（$i_{\beta-1}$（或 i_β）和 k）期的生产满足。令 $F(i_{\beta-1}, i_\beta, i'_\beta, k, k', l, l', T)$ 代表 $P(T)$ 中第 1(2) 级从第 l' 期至第 T 期的需求由第 l（$i_{\beta-1}$（或 i_β）和 k）期的生产满足情形下的最优成本。根据以上定义，可得如下动态规划算法：

$$F(T) = \min\{ \min_{1 \leq l \leq l' \leq T, 1 \leq k \leq k' \leq T, 1 \leq i_{\beta-1} < i_\beta \leq k, i_\beta \leq i'_\beta, k' \geq l'} F(k'-1) + F(l, l', i_{\beta-1}, i_\beta, i'_\beta, k, k', T);$$
$$\min_{1 \leq l \leq l' \leq T, 1 \leq k \leq k' \leq T, 1 \leq i_{\beta-1} < i_\beta \leq k, i_\beta \leq i'_\beta, k' < l'} F(l'-1) + F(i_{\beta-1}, i_\beta, i'_\beta, k, k', l, l', T)\} \tag{6-25}$$

按照第 2 级从 k'（l'）期到第 T 期的需求是由周期 $i_{\beta-1}$ 还是 i_β 生产的产品满足，可分为两种情形计算 $F(l, l', i_{\beta-1}, i_\beta, i'_\beta, k, k', T)$ 和 $F(i_{\beta-1}, i_\beta, i'_\beta, k, k', l, l', T)$。不同情形的示意图如图 6-5 所示。

若 $k' \geq l'$，$k > i'_\beta$，则

$$F(l, l', i_{\beta-1}, i_\beta, i'_\beta, k, k', T) = \sigma_l^1 + c_l^1 \sum_{u=k'}^T d_u^1 + \sum_{u=l}^{k'-1} \sum_{v=u+1}^T h_{lu}^1 d_v^1 + \sum_{u=k'}^{T-1} \sum_{v=u+1}^T h_{lu}^1 d_v^1 + c_{i_\beta}^1 \sum_{u=k'}^T d_u^2$$
$$+ \sum_{u=i_\beta}^{k-1} \sum_{v=k'}^T h_{i_\beta u}^1 d_v^2 + \sigma_k^2 + c_{i_\beta k}^2 \sum_{u=k'}^T d_u^2 + \sum_{u=k}^{k'-1} \sum_{v=u+1}^T h_{ku}^2 d_v^2 + \sum_{u=k'}^{T-1} \sum_{v=u+1}^T h_{ku}^2 d_v^2 \tag{6-26}$$

若 $k' \geq l'$，$i_\beta \leq k \leq i'_\beta$，则

$$F(l, l', i_{\beta-1}, i_\beta, i'_\beta, k, k', T) = \sigma_l^1 + c_l^1 \sum_{u=k'}^T d_u^1 + \sum_{u=l}^{k'-1} \sum_{v=k'}^T h_{lu}^1 d_v^1 + \sum_{u=k'}^{T-1} \sum_{v=u+1}^T h_{lu}^1 d_v^1 + c_{i_{\beta-1}}^1 \sum_{u=k'}^T d_u^2$$
$$+ \sum_{u=i_{\beta-1}}^{k-1} \sum_{v=k'}^T h_{iu}^1 d_v^2 + \sigma_k^2 + c_{i_{\beta-1}k}^2 \sum_{u=k'}^T d_u^2 + \sum_{u=k}^{k'-1} \sum_{v=u+1}^T h_{ku}^2 d_v^2 + \sum_{u=k'}^{T-1} \sum_{v=u+1}^T h_{ku}^2 d_v^2 \tag{6-27}$$

类似地，若 $k' < l'$，$k > i'_\beta$，则

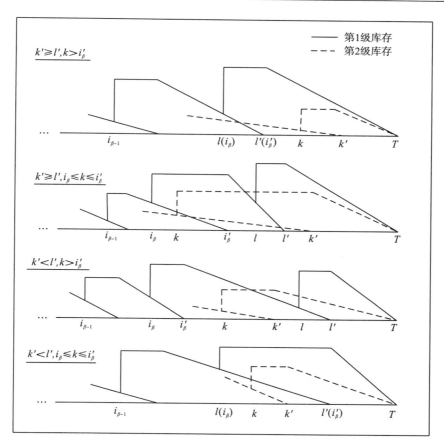

图 6-5　四种情形示意图

$$F(i_{\beta-1}, i_\beta, i'_\beta, k, k', l, l', T) = \sigma_l^1 + c_l^1 \sum_{u=i'}^{T} d_u^1 + \sum_{u=1}^{l'-1} \sum_{v=l'}^{T} h_{lu}^1 d_v^1 + \sum_{u=l'}^{T-1} \sum_{v=u+1}^{T} h_{lu}^1 d_v^1 + c_{i_\beta}^1 \sum_{u=l'}^{T} d_u^2$$
$$+ \sum_{u=i_\beta}^{k-1} \sum_{v=l'}^{T} h_{i_\beta u}^1 d_v^2 + \sigma_k^2 + c_{i_\beta k}^2 \sum_{u=l'}^{T} d_u^2 + \sum_{u=k}^{l'-1} \sum_{v=l'}^{T} h_{ku}^2 d_v^2 + \sum_{u=l'}^{T-1} \sum_{v=u+1}^{T} h_{ku}^2 d_v^2 \tag{6-28}$$

若 $k' < l'$，$i_\beta \leqslant k \leqslant i'_\beta$，则

$$F(i_{\beta-1}, i_\beta, i'_\beta, k, k', l, l', T) = \sigma_l^1 + c_l^1 \sum_{u=l'}^{T} d_u^1 + \sum_{u=1}^{l'-1} \sum_{v=l'}^{T} h_{lu}^1 d_v^1 + \sum_{u=l'}^{T-1} \sum_{v=u+1}^{T} h_{lu}^1 d_v^1 + c_{i_{\beta-1}}^1 \sum_{u=l'}^{T} d_u^2$$
$$+ \sum_{u=i_{\beta-1}}^{k-1} \sum_{v=l'}^{T} h_{iu}^1 d_v^2 + \sigma_k^2 + c_{i_{\beta-1}k}^2 \sum_{u=l'}^{T} d_u^2 + \sum_{u=k}^{l'-1} \sum_{v=l'}^{T} h_{ku}^2 d_v^2 + \sum_{u=l'}^{T-1} \sum_{v=u+1}^{T} h_{ku}^2 d_v^2 \tag{6-29}$$

　　零库存性质在时间依赖的库存成本情形下的两级动态批量问题中可能不再成立，以上给出了在零库存性质不成立情形下此问题的动态规划算法。有趣的是在持有库存没有投机性动机或者两级单位生产成本非时变情形下，零库存性质在时间依赖的库存成本情形下仍然成立。两级库存没有投机性动机的成本结构表述如下：

$$c_t^n + \sum_{l=t}^{w} h_{tl} > c_w^n, \quad n = 1,2, \quad t < w \tag{6-30}$$

零库存性质变换为如下形式：在 $P(T)$ 的最优解中，有 $I_{i,t-1}^n x_t^n = 0$ 成立，$n=1,2$，$1 \leqslant i < t \leqslant T$。

同样，动态规划循环公式(6-7)和(6-8)更改为如下形式便可解决持有库存没有投机性动机的时间依赖的库存成本问题：

$$F(l,k,T) = \sigma_l^1 + c_l^1 \sum_{n=1}^2 \sum_{u=k}^T d_u^n + \sum_{u=l}^{k-1} \sum_{n=1}^2 \sum_{v=k}^T h_{lu}^1 d_v^n + \sum_{u=k}^{T-1} \sum_{v=u+1}^T h_{lu}^1 d_v^1 + \sigma_k^2 + c_{lk}^2 \sum_{u=k}^T d_u^2 + \sum_{u=k}^{T-1} \sum_{v=u+1}^T h_{lu}^2 d_v^2 \quad (6\text{-}31)$$

和

$$F(i,k,l,T) = \sigma_l^1 + c_l^1 \sum_{u=l}^T d_u^1 + \sum_{u=l}^{T-1} \sum_{v=u+1}^T h_{lu}^1 d_v^1 + c_i^1 \sum_{u=l}^T d_u^2 + \sum_{u=i}^{k-1} \sum_{v=l}^T h_{lu}^1 d_v^2 + \sigma_k^2 + c_{ik}^2 \sum_{u=l}^T d_u^2$$
$$+ \sum_{u=k}^{l-1} \sum_{v=l}^T h_{iu}^2 d_v^2 + \sum_{u=l}^{T-1} \sum_{v=u+1}^T h_{iu}^2 d_v^2 \quad (6\text{-}32)$$

库存成本时间非依赖下两级动态批量预测时阈求解的方法与思路也适用于库存成本时间依赖下预测时阈的求解。首先需要建立每一级生产点和再生点的单调性，然后构造再生集，最后给出求解预测时阈的充分条件。定理 6-1 和定理 6-2 仍然成立，但需要变换为如下形式。

定理 6-3 在 $P(T)$ 的最优解中，若有 $k(T) > i'_\beta(T)$（$i_\beta(T) \leqslant k(T) \leqslant i'_\beta(T)$）、$l(T) = r^*(m)$、$i_\beta(T) = g^*(e)$（$i_{\beta-1}(T) = g^*(e)$）和 $k(T) = q^*(e)$ 成立，则有 $l(T+1) \geqslant l(T)$、$i_\beta(T+1) \geqslant i_\beta(T)$（$i_{\beta-1}(T+1) \geqslant i_{\beta-1}(T)$）和 $k(T+1) \geqslant k(T)$。

令 $\eta(T) = \min\{l(T), k(T)\}$。

定理 6-4 在 $P(T)$ 的最优解中，若有 $k(T) > i'_\beta(T)$、$l(T) = r^*(m)$、$i_\beta(T) = g^*(e)$ 和 $k(T) = q^*(e)$ 成立，且有 $x_r^{n*}(\eta(T)-1) = x_r^{n*}(\eta(T)) = \cdots = x_r^{n*}(T-1)$ 对于 $r=1,2,\cdots,\tau$（$1 \leqslant \tau \leqslant \eta(T)-1$）成立（或者若有 $i_\beta(T) \leqslant k(T) \leqslant i'_\beta(T)$、$l(T) = r^*(m)$、$i_{\beta-1}(T) = g^*(e)$ 和 $k(T) = q^*(e)$ 成立，且 $x_r^{n*}(\eta(T)-1) = x_r^{n*}(\eta(T)) = \cdots = x_r^{n*}(T-1)$ 对于 $r=1,2,\cdots,\tau$（$1 \leqslant \tau \leqslant \eta(T)-1$）成立），则周期 T 为更长周期问题 $P(T^*)$ 的预测时阈，周期 τ 是相应的决策时阈，$n=1,2$，$T^* \geqslant T+1$。

以上两个定理的证明类似于库存成本时间非依赖情形。值得注意的是，在 $P(T)$ 的最优解中，若有 $k(T) > i'_\beta(T)$（$i_\beta(T) \leqslant k(T) \leqslant i'_\beta(T)$）、$l(T) = r^*(m)$、$i_\beta(T) = g^*(e)$（$i_{\beta-1}(T) = g^*(e)$）和 $k(T) = q^*(e)$ 成立，则在周期 $i_\beta(T)-1$（$i_{\beta-1}(T)-1$）、$l(T)-1$ 和 $k(T)-1$ 期末的库存为零。

6.5 数值实验及管理启示

本节利用数值实验分析决策模式（集中化决策和分散化决策）、单位生产成本的波动性以及各级有外生需求对预测时阈长度的影响。

假设第 1(2) 级的需求服从均值为 15(20)、标准差为 5 的正态分布。若所生成的需求小于等于 0，则将需求设定为 1。每一级的启动成本设定为 100，每一级的库存成本取 5

个值：0.5、1、1.5、2、3。通过函数 $C_t^n = C_0^n + SC_0^n \xi$ 来产生每一级各周期的单位生产成本，其中 ξ 为标准正态变量，S 表示单位生产成本波动的程度，$n = 1,2$，S 取两个值：0和 1。两级基准单位生产成本 C_0^1 和 C_0^2 分别取值 10 和 6。对于所有库存成本取值和单位生产成本取值的组合，运行 51 次。

首先比较分析集中化决策和分散化决策的成本和效率。每一级的库存成本取值为 1.5，计算 20 个周期的成本。

从表 6-4 可以看出企业采用集中化决策成本大致可以降低 18%。

表 6-4　不同决策模式下的成本（$h_t^1 = h_t^2 = 1.5$）

决策模式	分散决策	集中化决策
总成本	11396	9351
成本降低比例	18%	

图 6-6 展示了集中化决策和分散化决策下预测时阈的长度大小，可以发现企业采用集中化决策方式将会使预测时阈长度增加。因此，综合表 6-4 和图 6-6 可以得出一个有趣的结论：企业若想采用集中化决策模式降低成本，则需要有处理未来更长时间数据信息的能力。

根据图 6-7 和图 6-8，可以发现单位生产成本的波动和第 1 级有外生需求都会增加预测时阈的长度。主要原因在于：单位生产成本的波动和第 1 级有外生需求使得决策柔性要求增加，拓展了可行决策的集合，因此企业需要优化更长时间的数据信息以做出更加准确的当前决策。

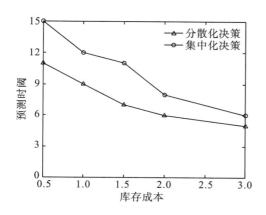

图 6-6　作为库存成本和两种决策模式函数的预测时阈

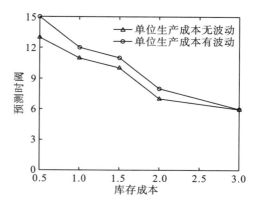

图 6-7　作为库存成本和单位生产成本波动性函数的预测时阈

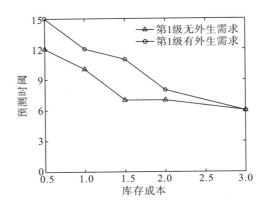

图 6-8   作为库存成本和第 1 级有无外生需求函数的预测时阈

6.6   本 章 小 结

多级动态批量问题一直受到学者和业界的持续关注。在现实的多级动态批量问题中，不仅最后一级有外生需求，中间各级也会有外生需求，在制造业中是满足因维修等产生的对中间各级零部件的需求，在电商平台中是大型区域仓储中心直接给终端客户配送产品等都是中间各级有外生需求的具体表现。因此，本章研究了各级都有外生需求的两级动态批量问题，考虑了库存成本时间非依赖和时间依赖两类模型。在库存成本时间非依赖模型中，依据零库存性质，设计了三种等价的适用于求解预测时阈的前向动态规划算法。利用边际成本分析法建立了生产点和再生点的单调性，然后构造两级再生集给出了求解预测时阈的充分条件。在库存成本时间依赖模型中，若不满足持有库存无投机性动机，则零库存性质不再成立。依据"需求单源满足"和"库存先进先出"两条最优解的结构性质，设计了前向动态规划算法求解问题，利用边际成本分析法建立了两级再生集，给出了求解预测时阈的充分条件。最后，利用数值实验得出了集中化决策对成本和预测时阈的影响，以及第一级有外生需求和时变的单位生产成本对预测时阈的影响。

参 考 文 献

Arslan A N，Richard J P P，Guan Y P. 2016. On the polyhedral structure of two-level lot-sizing problems with supplier section[J]. Naval Research Logistics，63（8）：647-666.

Begnaud J，Benjaafar S，Miller L A. 2009. The multi-level lot sizing problem with flexible production sequences[J]. IIE Transactions，41（8）：702-715.

Chand S. 1983. Rolling horizon procedures for the facilities in series inventory model with nested schedules[J]. Management Science，29（2）：237-249.

Chand S，Hsu V N，Sethi S，et al. 2007. A dynamic lot sizing problem with multiple customers：Customer-specific shipping and backlogging costs[J]. IIE Transactions，39：1059-1069.

Elmaghraby S E，Bawle V Y. 1972. Optimization of batch ordering under deterministic variable demand[J]. Management Science，

18(9)：508-517.

Gayon J P，Massonnet G，Rapine C，et al. 2016. Constant approximation algorithms for the one warehouse multiple retailers problem with backlog or lost-sales[J]. European Journal of Operational Research，250：155-163.

Hellion B，Mangione F，Penz B. 2015. Stability contracts between supplier and retailer：A new lot sizing model[J]. International Journal of Production Research，53(1)：1-12.

Hoesel S V，Romeijn H E，Morales D R，et al. 2005. Integrated lot sizing in serial supply chains with production capacities[J]. Management Science，51(1)：1706-1709.

Hsu V N. 2000. Dynamic economic lot size model with perishable inventory[J]. Management Science，46(8)：1159-1169.

Hsu V N. 2003. An economic lot size model for perishable products with age-dependent inventory and backorder costs[J]. IIE Transactions，35：775-780.

Hsu V N，Lowe T J. 2001. Dynamic economic lot size models with period-pair-dependent backorder and inventory costs[J]. Operations Research，49(2)：316-321.

Hwang H C，Kang J. 2020a. The two-level lot-sizing problem with outbound shipment[J]. Omega—The International Journal of Management Science，90：1-13.

Hwang H C，Kang J. 2020b. An improved algorithm for the lot-sizing problem with outbound shipment[J]. Omega—The International Journal of Management Science，DOI: 10.1016/j.omega.2020.102205.

Hwang H C，Ahn H S，Kaminsky P. 2013. Basis paths and a polynomial algorithm for the multistage production-capacitated lot-sizing problem[J]. Operations Research，61(2)：469-482.

Jaruphongsa W，Cetinkaya S，Lee C Y. 2004. Warehouse space capacity and delivery time window considerations in dynamic lot-sizing for a simple supply chain[J]. International Journal of Production Economics，92：169-180.

Jaruphongsa W，Cetinkaya S，Lee C Y. 2007. Outbound shipment mode considerations for integrated inventory and delivery lot-sizing decisions[J]. Operations Research Letters，35：813-822.

Kaminsky P，Levi D S. 2003. Prodction and distribution lot sizing in a two stage supply chain[J]. IIE Transactions，35(11)：1065-1075.

Lee C Y，Cetinkaya S，Jaruphongsa W. 2003. A dynamic model for inventory lot sizing and outbound shipment at a third-party warehouse[J]. Operations Research，51(5)：735-747.

Lee W S，Han J H，Cho S J. 2005. A heuristic algorithm for a multi-product dynamic lot-sizing and shipping problem[J]. International Journal of Production Economics，98：204-214.

Love S F. 1972. A facilities in series inventory model with nested schedules[J]. Management Science，18(5)：327-338.

Lundin R A，Morton T E. 1975. Planning horizons for the dynamic lot size model：Zabel vs. protective procedures and computational results[J]. Operations Research，23(4)：711-734.

Melo R A，Wolsey L A. 2010. Uncapacitated two-level lot-sizing[J]. Operations Research Letters，38：241-245.

Pan Z D，Tang J F，Liu Q. 2009. Capacitated dynamic lot sizing problems in closed-loop supply chain[J]. European Journal of Operational Research，198：810-821.

Phouratsamay S L，Kedad-Sidhoum S，Pascual F. 2018. Two-level lot-sizing with inventory bounds[J]. Discrete Optimization，30：1-19.

Sargut F Z，Romeijn H E. 2007. Capacitated production and subcontracting in a serial supply chain[J]. IIE Transactions，39(11)：1031-1043.

Stadtler H. 2011. Multi-level single machine lot-sizing and scheduling with zero lead times[J]. European Journal of Operational Research, 209(3): 241-252.

Tian X Y, Zhang Z H. 2019. Capacitated disassembly scheduling and pricing of returned products with price-dependent yield[J]. Omega—The International Journal of Management Science, 84: 160-174.

Ventura J A, Valdebenito V A, Golany B. 2013. A dynamic inventory model with supplier selection in a serial supply chain structure[J]. European Journal of Operational Research, 230: 258-271.

Vyve M V, Wolsey L A, Yaman H. 2014. Relaxations for two-level multi-item lot-sizing problems[J]. Mathematical Programming, 146(1): 495-523.

Wang H Y, Liu D C, Xing T, et al. 2010. A dynamic model for serial supply chain with periodic delivery policy[J]. International Journal of Production Research, 48(3): 821-834.

Wu T, Zhang C R, Liang Z, et al. 2013. A Lagrangian relaxation-based method and models evaluation for multi-level lot sizing problems with backorders[J]. Computers & Operations Research, 40: 1852-1863.

Zangwill W I. 1966. A deterministic multiproduct multi-facility production and inventory model[J]. Management Science, 14(3): 486-507.

Zangwill W I. 1969. A backlogging model and a multi-echelon model of a dynamic economic lot size production system—A network approach[J]. Management Science, 15(9): 506-527.

Zhang M J, Kucukyavuz S, Yaman H. 2012. A polyhedral study of multiechelon lot sizing with intermediate demands[J]. Operations Research, 60(4): 918-935.

Zhao M, Zhang M J. 2020. Multiechelon lot sizing: New complexities and inequalities[J]. Operations Research, 2020, DOI: https://doi.org/10.1287/opre.2019.1867.

转换与替代篇

第7章 生产转换与单向替代下动态批量与预测时阈

7.1 问题背景

为了应对日益加剧的市场竞争，满足不断增长的消费者多样化、个性化需求，大量的企业对自己的产品线进行了扩展，在基本产品的基础上衍生出大量存在细微差异(颜色、口味、款式等)的系列产品。运用系列产品来细分市场需求，迎合顾客追求差异、彰显个性的心理，从而达到提高企业竞争力、扩大市场份额、增加利润的目的。高露洁在20世纪70年代仅销售两种牙膏，2009年扩展到了19种；哈根达斯在1961年生产3种口味的冰淇淋，即香草、咖啡和巧克力，2004年增长到了36种。研究表明，大多数的消费品生产企业所拥有的产品种类以每年10%的速度增长(Ho and Tang，1998)。实际上，这种增长不仅局限于消费品行业，其他行业也具有同样的现象，信用卡行业由20世纪60~70年代只有少数几种卡发展到今天提供数千种的品类(Draganska and Jain，2006)。然而，多产品的生产，在深受消费者欢迎的同时，却给企业的生产决策带来了巨大的挑战。由于多产品之间往往存在替代效应(例如，当一种产品缺货时消费者转而选择同一产品大类的其他产品进行消费的顾客驱动替代，当较低等级产品缺货时供应商为了防止顾客流失而选用同类产品中较高等级的产品来满足顾客需求的供应驱动替代等)，且在生产中，企业往往针对同一类产品采用混合生产方式(如企业通常采用同一条生产线交替生产某一类产品中的几种)。这些特点使得人们在做决策时不能简单地将多产品划分为多个独立单产品的组合，必须要考虑产品之间的替代性、混合生产等因素对决策的影响，从而使企业的生产决策变得更加复杂和困难。由于产品替代、混合生产等特点，预测时阈决策更为复杂。实践中，在无法得到科学依据的前提下，运营经理在确定预测时阈时通常忽略了产品的替代效应、混合生产等因素，将多产品作为单产品来处理。这种决策方式使得决策的准确性大大降低，从而导致同类产品过剩和短缺并存的现象在企业中大量存在，企业一方面挣扎于某种产品的高昂的库存成本和过期库存处理费用，另一方面却忙于加班加点以应付即将到期的另一种产品的订单合同。基于这些问题，本章将深入研究产品替代和生产转换下动态批量决策的预测时阈问题。

产品(需求)替代是企业管理多产品库存的有效方式，进而能够提高企业的运营效率。替代性多产品动态批量问题是由相互独立的多产品动态批量问题发展而来的，早期的多产品动态批量问题重点研究联合生产(采购)问题，往往假设产品之间是相互独立的。而这一假设越来越不符合企业生产的现实情况，从而产品(需求)替代对生产运营决策的影响越来越受到学术界和业界的关注。Balakrishnan 和 Geunes(2000)提出了具有物料清单(bill-ofmaterial，BOM）柔性的两阶段多产品制造柔性系统中的动态需求计划问题，在每一周期中可以用上游阶段生产的可替代的零部件满足下游阶段的需求。针对这一问题，通过构建整数规划模型并用动态规划方法寻找最优的生产数量和替代数量以满足每一周期下游阶段的需求。Hsu 等（2005）研究了多产品单向替代的动态批量问题，高等级产品可以满足低等级产品的需求，分别建立了两种模型：第一种模型刻画了一种产品满足另外一种产品的需求需要经过物理转化，从而产生替代成本；第二种模型刻画了一种产品可以直接满足另外一种产品的需求，从而没有替代成本。研究发现，两个模型都是 NP-难问题。在产品数量固定的情况下设计了多项式时间的动态规划算法求解问题。Li 等（2006）考虑了有新产品和再制造产品两类需求的动态批量问题，假定再制造产品的需求可以用新产品替代满足，通过构建模型对该问题进行了分析。Yaman（2009，2011）研究了单向替代的两产品动态生产计划问题，构建了包括生产启动成本、变动生产成本、库存成本和替代成本在内的成本最小化模型，并利用定义有效不等式的方法对模型进行了求解。Lang 和 Domschke（2010）也用有效不等式方法求解了有能力约束和无能力约束下的多产品向下替代的动态批量问题。Pineyro 和 Viera（2010，2014）考虑了制造与再制造的动态批量问题，再制造产品的需求可以用新产品替代满足，同时考虑了对于不能用来再制造的废旧产品要进行无污染处理这一过程。通过设计禁忌搜索算法寻找近似解并用数值实验评价了算法的有效性。其他关于需求（产品）替代的动态批量问题的研究，参见 Geunes（2003）、Li 等（2007）、胡海菊和李勇建（2007）的文献。但这些需求替代的多产品动态批量问题都隐含了一个假设，即企业生产 N 种产品需要建立 N 条特定的生产线，每一条生产线上只生产一种产品，没有考虑一条生产线交替生产多种产品的可能。Dawande 等（2010）考虑了在生产转换和需求单向（向下）替代下的两产品动态批量问题，构造了生产转换成本、库存成本和替代成本的成本最小化模型，并证明了该问题为最短路径问题。运用数值实验得出了转换成本和替代成本如何相互作用降低总成本的管理启示。Lang 和 Shen（2011）研究了一个生产汽车挡风玻璃夹层的企业的生产转换计划问题。他们将这一现实问题转化为共用有限生产能力的多产品动态批量模型，不同质量等级的材质允许向下替代，同时允许需求延迟，设计了 Relax&Fix（松弛和固定）和 Fix&Optimize（固定和择优）两种启发式算法求解问题。以上两篇生产转换和产品替代下动态批量模型的研究并未分析预测时阈问题。在 Dawande 等（2010）构造的生产转换与需求替代的两产品动态批量模型的基础上，Bardhan 等（2013）设计了一类近似算法（只考虑三种类型的再生点）求解该模型，并在近似解下分析了预测时阈。而本章的重点则是设计最优算法求解模型，并在最优解下分析预测时阈。

7.2　问题描述与模型构建

　　本节研究无生产启动成本、单向替代（向下替代）和生产转换下两产品动态批量模型，不允许需求延迟和损失，企业没有生产能力和库存能力限制。假定企业在一条生产线上交替生产产品 1 和产品 2，产品 1 的质量等级高于产品 2。每一周期生产线上只能生产一种产品，当产品 2 缺货而产品 1 有库存时，企业可以选择生产产品 2 或用产品 1 替代以满足产品 2 的需求。用高等级产品替代低等级产品的替代成本为 ω。生产从一种产品转换到另外一种产品产生转换成本 K。产品从一个周期持有到下一个周期会产生库存成本。在中小企业中通常一条生产线生产两种或多种系列产品，因此生产转换现象在中小企业中非常普遍。产品（需求）替代现象在企业中也是非常普遍的，例如，某生产液晶显示器的企业，一条生产线生产 AA 级和 A 级两种显示器，当生产从 AA 级（A 级）转换到 A 级（AA 级）时，需要调整生产线。AA 级显示器的亮度、对比度、色彩度、可视面积和响应时间等综合指数要高于 A 级显示器，两种显示器之间存在替代性，AA 级显示器可以替代 A 级显示器，反之则不能。

在模型构建过程中需要定义的符号如表 7-1 所示。

表 7-1　符号定义

符号	含义
T	时间周期
$P(t)$	t-周期问题，$t=1,2,\cdots,T$
d_{it}	第 t 期期初产品 i 的需求，$i=1,2$，$t=1,2,\cdots,T$
K	生产转换成本
ω	产品 1 替代产品 2 的替代成本
h_{it}	周期 t 产品 i 的单位库存成本，$i=1,2$，$t=1,2,\cdots,T$
x_{it}	周期 t 期初产品 i 的生产数量，$i=1,2$，$t=1,2,\cdots,T$
I_{it}	周期 t 期末（周期 $t+1$ 期初）产品 i 的库存数量，$i=1,2$，$t=1,2,\cdots,T$
y_t	周期 t 产品 1 替代产品 2 的数量，$t=1,2,\cdots,T$

定义二元变量 z_{1t} 和 z_{2t}：若 $z_{1t}=1$（$z_{2t}=1$），则在周期 t 生产产品 1（产品 2），否则 $z_{1t}=0$（$z_{2t}=0$）。令 $e_1=z_{11}$，对于 $t=2,3,\cdots,T$，令

$$e_t=\begin{cases} e_{t-1}, & z_{1t}+z_{2t}=0 \\ z_{11}, & \text{其他} \end{cases}$$

令 $\delta_{t-1,t}=|e_t-e_{t-1}|$，若生产从产品 1 转换到产品 2，则 $\delta_{t-1,t}=1$，反之亦然。企业的目标是在 T 周期内达到生产转换成本、两产品库存成本和替代成本之和最小。目标函数表示为

$$\min \sum_{t=2}^{T} K\delta_{t-1,t} + \sum_{t=1}^{T}\sum_{i=1}^{2} h_{it}I_{it} + \omega\sum_{t=1}^{T} y_t \tag{7-1}$$

约束条件为

$$I_{1t}=I_{1,t-1}+x_{1t}-y_t-d_{1t}, \quad t=1,2,\cdots,T \tag{7-2}$$

$$I_{2t}=I_{2,t-1}+x_{2t}+y_t-d_{2t}, \quad t=1,2,\cdots,T \tag{7-3}$$

$$I_{i0}=I_{iT}=0, \quad i=1,2 \tag{7-4}$$

$$x_{1t} \leqslant \left(d_{2t} + \sum_{l=t}^{T} d_{1l} \right) z_{1t} , \quad t = 1, 2, \cdots, T \tag{7-5}$$

$$x_{2t} \leqslant \left(\sum_{l=t}^{T} d_{2l} \right) z_{2t} , \quad t = 1, 2, \cdots, T \tag{7-6}$$

$$z_{1t} + z_{2t} \leqslant 1 , \quad t = 1, 2, \cdots, T \tag{7-7}$$

$$z_{it} \in \{0,1\} , \quad i = 1, 2, \quad t = 1, 2, \cdots, T \tag{7-8}$$

$$x_{it} \geqslant 0, \quad I_{it} \geqslant 0 , \quad i = 1, 2, \quad t = 1, 2, \cdots, T \tag{7-9}$$

$$y_t \geqslant 0 , \quad t = 1, 2, \cdots, T \tag{7-10}$$

约束条件(7-2)和(7-3)表示两种产品的库存平衡；约束条件(7-4)代表两种产品在初始周期和结束周期的库存均为零；约束条件(7-5)和(7-6)表示各周期产品 1 和产品 2 的最大生产数量；约束条件(7-7)和(7-8)表示每一周期仅生产产品 1 或者产品 2；约束条件(7-9)和(7-10)代表生产数量、库存数量和替代数量均非负。

以上目标函数为成本最小化函数，下面的内容说明成本最小化目标函数等价于利润最大化目标函数。

令 p_1 为产品 1 的单位市场价格，p_2 为产品 2 的单位市场价格，$p_1 \geqslant p_2$。令 c_1 为产品 1 的单位生产成本，c_2 为产品 2 的单位生产成本，$c_1 \geqslant c_2$，$p_2 > c_1$。利润最大化目标函数如下：

$$\max [(p_1 - c_1) d_{1t} + (p_2 - c_2)(d_{2t} - y_t) + (p_2 - c_1) y_t] - \left(\sum_{t=2}^{T} K \delta_{t-1,t} + \sum_{t=1}^{T} \sum_{i=1}^{2} h_{it} I_{it} \right) \tag{7-11}$$

化简目标函数(7-11)可得

$$\max \sum_{t=1}^{T} \sum_{i=1}^{2} (p_i - c_i) d_{it} - \sum_{t=1}^{T} (c_1 - c_2) y_t - \left(\sum_{t=2}^{T} K \delta_{t-1,t} + \sum_{t=1}^{T} \sum_{i=1}^{2} h_{it} I_{it} \right) \tag{7-12}$$

因为 p_i、c_i 和 d_{it} 为已知的常数，所以 $\sum_{t=1}^{T} \sum_{i=1}^{2} (p_i - c_i) d_{it}$ 为常数项。令 $\omega = c_1 - c_2$，则以上利润最大化目标函数等价于下面成本最小化目标函数：

$$\min \sum_{t=2}^{T} K \delta_{t-1,t} + \sum_{t=1}^{T} \sum_{i=1}^{2} h_{it} I_{it} + \omega \sum_{t=1}^{T} y_t \tag{7-13}$$

在本节及以下各节均运用成本最小化模型。

需要注意的是，在单位生产成本固定且需求及时满足或者延迟满足时，目标函数中变动生产成本项是常数项，最优批量决策不受变动生产成本的影响，因此目标函数中往往不会出现变动生产成本项。

7.3 预测时阈近似分析

7.3.1 近似算法设计

首先阐述 7.2 节所构造的需求单向替代和生产转换下的动态批量模型最优解的结构性

质。

定理 7-1 在 $P(T)$ 的最优解中存在如下性质：

(1) $x_{1t} \in \left\{0, \sum_{l=t}^{m} d_{1l}, d_{2t} + \sum_{l=t}^{m} d_{1l}\right\}$, $x_{2t} \in \left\{0, \sum_{l=t}^{n} d_{2l}\right\}$, $t \leqslant m \leqslant T$, $t \leqslant n \leqslant T$;

(2) $I_{1,t-1} x_{1t} = 0$;

(3) $I_{1,t-1} y_t = 0$;

(4) $I_{2,t-1} x_{2t} = 0$, $x_{2t} y_t = 0$, $I_{2,t-1} y_t = 0$;

(5) $x_{1t} x_{2t} = 0$;

(6) $I_{1t} I_{2t} = 0$。

证明见 Dawande 等（2010）的文献。$I_{i,t-1} x_{it} = 0$ 是零库存性质，$i = 1,2$，$1 \leqslant t \leqslant T$。在零库存性质成立的情形下，可以将一个长周期问题划分为两个短周期问题求解。定理 7-1(3) 说明在 $t-1$ 期期末有产品 1 的库存，则周期 t 不会有替代发生，产品 2 在周期 t 的需求由当期生产满足。定理 7-1(4) 中的 $x_{2t} y_t = 0$ 说明在任意周期 t，若产品 2 有生产，则不会有替代发生，产品 2 在周期 t 的需求由当期生产满足；$I_{2,t-1} y_t = 0$ 说明在 $t-1$ 期期末有产品 2 的库存，则周期 t 不会有替代发生，产品 2 在周期 t 的需求由产品 2 的库存满足。定理 7-1(5) 由每一周期只能生产一种产品的假设得出。定理 7-1(6) 说明在任意周期 t，两种产品的库存水平不会同时为正，一种产品的库存水平大于零，则另一种产品的库存为零。

接下来根据最优解的结构性质设计一类近似算法求解 7.2 节所构造的模型。直观上讲，再生点是动态批量的重新启动点，而转换点是生产由一种产品转换到另一种产品的时间点（周期）。根据相邻两个共同再生点之间产品转换的次数（转换点的个数），可以将共同再生点分为不同的类型，以下为了叙述简洁，将共同再生点简称为再生点。

1. Ⅰ类再生点

考虑再生点 j，假设周期 $j+1$ 生产产品 1 仅满足两种产品在该周期的需求。因而周期 $j+1$ 结束时两种产品的库存均为零，故周期 $j+1$ 也是再生点（图 7-1）。则将再生点 j 定义为Ⅰ类再生点。

2. Ⅱ类再生点

考虑再生点 j，假设周期 $j+1$ 生产产品 1 以满足 $l\,(\geqslant 2)$ 周期产品 1 的需求和一周期产品 2 的需求。周期 $j+2$ 生产从产品 1 转换到产品 2，直到周期 $j+l$，每期仅生产产品 2 以满足产品 2 当期的需求（图 7-1）。因此，$j+2$ 是生产转换点，$j+l$ 是再生点。则将再生点 j 定义为Ⅱ类再生点。

3. Ⅲ类再生点

考虑再生点 j，假设周期 $j+1$ 生产产品 1 以满足 $l\,(\geqslant 2)$ 周期产品 1 的需求和一周期产品 2 的需求。周期 $j+2$ 生产从产品 1 转换到产品 2，直到 $j+l-1$，每期仅生产产品 2 以满足产品 2 当期的需求。周期 $j+l$ 生产产品 2 以满足 $k\,(\geqslant 2)$ 周期产品 2 的需求。周期 $j+l+1$ 生产从产品 2 转换到产品 1，直到 $j+l+k-1$，每期生产产品 1 仅满足产品 1 当期的需求(图 7-1)。因此，$j+2$、$j+l+1$ 是生产转换点，$j+l+k-1$ 是再生点。则将再生点 j 定义为III类再生点。

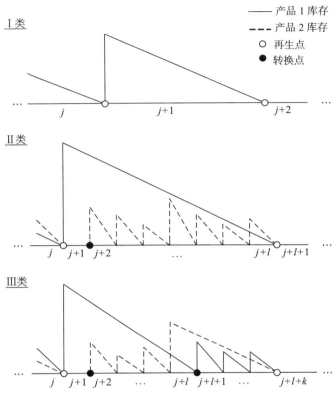

图 7-1　三类基本再生点示意图

综上，考虑两个连续的再生点 j 和 k：①若 j 和 k 之间没有发生生产转换，则 j 是 I 类再生点；②若 j 和 k 之间只发生一次生产转换，则 j 是 II 类再生点；③若 j 和 k 之间有两次生产转换，则 j 是III类再生点。

注：若 j 属于 II 类再生点，而周期 j 之前的一个再生点也属于 II 类再生点，则在周期 $j+1$，生产需要先从产品 2 转换到产品 1。因此，j 和下一个再生点之间将会出现两次生产转换，但仍将 j 定义为 II 类再生点。

以此类推，若 j 和 k 之间存在 $n-1$（$n \geqslant 1$）次生产转换，则 j 将是 n 类再生点。图 7-2 显示了VI类再生点的结构。而现实中，再生点代表了一个新的生产计划的开始。因此，在存在转换成本的条件下，将注意力集中在两个相邻再生点之间只有少数次生产转换是比较合理的。从而，研究过程中将问题进行了一定的简化，假设相邻两个再生点之间最多存在两次生产转换。这一假设将再生点的类型限制在只有三类的情况，即 I 类、II 类和III类。该假设使得预测时阈问题的求解在技术上变得可行，因为从理论上来讲，要获得预测时阈，必须保证各再生点的单调性，而若考虑 n 种类型的再生点，则再生点的单调性将无法获得，因而难以求得预测时阈。

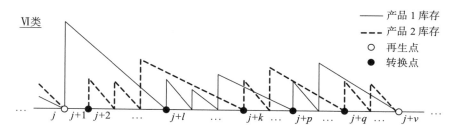

图 7-2　Ⅵ类再生点示意图

同时，假设后的问题是原问题的一个很好的启发式算法，通过 8910 次数值仿真结果发现，启发式算法的计算结果与最优解的平均偏差为 8.40%。最大偏差出现在两种极端情况下：①转换成本非常低（占 22.9%）；②替代成本非常高（占 13.4%）。在这种极端情况下，可能会没有替代发生，因为转换成本小于替代成本（现实中这种情况几乎不可能发生）。当去掉这些极端情况后，启发式算法和最优解之间仅相差 1.96%。因此，这种假设非常合理，也是非常可行的。令 s_1 为生产从产品 1 转换到产品 2 的转换点，s_2 为生产从产品 2 转换到产品 1 的转换点，$\mathbb{S}^i$ 为生产点集合，$i=1,2$，可以得到如下定理。

定理 7-2　设 s_i^1、s_i^2 是任意连续的生产转换点，且 $\{s_i^1,s_i^2\}\in\mathbb{S}^i$（$i=1,2$），则 s_i^1、s_i^2 之间至少存在一个再生点。

定理 7-3　设 s_i^1、s_i^2 是任意连续的生产转换点，且 $\{s_i^1,s_i^2\}\in\mathbb{S}^i$（$i=1,2$），若 s_i^1、s_i^2 之间存在正的需求替代，则 $P(t)$ 的所有再生点一定属于 I 类、Ⅱ 类或Ⅲ类。

定理 7-2 可以通过定理 7-3 直接获得，因此下面重点证明定理 7-3。

证明　基于生产转换的次数，分别从三方面证明该定理。

（1）考虑生产转换集合 $\mathbb{S}^1$（生产从产品 1 转换到产品 2）中三个相邻的转换点 s_1^1、s_1^2 和 s_1^3（$s_1^1<s_1^2<s_1^3$），必然有一个转换点 $s_2^1\in\mathbb{S}^2$（或 $s_2^2\in\mathbb{S}^2$）存在于 s_1^1 和 s_1^2（或 s_1^2 和 s_1^3）之间（图 7-3）。因此，替代一定会发生在周期 s_2^1，s_2^1+1，…，s_1^2-1（或 s_2^2，s_2^2+1，…，s_1^3-1），并直到 s_1^2-1（或 s_1^3-1）结束。若替代开始于周期 s_2^1，则周期 s_2^1-1 直到 s_1^2-3 都是 I 类再生点。若替代开始于周期 s_2^1+1，则周期 s_2^1 直到 s_1^2-3 都是 I 类再生点等。周期 s_1^2-2 在任何情况下都是再生点，它的类型取决于周期 s_2^1 和 s_1^3-1 之间发生替代的情况。若替代开始于周期 s_2^1，则周期 s_1^2-2 是 Ⅱ 类再生点；否则是Ⅲ类再生点。

（2）假设计算结果中生产转换集合 $\mathbb{S}^1$ 中只有两个转换点 s_1^1 和 s_1^2，那么其间必然存在一个转换点 $s_2^1\in\mathbb{S}^2$。若 s_1^2 和 t 之间存在另一个转换点 $s_2^2\in\mathbb{S}^2$，则讨论过程和（1）类似。否则，不难看出：①存在于 s_1^1 和 s_1^2 之间的再生点属于 I 类或 Ⅱ 类再生点；②周期 s_1^1 之前的再生点属于 I 类、Ⅱ 类或Ⅲ类再生点的任何一类。

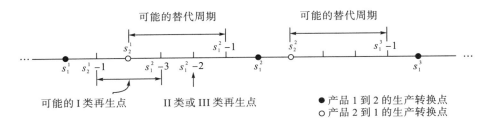

图 7-3　再生点和生产转换点示意图

（3）假设计算结果只有一个转换点 $s_1 \in \mathbb{S}^1$，则再生点的类型取决于是否存在转换点 $s_2 \in \mathbb{S}^2$。若存在 s_2，则 s_1 和 t 之间有替代发生，因此 s_1 和 t 之间所有的再生点都是 I 类再生点。否则，若 s_1 和 t 之间没有任何生产转换，则 s_1 和 t 之间不存在再生点，而周期 s_1 之前的再生点属于 I 类或 II 类再生点。证毕。

对于 $P(t)$，由前面的符号定义可知，$C(t)$ 表示最优成本，$C(t) = \min_{0 \leqslant j \leqslant T} \{C_j(t)\}$，其中 $C_j(t)$ 表示当 j 作为最后一个再生点时 $P(t)$ 的最优成本。因为 j 是最后一个再生点，所以 j 和 t 之间存在三种可能性（由定理 7-3 知）：①没有生产转换，即 $j = t-1$；②只有一次生产转换，即 $0 \leqslant j \leqslant t-2$；③有两次生产转换，即 $0 \leqslant j \leqslant t-3$。因此：

$$C_j(t) = C(j) + \begin{cases} C(j,t), & j = t-1 \\ C(j,s_1,t), & j = t-2 \\ \min_{j+3 \leqslant s_2 \leqslant t} \{C(j,s_1,t), C(j,s_1,s_2,t)\}, & 0 \leqslant j \leqslant t-3 \end{cases} \quad (7\text{-}14)$$

其中：

（1）$C(j)$ 是问题 $P(t)$ 前 j 个周期的最优成本；

（2）$C(j,t)$ 是问题 $P(t)$ 从周期 $j+1$ 到 t 的最优成本，且 j 和 t 之间没有生产转换，因此有

$$C(j,t) = \omega d_{2t} \quad (7\text{-}15)$$

（3）$C(j,s_1,t)$ 是问题 $P(t)$ 从周期 $j+1$ 到 t 的最优成本，且在周期 s_1 生产从产品 1 转换到产品 2，因此有

$$C(j,s_1,t) = \omega d_{2,j+1} + K + \sum_{l=j+2}^{t-1} \sum_{k=l}^{t} h_{1l} d_{1k} \quad (7\text{-}16)$$

（4）$C(j,s_1,s_2,t)$ 是问题 P 从周期 $j+1$ 到 t 的最优成本，且在周期 s_1 生产从产品 1 转换到产品 2，周期 s_2 生产从产品 2 转换到产品 1，因此有

$$C(j,s_1,s_2,t) = \min_{j+3 \leqslant s_2 \leqslant t} \left\{ \omega d_{2,j+1} + 2K + \sum_{l=j+2}^{s_2-2} \sum_{k=l+1}^{s_2-1} h_{1l} d_{1k} + \sum_{q=s_2}^{t-1} \sum_{p=q+1}^{t} h_{2q} d_{2p} \right\} \quad (7\text{-}17)$$

直观来讲，若最后一个再生点是 $j = t-1$，则 j 和 t 之间没有生产转换。因此该再生点为 I 类再生点，$C_j(t) = C(j) + C(j,t)$。若最后一个再生点是 $j = t-2$，则 j 和 t 之间一定存在一个生产转换点。因此，该再生点为 II 类再生点，$C_j(t) = C(j) + C(j,s_1,t)$。若最后一个再生点 $j \leqslant t-3$，则有两种可能：①若 j 和 t 之间仅有一个生产转换点，则 $C_j(t) = C(j) + C(j,s_1,t)$；②若 j 和 t 之间有两个生产转换点，则 $C_j(t) = C(j) + C(j,s_1,s_2,t)$。由于

两种可能都必须考虑，因此有

$$C_j(t) = C(j) + \min_{j+3 \leqslant s_2 \leqslant t} \{C(j,s_1,t), C(j,s_1,s_2,t)\} \tag{7-18}$$

现在分析采用递归方程(7-14)计算 $P(T)$ 最优结果的算法复杂度。首先，需要计算 $C_j(t)$（$j = 0,1,\cdots,t-1$，$t = 1,2,\cdots,T$）的值 $O(T^2)$ 次。对于固定的 j 和 t，在方程(7-17)中需要考虑三种可能性，总共需要考虑 $O(t-j-2)$ 次 s_2（$j+3 \leqslant s_2 \leqslant t$）的值。因此，计算 $P(T)$ 最优值的时间复杂度为 $O(T^3)$，从而可以得到如下定理。

定理 7-4　对于 T -周期问题的前向算法(基于递归方程(7-14))的时间复杂度为 $O(T^3)$。

7.3.2　预测时阈分析

对于问题 $P(t)$ 的最优解，假设 $j_i^*(t)$ 是最后一个 i（$i = 1,2,3$）类再生点(如果存在)，否则 $j_i^*(t) = 0$。下面通过引理 7-1 证明生产转换点 s_2^* 的单调性，在此基础上，通过定理 7-5 证明各类再生点的单调性，最后通过推论 7-1 给出再生点的单调性规则。

引理 7-1　最优生产转换点 s_2^*（生产从产品 2 转换到产品 1）在 t 周期内是单调的，即 $s_2^*(t+1) \geqslant s_2^*(t)$（证明见附录六）。

下面分析各类再生点的单调性。

定理 7-5　对于每一类再生点（Ⅰ 类、Ⅱ 类或Ⅲ类），最后一个最优的再生点在周期 t 内是单调的，即 $j_i^*(t+1) \geqslant j_i^*(t)$，$i = 1,2,3$（证明见附录六）。

定理 7-5 表明对每一类再生点，最后一个最优再生点在周期 t 内是单调的。然而，对于 t -周期问题，最优解是三类再生点任意可能的组合，因此最后一个再生点并非一定单调。令 $t_i \in \{1,2,\cdots,t\}$（$i = 1,2,3$）是问题 $P(t_i)$ 的最优解含有 i 类再生点的最大周期，则由定理 7-5 可以获得如下推论。

推论 7-1　$j^{\wedge*} = \min\{j_1^*(t_1), j_2^*(t_2), j_3^*(t_3)\}$，则 $j^{\wedge*}$ 在周期 t 内是单调的，即 $j^{\wedge*}(t+1) \geqslant j^{\wedge*}(t)$。

根据推论 7-1，若 $j^{\wedge*} > 0$，则构造再生集 $\{j^{\wedge*}, j^{\wedge*}+1, \cdots, t-1\}$，根据 Lundin 和 Morton(1975)的研究有如下预测时阈定理。

定理 7-6　在 $P(t)$ 的最优解中，若有 $x_{1l}^*(j^{\wedge}(t)) = x_{1l}^*(j^{\wedge}(t)+1) = \cdots = x_{1l}^*(t-1)$ 和 $x_{2l}^*(j^{\wedge}(t)) = x_{2l}^*(j^{\wedge}(t)+1) = \cdots = x_{2l}^*(t-1)$ 对于 $l = 1,2,\cdots,\tau$（$1 \leqslant \tau \leqslant r(t)-1$）成立，则对于任意更长周期的问题 $P(t^*)$，周期 t 为预测时阈，周期 τ 为相应的决策时阈，$t^* > t$。

对于 $r \in \{j^{\wedge*}, j^{\wedge*}+1, \cdots, t-1\}$，令 $F^r(t)$ 表示 r 作为最后再生点的 t -周期问题。在 $F^r(t)$ 的最优结果中，$f_1^*(r)$ 表示 $x_{11}^*(r)$ 覆盖的需求周期数。下面需要求解 $F^r(t)$，其中 r 表示 t -周期问题最后的再生点，并比较再生集合中所有元素作为最后再生点的 t -周期问题的最优结果是否具有相同的 $x_{il}^*(r)$。因此，对于每一个 r 需要计算 $P(r)$，$r < t$。利用以上所设计的近似算法可以很容易计算出 $P(r)$。

下面举例分析如何应用近似算法求解预测时阈。

例 7-1　假设产品 1 和产品 2 前 10 周期的需求分别为(3，4，6，4，2，3，7，4，2，4)和(2，3，5，3，1，2，6，3，1，3)。生产转换成本 $K=7$，替代成本 $\omega=4$，库存成本 $h_{it}=1$（$i=1,2$，$t=1,2,\cdots,10$）。令 x_{2t}^{*} 表示产品 2 在周期 $t=s_2^1-1$ 的最优产量，其中 s_2^1 表示生产从产品 2 转换到产品 1 的第一个转换点。令 f_2^{*} 表示 x_{2t}^{*} 所覆盖的需求周期数。设 $C(0)=0$，$C_0(0)=0$，通过前向算法计算的结果如表 7-2 所示。

表 7-2　例 7-1 最小预测时阈计算结果

t	$j_1^{*}(t)$	$j_2^{*}(t)$	$j_3^{*}(t)$	$j^{\wedge*}(t)$	$x_{11}^{*}(t)$	$x_{2t}^{*}(t)$	$f_1^{*}(t)$	$f_2^{*}(t)$	$C(t)$
1	0	0	0	0	5	0	1	0	8
2	0	0	0	0	9	3	2	1	19
3	0	0	0	0	9	8	2	2	31
4	0	0	0	0	9	11	2	3	37
5	0	0	0	0	9	12	2	4	40
6	5	0	0	0	9	12	2	4	48
7	5 ($t=6$)	5	0	0	9	12	2	4	62
8	5 ($t=6$)	5 ($t=7$)	4	4	9	12	2	4	70
9	5 ($t=6$)	5 ($t=7$)	4	4	9	12	2	4	73
10	5 ($t=6$)	5 ($t=7$)	5	5	9	12	2	4	83

因为 $j^{\wedge}(8)=4$，所以 $\{j^{\wedge},j^{\wedge}+1,\cdots,t-1\}=\{4,5,6,7\}$。从表 7-2 可以看出，$x_{11}^{*}(4)=x_{11}^{*}(5)=x_{11}^{*}(6)=x_{11}^{*}(7)=9$。因此，周期 $t=8$ 是周期 1 决策的最小预测时阈，相应的决策时阈是 $f_1^{*}=2$。

值得一提的是，本节研究的问题与单产品动态批量问题存在一个重要的差异。对于单产品问题，周期 1 的决策通常覆盖第一个再生点之前所有周期的需求。然而，这种结论在两产品问题中并不一定成立。由例 7-1 可以看出，$x_{22}^{*}(4)\neq x_{22}^{*}(5)$，因此可知，$t=8$ 并不是第一个再生点（周期 4）的预测时阈。由于 $j^{\wedge}(10)=5$，$x_{11}^{*}(5)=x_{11}^{*}(6)=\cdots=x_{11}^{*}(9)=9$，且 $x_{22}^{*}(5)=x_{22}^{*}(6)=\cdots=x_{22}^{*}(9)=12$，因此 $t=10$ 是决策覆盖第一个再生点的最小预测时阈。

接下来比较存在替代和不存在替代的两产品最优预测时阈。用前向算法分别独立计算产品 1 和产品 2 的最优预测时阈，计算结果如表 7-3 所示。

表 7-3　两独立产品的最小预测时阈

产品 1										产品 2									
T	1	2	3	4	5	6	7	8	9	10	T	1	2	3	4	5	6	7	8	9	10
d_{1t}	2	3	5	3	1	2	6	3	1	3	d_{2t}	3	4	6	4	2	3	7	4	2	4
$f_1^{*}(T)$	1	2	2	2	2	2	2	2	2	2	$f_2^{*}(T)$	1	2	2	2	2	2	2	2	2	2
$j^{*}(T)$	0	0	2	2	2	2	6	6	6	9	$j^{*}(T)$	0	0	2	2	2	5	6	6	9
1	⑦	⑩	20	29	33	43	79	100	108	135	1	⑦	⑪	23	35	43	58	100	128	144	180

续表

	产品 1										产品 2									
T	1	2	3	4	5	6	7	8	9	10	T	1	2	3	4	5	6	7	8	9	10
2		14	19	25	28	36	66	84	91	115	2		14	20	28	34	46	81	105	119	151
3			(17)	(20)	(22)	(28)	52	67	73	94	3			(18)	(22)	(26)	35	63	83	95	123
4				24	25	29	47	59	64	82	4				25	27	33	54	70	80	104
5					27	29	41	50	54	69	5					29	(32)	46	58	66	86
6						29	35	39	42	48	6						33	40	45	49	56
7							(35)	(38)	(40)	49	7							(39)	(43)	(47)	59
8								42	43	49	8								46	48	56
9									45	48	9									50	54
10										(47)	10										(54)

由表 7-3 可知，$j_3^* = 2 > 0$，$\{j^{\wedge*}, j^{\wedge*}+1, \cdots, t-1\} = \{2\}$。因此，周期 $t = 3$ 分别是产品 1 和产品 2 的最小预测时阈，与存在替代的最小预测时阈 $t = 8$ 相比，替代导致预测时阈增加 167%（(8-3)/3×100%=167%）。然而，替代的灵活性使总成本减少 18%（(47+54-83)/101 ×100%=18%）。

以上内容在近似算法下分析了预测时阈，接下来分析最优解结构下的预测时阈问题。

7.4　最 优 算 法

本节设计最优前向动态规划算法。首先定义再生点、转换点和生产点。

定义 7-1　给定 $P(T)$ 的最优解，若 $I_{it} = 0$ 且 $I_{jt} \neq 0$，$i, j = 1,2$，$i \neq j$，$1 \leqslant t \leqslant T$，则周期 t 定义为产品 i 的再生点；若 $I_{1t} = I_{2t} = 0$，$1 \leqslant t \leqslant T$，则周期 t 定义为共同再生点。

定义 7-2　给定 $P(T)$ 的最优解，若 $x_{i,t-1} > 0$ 且 $x_{jt} > 0$，$i, j = 1,2$，$i \neq j$，$1 \leqslant t \leqslant T$，则周期 t 定义为转换点。

定义 7-3　给定 $P(T)$ 的最优解，若 $x_{it} > 0$ 且 $x_{jt} = 0$，$i, j = 1,2$，$i \neq j$，$1 \leqslant t \leqslant T$，则周期 t 定义为产品 i 的生产点。

由以上定义可知，转换点也是生产点。

在以上定义的基础上，设计前向动态规划算法求解模型。令 $C(t)$ 为 $P(t)$ 的最优成本，$C(r,s,e,t)$ 为最后一个转换点是 s，s 之前的最后一个生产点为 r，从 r 到 t 的第一个共同再生点为 e 时 $P(t)$ 的最优成本，$r \leqslant e \leqslant t$，$1 \leqslant r < s \leqslant t$，发现 $r = s-1$ 成立。根据以上定义有

$$C(t) = \min\left\{ {}_{1 \leqslant r < s \leqslant t,\ r \leqslant e \leqslant t} C(r,s,e,t); \omega \sum_{l=1}^{t} d_{2l} \right\} \tag{7-19}$$

其中

$$C(r,s,e,t) = C(r) + K + \begin{cases} \sum\limits_{l=r}^{t-1}\sum\limits_{k=l+1}^{t} h_{il}d_{ik}, & e=t, \;\; i=1,2 \\[2mm] \sum\limits_{l=r}^{e-1}\sum\limits_{k=l+1}^{e} h_{2l}d_{2k} + \sum\limits_{l=e+1}^{t}\omega d_{2l}, & r+1\leqslant e<t \\[2mm] \sum\limits_{l=r+1}^{t}\omega d_{2l}, & e=r \end{cases} \tag{7-20}$$

对于 $C(r,s,e,t)$ 的计算，考虑如下三种情形。

情形 1 若 $e=t$，则表示在 $P(t)$ 的最优解中，从周期 r 到周期 t 仅有周期 t 一个共同再生点。若企业在周期 s 生产产品 i，$i=1,2$，则在周期 r 一定生产产品 j，$j=1,2$，$i\neq j$。从周期 s 到周期 t，产品 i 的需求由每一周期 k 的生产满足，$s\leqslant k\leqslant t$。从周期 s 到周期 t，产品 j 的需求由周期 r 生产的产品库存满足。因此，满足两产品从周期 s 到周期 t 的需求所产生的成本为转换成本 K 与产品 j 的库存成本之和 $\sum\limits_{l=r}^{t-1}\sum\limits_{k=l+1}^{t} h_{jl}d_{jk}$。此情形的示意图如图 7-4 所示。

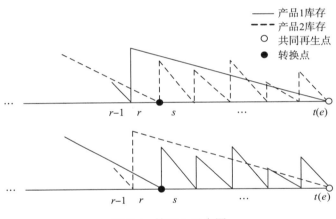

图 7-4 情形 1 示意图

情形 2 若 $r+1\leqslant e<t$，则最后一个转换点一定是从产品 2 转换到产品 1。在 $P(t)$ 的最优解中从周期 e 到周期 t 每一周期都是共同再生点。企业在周期 r 生产产品 2 满足周期 r 到周期 e 产品 2 的需求。周期 s 到周期 t 的每一周期企业都生产产品 1 满足产品 1 从周期 s 到周期 t 的需求、满足产品 2 从周期 $e+1$ 到周期 t 的需求。因此，满足两产品从周期 s 到周期 t 的需求所产生的成本为转换成本 K、产品 2 的库存成本 $\sum\limits_{l=r}^{e-1}\sum\limits_{k=l+1}^{e} h_{2l}d_{2k}$ 与替代成本 $\omega\sum\limits_{l=e+1}^{t} d_{2l}$ 之和。此情形的示意图如图 7-5 所示。

情形 3 若 $e=r$，则最后一个转换点也是从产品 2 转换到产品 1。在 $P(t)$ 的最优解中，从周期 $r(e)$ 到周期 t 每一周期都是共同再生点。周期 s 到周期 t 的每一周期企业都生产产品 1 满足两产品从周期 s 到周期 t 的需求。因此，满足两产品从周期 s 到周期 t 的需求所产生

的成本为转换成本 K 与替代成本 $\omega \sum\limits_{l=r+1}^{t} d_{2l}$ 之和。此情形的示意图如图 7-6 所示。

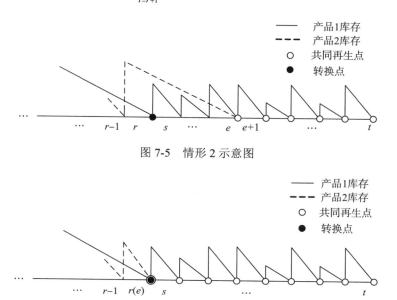

图 7-5　情形 2 示意图

图 7-6　情形 3 示意图

若在 $P(t)$ 的最优解中没有转换点，则表示两产品从第 1 期到第 t 期的需求全部由每一周期生产的产品 1 满足。因为从第 1 期到第 t 期没有生产转换过程，所以没有生产转换成本。又因为每一周期都生产产品 1，所以没有产品 1 和产品 2 的库存成本。因此，满足两产品从第 1 期到第 t 期的需求所产生的成本仅为替代成本 $\omega \sum\limits_{l=1}^{t} d_{2l}$。此特殊情形的示意图如图 7-7 所示。

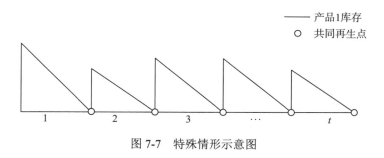

图 7-7　特殊情形示意图

7.5　最优预测时阈分析

在 $P(t)$ 的最优解中，令 $s_i(t)$ 代表最后一个最优的从产品 i 转换到产品 j 的转换点，$r_i(t)$ 代表在周期 $s_i(t)$ 之前的最后一个最优的产品 i 的生产点，若 $s_i(t) > s_j(t)$，$e(t)$ 代表从周期 $s_i(t)$ 到周期 t 中第一个最优的共同再生点，$i, j = 1, 2$，$i \neq j$。根据以上定义可得

$$s_i(t) - 1 = r_i(t) \tag{7-21}$$

$$C(t) = \min\left\{\min_{1 \leqslant r < s \leqslant t, r \leqslant e \leqslant t} C(r,s,e,t); \omega\sum_{l=1}^{t} d_{2l}\right\} = \min\left\{C(r_i(t),s_i(t),e(t),t); \omega\sum_{l=1}^{t} d_{2l}\right\} \tag{7-22}$$

本节寻找预测时阈的方法仅适用于在 $P(t)$ 的最优解中有转换点且转换点的个数至少有两个的情形,这样才能给出求解预测时阈的充分条件,若 $P(t)$ 的最优解中没有转换点,即

$$C(t) = \omega\sum_{l=1}^{t} d_{2l} \tag{7-23}$$

则用本节方法不能寻找到预测时阈,因此以下求解预测时阈的各章节不考虑最优解中无转换点的情形,即只考虑:

$$C(t) = \min_{1 \leqslant r < s \leqslant t, r \leqslant e \leqslant t} C(r,s,e,t) = C(r_i(t),s_i(t),e(t),t)$$

令 $N(t)$ 代表在 $P(t)$ 的最优解中转换点的个数。

引理 7-2 在 $P(t)$ 的最优解中有 $N(t) \geqslant \max\{N(1), N(2), \cdots, N(t-1)\} - 1$ 成立(证明见附录六)。

引理 7-2 给出了 $P(t)$ 的最优解中转换点个数的下界。

令 $r_i^l(t)$ 代表 $P(t)$ 最优解中产品 i 的最后一个生产点,则存在如下生产点的单调性。

定理 7-7 在 $P(t^*)$ 的最优解中有 $r_i^l(t^*) \geqslant r_i(t)$ 成立,$i = 1,2$,$t^* > t$(证明见附录六)。

定理 7-7 表明,在 $P(t^*)$ 的最优解中产品 i 的最后一个生产点不会小于 $P(t)$ 的最优解中最后一个转换点之前的最大生产点。

对于单产品情形,令 $r^l(t) > 0$ 代表在 $P(t)$ 最优解中最后一个生产点,Lundin 和 Morton (1975)在一篇开创性的文献中证明,在 $r^l(t)$ 单调的情形下,对于任意更长周期 t^*,在 $P(t^*)$ 的最优解中,至少有一个再生点在集合 $\{r^l(t)-1, r^l(t), \cdots, t-1\}$ 中,$t^* > t$。因此,如果所有的 $P(\gamma)$ ($\gamma \in \{r^l(t)-1, r^l(t), \cdots, t-1\}$),都有一个共同的 τ 周期决策,则周期 t 为预测时阈,周期 τ 为决策时阈。集合 $\{r^l(t)-1, r^l(t), \cdots, t-1\}$ 称为再生集。然而,对于两产品,为了求解预测时阈,需要证明两产品的最后一个生产点都是单调的,进一步建立两产品再生集。两产品再生集需要对任意更长周期问题的最优解中至少有一个产品 1 的再生点和一个产品 2 的再生点在集合中。

定理 7-7 已经证明了两产品最后一个生产点的单调性质,在零库存性质成立的情形下,若周期 r 是生产点,则周期 $r-1$ 的库存必定为零,也就意味着周期 r 及 r 之后的需求不可能由周期 r 之前的生产满足。具有零库存的周期可以将一个长周期问题分割成两个短周期问题。对于两产品问题,需要分别确定产品 1 和产品 2 库存为零的周期,则两产品零库存周期之后的决策不被零库存周期之前的信息影响。值得注意的是,有一种特殊情形,即两产品的库存在同一周期都为零。在 $P(t)$ 的最优解中,$r_i(t)-1$ 是产品 i 的再生点,$i = 1,2$。在 $P(t^*)$ 的最优解中,$r_i^l(t^*)-1$ 是产品 i 的最后一个再生点。令 $r(t) = \min\{r_1(t), r_2(t)\}$,因为 $r_i^l(t^*)-1 \geqslant r_i(t^*)-1$,建立两产品再生集 $\{r(t)-1, r(t), \cdots, t-1\}$,即对于任意更长周期 t^*,在 $P(t^*)$ 的最优解中,至少有一个产品 1 的再生点和产品 2 的再生点在集合 $\{r(t)-1, r(t), \cdots, t-1\}$ 中,$t^* > t$。

令 $x_{iz}^*(t)$ 表示 $P(t)$ 中产品 i 在周期 z 的最优生产数量,$i = 1,2$,$1 \leqslant z \leqslant t$,根据 Lundin

和 Morton（1975）的研究结论，有如下求解预测时阈定理成立。

定理 7-8 在 $P(t)$ 的最优解中，若有 $x_{1l}^*(r(t)-1) = x_{1l}^*(r(t)) = \cdots = x_{1l}^*(t-1)$ 和 $x_{2l}^*(r(t)-1) = x_{2l}^*(r(t)) = \cdots = x_{2l}^*(t-1)$ 对于 $l=1,2,\cdots,\tau$（$1 \leqslant \tau \leqslant r(t)-1$）成立，则对于任意更长周期的问题 $P(t^*)$，周期 t 为预测时阈，周期 τ 为相应的决策时阈，$t^* > t$。

证明 由两产品再生集的定义，对于任意 t^*，$t^* > t$，$P(t^*)$ 的最优解中至少有一个产品 1 的再生点和产品 2 的再生点属于集合 $\{r(t)-1, r(t), \cdots, t-1\}$。对于 $\phi \in \{r(t)-1, r(t), \cdots, t-1\}$，至少有一个 $P(\phi)$ 的最优解是任意 $P(t^*)$ 最优解的一部分。若 $x_{1l}^*(r(t)-1) = x_{1l}^*(r(t)) = \cdots = x_{1l}^*(t-1)$ 和 $x_{2l}^*(r(t)-1) = x_{2l}^*(r(t)) = \cdots = x_{2l}^*(t-1)$ 对于 $l=1,2,\cdots,\tau$（$1 \leqslant \tau \leqslant r(t)-1$）成立，则说明每一个问题 $P(r(t)-1), P(r(t)), \cdots, P(t-1)$ 都有相同的 τ 期最优生产决策，因此这个 τ 期最优生产决策是任何更长周期 t^* 最优解的一部分，$t^* > t$，则 τ 为决策时阈，又因为仅需要 t 周期的信息决定决策时阈，所以 t 为预测时阈。

下面举例说明如何应用前向动态规划算法求解模型最优解及预测时阈。

例 7-2 考虑一个 $T=10$ 的问题，相关参数如下：产品 1 和产品 2 每一周期的需求分别为 (3，5，15，1，20，20，1，25，30，50) 和 (2，10，1，20，1，1，10，1，20，30)，转换成本 $K=20$，替代成本 $\omega=4$，两产品每一周期库存成本 $h_{it}=1$，$i=1,2$，$t=1,2,\cdots,10$。

对于 $t=2$，在 $P(2)$ 的最优解中，第二个周期发生一次生产转换，即有一个转换点；而对于 $t=3$，在 $P(3)$ 的最优解中没有转换点。对于 $t=7$，在 $P(7)$ 的最优解中有 3 个转换点；而对于 $t=8$，在 $P(8)$ 的最优解中有两个转换点。这也验证了 $N(t) \geqslant \max\{N(1), N(2), \cdots, N(t-1)\}-1$。

因为 $r_1(9)=6$ 和 $r_2(9)=7$，所以 $r(9)=6$，建立再生集 $\{6,7,8\}$，又因为 $x_{11}^*(6) = x_{11}^*(7) = x_{11}^*(8) = 26$，$x_{21}^*(6) = x_{21}^*(7) = x_{21}^*(8) = 0$，$x_{12}^*(6) = x_{12}^*(7) = x_{12}^*(8) = 0$，$x_{22}^*(6) = x_{22}^*(7) = x_{22}^*(8) = 10$，$x_{13}^*(6) = x_{13}^*(7) = x_{13}^*(8) = 0$ 和 $x_{23}^*(6) = x_{23}^*(7) = x_{23}^*(8) = 1$，所以周期 9 是预测时阈，周期 3 是决策时阈。具体的计算结果如表 7-4 所示。

表 7-4 例 7-2 预测时阈计算结果

t	1	2	3	4	5	6	7	8	9	10
$(d_{1t},\ d_{2t})$	(3，2)	(5，10)	(15，1)	(1，20)	(20，1)	(20，1)	(1，10)	(25，1)	(30，20)	(50，30)
$(x_{1t}^*,\ x_{2t}^*)$	(5，0)									
$(x_{1t}^*,\ x_{2t}^*)$	(9，0)	(0，10)								
$(x_{1t}^*,\ x_{2t}^*)$	(9，0)	(14，0)	(16，0)							
$(x_{1t}^*,\ x_{2t}^*)$	(26，0)	(0，10)	(0，1)	(0，20)						
$(x_{1t}^*,\ x_{2t}^*)$	(26，0)	(0，10)	(0，1)	(0，21)	(20，0)					
$(x_{1t}^*,\ x_{2t}^*)$	(26，0)	(0，10)	(0，1)	(0，22)	(20，0)	(20，0)				
$(x_{1t}^*,\ x_{2t}^*)$	(26，0)	(0，10)	(0，1)	(0，22)	(20，0)	(21，0)	(0，10)			
$(x_{1t}^*,\ x_{2t}^*)$	(26，0)	(0，10)	(0，1)	(0，33)	(20，0)	(20，0)	(1，0)	(25，0)		
$(x_{1t}^*,\ x_{2t}^*)$	(26，0)	(0，10)	(0，1)	(0，22)	(20，0)	(21，0)	(0，31)	(25，0)	(30，0)	
$(x_{1t}^*,\ x_{2t}^*)$	(26，0)	(0，10)	(0，1)	(0，33)	(20，0)	(20，0)	(1，0)	(55，0)	(0，50)	(50，0)
$C(t)$	8	33	52	66	87	89	110	123	171	223

7.6 数值实验及管理启示

本节通过构造数值实验进一步理解存在替代的两产品预测时阈的特征。根据 Chand 和 Morton（1986）、Dawande 等（2007）的研究，设计了实验环境。通过函数 $D_{i,t+1} = D_{i0}(G)^t$ $(i=1,2)$ 产生各周期的需求均值，其中 G 反映市场需求递增、递减和不变的特征，分别取值 1.000（需求不变）、1.005（需求递增）和 0.995（需求递减）。当需求均值确定之后，各个周期的实际需求通过函数 $D_{i,t+1} = D_{i0}(G)^t + SD_{i0}\xi$ $(i=1,2)$ 产生。其中 ξ 为标准正态变量，S 表示需求波动的程度，分别取值 0.15、0.50 和 1.15。产品 1 的基准需求 D_{10} 设为 20，产品 2 的基准需求 D_{20} 分别取值 15、20 和 25。任何情况下，若产品需求小于 1，则需求设定为 1。库存成本 h_i $(i=1,2)$ 设为 1，替代成本 w 取值 2、4、6。生产转换成本 K 设定了 10 个值：10、15、20、30、50、75、100、150、200 和 300。对每一组参数组合，运行 11 次（为了方便获取中值）。因此，本实验运行的总次数为 $3\times3\times3\times3\times10\times11 = 8910$。

图 7-8 描述了预测时阈作为生产转换成本和产品 2 基准需求函数的变化趋势。其中产品 2 的基准需求 D_{20} 取 15、20、25，S 为 0.50，G 等于 1.000，ω 设为 4。对于 D_{20} 的每一个值，预测时阈随着生产转换成本的增加而显著递增。在给定生产转换成本不变的前提下，预测时阈随着产品 2 基准需求 D_{20} 的增大而减小。主要原因是当 D_{20} 增加时，产品 2 的需求增大，因而生产从产品 1 转换到产品 2 的周期缩短，即生产转换点减小，从而最优预测时阈减小。

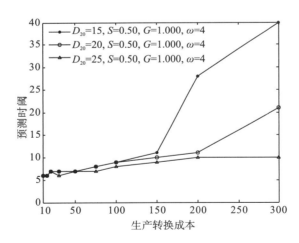

图 7-8 作为生产转换成本和产品 2 基准需求函数的预测时阈

图 7-9 描述了预测时阈作为生产转换成本和替代成本函数的变化趋势。替代成本 ω 取 2、4、6，S 为 0.50，G 等于 1.000，D_{20} 设为 20。对于 ω 的每一个值，预测时阈随着生产转换成本的增加而显著递增。在生产转换成本不变的前提下，当生产转换成本很小时，预测时阈随着 ω 的增加而递增，当生产转换成本较大时，预测时阈随着 ω 的增加而递减。主要原因是：一方面，随着 ω 的增加，生产从产品 1 转换到产品 2 的周期将会缩短；另一方

面，ω 的增加会延长生产从产品 2 转换到产品 1 的周期。因此，存在一个权衡，当生产转换成本很低时，ω 增加导致生产从产品 2 转换到产品 1 的周期延长超过了生产从产品 1 转换到产品 2 的周期缩短，因而表现出最优预测时阈随着 ω 增加而递增。当生产转换成本较大时，ω 增加导致生产从产品 2 转换到产品 1 的周期延长小于生产从产品 1 转换到产品 2 的周期缩短，因而表现出最优预测时阈随着 ω 增加而递减。

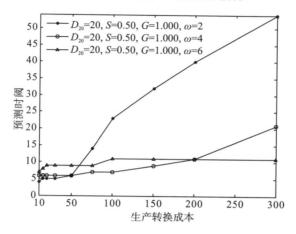

图 7-9　作为生产转换成本和替代成本函数的预测时阈

同样发现，预测时阈随着生产转换成本的增加而递增，随着需求增长参数 G 和需求波动参数 S 的增加而递减（图 7-10(a)、图 7-11(a)）。直观的解释是随着需求增长参数 G 的增加，下一周期的需求将会增大，从而增加了生产转换的频率，因此最优预测时阈减小。对于需求波动参数 S，越大的 S 预示着需求的波动越大，从而遇到较大需求的概率将提高，因此，最优预测时阈将缩短。

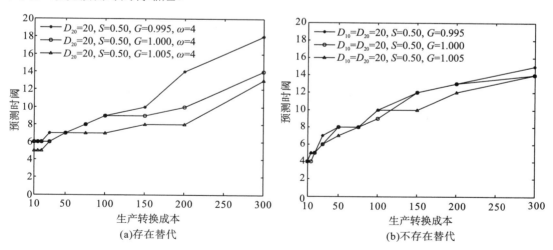

图 7-10　作为生产转换成本和需求增长函数的预测时阈

接下来分析两种产品之间存在替代和不存在替代对最优预测时阈的影响。通过比较发现，当产品之间存在替代时，将会显著增加预测时阈的长度（图 7-10～图 7-12），主要原因是：替代带来了额外的决策柔性，从而扩展了可行决策的集合。直观上讲，相对于没有替代，替代增加了每个周期决策的"复杂性"，因此当期的决策要求在一个更大的可行解集合中进行选择，而该可行解集合只有通过优化具有更长决策期限的问题才可以得到。

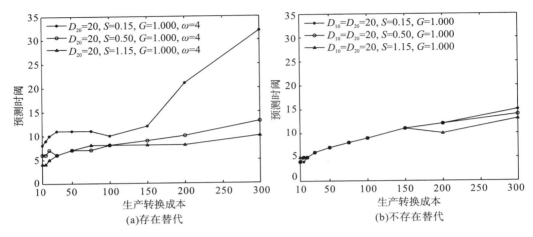

图 7-11 作为生产转换成本和需求波动函数的预测时阈

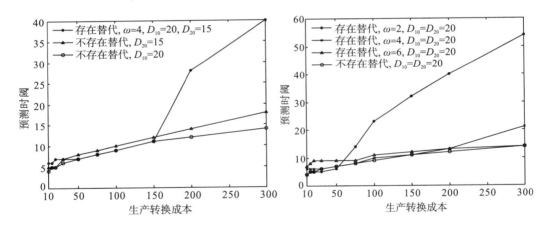

图 7-12 存在替代与不存在替代的预测时阈比较

7.7 本 章 小 结

本章首先对需求单向替代与生产转换下的两产品动态批量问题进行了回顾，阐述了依据三种类型的再生点设计的一类近似算法及在近似算法下预测时阈的求解过程。然后在最优解性质的基础上设计最优前向动态规划算法求解问题，求解问题的基本思想是将一个长周期问题分割成两个短周期问题分别求解，短周期问题进一步分割为两个更短周期问题求解，依此类推。因此选取分割问题的周期至关重要，本章选取最后一个转换点作为分割周期，将长周期问题分割成两个短周期问题。在最优解下预测时阈分析部分，证明了最优解中转换点个数的下界，转换点的个数大于等于历史上出现的最大转换点的个数减 1，在此结论下，证明了两产品最后一个生产点的单调性，即产品 1(2) 的最后一个生产点大于等于最后一个产品 1(2) 转换到产品 2(1) 的转换点之前的最大的生产点。由于生产点的前一个周期为再生点，由两产品最后一个生产点的单调性即得到了两产品最后一个再生点的单调性。在两产品最后一个再生点单调性的基础上构建两产品的再生集，给出求解预测时阈的充分条件。最后运用数值实验阐明了若干管理启示。

参 考 文 献

胡海菊, 李勇建. 2007. 考虑再制造和产品需求可替代的短生命周期产品动态批量生产计划问题[J]. 系统工程理论与实践, 27(12): 76-84.

Balakrishnan A, Geunes J. 2000. Requirements planning with substitutions: Exploiting bill-of-materials flexibility in production planning[J]. Manufacturing and Service Operations Management, 2(2): 166-185.

Bardhan A, Dawande M, Gavirneni S, et al. 2013. Forecast and rolling horizons under demand substitution and production changeovers: Analysis and insights[J]. IIE Transactions, 45(3): 323-340.

Chand S, Morton E. 1986. Minimal forecast horizon procedures for dynamic lot size models[J]. Naval Research Logistics, 33(1): 111-122.

Dawande M, Gavirneni S, Naranpanawe S, et al. 2007. Forecast horizons for a class of dynamic lot-size problems under discrete future demand[J]. Operations Research, 55(4): 688-702.

Dawande M, Gavirneni S, Mu Y P, et al. 2010. On the interaction between demand substitution and production changeovers[J]. Manufacturing and Service Operations Management, 12(4): 682-691.

Draganska M, Jain D C. 2006. Consumer preferences and product-line pricing strategies: an empirical analysis[J]. Marketing Science, 25(2): 164-174.

Geunes J. 2003. Solving large-scale requirements planning problems with component substitution options[J]. Computers and Industrial Engineering, 44(3): 475-491.

Ho T H, Tang C S. 1998. Product Variety Management: Research Advances[M]. Dordrecht: Kluwer Academic Publishers.

Hsu V N, Li C L, Xiao W Q. 2005. Dynamic lot size problem with one-way product substitution[J]. IIE Transactions, 37(3): 201-215.

Lang J C, Domschke W. 2010. Efficient reformulations for dynamic lot-sizing problems with product substitution[J]. OR Spectrum, 32(2): 263-291.

Lang J C, Shen Z J M. 2011. Fix-and-optimize heuristics for capacitated lot-sizing with sequence-dependent setups and substitutions[J]. European Journal of Operational Research, 214(3): 595-605.

Li Y J, Chen J, Cai X Q. 2006. Uncapacitated production planning with multiple product types, returned product remanufacturing, and demand substitution[J]. OR Spectrum, 28(1): 101-125.

Li Y J, Chen J, Cai X Q. 2007. Heuristic genetic algorithm for capacitated production planning problems with batch processing and remanufacturing[J]. International Journal of Production Economics, 105(2): 301-307.

Lundin R A, Morton T E. 1975. Planning horizons for the dynamic lot size model: Zabel vs. protective procedures and computational results[J]. Operations Research, 23(4): 711-734.

Pineyro P, Viera O. 2010. The economic lot-sizing problem with remanufacturing and one-way substitution[J]. International Journal of Production Economics, 124(2): 482-488.

Pineyro P，Viera O. 2014. Note on "The economic lot-sizing problem with remanufacturing and one-way substitution" [J]. International Journal of Production Economics，156：167-168.

Yaman H. 2009. Polyhedral analysis for the two-item uncapacitated lot-sizing problem with one-way substitution[J]. Discrete Applied Mathematics，157(14)：3133-3151.

Yaman H. 2011. Erratum to：Polyhedral analysis for the two-item uncapacitated lot-sizing problem with one-way substitution[J]. Discrete Applied Mathematics，159(10)：1058.

第8章 生产转换与启动成本下单向替代动态批量与预测时阈

8.1 问题背景

在多产品交替生产的过程中，不仅会产生生产转换成本，还会发生生产启动成本，生产转换成本和生产启动成本都是固定成本。在有生产启动成本的情形下，7.2 节所述的部分最优解的性质（如两种产品库存不会同时为正的性质）不再成立。因此，第 7 章设计的寻找最优解的动态规划算法也不再适用于有生产启动成本的情形，需要设计新的动态规划算法寻找最优解。在有高昂的生产启动成本且当期及未来周期的需求之和比较小的情形下，企业采取需求替代策略也有助于企业较好地平衡生产启动成本和库存成本。另外，因为线性的生产成本不能刻画企业存在的规模经济现象，所以存在生产启动成本的固定-线性形式的生产成本函数在动态批量问题中被学者广泛采用。目前，关于生产转换下的多产品动态批量问题的研究，大多是在线性生产成本函数下进行的，考虑生产转换和生产启动两类固定成本的文献非常少（Karimi-Nasab et al.，2013）。基于此，本章在第 7 章的基础上进一步考虑固定-线性形式的生产成本函数下的生产转换与需求替代的动态批量与预测时阈问题。值得说明的是，关于同一设备上多产品之间的转换排序问题（changeover scheduling problem，CSP）的研究（Blocher and Chand，1996a；Hu et al，1987；Mitsumor，1972，1981；Bruno and Downey，1978；Driscoll and Emmons，1977；Glassey，1968），并不是严格意义上的生产转换动态批量问题。转换排序问题中没有考虑库存成本和生产成本，目标函数通常为最小化转换成本或最小化转换次数。当然，也有观点认为转换排序问题是生产转换动态批量问题的一种特殊情形（Blocher and Chand，1996b）。但总体来说，转换排序问题和本章考虑启动成本的生产转换和需求替代问题研究存在比较大的差异。

8.2 问题描述与模型构建

7.2 节在无生产启动成本的假设下，转换过程发生之后的每一周期生产的产品 $i(i=1,2)$ 都只满足产品 i 当期的需求量。因为没有生产启动成本，持有产品 i 的库存不是最优的策略，所以企业不会一次生产产品 i 以满足未来多个周期的需求。本节将 7.2 节需求单向替代与生产转换的动态批量模型拓展到有生产启动成本的情形，由于存在启动成本，上述的性质将不再成立。

在有生产启动成本的模型构建中需要定义如表 8-1 所示的符号，其他符号同 7.2 节。

表 8-1 符号定义

符号	含义
k_i	产品 i 的生产启动成本，$i=1,2$
$\eta(x)$	二元变量，$\eta(x)=\begin{cases} 1, & x>0 \\ 0, & x=0 \end{cases}$

在有生产启动成本的情形下，成本最小化的目标函数如下：

$$\min \sum_{t=2}^{T} K\delta_{t-1,t} + \sum_{t=1}^{T}\sum_{i=1}^{2}(k_i\eta(x_{it})+h_{it}I_{it}) + \sum_{t=1}^{T}\omega y_t \qquad (8\text{-}1)$$

约束条件为

$$I_{1t} = I_{1,t-1} + x_{1t} - y_t - d_{1t}, \quad t=1,2,\cdots,T \qquad (8\text{-}2)$$

$$I_{2t} = I_{2,t-1} + x_{2t} + y_t - d_{2t}, \quad t=1,2,\cdots,T \qquad (8\text{-}3)$$

$$I_{i0} = I_{iT} = 0, \quad i=1,2 \qquad (8\text{-}4)$$

$$z_{1t} + z_{2t} \leqslant 1, \quad t=1,2,\cdots,T \qquad (8\text{-}5)$$

$$z_{it} \in \{0,1\}, \quad i=1,2,t=1,2,\cdots,T \qquad (8\text{-}6)$$

$$x_{it} \geqslant 0, \quad I_{it} \geqslant 0, \quad i=1,2,t=1,2,\cdots,T \qquad (8\text{-}7)$$

$$y_t \geqslant 0, \quad t=1,2,\cdots,T \qquad (8\text{-}8)$$

约束条件的含义同 7.2 节。

令 P1 代表有生产启动成本的两产品生产转换和需求替代的动态批量问题。下面证明 P1 等价于最小凹成本网络流问题，所构造的网络 G 是单一的源节点和多个目的节点，如图 8-1 所示。M 代表源节点，P_1 和 P_2 代表中转节点，V_{it} 代表目的节点，有 $2T$ 个目的节

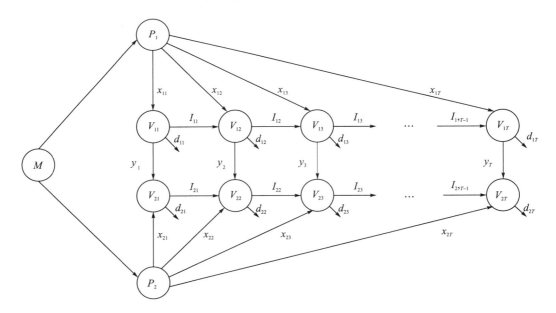

图 8-1 **P1** 网络图 G

点。每一个目的节点 V_{it} 对应相应的需求 d_{it}。在弧 (P_i, V_{it}) 上的流 x_{it} 代表产品 i 在周期 t 的产量。在弧 $(V_{it}, V_{i,t+1})$ 上的流 I_{it} 代表产品 i 从周期 t 到周期 $t+1$ 的库存数量。在弧 (V_{1t}, V_{2t}) 上的流 y_t 代表周期 t 产品 1 替代产品 2 的数量。此网络所有弧上的成本都满足凹性，网络流问题的目标是在每一个目的节点上的需求被满足的条件下最小化流的成本。

8.3　前向动态规划算法

在有生产启动成本的情形下，产品 i ($i = 1, 2$) 的再生点和生产点，以及共同再生点的定义同 7.4 节，转换点的定义如下。

定义 8-1　给定 $P(T)$ 的最优解，若 $x_{it'} > 0$，且 $x_{jt} > 0$，$x_{il} = 0$，$x_{jl} = 0$，$i, j = 1, 2$，$i \neq j$，$t' + 1 \leqslant l \leqslant t - 1$，$1 \leqslant t \leqslant T$，则周期 t 定义为转换点。

在非时变的生产转换成本下，转换点也是生产点。

在有生产启动成本及不考虑需求延迟和损失的情形下，有如下性质成立。

定理 8-1　在 $P(T)$ 的最优解中，对于产品 i ($i = 1, 2$) 和任意 t ($1 \leqslant t \leqslant T$)，有如下性质：

(1) $x_{1t} x_{2t} = 0$；

(2) $I_{i,t-1} x_{it} = 0$；

(3) $x_{2t} y_t = 0$；

(4) $y_t (d_{2t} - y_t) = 0$。

证明　定理 8-1 (1)、(2) 和 (3) 性质的证明与 7.2 节的对应性质证明一致。

定理 8-1 (4) 说明如果周期 t 发生替代，则产品 2 在周期 t 的需求全部由产品 1 的替代满足，不会出现部分需求由替代满足而部分需求由产品 2 的生产或库存满足的情形。这一性质又称 "单源满足" 性质，由以上所构造的最小凹成本网络流问题的性质可得。另外，在生产启动成本时变的情形下，即 k_{it} 为产品 i 在周期 t 的生产启动成本，定理 8-1 中所述的性质也依然成立。

令 $C(t)$ 为 $P(t)$ 的最优成本，$C(r, s(g_1), g_2, g_3, \cdots, g_n, e, t)$ 表示最后一个转换点是 s，s 之前的最后一个生产点是 r，s 之后的生产点分别是 $g_2, g_3, \cdots, g_n$ (s 也是生产点，令 $s = g_1$)，且 e 是大于等于产品 2 的最后一个生产点的产品 2 的第一个再生点时，$P(t)$ 的最优成本。为了简化方程式，令 $\boldsymbol{g} = g_2, g_3, \cdots, g_n$，则 $C(r, s(g_1), g_2, g_3, \cdots, g_n, e, t)$ 可以简化为 $C(r, s(g_1), \boldsymbol{g}, e, t)$。令 $C(g_n, t)$ 代表若无生产转换且最后一个产品 1 的生产点为 g_n 时 $P(t)$ 的最优成本。则根据以上定义有

$$C(t) = \min\{ _{1 \leqslant r < s \leqslant t,\ s = g_1 < g_2 < \cdots < g_n \leqslant t,\ r \leqslant e \leqslant t} C(r, s(g_1), \boldsymbol{g}, e, t);\ _{1 \leqslant g_n \leqslant t} C(g_n, t) \} \qquad (8\text{-}9)$$

其中

$$C(r, s(g_1), \boldsymbol{g}, e, t) = C(s-1) + K + A(s(g_1), t) + f(r, s(g_1), \boldsymbol{g}, e, t) \qquad (8\text{-}10)$$

$A(s(g_1), t)$ 为从周期 s 到周期 t 的生产启动成本之和，$f(r, s(g_1), \boldsymbol{g}, e, t)$ 为满足两产品从周期 s 到周期 t 的需求的变动成本，包括库存成本和替代成本。令 $H(r, s(g_1), \boldsymbol{g}, e, t)$ 和 $W(r, s(g_1), \boldsymbol{g}, e, t)$ 分别为满足两产品从周期 s 到周期 t 的需求的库存成本和替代成本。则

$$f(r,s(g_1),\boldsymbol{g},e,t) = H(r,s(g_1),\boldsymbol{g},e,t) + W(r,s(g_1),\boldsymbol{g},e,t) \tag{8-11}$$

下面分类讨论计算 $A(s(g_1),t)$、$H(r,s(g_1),\boldsymbol{g},e,t)$ 和 $W(r,s(g_1),\boldsymbol{g},e,t)$。

首先定义 $H_{ipt} = \sum\limits_{l=p}^{t-1} h_{il}$，$1 \leq p \leq t \leq T$，$i = 1,2$。

对于某段时间周期 $[\beta,\gamma]$，周期 $\beta+1$ 到 γ 之间无产品 1 和产品 2 的生产点，若 θ 是小于等于 β 的最大的产品 2 的生产点，λ 是小于 θ 的最大的产品 1 的生产点，且如果 $H_{1\lambda t'} + \omega_{t'}$ $\geq H_{2\theta t'}$，$\beta \leq t' \leq \gamma$，则周期 t' 在周期集合 $U_2^1(\beta,\gamma)$ 中。令

$$U_2^2(t_1,t_n) = [t_1,t_n] - U_2^1(t_1,t_2-1) - U_2^1(t_2,t_3-1) - \cdots - U_2^1(t_{n-1},t_n) \tag{8-12}$$

从以上定义可以得出，在集合 $U_2^1(\beta,\gamma)$ 中产品 2 的需求由产品 2 本身满足，在集合 $U_2^2(t_1,t_n)$ 中产品 2 的需求由产品 1 替代满足。另外，可以得到两个集合的性质：

$$U_2^1(\beta,\gamma') - U_2^1(\beta,\gamma) = U_2^1(\gamma+1,\gamma'), \quad \gamma' > \gamma \tag{8-13}$$

$$U_2^2(t_1,t_n') - U_2^2(t_1,t_n) = U_2^2(t_n+1,t_n'), \quad t_n' > t_n \tag{8-14}$$

类似地，如果 θ 是小于等于 β 的最大的产品 1 的生产点，λ 是小于 θ 的最大的产品 2 的生产点，且如果 $H_{1\theta t'} + \omega_{t'} < H_{2\lambda t'}$，则周期 t' 在周期集合 $U_1^2(\beta,\gamma)$ 中。令

$$U_1^1(t_1,t_n) = [t_1,t_n] - U_1^2(t_1,t_2-1) - U_1^2(t_2,t_3-1) - \cdots - U_1^2(t_{n-1},t_n) \tag{8-15}$$

从以上定义可以得出，在集合 $U_1^2(\beta,\gamma)$ 中产品 2 的需求由产品 1 替代满足，在集合 $U_1^1(\beta,\gamma)$ 中产品 2 的需求由产品 2 本身满足。同样可得两个集合的性质：

$$U_1^2(\beta,\gamma') - U_1^2(\beta,\gamma) = U_1^2(\gamma+1,\gamma'), \quad \gamma' > \gamma \tag{8-16}$$

$$U_1^1(t_1,t_n') - U_1^1(t_1,t_n) = U_1^1(t_n+1,t_n'), \quad t_n' > t_n \tag{8-17}$$

情形 1 在 $P(t)$ 中，若最后一个转换点 s 是从产品 1 转换到产品 2，则周期 r 必定生产产品 1，周期 $s(g_1),g_2,g_3,\cdots,g_n$ 必定生产产品 2，周期 e 满足 $g_n \leq e \leq t$。假设 $s(g_1)$ 及其后的产品 2 的生产点共有 q 个，则 $1 \leq q \leq t-s+1$。因此，从周期 s 到 t 的生产启动成本 $A(s(g_1),t)$ 为产品 2 的生产启动成本。此种情形的示意图如图 8-2 所示，因此有

$$A(s(g_1),t) = qk_2 \tag{8-18}$$

$$H(r,s(g_1),\boldsymbol{g},e,t) = \sum_{l=r}^{s-1}\sum_{k=s}^{t} h_{1l}d_{1k} + \sum_{l=s}^{t-1}\sum_{k=l+1}^{t} h_{1l}d_{1k} + \sum_{l=r}^{s-1}\sum_{k\in U_2^2(s,t)} h_{1l}d_{2k} + \sum_{l=s}^{t} h_{1l}\left(\sum_{k\in U_2^2(s,t)} d_{2k}\right.$$

$$\left. - \sum_{m=s}^{l} y_m\right) + \sum_{q=1}^{n-1}\sum_{l=g_q}^{g_{q+1}-1} h_{2l}\left[\sum_{k\in U_2^1(g_q,g_{q+1}-1)} d_{2k} - \sum_{m=g_q}^{l} (d_{2m}-y_m)\right] \tag{8-19}$$

$$+ \sum_{l=g_n}^{t} h_{2l}\left[\sum_{k\in U_2^1(g_n,t)} d_{2k} - \sum_{m=g_n}^{l} (d_{2m}-y_m)\right]$$

$$W(r,s(g_1),\boldsymbol{g},e,t) = \omega \sum_{k\in U_2^2(s,t)} d_{2k} \tag{8-20}$$

由周期 e 的定义可知，若 $e < t$，则周期 $e+1$ 到周期 t 产品 2 的需求全部由产品 1 满足，因此库存成本 $H(r,s(g_1),\boldsymbol{g},e,t)$ 中的最后一项 $\sum\limits_{l=g_n}^{t} h_{2l}\left[\sum\limits_{k\in U_2^1(g_n,t)} d_{2k} - \sum\limits_{m=g_n}^{l} (d_{2m}-y_m)\right]$ 等价于

$$\sum_{l=g_n}^{e} h_{2l}\left[\sum_{k\in U_2^1(g_n,e)} d_{2k}-\sum_{m=g_n}^{l}(d_{2m}-y_m)\right]，而替代成本 \omega \sum_{k\in U_2^1(s,t)} d_{2k} 等价于 \omega \sum_{k\in U_2^1(s,e)} d_{2k}+\omega \sum_{k=e+1}^{t} d_{2k}。$$

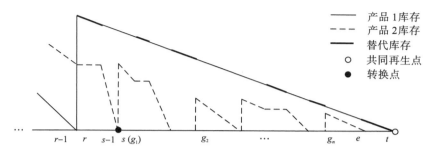

图 8-2　情形 1 示意图

情形 2　在 $P(t)$ 中，若最后一个转换点 s 是从产品 2 转化到产品 1，则周期 r 必定生产产品 2，周期 $s(g_1),g_2,g_3,\cdots,g_n$ 必定生产产品 1，周期 e 满足 $r\leqslant e\leqslant t$。同样假设 $s(g_1)$ 及其后的产品 1 的生产点共有 q 个，$1\leqslant q\leqslant t-s+1$，因此从周期 s 到 t 的生产启动成本 $A(s(g_1),t)$ 为产品 1 的生产启动成本。因此有

$$A(s(g_1),t)=qk_1 \tag{8-21}$$

根据 e 在周期 r 到周期 t 的位置不同，即 $r\leqslant e<s$，$s\leqslant e\leqslant g_n$ 和 $g_n\leqslant e\leqslant t$，分三种子情形计算 $H(r,s(g_1),\boldsymbol{g},e,t)$ 和 $W(r,s(g_1),\boldsymbol{g},e,t)$。此种情形的示意图如图 8-3 所示。若 $g_n\leqslant e\leqslant t$，则

$$
\begin{aligned}
H(r,s(g_1),\boldsymbol{g},e,t)=&\sum_{l=r}^{s-1}\sum_{k\in U_1^1(s,t)} h_{2l}d_{2k}+\sum_{l=s}^{t} h_{2l}\left[\sum_{k\in U_1^1(s,t)} d_{2k}-\sum_{m=s}^{l}(d_{2m}-y_m)\right]\\
&+\sum_{q=1}^{n-1}\left[\sum_{l=g_q}^{g_{q+1}-2}\sum_{k=l+1}^{g_{q+1}-1} h_{1l}d_{1k}+\sum_{l=g_q}^{g_{q+1}-1} h_{1l}\left(\sum_{k\in U_2^2(g_q,g_{q+1}-1)} d_{2k}-\sum_{m=g_q}^{l} y_m\right)\right]\\
&+\sum_{l=g_n}^{t-1}\sum_{k=l+1}^{t} h_{1l}d_{1k}+\left(\sum_{k\in U_1^2(g_n,t)} d_{2k}-\sum_{m=g_n}^{l} y_m\right)
\end{aligned}
\tag{8-22}
$$

$$W(r,s(g_1),\boldsymbol{g},e,t)=\sum_{q=1}^{n-1}\sum_{k\in U_2^2(g_q,g_{q+1}-1)} \omega d_{2k}+\sum_{k\in U_1^2(g_n,t)} \omega d_{2k} \tag{8-23}$$

由周期 e 的定义可知，若 $e<t$，周期 $e+1$ 到周期 t 产品 2 的需求全部由产品 1 满足，因此库存成本 $H(r,s(g_1),\boldsymbol{g},e,t)$ 中的第二项 $\sum_{l=s}^{t} h_{2l}\left[\sum_{k\in U_1^1(s,t)} d_{2k}-\sum_{m=s}^{l}(d_{2m}-y_m)\right]$ 等价于 $\sum_{l=s}^{e} h_{2l}\left[\sum_{k\in U_1^1(s,e)} d_{2k}-\sum_{m=s}^{l}(d_{2m}-y_m)\right]$，而替代成本 $W(r,s(g_1),\boldsymbol{g},e,t)$ 中的最后一项 $\sum_{k\in U_1^2(g_n,t)} \omega d_{2k}$ 等价于 $\sum_{k\in U_2^2(g_n,e)} \omega d_{2k}+\sum_{k=e+1}^{t} \omega d_{2k}$。

若 $s\leqslant e\leqslant g_n$，假设 e 在产品 1 的两生产点 g_f 和 g_{f+1} 之间，即 $g_f\leqslant e<g_{f+1}$，则说明周期 $e+1$ 到周期 t 的产品 2 的需求全部由产品 1 满足，则

$$H(r,s(g_1),\boldsymbol{g},e,t)=\sum_{l=r}^{s-1}\sum_{k\in U_1^1(s,e)}h_{2l}d_{2k}+\sum_{l=s}^{e}h_{2l}\left[\sum_{k\in U_1^1(s,e)}d_{2k}-\sum_{m=s}^{l}(d_{2m}-y_m)\right]$$

$$+\sum_{q=1}^{f}\left[\sum_{l=g_q}^{g_{q+1}-2}\sum_{k=l+1}^{g_{q+1}-1}h_{1l}d_{1k}+\sum_{l=g_q}^{g_{q+1}-1}h_{1l}\left(\sum_{k\in U_1^2(g_q,g_{q+1}-1)}d_{2k}-\sum_{m=g_q}^{l}y_m\right)\right] \tag{8-24}$$

$$+\sum_{q=f+1}^{n-1}\sum_{i=1}^{2}\sum_{l=g_q}^{g_{q+1}-2}\sum_{k=l+1}^{g_{q+1}-1}h_{1l}d_{ik}+\sum_{i=1}^{2}\sum_{l=g_n}^{t-1}\sum_{k=l+1}^{t}h_{1l}d_{ik}$$

$$W(r,s(g_1),\boldsymbol{g},e,t)=\sum_{q=1}^{n-1}\sum_{k\in U_1^2(g_q,g_{q+1}-1)}\omega d_{2k}+\sum_{k\in U_1^2(g_n,e)}\omega d_{2k}+\sum_{k=e+1}^{t}\omega d_{2k} \tag{8-25}$$

若 $r\leqslant e<s$，表明周期 $s(g_1)$ 到周期 t 的产品 2 的需求全部由产品 1 满足，因此可得

$$H(r,s(g_1),\boldsymbol{g},e,t)=\sum_{q=1}^{n-1}\sum_{i=1}^{2}\sum_{l=g_q}^{g_{q+1}-2}\sum_{k=l+1}^{g_{q+1}-1}h_{1l}d_{ik}+\sum_{i=1}^{2}\sum_{l=g_n}^{t-1}\sum_{k=l+1}^{t}h_{1l}d_{ik} \tag{8-26}$$

$$W(r,s(g_1),\boldsymbol{g},e,t)=\sum_{k=s}^{t}\omega d_{2k} \tag{8-27}$$

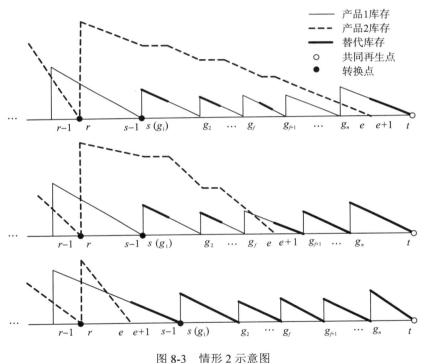

图 8-3 情形 2 示意图

若在 $P(t)$ 的最优解中没有转换点，即从第 1 周期至第 t 周期两种产品的需求全部由产品 1 满足(此种特殊情形的示意图如图 8-4 所示)，则有

$$C(g_n,t)=C(g_n-1)+k_1+\sum_{i=1}^{2}\sum_{l=g_n}^{t-1}\sum_{k=l+1}^{t}h_{1l}d_{ik}+\sum_{k=g_n}^{t}\omega d_{2k} \tag{8-28}$$

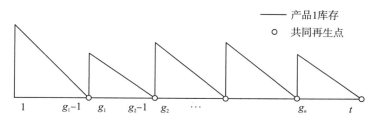

图 8-4　无转换点情形示意图

8.4　预测时阈分析

在 $P(t)$ 的最优解中，令 $s_i(t)$ 代表最后一个从产品 i 转换到产品 j 的转换点，$r_i(t)$ 代表在周期 $s_i(t)$ 之前的最后一个产品 i 的生产点，若 $s_i(t) > s_j(t)$，则令 $s_i(t) = g_1(t)$，$g_2(t), g_3(t), \cdots, g_n(t)$ 依次为 $g_1(t)$ 之后的生产点，则 $g_n(t)$ 为 $P(t)$ 最优解中最后一个生产点，$i, j = 1, 2$，$i \neq j$。$e(t)$ 代表大于等于最后一个产品 2 的生产点的第一个产品 2 的再生点。若在 $P(t)$ 的最优解中没有转换点，则令 $g_n(t)$ 为 $P(t)$ 最优解中最后一个产品 1 的生产点。为了简化符号和方程式，令 $g_n(t) = g(t)$ 和 $\boldsymbol{g}(t) = g_2(t), g_3(t), \cdots, g(t)$。根据以上定义可得

$$
\begin{aligned}
C(t) &= \min\{{}_{1 \leq r < s \leq t,\, s = g_1 < g_2 < \cdots < g_n \leq t,\, r \leq e \leq t} C(r, s(g_1), \boldsymbol{g}, e, t); {}_{1 \leq g_n \leq t} C(g_n, t)\} \\
&= \min\{C(r_i(t), s_i(t), \boldsymbol{g}(t), e(t), t); C(g_n(t), t)\}
\end{aligned}
\tag{8-29}
$$

本章寻找预测时阈的方法仅限于在 $P(t)$ 的最优解中有转换点的情形，若 $P(t)$ 的最优解中没有转换点，即 $C(t) = C(g_n(t), t)$，则本章的方法无法找到预测时阈。因此，以下求解预测时阈的过程不考虑最优解中无转换点的情形，即

$$
C(t) = C(r_i(t), s_i(t), \boldsymbol{g}(t), e(t), t)
\tag{8-30}
$$

令 $N(t)$ 代表 $P(t)$ 最优解中转换点的个数。

引理 8-1　在 $P(t)$ 的最优解中有 $N(t) \geq \max\{N(1), N(2), \cdots, N(t-1)\} - 1$ 成立（证明见附录七）。

引理 8-1 的重要意义在于给出了 $P(t)$ 的最优解中转换点个数存在的下界条件，也是证明两产品生产点单调性的重要前提条件（如图 8-5）。

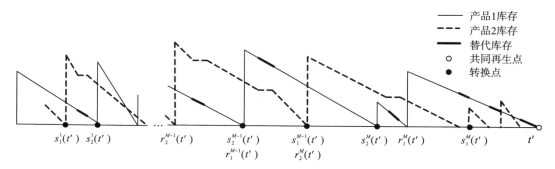

图 8-5　转换点个数示意图

令 $r_i^l(t)$ 代表 $P(t)$ 的最优解中产品 i 的最后一个生产点，$i = 1, 2$，以下定理阐述了生产

点的单调性质。

定理 8-2   在 $P(t+1)$ 的最优解中有 $r_i^l(t+1) \geqslant r_i(t)$ 成立，$i=1,2$（证明见附录七）。

定理 8-2 已经证明两产品最后一个生产点的单调性，由零库存性质可得，若周期 r 为生产点，则周期 $r-1$ 为再生点。如前文所述，$r_i(t)$ 为 $P(t)$ 的最优解中周期 $s_i(t)$ 之前产品 i 的最后一个生产点，$r_i^l(t)$ 代表 $P(t)$ 的最优解中产品 i 的最后一个生产点。因此，$r_i(t)-1$ 与 $r_i^l(t)-1$ 均是产品 i 的再生点，$i=1,2$。由定理 8-1 中生产点的单调性可直接得到如下关于再生点的单调性。

推论 8-1   在 $P(t+1)$ 的最优解中有 $r_i^l(t+1)-1 \geqslant r_i(t)-1$ 成立，$i=1,2$。

令 $r(t)=\min\{r_1(t),r_2(t)\}$。由推论 8-1 中阐述的两产品再生点单调性可直接构造两产品再生集 $\{r(t)-1,r(t),\cdots,t-1\}$，即对于任意更长周期 t^*，在 $P(t^*)$ 的最优解中，至少有一个产品 1 的再生点和产品 2 的再生点在集合 $\{r(t)-1,r(t),\cdots,t-1\}$ 中，$t^*>t$。

$x_{iz}^*(t)$ 的含义同 7.5 节，表示 $P(t)$ 中产品 i 在周期 z 的最优生产数量，$i=1,2$，$1 \leqslant z \leqslant t$。根据所构造的再生集可得如下结论。

定理 8-3   在 $P(t)$ 的最优解中若有 $x_{1l}^*(r(t)-1)=x_{1l}^*(r(t))=\cdots=x_{1l}^*(t-1)$ 和 $x_{2l}^*(r(t))=\cdots=x_{2l}^*(t-1)$ 对于 $l=1,2,\cdots,\tau$（$1 \leqslant \tau \leqslant r(t)-1$）成立，则对于任意更长周期的问题 $P(t^*)$，周期 t 为预测时阈，周期 τ 为相应的决策时阈，$t^*>t$。

8.3 节所设计的前向动态规划算法首先解决初始周期的问题，然后向后滚动解决多个周期的问题，因此得出此算法何时停止是企业实践中面临的一个非常重要的问题。定理 8-3 提供了一个寻找预测时阈的充分条件，当预测时阈被确定时，前向动态规划算法即可停止。换言之，预测时阈的充分条件也是前向动态规划算法停止的一个法则。

在近似解和无生产启动成本的情形下，慕银平（2011）用数值实验得到如下管理启示：①预测时阈随着生产转换成本的递增而递增、随着产品 2 的基准需求的增大而减小。这告诉企业若生产转换成本较低或者产品 2 的需求较高，则在做当前的决策时只需考虑未来短时期的数据信息。②当生产转换成本较小时，预测时阈随着替代成本的增加而增加；当生产转换成本很大时，预测时阈随着替代成本的增加而递减。因此对于企业，若生产转换成本相对于替代成本较大，则随着替代成本的增加，需要处理的未来信息的周期数变短；若生产转换成本相对于替代成本较小，则随着替代成本的增加，需要处理的未来信息的周期数变大。③预测时阈随着需求增长参数和需求波动参数的增加而递减。这告诉企业若未来需求有逐渐变大的趋势且波动较大，则在做当前的决策时只需考虑未来短时期的数据信息。④产品之间存在替代时会显著增加预测时阈的长度，但也会大幅降低企业的生产运营成本。因此，若企业想利用产品替代性来降低企业的成本，则需具有处理未来更长周期信息的能力。以上管理启示在最优解和有生产启动成本的情形下也是成立的，因此不再赘述。

下面通过构造数值实验来进一步理解最优解和近似解下以及最优解下有生产启动成本情形下的预测时阈特征。本章的实验设计同 Mu 和 Jing（2021）的文献，假设每一周期两产品的需求服从均值为 15、标准差为 10 的正态分布。任何情形下，如果生成的需求小于等于 0，则将需求设定为 1。每一周期的生产转换成本取 7 个值，即 10、20、30、50、75和 100；替代成本设定为 4；两产品的生产启动成本均设定为 40；两产品的持有成本设定为 1。

Mu 和 Jing(2021)在无生产启动成本的情形下用数值实验验证了在较低的转换成本和较高的替代成本的情形下近似解与最优解的差异较大,还进一步验证了如果两种产品的需求均值较大,则即便在较高的转换成本和较低的替代成本情形下近似解与最优解的差距仍然较大。为了理解最优解和近似解下预测时阈的特征,同时为了简化动态规划表达式,将生产启动成本设定为零。

图 8-6 描述了预测时阈作为生产转换成本和近似解与最优解函数的变化趋势。近似解与最优解下预测时阈都随着生产转换成本的增加而增加,这与慕银平(2011)在近似解下的研究一致。同时可以发现最优解情形下的预测时阈要大于近似解情形。这是因为最优解情形下决策的复杂性增加,额外的决策柔性扩展了可行决策的集合,最优决策需要通过优化更长决策周期的问题才能得到。这也说明若企业具有收集、处理未来更长周期数据信息的能力,则企业的运营成本可以进一步降低。

图 8-7 描述了预测时阈作为生产转换成本和有无生产启动成本函数的变化趋势。有生产启动成本情形下的预测时阈要大于无生产启动成本的情形。直观的解释是在有生产启动成本的情形下,生产的产品数量需要满足未来更多周期的需求,生产决策需要在更大的可行集合中选择,需要优化未来更长周期的问题才能实现最优决策。

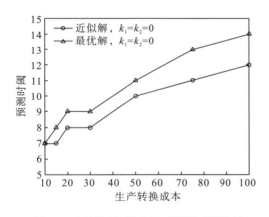

图 8-6　近似解与最优解下预测时阈比较

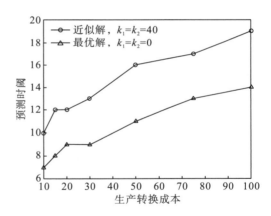

图 8-7　有无生产启动成本下预测时阈比较

8.5　本 章 小 结

本章在第 7 章研究的需求单向替代与生产转换的两产品动态批量决策问题的基础上拓展考虑了有生产启动成本的情形,即生产成本是固定-线性形式。在有生产启动成本的情形下,第 7 章中最优解的部分性质不再成立,如两产品库存不能同时为正;前一周期有产品 1 或者产品 2 的库存,则下一个周期不会有替代。因此,第 7 章设计的前向动态规划算法也不再适用。本章证明了所研究问题等价于最小凹成本网络流问题,利用最小凹成本网络流的性质得出"单源替代满足"性质,并设计前向动态规划算法求解了该问题。在有生产启动成本但单位生产成本非时变的情形下,转换点个数存在下界及两生产点单调性质依然成立，预测时阈的求解与无生产启动成本下一致。本章最后用数值实验验证了最优解下的预测时阈长度要大于近似解下预测时阈的长度，同时验证了有生产启动成本情形下的预测时阈长度要大于没有生产启动成本下预测时阈的长度，并给出了相应的管理启示。

参 考 文 献

慕银平. 2011. 需求替代的两产品动态批量最优预测时阈研究[J]. 管理科学学报，14(3)：10-23.

Blocher J D，Chand S. 1996a. An improved lower bound for the changeover scheduling problem[J]. IIE Transactions，28(11)：901-909.

Blocher J D，Chand S. 1996b. A forward branch-and-search algorithm and forecast horizon results for the changeover scheduling problem[J]. European Journal of Operational Research，91：456-470.

Bruno J，Downey P. 1978. Complexity of task sequencing with deadlines，setup times，and changeover costs[J]. SIAM Journal on Computing，7(4)，393-404.

Driscoll W C，Emmons H. 1977. Scheduling production on one machine with changeover costs[J]. AIIE Transactions，9(4)：388-395.

Glassey C R. 1968. Minimum change-over scheduling of several products on one machine[J]. Operations Research，16(2)：342-352.

Hu T C，Kuo Y S，Ruskey F. 1987. Some optimum algorithms for scheduling problems with changeover costs[J]. Operations Research，35(1)：94-99.

Karimi-Nasab M，Seyedhoseini S M，Modarres M，et al. 2013. Multi-period lot sizing and job shop scheduling with compressible process times for multilevel product structures[J]. International Journal of Production Research，51(20)：6229-6246.

Mitsumor S. 1972. Optimum production scheduling of multicommodity in flow line[J]. IEEE Transactions on Systems，Man，and Cybernetics，2(4)：486-493.

Mitsumor S. 1981. Optimum scheduling for load balance of two-machine production lines[J]. IEEE Transactions on Systems，Man，and Cybernetics，11(6)：400-409.

Mu Y P，Jing F Y. 2021. Forecast horizons under demand substitution and production changeovers：A generalized model[Z]. Working paper.

第9章 生产转换与时变成本下单向
替代动态批量与预测时阈

9.1 问题背景

第7章和第8章在非时变成本的假设下研究了存在需求替代和生产转换的两产品动态批量和预测时阈问题,但都假定每一周期的成本(除了两产品库存成本)都是平稳无波动的。这一假设并不一定完全符合现实情况,例如,企业生产的原材料成本并不是固定不变的,而是随着时间的推移而上下波动。原材料成本的不稳定将导致产品单位生产成本的变化。同时,每一周期的生产转换成本也可能随着时间的变化而上下波动。从而,在第7章和第8章的基础上,本章研究时变成本下需求替代的最优批量与预测时阈决策问题。

时变成本情形下的最优批量决策与非时变情形下类似但不完全一致。类似的是成本(包括转换成本、单位生产成本和生产启动成本)时变的情形下,零库存性质仍然成立,而不同的是在转换成本时变的情形下,生产过程和转换过程是分离的。同时,单位生产成本时变情形下的预测时阈求解与单位生产成本非时变情形显著不同。单位生产成本变动的情形下,再生点和生产点的单调性不再"天然"成立,需要增加限制条件才能保证单调性成立,从而才能构造再生集以求解预测时阈。因此,单位生产成本非时变情形下预测时阈的求解更为困难。多产品需求替代的动态批量问题的研究大多考虑时变的单位生产成本和替代成本(Lang and Domschke,2010;Pineyro and Viera,2010;Yaman,2009;Li et al.,2006,2007;Hsu et al.,2005;Balakrishnan and Geunes,2000);而多产品生产转换下的动态批量问题的研究中大多考虑时变的生产转换成本(Ceschia et al.,2017;Gicquel and Minoux,2015;Gicquel et al.,2012,2014;Magnanti and Vachani,1990;Gascon and Leachman,1988;Karmarkar and Schrage,1985)。这说明时变的单位生产成本、替代成本与生产转换成本更符合现实情形,因此本章在时变成本下研究生产转换与需求替代的两产品动态批量和预测时阈问题。

9.2 问题描述

时变成本模型的构建还需要定义如表 9-1 所示符号,其他符号同 7.2 节。

表 9-1   符号定义

符号	含义
c_{it}	产品 i 在周期 t 的单位生产成本，$i=1,2$，$t=1,2,\cdots,T$
K_t	周期 t 的生产转换成本，$t=1,2,\cdots,T$
ω_t	周期 t 产品 1 替代产品 2 的替代成本，$t=1,2,\cdots,T$

在生产转换成本时变的情形下，转换点不一定是生产点，即转换过程和生产过程是分离的。令 δ_t 为二元变量，若周期 t 有生产转换，则 $\delta_t=1$；若周期 t 没有生产转换，则 $\delta_t=0$。若 $\delta_t=1$，则周期 t 定义为转换点。假定两种产品的需求都必须满足，不允许需求延迟和损失。本节首先在不考虑生产启动成本的情形下设计算法求解最优批量，然后将算法拓展到有生产启动成本的情形。在单位生产成本时变的情形下，成本最小化的目标函数如下：

$$\min \sum_{t=1}^{T} K_t \delta_t + \sum_{t=1}^{T} \sum_{i=1}^{2} (c_{it} x_{it} + h_{it} I_{it}) + \sum_{t=1}^{T} \omega_t y_t \tag{9-1}$$

约束条件为

$$I_{1t} = I_{1,t-1} + x_{1t} - y_t - d_{1t}, \quad t=1,2,\cdots,T \tag{9-2}$$

$$I_{2t} = I_{2,t-1} + x_{2t} + y_t - d_{2t}, \quad t=1,2,\cdots,T \tag{9-3}$$

$$I_{i0} = I_{iT} = 0, \quad i=1,2 \tag{9-4}$$

$$x_{it} \geqslant 0, \ I_{it} \geqslant 0, \quad i=1,2; \ t=1,2,\cdots,T \tag{9-5}$$

$$y_t \geqslant 0, \quad t=1,2,\cdots,T \tag{9-6}$$

约束条件的含义同 8.2 节的约束条件。

9.3   前向动态规划算法

在时变成本情形下，产品 i（$i=1,2$）的再生点和生产点以及共同再生点的定义同 7.4 节。

定理 9-1   在 $P(T)$ 的最优解中，对于产品 i（$i=1,2$）和任意 t（$1 \leqslant t \leqslant T$），有如下性质成立：

(1) $x_{1t} x_{2t} = 0$；

(2) $I_{i,t-1} x_{it} = 0$；

(3) $y_t (d_{2t} - y_t) = 0$。

在单位生产成本时变的情形下，零库存性质仍然成立。与第 8 章有生产启动成本但单位生产成本非时变时的动态批量问题相比，$x_{2t} y_t = 0$ 在单位生产成本时变情形下不再成立。周期 t 有产品 2 的生产但是产品 2 的需求仍由产品 1 替代满足会在如下情形中发生：周期 t 之前的某个生产周期产品 1 的单位生产成本非常小，用此周期生产的产品 1 满足产品 2 在周期 t 的需求的边际成本（产品 1 的单位生产成本加上库存成本和替代成本）仍然小于产品 2 在周期 t 的单位生产成本。

根据定理 9-1 的三条性质，设计前向动态规划算法。令 $C(t)$ 为 $P(t)$ 的最优成本，$C(r,s,g_1,g_2,\cdots,g_n,e,t)$ 表示最后一个转换点是 s，s 之前的最后一个生产点是 r，s 之后的生产点依次是 $g_1,g_2,\cdots,g_n$（若转换点也是生产点，则 $g_1=s$），且 e 是大于等于产品 2 的最后一个生产点的产品 2 的第一个再生点时，$P(t)$ 的最优成本。令 $\boldsymbol{g}=g_1,g_2,\cdots,g_n$，则 $C(r,s,g_1,g_2,\cdots,g_n,e,t)$ 可以简化为 $C(r,s,\boldsymbol{g},e,t)$。令 $C(g_n,t)$ 代表无转换点且最后一个产品 1 的生产点为 g_n 时 $z_{1t}+z_{2t}\leqslant 1$ 的最优成本，则

$$C(t)=\min\{_{1\leqslant r<s\leqslant g_1<g_2<...<g_n\leqslant t,r\leqslant e\leqslant t}C(r,s,g_1,g_2,\cdots,g_n,e,t);_{1\leqslant g\leqslant t}C(g_n,t)\}$$

$$=\min\{_{1\leqslant r<s\leqslant g_1<g_2<...<g_n\leqslant t,r\leqslant e\leqslant t}C(r,s,\boldsymbol{g},e,t);_{1\leqslant g_n\leqslant t}C(g_n,t)\} \tag{9-7}$$

其中

$$C(r,s,\boldsymbol{g},e,t)=C(g_1-1)+K_s+f(r,s,\boldsymbol{g},e,t) \tag{9-8}$$

$f(r,s,\boldsymbol{g},e,t)$ 表示满足两产品从周期 g_1 到周期 t 的需求的变动成本，包括变动生产成本、库存成本和替代成本。令 $V(r,s,\boldsymbol{g},e,t)$、$H(r,s,\boldsymbol{g},e,t)$ 和 $W(r,s,\boldsymbol{g},e,t)$ 分别代表满足两产品从周期 g_1 到 t 的需求的变动生产成本、库存成本和替代成本。则

$$f(r,s,\boldsymbol{g},e,t)=V(r,s,\boldsymbol{g},e,t)+H(r,s,\boldsymbol{g},e,t)+W(r,s,\boldsymbol{g},e,t) \tag{9-9}$$

下面分类讨论计算 $V(r,s,\boldsymbol{g},e,t)$、$H(r,s,\boldsymbol{g},e,t)$ 和 $W(r,s,\boldsymbol{g},e,t)$。

首先定义 $a_{int}=c_{in}+\sum\limits_{l=n}^{t-1}h_{il}$，$1\leqslant n\leqslant t\leqslant T$，$i=1,2$，若 $n=t$，则 $a_{int}=c_{in}$。

对于某段时间周期 $[\beta,\gamma]$，周期 $\beta+1$ 到 γ 之间无产品 1 和产品 2 的生产点，若 θ 是小于等于 β 的产品 2 的最大生产点，λ 是小于 θ 的产品 1 的最大生产点，且若 $a_{1\lambda t'}+\omega_{t'}\geqslant a_{2\theta t'}$，$\beta\leqslant t'\leqslant\gamma$，则周期 t' 在周期集合 $U_2^1(\beta,\gamma)$ 中。令

$$U_2^2(t_1,t_n)=[t_1,t_n]-U_2^1(t_1,t_2-1)-U_2^1(t_2,t_3-1)-...-U_2^1(t_{n-1},t_n) \tag{9-10}$$

从以上定义可以得出，在集合 $U_2^1(\beta,\gamma)$ 中的产品 2 的需求由产品 2 本身满足，在集合 $U_2^2(t_1,t_n)$ 中的产品 2 的需求由产品 1 的替代满足。且可以得出两个集合的如下性质：

$$U_2^1(\beta,\gamma')-U_2^1(\beta,\gamma)=U_2^1(\gamma,1,\gamma'),\quad\gamma'>\gamma$$

$$U_2^2(t_1,t_n')-U_2^2(t_1,t_n)=U_2^2(t_n+1,t_n'),\quad t_n'>t_n$$

类似地，若 θ 是小于等于 β 的产品 1 的最大生产点，λ 是小于 θ 的产品 2 的最大生产点，且若 $a_{1\theta t'}+\omega_{t'}<a_{2\lambda t'}$，则周期 t' 在周期集合 $U_1^2(\beta,\gamma)$ 中。令

$$U_1^1(t_1,t_n)=[t_1,t_n]-U_1^2(t_1,t_2-1)-U_1^2(t_2,t_3-1)-\cdots-U_1^2(t_{n-1},t_n) \tag{9-11}$$

从以上定义可以得出，在集合 $U_1^2(\beta,\gamma)$ 中的产品 2 的需求由产品 1 替代满足，在集合 $U_1^1(\beta,\gamma)$ 中产品 2 的需求由产品 2 本身满足。同样可得两个集合的性质如下：

$$U_1^2(\beta,\gamma')-U_1^2(\beta,\gamma)=U_1^2(\gamma+1,\gamma'),\quad\gamma'>\gamma$$

$$U_1^1(t_1,t_n')-U_1^1(t_1,t_n)=U_1^1(t_n+1,t_n'),\quad t_n'>t_n$$

情形 1　在 $P(t)$ 中，若最后一个转换点 S 是从产品 1 转换到产品 2，周期 r 必定生产产品 1，周期 $g_1,g_2,\cdots,g_n$ 必定生产产品 2，且周期 e 满足 $g_n\leqslant e\leqslant t$。$g_1$ 及其后的产品 2 的生产点共有 n 个，$1\leqslant n\leqslant t-s+1$，以下内容将分析这 n 个产品 2 的生产点与边际成本之间的关系。此种情形的示意图如图 9-1 所示，因此有

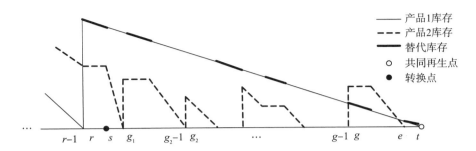

图 9-1　情形 1 示意图

$$V(r,s,\boldsymbol{g},e,t)=c_{1r}\left(\sum_{k=g_1}^{t}d_{1k}+\sum_{k\in U_2^1(g_1,t)}d_{2k}\right)+\sum_{q=1}^{n-1}\sum_{k\in U_2^1(g_q,g_{q+1}-1)}c_{2g_q}d_{2k}+\sum_{k\in U_2^2(g_n,e)}c_{2g_n}d_{2k} \quad (9\text{-}12)$$

$$H(r,s,\boldsymbol{g},e,t)=\sum_{l=r}^{g_1-1}\sum_{k=g_1}^{t}h_{1l}d_{1k}+\sum_{l=g_1}^{t-1}\sum_{k=l+1}^{t}h_{1l}d_{1k}+\sum_{l=r}^{g_1-1}\sum_{k\in U_2^2(g_1,t)}h_{1l}d_{2k}$$

$$+\sum_{l=g_1}^{t}h_{1l}\left(\sum_{k\in U_2^2(g_1,t)}d_{2k}-\sum_{m=g_1}^{l}y_m\right)+\sum_{q=1}^{n-1}\sum_{l=g_q}^{g_{q+1}-1}h_{2l}\left[\sum_{k\in U_2^1(g_q,g_{q+1})}d_{2k}\right. \quad (9\text{-}13)$$

$$\left.-\sum_{m=g_q}^{l}(d_{2m}-y_m)\right]+\left[\sum_{l=g_n}^{e}h_{2l}\sum_{k\in U_2^1(g_n,e)}d_{2k}-\sum_{m=g_n}^{l}(d_{2m}-y_m)\right]$$

$$W(r,s,\boldsymbol{g},e,t)=\omega_k\sum_{k\in U_2^2(g_1,t)}d_{2k} \quad (9\text{-}14)$$

类似于 8.3 节的分析，由周期 e 的定义可知，若 $e<t$，则周期 $e+1$ 到周期 t 的产品 2 需求全部由产品 1 替代满足，因此 $V(r,s,\boldsymbol{g},e,t)$ 中的最后一项 $\sum_{k\in U_2^2(g_n,e)}c_{2g_n}d_{2k}$ 等价于

$\sum_{k\in U_2^1(g_n,t)}c_{2g_n}d_{2k}$，$V(r,s,\boldsymbol{g},e,t)$ 中的最后一项 $\sum_{l=g_n}^{e}h_{2l}\left[\sum_{k\in U_2^1(g_n,e)}d_{2k}-\sum_{m=g_n}^{l}(d_{2m}-y_m)\right]$ 等价于

$\sum_{l=g_n}^{t}h_{2l}\left[\sum_{k\in U_2^1(g_n,t)}d_{2k}-\sum_{m=g_n}^{l}(d_{2m}-y_m)\right]$，$W_k\sum_{k\in U_2^2(g_1,t)}d_{2k}$ 等价于 $W_k\sum_{k\in U_2^2(g_1,e)}d_{2k}+W_k\sum_{k=e}^{t}d_{2k}$。

在单位生产成本时变且没有生产启动成本的情形下，g_1 到 g_n 的这 n 个产品 2 的生产点与边际成本之间存在一个有趣的关系。

由于产品 2 的需求也可由产品 1 满足，首先要确定 g_1。

令 $c_{2\lambda^*z}=\min_{s\leqslant\lambda\leqslant z}(c_{2\lambda z})$，$z=s,s+1,\cdots,t$。若 $c_{2\lambda^*z}<c_{1rz}+\omega_z$，则 $g_1=\lambda^*$。

令 $c_{2q^*z}=\min_{g_1\leqslant q\leqslant z}(c_{2qz})$，$z=g_1,g_1+1,\cdots,t$。若出现相等的情况，则令 q^* 为最小的 q。令 J_{q^*} 为 q^* 的集合，即 $J_{q^*}=\{z:a_{2q^*z}=\min_q(a_{2qz})\}\cap\{z:c_{2q^*z}<a_{1rz}+\omega_z\}$，$q^*=q^*(1),q^*(2),\cdots,q^*(n)$，因此有 $g_1=g^*=q^*(1)$，$g_2=q^*(2),\cdots,g_n=q^*(n)$。

情形 2　在 $P(t)$ 中，若最后一个转换点 s 是从产品 2 转换到产品 1，周期 r 必定生产产品 2，周期 $g_1,g_2,\cdots,g_n$ 必定生产产品 1。假设 g_1 及其后的产品 2 的生产点共有 n 个，

$1 \leqslant n \leqslant t-s+1$。根据 $r \leqslant e < g_1$、$g_1 \leqslant e < g_n$ 和 $g_n \leqslant e \leqslant t$，可分三种子情形计算 $V(r,s,\boldsymbol{g},e,t)$、$H(r,s,\boldsymbol{g},e,t)$ 和 $W(r,s,\boldsymbol{g},e,t)$。此种情形的示意图如图 9-2 所示。

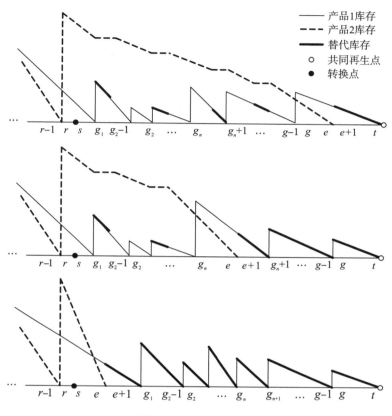

图 9-2　情形 2 示意图

若 $g_n \leqslant e \leqslant t$，则

$$V(r,s,\boldsymbol{g},e,t) = c_{2r} \sum_{k \in U_1^1(g_1,t)} d_{2k} + \sum_{q=1}^{n-1} \left(\sum_{k=g_q}^{g_{q+1}-1} c_{1g_q} d_{1k} + \sum_{k \in U_1^2(g_q, g_{q+1}-1)} c_{1g_q} d_{2k} \right)$$

$$+ c_{1g_n} \left(\sum_{k=g_n}^{t} d_{1k} + \sum_{k \in U_1^2(g_n,e)} d_{2k} + \sum_{k=e+1}^{t} d_{2k} \right) \tag{9-15}$$

$$H(r,s,\boldsymbol{g},e,t) = \sum_{l=r}^{g_1-1} \sum_{k \in U_1^1(g_1,t)} h_{2l} d_{2k} + \sum_{l=g_1}^{t} h_{2l} \left[\sum_{k \in U_1^1(g_1,t)} d_{2k} - \sum_{m=g_1}^{l} (d_{2m} - y_m) \right]$$

$$+ \sum_{q=1}^{n-1} \left[\sum_{l=g_q}^{g_{q+1}-2} \sum_{k=l+1}^{g_{q+1}-1} h_{1l} d_{1k} + \sum_{l=g_q}^{g_{q+1}-1} h_{1l} \left(\sum_{k \in U_1^2(g_q, g_{q+1}-1)} d_{2k} - \sum_{m=g_q}^{l} y_m \right) \right] \tag{9-16}$$

$$+ \sum_{l=g_n}^{t-1} \sum_{k=l+1}^{t} h_{1l} d_{1k} + \sum_{l=g_n}^{e} h_{1l} \left(\sum_{k \in U_1^2(g_n,e)} d_{2k} - \sum_{m=g_n}^{l} y_m \right) + \sum_{l=e+1}^{t-1} \sum_{k=l+1}^{t} h_{1l} d_{2k}$$

$$W(r,s,\boldsymbol{g},e,t)=\sum_{q=1}^{n-1}\sum_{k\in U_1^2(g_q,g_{q+1}-1)}\omega_k d_{2k}+\sum_{k\in U_1^2(g_n,t)}\omega_k d_{2k} \qquad (9\text{-}17)$$

同样，若 $e<t$，则周期 $e+1$ 到周期 t 产品 2 的需求全部由产品 1 替代满足，因此变动生产成本 $V(r,s,\boldsymbol{g},e,t)$ 中的第一项 $c_{2r}\sum\limits_{k\in U_1^1(g_1,t)}d_{2k}$ 等价于 $c_{2r}\sum\limits_{k\in U_1^1(g_1,e)}d_{2k}$，而库存成本 $H(r,s,\boldsymbol{g},e,t)$ 中的前两项 $\sum\limits_{l=r}^{g_1-1}\sum\limits_{k\in U_1^1(g_1,t)}h_{2l}d_{2k}+\sum\limits_{l=g_1}^{t}h_{2l}\left[\sum\limits_{k\in U_1^1(g_1,t)}d_{2k}-\sum\limits_{m=g_1}^{l}(d_{2m}-y_m)\right]$ 等价于 $\sum\limits_{l=r}^{g_1-1}\sum\limits_{k\in U_1^1(g_1,e)}h_{2l}d_{2k}+\sum\limits_{l=g_1}^{e}h_{2l}\left[\sum\limits_{k\in U_1^1(g_1,e)}d_{2k}-\sum\limits_{m=g_1}^{l}(d_{2m}-y_m)\right]$，替代成本中的 $\sum\limits_{k\in U_1^2(g_n,t)}\omega_k d_{2k}$ 等价于 $\sum\limits_{k\in U_1^2(g_n,e)}\omega_k d_{2k}+\sum\limits_{k=e+1}^{t}\omega_k d_{2k}$。

若 $g_1\leqslant e<g_n$，假设 e 在产品 1 的两生产点 g_f 和 g_{f+1} 之间，即 $g_f\leqslant e<g_{f+1}$，则说明周期 $e+1$ 到周期 t 的产品 2 的需求全部由产品 1 满足，则

$$\begin{aligned}V(r,s,\boldsymbol{g},e,t)=&c_{2r}\sum_{k\in U_1^1(g_1,e)}d_{2k}+\sum_{q=1}^{f-1}\left(\sum_{k=g_q}^{g_{q+1}-1}c_{1g_q}d_{1k}+\sum_{k\in U_1^2(g_q,g_{q+1}-1)}c_{1g_q}d_{2k}\right)+c_{1g_f}\left(\sum_{k=g_f}^{g_{f+1}-1}d_{1k}\right.\\&\left.+\sum_{k\in U_1^2(g_f,e)}d_{2k}+\sum_{k=e+1}^{g_{f+1}-1}d_{2k}\right)+\sum_{q=f+1}^{n-1}\sum_{i=1}^{2}\sum_{k=g_q}^{g_{q+1}-1}c_{1g_q}d_{ik}+c_{1g_n}\sum_{i=1}^{2}\sum_{k=g_n}^{t}d_{ik}\end{aligned} \qquad (9\text{-}18)$$

$$\begin{aligned}H(r,s,\boldsymbol{g},e,t)=&\sum_{l=r}^{g_1-1}\sum_{k\in U_1^1(g_1,e)}h_{2l}d_{2k}+\sum_{l=g_1}^{e}h_{2l}\left[\sum_{k\in U_1^1(g_1,e)}d_{2k}-\sum_{m=g_1}^{l}(d_{2m}-y_m)\right]\\&+\sum_{q=1}^{f-1}\left[\sum_{l=g_q}^{g_{q+1}-2}\sum_{k=l+1}^{g_{q+1}-1}h_{1l}d_{1k}+\sum_{l=g_q}^{g_{q+1}-1}h_{1l}\left(\sum_{k\in U_1^2(g_q,g_{q+1}-1)}d_{2k}-\sum_{m=g_q}^{l}y_m\right)\right]\\&\sum_{l=g_f}^{g_{f+1}-2}\sum_{k=l+1}^{g_{f+1}-1}h_{1l}d_{1k}+\sum_{l=g_f}^{e}h_{1l}\left(\sum_{k\in U_1^2(g_f,e)}d_{2k}-\sum_{m=g_f}^{l}y_m\right)+\sum_{l=e+1}^{g_{f+1}-2}\sum_{k=l+1}^{g_{f+1}-1}h_{1l}d_{2k}\\&+\sum_{q=f+1}^{n-1}\sum_{i=1}^{2}\sum_{l=g_q}^{g_{q+1}-2}\sum_{k=l+1}^{g_{q+1}-1}h_{1l}d_{ik}+\sum_{i=1}^{2}\sum_{l=g_n}^{t-1}\sum_{k=l+1}^{t}h_{1l}d_{ik}\end{aligned} \qquad (9\text{-}19)$$

$$W(r,s,\boldsymbol{g},e,t)=\sum_{q=1}^{f-1}\sum_{k\in U_1^2(g_q,g_{q+1}-1)}\omega_k d_k+\sum_{k\in U_1^2(g_f,e)}\omega_k d_k+\sum_{k=e+1}^{t}\omega_k d_{2k} \qquad (9\text{-}20)$$

若 $r\leqslant e\leqslant g_1-1$，则表明周期 g_1 到周期 t 的产品 2 的需求全部由产品 1 替代满足，因此可得

$$V(r,s,\boldsymbol{g},e,t)=\sum_{q=1}^{n-1}\sum_{i=1}^{2}\sum_{k=g_q}^{g_{q+1}-1}c_{1g_q}d_{ik}+\sum_{i=1}^{2}\sum_{k=g_n}^{t}c_{1g_n}d_{ik} \qquad (9\text{-}21)$$

$$H(r,s,\boldsymbol{g},e,t)=\sum_{q=1}^{n-1}\sum_{i=1}^{2}\sum_{l=g_q}^{g_{q+1}-2}\sum_{k=l+1}^{g_{q+1}-1}h_{1l}d_{ik}+\sum_{i=1}^{2}\sum_{l=g_n}^{t-1}\sum_{k=l+1}^{t}h_{1l}d_{ik} \qquad (9\text{-}22)$$

$$W(r,s,\boldsymbol{g},e,t)=\sum_{k=g_1}^{t}\omega_k d_{2k} \qquad (9\text{-}23)$$

若 $g_1, g_2, \cdots, g_n$ 是产品 1 的生产点，则与边际成本之间的关系有如下更为简洁的形式。

令 $a_{1q^*z} = \min_{g_1 \leqslant q \leqslant z}(a_{1qz})$，$z = g_1, g_1+1, \cdots, t$。$J_{q^*}$ 为 q^* 的集合，则 $J_{q^*} = \{z : a_{1q^*z} = \min_n(a_{1qz})\}$，$q^* = q^*(1), q^*(2), \cdots, q^*(n)$，因此有 $g_1 = g^* = q^*(1)$，$g_2 = q^*(2), \cdots, g_n = q^*(n)$。

周期 q^* 的意义为：对于满足周期 Z 的产品 1 的需求，q^* 为边际成本最小的生产点。

若在 $P(t)$ 的最优解中没有转换点，即从第 1 周期至第 t 周期两种产品的需求全部由产品 1 满足，此种情形的示意图如图 9-3 所示。此种特殊情形的最优解可以按照如下前向动态规划递推式求出：

$$C(g_n, t) = C(g_n - 1) + c_{1g_n}\sum_{i=1}^{2}\sum_{k=g_n}^{t}d_{ik} + \sum_{i=1}^{2}\sum_{l=g_n}^{t-1}\sum_{k=l+1}^{t}h_{il}d_{ik} + \sum_{k=g_n}^{t}\omega_k d_{2k} \qquad (9\text{-}24)$$

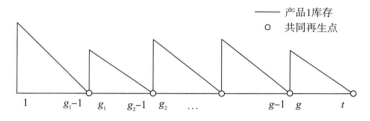

图 9-3　特殊情形示意图

受情形 2 中 g_1 到 g_n 的 n 个产品 1 的生产点与边际成本之间的关系启发，可以直接给出此特殊情形的最优解。令第 1 周期之后的产品 1 的生产点依次是 $g_1, g_2, \cdots, g_n$，假设第 1 周期及其后的产品 1 的生产点共有 n 个，$1 \leqslant n \leqslant t$。

令 $a_{1q^*z} = \min_{1 \leqslant q \leqslant z}(a_{1qz})$，$z = 1, 2, \cdots, t$。同样令 J_{q^*} 为 q^* 的集合，$J_{q^*} = \{z : a_{1q^*z} = \min_q(a_{1qz})\}$，$n^* = n^*(1), n^*(2), \cdots, n^*(q)$。

因此有 $1 = q^*(1), g_1 = q^*(2), g_2 = q^*(3), \cdots, g_n = q^*(n)$。根据生产点 $1, g_1, g_2, \cdots, g_n$ 的特征，此特殊情形的最优解为

$$\begin{aligned}
C(g_n, t) &= c_{11}\sum_{i=1}^{2}\sum_{k=1}^{g_1-1}d_{ik} + \sum_{i=1}^{2}\sum_{l=1}^{g_1-2}\sum_{k=l+1}^{g_1-1}h_{il}d_{ik} + \sum_{k=1}^{g_1-1}\omega_k d_{2k} \\
&\quad + c_{1g_q}\sum_{q=2}^{n-1}\sum_{i=1}^{2}\sum_{k=g_q}^{g_{q+1}-1}d_{ik} + \sum_{q=2}^{n-1}\sum_{i=1}^{2}\sum_{l=g_q}^{g_{q+1}-2}\sum_{k=l+1}^{g_{q+1}-1}h_{il}d_{ik} + \sum_{q=2}^{n-1}\sum_{k=g_q}^{g_{q+1}-1}\omega_k d_{2k} \\
&\quad + c_{1g_n}\sum_{i=1}^{2}\sum_{k=g_n}^{t}d_{ik} + \sum_{i=1}^{2}\sum_{l=g_n}^{t-1}\sum_{k=l+1}^{t}h_{il}d_{ik} + \sum_{k=g_n}^{t}\omega_k d_{2k}
\end{aligned} \qquad (9\text{-}25)$$

最后需要强调的是，本节分析的生产点与边际成本之间的关系只适用于没有生产启动成本的情形或者生产启动成本非时变的情形，对于存在时变启动成本的情形并不适用。另外，对于有生产启动成本(包括时变和非时变)的情形，本节设计的动态规划算法只需加上生产启动成本即可适用。具体来讲：

令 k_{it} 为产品 i 在周期 t 的生产启动成本，$A(g_1, t)$ 表示从周期 g_1 到周期 t 的生产启动成本之和，则

$$C(t) = \min\{_{1 \leqslant r < s \leqslant g_1 < g_2 < \cdots < g_n \leqslant t, r \leqslant e \leqslant t} C(r,s,\boldsymbol{g},e,t);_{1 \leqslant g_n \leqslant t} C(g_n,t)\} \tag{9-26}$$

其中

$$C(r,s,\boldsymbol{g},e,t) = C(g_1 - 1) + K_s + A(g_1,t) + f(r,s,\boldsymbol{g},e,t) \tag{9-27}$$

$f(r,s,\boldsymbol{g},e,t)$ 的计算不变，在 $P(t)$ 中，若最后一个转换点 s 是从产品 1 转换到产品 2，则

$$A(g_1,t) = \sum_{q=1}^{n} k_{2g_q} \tag{9-28}$$

若最后一个转换点 s 是从产品 2 转换到产品 1，则

$$A(g_1,t) = \sum_{q=1}^{n} k_{1g_q} \tag{9-29}$$

若在 $P(t)$ 的最优解中没有转换点，则

$$C(g_n,t) = C(g_n - 1) + k_{1g_n} + c_{1g_n} \sum_{i=1}^{2} \sum_{k=g_n}^{t} d_{ik} + \sum_{i=1}^{2} \sum_{l=g_n}^{t-1} \sum_{k=l+1}^{t} h_{il} d_{ik} + \sum_{k=g_n}^{t} \omega_k d_{2k} \tag{9-30}$$

9.4 预测时阈分析

在单位生产成本时变情形下，零库存性质仍然成立，因此动态批量模型的求解与单位生产成本非时变情形相一致。但是，单位生产成本时变情形下，再生点和生产点的单调性不再"天然"成立，需要加以限制单调性才能成立，进而才能构造再生集以求解预测时阈。

在 $P(t)$ 的最优解中，$s_i(t)$ 与 $r_i(t)$ 的含义同 7.5 节，若 $s_i(t) > s_j(t)$，令 $g_1(t)$ 代表大于等于 $s_i(t)$ 的第一个最优生产点，$g_2(t),g_3(t),\cdots,g_n(t)$ 依次为 $g_1(t)$ 之后的最优生产点，则 $g_n(t)$ 为最后一个最优生产点，$i,j = 1,2$，$i \neq j$。$e(t)$ 为大于等于最后一个产品 2 的生产点的第一个产品 2 的最优再生点。为了简化符号，将 g_n 和 $g_n(t)$ 简记为 g 和 $g(t)$。同样 $P(t)$ 的最优解不考虑无转换点的情形，为了简化方程式，令 $\boldsymbol{g}(t) = g_1(t),g_2(t),\cdots,g_n(t)$。则

$$C(t) = \min_{1 \leqslant r < s \leqslant g_1 < g_2 < \cdots < g \leqslant t, r \leqslant e \leqslant t} C(r,s,\boldsymbol{g},e,t)$$
$$= C(r_i(t),s_i(t),\boldsymbol{g}(t),e(t),t) \tag{9-31}$$

令 $m(it)$ 为使 a_{int} 最小的周期，$1 \leqslant n \leqslant t$，$i = 1,2$。例如，对于任意 k，$1 \leqslant k \leqslant t$，$k \neq n$，都有 $a_{ikt} \geqslant a_{int}$ 成立，则 $m(it) = n$。令 $m^-(it)$ 为使 a_{int} 倒数第二小的周期。

由 9.3 节生产点与边际成本关系的分析可以给出 $m(it)$ 更为正式的定义，即

$$a_{im(it)t} = \min_{1 \leqslant n \leqslant t} (a_{int}), \quad i = 1,2 \tag{9-32}$$

由 $m(it)$ 的定义，可以得到两个边际成本之间的不等式关系如下：对于任意周期 k，若 $k < m(it)$，则有 $c_{ik} + \sum_{l=k}^{t-1} h_{il} > c_{im(it)} + \sum_{l=m(it)}^{t-1} h_{il}$，化简可得

$$c_{ik} + \sum_{l=k}^{m(it)-1} h_{il} > c_{im(it)} \tag{9-33}$$

若 $k > m(it)$，则有 $c_{im(it)} + \sum_{l=m(it)}^{t-1} h_{il} < c_{ik} + \sum_{l=k}^{t-1} h_{il}$，化简可得

$$c_{im(it)} + \sum_{l=m(it)}^{k-1} h_{il} < c_{ik} \tag{9-34}$$

引理 9-1　在 $P(t')$ 的最优解中：

（1）若 $s_1(t) > s_2(t)$、$r_2(t') = m^-(2t')$、$r_1(t') = m(1t')$ 和 $g(t') = m(2t')$ 成立，则 $P(t)$ 的最优解存在 $N(t) \geq N(t') - 1$，$t > t'$。

（2）若 $s_2(t) > s_1(t)$、$r_1(t') = m^-(1t')$、$r_2(t') = m(2t')$ 和 $g(t') = m(1t')$ 成立，则 $P(t)$ 的最优解存在 $N(t) \geq N(t') - 1$，$t > t'$。

引理 9-1 的证明见附录八。

定理 9-2　在 $P(t)$ 的最优解中：

（1）若 $s_1(t) > s_2(t)$、$r_2(t) = m^-(2t)$、$r_1(t) = m(1t)$ 和 $g(t') = m(2t')$ 成立，则在 $P(t^*)$ 的最优解中有 $r_1'(t^*) \geq r_1(t)$ 和 $r_2'(t^*) \geq r_2(t)$ 成立，$t^* > t$。

（2）若 $s_2(t) > s_1(t)$、$r_1(t) = m^-(1t)$、$r_2(t) = m(2t)$ 和 $g(t') = m(1t')$ 成立，则在 $P(t^*)$ 的最优解中有 $r_1'(t^*) \geq r_1(t)$ 和 $r_1'(t^*) \geq r_1(t)$ 成立，$t^* > t$。

定理 9-2（证明见附录八）说明了两产品最后一个生产点的单调性，又由零库存性质可得，生产点的前一个周期为再生点，即得到了两产品再生点的单调性。同样在两产品最后一个再生点单调的基础上构造两产品的再生集，并给出求解预测时阈的充分条件。$x_{iz}^*(t)$ 的含义同 7.5 节，表示 $P(t)$ 中产品 i 在周期 z 的最优生产数量，$i = 1,2$，$1 \leq z \leq t$。则在单位生产成本时变条件下，预测时阈存在的充分条件如下。

定理 9-3　在 $P(t)$ 的最优解中：

（1）若 $s_1(t) > s_2(t)$、$r_2(t) > m^-(2t)$、$r_1(t) > m(1t)$ 和 $g(t) > m(2t)$ 成立，且 $x_{1l}^*(r_2(t) - 1) = x_{1l}^*(r_2(t)) = \cdots = x_{1l}^*(t-1)$ 和 $x_{2l}^*(r_2(t) - 1) = x_{2l}^*(r_2(t)) = \cdots = x_{2l}^*(t-1)$ 对于 $l = 1,2,\cdots,\tau$（$1 \leq \tau \leq r_2(t) - 1$）成立，则对于任意更长周期的问题 $P(t^*)$，周期 t 为预测时阈，周期 τ 为相应的决策时阈，$t^* > t$。

（2）若 $s_2(t) > s_1(t)$、$r_1(t) = m^-(1t)$、$r_2(t) = m(2t)$ 和 $g(t) = m(1t)$ 成立，且 $x_{1l}^*(r_1(t) - 1) = x_{1l}^*(r_1(t)) = \cdots = x_{1l}^*(t-1)$ 和 $x_{2l}^*(r_1(t) - 1) = x_{2l}^*(r_1(t)) = \cdots = x_{2l}^*(t-1)$ 对于 $l = 1,2,\cdots,\tau$（$1 \leq \tau \leq r_1(t) - 1$）成立，则对于任意更长周期的问题 $P(t^*)$，周期 t 为预测时阈，周期 τ 为相应的决策时阈，$t^* > t$。

证明参见定理 7-8 的证明。

本节是在单位生产成本无条件变动情形下，运用边际成本分析方法求解预测时阈，需要指出的是，若两产品的单位生产成本波动幅度很小（c_{it} 为产品 i 在周期 t 的单位生产成本），即满足持有库存没有投机性动机。

$$c_{it} + \sum_{l=t}^{t'-1} h_{il} > c_{it'}, \quad \forall 1 \leq t < t' \leq T, \quad i = 1,2$$

最优解中转换点个数下界性质与两产品最后一个生产点单调性质是"天然"成立的，

不需要令最后一个生产点发生在最小边际成本周期与倒数第二小的边际成本周期,这一点可从定理 9-2 证明过程中,即附录八中式(9-57)和式(9-61)在持有库存没有投机性动机下自然成立而得出。

边际成本分析方法是解决单位生产成本变动情形下动态批量预测时阈问题的有力工具,本章是在没有生产启动成本的情形下进行预测时阈分析的,但是同样适用于存在时变生产启动成本的情形。

最后需要指出的是,在有库存(或仓储)能力约束(如两产品共用有限仓储能力或者每一种产品有各自的仓储能力上限约束)且单位生产成本无条件变动的情况下,零库存性质和"单源满足"性质不再成立。但是在有库存能力约束且持有库存没有投机性动机或者单位生产成本不变的情况下,零库存性质和"单源满足"性质仍然是成立的。无论单位生产成本时变还是非时变,在有生产能力约束的情况下,零库存性质和"单源满足"性质都是不成立的。另外,在有能力(包括库存能力和生产能力)约束的情形下,零库存性质和"单源满足"性质成立与否与是否有生产启动成本无关。

9.5　本章小结

本章在成本时变的情形下研究了两产品单向替代和生产转换的动态批量决策和预测时阈问题。在生产转换成本时变的情形下,转换过程和生产是分离的,转换周期可能不进行生产,即转换点不再一定是生产点。若最后一个转换点不是生产点,则选取最后一个转换点之后的第一个生产点作为分割周期,将长周期问题分割成两个短周期问题。在单位生产成本时变情形下生产点和再生点的单调性不再"天然"成立,因此求解预测时阈的方式与单位生产成本非时变情形有着显著的不同。在没有生产启动成本的情形下,研究了最后一个转换点之后的生产点与边际成本之间的关系,以及没有转换点的情形下产品 1 的生产点与边际成本之间的关系。利用边际成本分析法,定义两产品最小边际成本和倒数第二小的边际成本,给出最优解中转换点个数存在下界的充分条件,在最优解中转换点个数存在下界的条件下,给出两产品最后一个生产点单调性存在的充分条件。由两产品最后一个生产点的单调性即可得到两产品最后一个再生点的单调性。在两产品最后一个再生点单调性的基础上构建两产品的再生集,给出求解预测时阈的充分条件。本章是在没有生产启动成本的情形下运用边际成本分析法进行预测时阈分析的,而边际成本分析法也适用于时变的生产启动成本的情形。最后指出,在单位生产成本有条件变动的情形下,即持有库存没有投机性动机时,两产品最后一个生产点和再生点的单调性"天然"成立,不需要增加限制条件,预测时阈的求解方法同第 8 章。

参 考 文 献

Balakrishnan A,Geunes J. 2000. Requirements planning with substitutions: Exploiting bill-of-materials flexibility in production planning[J]. Manufacturing & Service Operations Management,2(2): 166-185.

Ceschia S，Gaspero L D，Schaerf A. 2017. Solving discrete lot-sizing and scheduling by simulated annealing and mixed integer programming[J]. Computers & Industrial Engineering，114：235-243.

Gascon A，Leachman R C. 1988. A dynamic programming solution to the dynamic，multi-item，single-machine scheduling problem[J]. Operations Research，36(1)：50-56.

Gicquel C，Minoux M. 2015. Multi-product valid inequalities for the discrete lot-sizing and scheduling problem[J]. Computers & Operations Research，54：12-20.

Gicquel C，Wolsey L A，Minous M. 2012. On discrete lot-sizing and scheduling on identical parallel machines[J]. Optimization Letters，6：545-557.

Gicquel C，Lisser A，Minous M. 2014. An evaluation of semidefinite programming based approaches for discrete lot-sizing problems[J]. European Journal of Operational Research，237：498-507.

Hsu V N，Li C L，Xiao W Q. 2005. Dynamic lot size problem with one-way product substitution[J]. IIE Transactions，37(3)：201-215.

Karmarkar U S，Schrage L. 1985. The deterministic dynamic product cycling problem[J]. Operations Research，33(2)：326-345.

Lang J C，Domschke W. 2010. Efficient reformulations for dynamic lot-sizing problems with product substitution[J]. OR Spectrum，32(2)：263-291.

Li Y J，Chen J，Cai X Q. 2006. Uncapacitated production planning with multiple product types, returned product remanufacturing, and demand substitution[J]. OR Spectrum，28(1)：101-125.

Li Y J，Chen J，Cai X Q. 2007. Heuristic genetic algorithm for capacitated production planning problems with batch processing and remanufacturing[J]. International Journal of Production Economics，105(2)：301-307.

Magnanti T L，Vachani R. 1990. A strong cutting plane algorithm for production scheduling with changeover costs[J]. Operations Research，38(3)：456-473.

Pineyro P，Viera O. 2010. The economic lot-sizing problem with remanufacturing and one-way substitution[J]. International Journal of Production Economics，124(2)：482-488.

Yaman H. 2009. Polyhedral analysis for the two-item uncapacitated lot-sizing problem with one-way substitution[J]. Discrete Applied Mathematics，157(14)：3133-3151.

第10章　生产转换与双向替代的动态批量与预测时阈

10.1　问题背景

需求双向替代情形在企业运营实践中普遍存在，例如，可口可乐的口味有樱桃味、柠檬味、香草味，无糖和不含咖啡因等几十种口味。包装的材质也不尽相同，有塑料瓶装、玻璃瓶装和罐装等，且每一种包装容量也各不相同。为了优化生产和库存水平，当客户所需要的某种产品(如塑料瓶装的樱桃味产品)缺货时，可口可乐会推荐给客户一种微小差异的替代产品(如罐装的樱桃味产品)。可口可乐生产工艺流程最主要包含五个步骤：洁净冲洗、混合搅拌、装瓶、压盖和贴标签，其中洁净冲洗是每个瓶子在装瓶前都要经过严格的洁净、消毒和冲洗过程。洁净冲洗不同材质的瓶子，将水、糖浆和不同的添加剂按一定比例进行混合搅拌，这两个步骤的转换过程用时很短，同一周期经过转换能够生产多种产品。不仅可口可乐这类软饮品企业生产细微差异的多种系列产品，宝洁这类日化消费品企业同样采用需求替代和转换生产多种系列产品来提高企业的竞争力。例如，宝洁公司的飘柔洗发水，有柔顺、亮泽、修护、水润等多种不同功效的产品，相同功效的产品容量也大小不一。同样，宝洁公司的佳洁士牙膏和舒肤佳洗手液也有多种不同功效和容量的产品系列。从这些现实例子可以发现，产品(需求)双向替代和同一周期生产多次转换的现象在企业实践中普遍存在。针对这种现象，本章研究每一周期生产线上生产两种需求可以相互替代的产品的情形，分析其动态批量和预测时阈问题。需求双向替代的动态批量问题的研究相对较少，Lang 和 Domschke(2010)用有效不等式的方法探讨了需求单向和双向替代的动态批量问题。不考虑动态批量仅涉及需求双向替代问题的研究可参考 Pasternack 和 Drezner(1991)、Khouja 等(1996)、Ernst 和 Kouvelis(1999)、Nagarajan 和 Rajagopalan(2008)、Deniz 等(2010)、Tan 和 Karabati(2013)的文献。

10.2　模　型　构　建

在企业的生产运营实践中，顾客驱动的替代一般为双向替代。例如，当顾客所要选择的商品缺货时，顾客大多会选择功能(款式、形状、颜色等)相同或相似的另外一种产品。另外，供应商为了优化产品生产和库存水平，当顾客想要选择的产品缺货时，供应商也会推荐一种替代产品给客户，部分顾客也会接受替代产品。相比于需求单向替代，需求双向替代使得企业生产运作具有更大的柔性。因此，在第 9 章的基础上，本章考虑双向替代及同一周期允许多次生产转换情形下的两产品动态批量和预测时阈问题。假定在周期 t 当产

品 i 缺货而产品 j 有库存时，企业可以选择生产产品 i 或用产品 j 进行替代以满足产品 i 的需求，$i,j=1,2$，$i \neq j$，此时产生替代成本为 ω_{jit}。在周期 t 生产从产品 i 转换到产品 j 产生生产转换成本 K_{ijt}，在周期 t 生产产品 i 产生变动生产成本。产品从一个周期持有到下一个周期会产生库存成本。

在需求双向替代且同一周期允许多次生产转换情形下，模型的构建还需要定义如表 10-1 所示符号，其他符号同 9.2 节，且令 $e_1 = 1$。

表 10-1　符号定义 1

符号	含义
y_{ijt}	第 t 期产品 i 替代产品 j 的数量，$i=1,2$，$i \neq j$，$1 \leqslant t \leqslant T$
K_{ijt}	第 t 期生产由产品 i 转换到产品 j 的转换成本，$i=1,2$，$i \neq j$，$1 \leqslant t \leqslant T$
ω_{ijt}	第 t 期产品 i 替代产品 j 的替代成本，$i=1,2$，$i \neq j$，$1 \leqslant t \leqslant T$

对于 $i,j=1,2$，$i \neq j$，$1 \leqslant t \leqslant T$，定义二元变量 δ_{ijt}：

$$\delta_{ijt} = \begin{cases} 1, & \text{周期} t \text{发生生产转换且由产品} i \text{转换到产品} j \\ 0, & \text{其他} \end{cases}$$

企业的目标是 T 周期内的生产转换成本、变动生产成本、库存成本和替代成本之和最小。目标函数可以表示为

$$\min\left[\sum_{t=1}^{T}(K_{12t}\delta_{12t} + K_{21t}\delta_{21t}) + \sum_{t=1}^{T}\sum_{i=1}^{2}(c_{it}x_{it} + h_{it}I_{it}) + \sum_{t=1}^{T}(\omega_{12t}y_{12t} + \omega_{21t}y_{21t}) \right] \tag{10-1}$$

约束条件为

$$I_{1t} = I_{1,t-1} + x_{1t} + y_{21t} - d_{1t} - y_{12t}, \quad 1 \leqslant t \leqslant T \tag{10-2}$$

$$I_{2t} = I_{2,t-1} + x_{2t} + y_{12t} - d_{2t} - y_{21t}, \quad 1 \leqslant t \leqslant T \tag{10-3}$$

$$x_{it}, I_{it} \geqslant 0, \quad i=1,2, \quad 1 \leqslant t \leqslant T \tag{10-4}$$

$$y_{12t}, y_{21t} \geqslant 0, \quad 1 \leqslant t \leqslant T \tag{10-5}$$

$$I_{i0} = I_{iT} = 0, \quad i=1,2 \tag{10-6}$$

约束条件 (10-2) 和 (10-3) 表示产品的库存平衡；约束条件 (10-4) 和 (10-5) 表示两产品的生产数量、库存数量和替代数量均非负；约束条件 (10-6) 表示期初和期末两种产品的库存均为零。令 P1 代表以上构造的两产品动态批量问题。P1 等价于最小凹成本网络流问题，所构造的网络图 G 是单一的源节点和多个目的节点，如图 10-1 所示。

M 代表源节点，P_1 和 P_2 代表中转节点，V_{it} 代表目的节点，有 $2T$ 个目的节点。每一个目的节点 V_{it} 对应相应的需求 d_{it}。在弧 (P_i, V_{it}) 上的流 x_{it} 代表产品 i 在周期 t 的产量。在弧 $(V_{it}, V_{i,t+1})$ 上的流 I_{it} 代表产品 i 从周期 t 到周期 $t+1$ 的库存数量。在弧 (V_{it}, V_{jt}) 上的流 y_{ijt} 代表周期 t 产品 i 替代产品 j 的数量，$i,j=1,2$，$i \neq j$。此网络所有弧上的成本都满足凹性，网络流问题的目标是在每一个目的节点上的需求被满足的条件下最小化流成本。

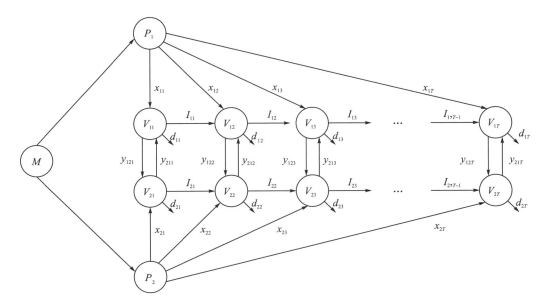

图 10-1 P1 网络图 G

10.3 前向动态规划算法

本节在最优解性质的基础上设计前向动态规划算法求解模型。首先定义再生点、转换点和生产点。

定义 10-1 给定 $P(T)$ 的最优解，若 $\delta_{ijt}=1$，$i,j=1,2$，$i \neq j$，$1 \leq t \leq T$，则周期 t 定义为产品 i 到产品 j 的转换点。

Dawande 等（2010）和 Bardhan 等（2013）假设同一周期只允许生产一种产品，因此在 $P(T)$ 的最优解中，存在性质 $x_{1t}x_{2t}=0$。但是可口可乐的生产工艺流程表明转换过程用时很短，因此在同一周期一条生产线能够同时生产多种产品。在同一周期可以生产多种产品的情形下有如下直观性质成立。

定理 10-1 在 $P(T)$ 的最优解中，任意周期 t 生产转换次数最多发生 2 次。

本章研究的是两种产品之间的生产转换，若企业生产 N 种产品，$N \geq 3$，则定理 10-1 的一般形式为任意周期 t 生产转换次数最多发生 N 次。定理 10-1 表明在企业的生产中不会在同一周期频繁进行生产转换。该性质也为判别企业生产转换计划是否合理提供了一条简单易用的经验法则。

另外，Dawande 等（2010）和 Bardhan 等（2013）假设转换成本非时变，因此转换点一定是生产点。在时变的生产转换成本情形下，转换和生产过程是分离的，因此转换点不一定是生产点。

在时变的生产启动成本、单位生产成本和替代成本下，Dawande 等（2010）所研究的大部分最优解的性质不再成立，仅有零库存性质和"单源满足"性质成立。

定理 10-2 在 $P(T)$ 的最优解中，产品 i 和产品 j（$i,j=1,2$）对于任意 t（$1 \leq t \leq T$），有

如下性质成立：

(1) $I_{i,t-1}x_{it}=0$；

(2) $y_{ijt}(d_{jt}-y_{ijt})=0$；

(3) $y_{12t}y_{21t}=0$。

$I_{i,t-1}x_{it}=0$ 是零库存性质。$y_{ijt}(d_{jt}-y_{ijt})=0$ 说明若周期 t 发生替代，则产品 2 在周期 t 的需求全部由产品 1 替代满足，不会出现部分需求由替代满足、部分需求由产品 2 的生产或库存满足的情形，这一性质即"单源满足"性质，由 P1 等价于最小凹成本网络流问题直接可得。$y_{12t}y_{21t}=0$ 为双向替代特有的性质，说明若周期 t 有产品 1 替代满足产品 2 的需求，则产品 1 的需求不会由产品 2 替代满足，反之亦然。换言之，在同一周期产品 1 替代产品 2 和产品 2 替代产品 1 不能同时发生。另外，即便在有生产启动成本的情形下，无论生产启动成本是时变还是非时变，以上性质也都成立。

根据定理 10-1 和定理 10-2 设计前向动态规划算法，令 $C(t)$ 为 $P(t)$ 的最优成本。若最后一个转换周期仅发生一次生产转换且生产转换是由产品 i 转换到产品 j，令 $C^1(r,s,g_1,g_2,\cdots,g_n,e,t)$ 表示最后一个转换周期是 s，周期 s 及之前周期的最后一个产品 i 的生产点是 r，周期 s 及之后周期的产品 j 的生产点依次是 $g_1,g_2,\cdots,g_n$，大于等于最后一个产品 i 的生产点的第一个产品 i 的再生点是 e 时 $P(t)$ 的最优成本。若最后一个转换周期发生两次生产转换且第二次生产转换是由产品 i 转换到产品 j，令 $C^2(r,s,g_1,g_2,\cdots,g_n,e,t)$ 表示最后一个转换周期是 s，周期 s 及之前周期的最后一个产品 i 的生产点是 r，周期 s 及之后周期的产品 j 的生产点依次是 $g_1,g_2,\cdots,g_n$，大于等于最后一个产品 i 的生产点的第一个产品 i 的再生点是 e 时 $P(t)$ 的最优成本。令 $\boldsymbol{g}=g_1,g_2,\cdots,g_n$，则 $C^1(r,s,g_1,g_2,\cdots,g_n,e,t)$ 和 $C^2(r,s,g_1,g_2,\cdots,g_n,e,t)$ 可以分别简化为 $C^1(r,s,\boldsymbol{g},e,t)$ 和 $C^2(r,s,\boldsymbol{g},e,t)$。令 $C(g_n,t)$ 代表无转换点且最后一个产品 i 生产点为 g_n 时 $P(t)$ 的最优成本，$i=1,2$。根据以上定义可得

$$C(t)=\min\{{}_{1\leqslant r\leqslant s\leqslant t,s\leqslant g_1<g_2<\cdots<g_n\leqslant t,r\leqslant e\leqslant t}C^1(r,s,\boldsymbol{g},e,t);$$

$$\quad {}_{1\leqslant r=s=g_1<g_2<\cdots<g_n\leqslant t,r\leqslant e\leqslant t}C^2(r,s,\boldsymbol{g},e,t); \tag{10-7}$$

$$\quad {}_{1\leqslant g_n\leqslant t}C(g_n,t)\}$$

其中

$$C^1(r,s,\boldsymbol{g},e,t)=C(g_1-1)+K_{ijs}+f(r,s,\boldsymbol{g},e,t) \tag{10-8}$$

$$C^2(r,s,\boldsymbol{g},e,t)=C(g_1-1)+K_{ijs}+K_{jis}+f(r,s,\boldsymbol{g},e,t) \tag{10-9}$$

$f(r,s,\boldsymbol{g},e,t)$ 表示满足两产品从周期 g_1 到周期 t 的需求的变动成本，包括变动生产成本、库存成本和替代成本。令 $V(r,s,\boldsymbol{g},e,t)$、$H(r,s,\boldsymbol{g},e,t)$ 和 $W(r,s,\boldsymbol{g},e,t)$ 分别代表满足两产品从周期 g_1 到周期 t 的需求的变动生产成本、库存成本和替代成本。则

$$f(r,s,\boldsymbol{g},e,t)=V(r,s,\boldsymbol{g},e,t)+H(r,s,\boldsymbol{g},e,t)+W(r,s,\boldsymbol{g},e,t) \tag{10-10}$$

下面分类讨论计算 $V(r,s,\boldsymbol{g},e,t)$、$H(r,s,\boldsymbol{g},e,t)$ 和 $W(r,s,\boldsymbol{g},e,t)$。

首先定义 $a_{int}=c_{in}+\sum_{l=n}^{t-1}h_{il}$，$i=1,2$，$1\leqslant n\leqslant t\leqslant T$，若 $n=t$，则 $a_{int}=c_{in}$。

对于某段时间周期 $[\beta,\gamma]$，周期 $\beta+1$ 到周期 γ 之间无产品 1 和产品 2 的生产点，若 θ 是

小于等于 β 的最大的产品 j 的生产点，λ 是小于等于 θ 的最大的产品 i 的生产点，且若 $a_{i\lambda t'} \leqslant a_{j\theta t'} + \omega_{jit'}$，$\beta \leqslant t' \leqslant \gamma$，则周期 t' 在集合 $U^1(\beta,\gamma)$ 中；若 $a_{i\lambda t'} + \omega_{ijt'} < a_{j\theta t'}$，$\beta \leqslant t' \leqslant \gamma$，则周期 t' 在集合 $U^2(\beta,\gamma)$ 中；若 $a_{j\theta t'} \leqslant a_{i\lambda t'} + \omega_{ijt'}$，$\beta \leqslant t' \leqslant \gamma$，则周期 t' 在集合 $U^3(\beta,\gamma)$ 中；若 $a_{j\theta t'} + \omega_{jit'} < a_{i\lambda t'}$，$\beta \leqslant t' \leqslant \gamma$，则周期 t' 在集合 $U^4(\beta,\gamma)$ 中。

若最后一个转换周期仅发生一次生产转换且生产转换是由产品 i 转换到产品 j 或最后一个转换周期发生两次生产转换且第二次生产转换是由产品 i 转换到产品 j，周期 r 必定生产产品 i，周期 $g_1, g_2, \cdots, g_n$ 必定生产产品 j，$i,j=1,2$，$i \neq j$。根据 $g_n \leqslant e \leqslant t$、$g_1 \leqslant e < g_n$ 和 $r \leqslant e < g_1$ 讨论计算 $V(r,s,\mathbf{g},e,t)$、$H(r,s,\mathbf{g},e,t)$ 和 $W(r,s,\mathbf{g},e,t)$。

情形 1 若 $g_n \leqslant e \leqslant t$，此种情形的示意图如图 10-2 所示，可得

$$
\begin{aligned}
V(r,s,\mathbf{g},e,t) = c_{ir}\Bigg(&\sum_{q=1}^{n-1}\sum_{k\in U^1(g_q,g_{q+1}-1)} d_{ik} + \sum_{k\in U^1(g_n,e)} d_{ik} + \sum_{q=1}^{n-1}\sum_{k\in U^2(g_q,g_{q+1}-1)} d_{jk} \\
&+ \sum_{k\in U^2(g_n,e)} d_{jk}\Bigg) + \sum_{q=1}^{n-1} c_{jg_q}\Bigg(\sum_{k\in U^3(g_q,g_q-1)} d_{jk} + \sum_{k\in U^4(g_q,g_q-1)} d_{ik}\Bigg) \\
&+ c_{jg_n}\Bigg[\sum_{k\in U^3(g_n,e)} d_{jk} + \sum_{k\in U^4(g_n,e)} d_{ik} + \sum_{k=e+1}^{t}(d_{1k}+d_{2k})\Bigg]
\end{aligned}
\tag{10-11}
$$

$$
\begin{aligned}
H(r,s,\mathbf{g},e,t) = &\sum_{l=r}^{g_1-1} h_{il}\Bigg(\sum_{q=1}^{n-1}\sum_{k\in U^1(g_q,g_{q+1}-1)} d_{ik} + \sum_{k\in U^1(g_n,e)} d_{ik}\Bigg) + \sum_{l=g_1}^{e} h_{il}\Bigg[\sum_{q=1}^{n-1}\sum_{k\in U^1(g_q,g_{q+1}-1)} d_{ik} \\
&+ \sum_{k\in U^1(g_n,e)} d_{ik} - \sum_{m=g_1}^{l}(d_{im}-y_{jim})\Bigg] + \sum_{l=r}^{g_1-1} h_{il}\Bigg(\sum_{q=1}^{n-1}\sum_{k\in U^2(g_q,g_{q+1}-1)} d_{jk} + \sum_{k\in U^2(g_n,e)} d_{jk}\Bigg) \\
&+ \sum_{l=g_1}^{e} h_{il}\Bigg(\sum_{q=1}^{n-1}\sum_{k\in U^2(g_q,g_{q+1}-1)} d_{jk} + \sum_{k\in U^2(g_n,e)} d_{jk} - \sum_{m=g_1}^{l} y_{ijm}\Bigg) \\
&+ \sum_{q=1}^{n-1}\sum_{l=g_q}^{g_{q+1}-1} h_{jl}\Bigg[\sum_{k\in U^3(g_q,g_{q+1}-1)} d_{jk} - \sum_{m=g_q}^{l}(d_{jm}-y_{ijm})\Bigg] + \sum_{l=g_n}^{t} h_{jl}\Bigg[\sum_{k\in U^3(g_n,t)} d_{jk} - \sum_{m=g_n}^{l}(d_{jm}-y_{ijm})\Bigg] \\
&+ \sum_{q=1}^{n-1}\sum_{l=g_q}^{g_{q+1}-1} h_{jl}\Bigg(\sum_{k\in U^4(g_q,g_{q+1}-1)} d_{ik} - \sum_{m=g_q}^{l} y_{jim}\Bigg) + \sum_{l=g_n}^{t} h_{jl}\Bigg(\sum_{k\in U^4(g_n,t)} d_{jk} - \sum_{m=g_n}^{l} y_{jim}\Bigg)
\end{aligned}
\tag{10-12}
$$

$$
\begin{aligned}
W(r,s,\mathbf{g},e,t) = \omega_{ijk}\sum_{q=1}^{n}\sum_{k\in U^2(g_q,g_{q+1})} d_{jk} &+ \sum_{k\in U^2(g_n,e)} d_{jk} + \omega_{jik}\sum_{q=1}^{n}\sum_{k\in U^4(g_q,g_{q+1})} d_{ik} \\
&+ \sum_{k\in U^2(g_n,e)} d_{ik} + \omega_{jik}\sum_{k=e+1}^{t} d_{ik}
\end{aligned}
\tag{10-13}
$$

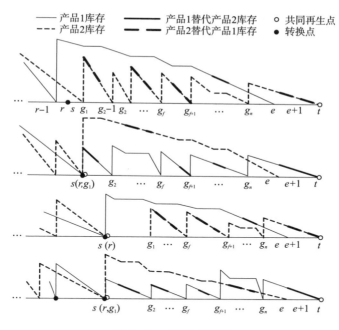

图 10-2　情形 1 示意图

情形 2　若 $g_1 \leqslant e < g$，此种情形的示意图如图 10-3 所示，假设 $g_f \leqslant e < g_{f+1}$，$g_1 \leqslant g_f < g_{f+1} \leqslant g_n$，因此有

$$
\begin{aligned}
V(r,s,\boldsymbol{g},e,t) = {}& c_{ir}\left(\sum_{q=1}^{n-1}\sum_{k\in U^1(g_q,g_{q+1}-1)}d_{ik} + \sum_{k\in U^1(g_n,e)}d_{ik} + \sum_{q=1}^{n-1}\sum_{k\in U^2(g_q,g_{q+1}-1)}d_{jk} + \sum_{k\in U^2(g_n,e)}d_{jk}\right) \\
& + \sum_{q=1}^{f-1}c_{jg_q}\left(\sum_{k\in U^3(g_q,g_{q+1}-1)}d_{jk} + \sum_{k\in U^4(g_q,g_{q+1}-1)}d_{ik}\right) + c_{jg_f}\left[\sum_{k\in U^3(g_f,e)}d_{jk} + \sum_{k\in U^4(g_f,e)}d_{ik}\right. \\
& \left. + \sum_{k=e+1}^{g_{f+1}-1}(d_{1k}+d_{2k})\right] + \sum_{q=f+1}^{n-1}\sum_{k=g_q}^{g_{q+1}-1}c_{jg_q}(d_{1k}+d_{2k}) + \sum_{k=g_n}^{t}c_{jg_n}(d_{1k}+d_{2k})
\end{aligned}
\tag{10-14}
$$

$$
\begin{aligned}
H(r,s,\boldsymbol{g},e,t) = {}& \sum_{l=r}^{g_1-1}h_{il}\left(\sum_{q=1}^{n-1}\sum_{k\in U^1(g_q,g_{q+1}-1)}d_{ik} + \sum_{k\in U^1(g_n,e)}d_{ik}\right) + \sum_{l=g_1}^{e}h_{il}\left[\sum_{q=1}^{n-1}\sum_{k\in U^1(g_q,g_{q+1}-1)}d_{ik}\right. \\
& \left. + \sum_{k\in U^1(g_n,e)}d_{ik} - \sum_{m=g_1}^{l}(d_{im}-y_{jim})\right] + \sum_{l=r}^{g_1-1}h_{il}\left(\sum_{q=1}^{n-1}\sum_{k\in U^2(g_q,g_{q+1}-1)}d_{jk} + \sum_{k\in U^2(g_n,e)}d_{jk}\right) \\
& + \sum_{l=g_1}^{e}h_{il}\left(\sum_{q=1}^{n-1}\sum_{k\in U^2(g_q,g_{q+1}-1)}d_{jk} + \sum_{k\in U^2(g_n,e)}d_{jk} - \sum_{m=g_1}^{l}y_{ijm}\right) \\
& + \sum_{q=1}^{f}\sum_{l=g_q}^{g_{q+1}-1}h_{jl}\left[\sum_{k\in U^3(g_q,g_{q+1}-1)}d_{jk} - \sum_{m=g_q}^{l}(d_{jm}-y_{ijm})\right] + \sum_{q=1}^{f}\sum_{l=g_q}^{g_{q+1}-1}h_{jl}\left(\sum_{k\in U^4(g_q,g_{q+1}-1)}d_{ik}\right. \\
& \left. - \sum_{m=g_q}^{l}y_{jim}\right) + \sum_{q=f+1}^{n-1}\sum_{k=g_q}^{g_{q+2}-2}\sum_{k=l+1}^{g_{q+2}-1}h_{jl}(d_{1k}+d_{2k}) + \sum_{k=g_n}^{t-1}\sum_{k=l+1}^{t}h_{jl}(d_{1k}+d_{2k})
\end{aligned}
\tag{10-15}
$$

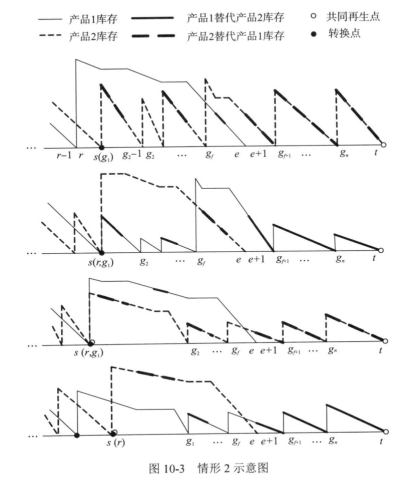

图 10-3　情形 2 示意图

$$W(r,s,\boldsymbol{g},e,t) = \sum_{q=1}^{n-1} \omega_{ijk} \left(\sum_{k \in U^2(g_q,g_{q+1}-1)} d_{jk} + \sum_{k \in U^2(g_n,e)} d_{jk} \right)$$

$$+ \sum_{q=1}^{n-1} \omega_{jik} \left(\sum_{k \in U^4(g_q,g_{q+1}-1)} d_{jk} + \sum_{k \in U^4(g_n,e)} d_{jk} \right) + \omega_{jik} \sum_{k=e+1}^{t} d_{ik} \qquad (10\text{-}16)$$

情形 3　若 $r \leqslant e < g_1$，此种情形的示意图如图 10-4 所示，可得

$$V(r,s,\boldsymbol{g},e,t) = \sum_{q=1}^{n-1} \sum_{k=g_q}^{g_{q+1}-1} c_{jg_q}(d_{1k}+d_{2k}) + \sum_{k=g_n}^{t} c_{jg_n}(d_{1k}+d_{2k}) \qquad (10\text{-}17)$$

$$H(r,s,\boldsymbol{g},e,t) = \sum_{q=1}^{n-1} \sum_{l=g_q}^{g_{q+1}-2} \sum_{k=l+1}^{g_{q+1}-1} h_{jl}(d_{1k}+d_{2k}) + \sum_{k=g_n}^{t-1} \sum_{l+1}^{t} h_{jl}(d_{1k}+d_{2k}) \qquad (10\text{-}18)$$

$$W(r,s,\boldsymbol{g},e,t) = \sum_{k=g_1}^{t} \omega_{jit} d_{ik} \qquad (10\text{-}19)$$

若在 $P(t)$ 的最优解中没有转换点，即从第 1 周期至第 t 周期两种产品的需求完全由产品 1 或者产品 2 各自满足。此种情形的示意图如图 10-5 所示。可得

$$C(g_n,t) = C(g_n-1) + c_{ig_n}\sum_{k=g_n}^{t}(d_{1k}+d_{2k}) + \sum_{l=g_n}^{t-1}\sum_{k=l+1}^{t}h_{il}(d_{1k}+d_{2k}) + \sum_{k=g_n}^{t}\omega_{ijk}d_{jk} \qquad (10\text{-}20)$$

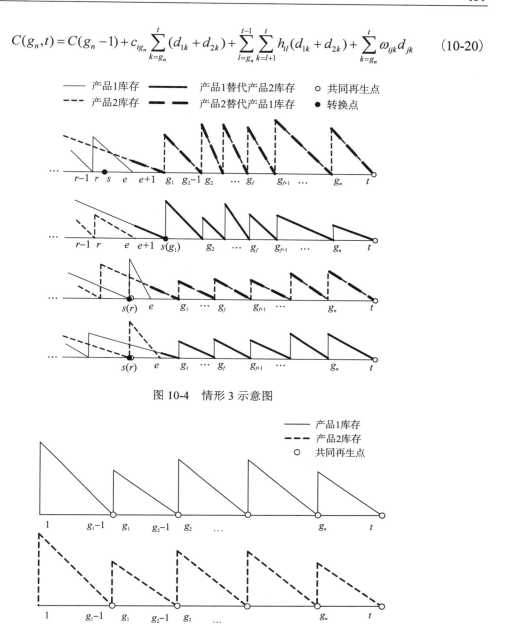

图 10-4　情形 3 示意图

图 10-5　特殊情形示意图

10.4　预测时阈分析

在 $P(t)$ 最优解中，若最后一个转换周期仅发生一次生产转换且生产转换是由产品 i 转换到产品 j 或最后一个转换周期发生两次生产转换、第二次生产转换是由产品 i 转换到产品 j。令 $s_i(t)$ 代表 $P(t)$ 最优解中最后一个由产品 i 转换到产品 j 的转换点，$r_i(t)$ 代表 $P(t)$ 最优解中小于等于 $s_i(t)$ 的最后一个生产点，$g_1(t)$ 代表 $P(t)$ 最优解中大于等于 $s_i(t)$ 的第一个生产点；$g_2(t), g_3(t), \cdots, g_n(t)$ 为 $g_1(t)$ 之后的生产点，则 $g_n(t)$ 为 $P(t)$ 最优解中最后一个生产点；$e(t)$ 代表 $P(t)$ 最优解中大于等于最后一个产品 i 的生产点的第一个产品 i 的再生点。若在 $P(t)$ 最优解中没有转换点，则令 $g_n(t)$ 为 $P(t)$ 最优解中最后一个生产点。由以上定义可得

$$C(t) = \min\{_{1 \leqslant r \leqslant s \leqslant t, s \leqslant g_1 < g_2 < \cdots < g_n \leqslant t, r \leqslant e \leqslant t} C^1(r, s, \boldsymbol{g}, e, t);$$

$$_{1 \leqslant r = s = g_1 < g_2 < \cdots < g_n \leqslant t, r \leqslant e \leqslant t} C^2(r, s, \boldsymbol{g}, e, t); _{1 \leqslant g_n \leqslant t} C(g_n, t)\} \tag{10-21}$$

$$= \min\{C^1(r_i(t), s_i(t), \boldsymbol{g}(t), e(t), t); C^2(r_i(t), s_i(t), \boldsymbol{g}(t), e(t), t); C(g_n(t), t)\}$$

本章寻找预测时阈的方法仅适用于在 $P(t)$ 的最优解中有转换点的情形。若 $P(t)$ 的最优解中没有转换点，即 $C(t) = C(g_n(t), t)$，则用本章的方法是不能寻找到预测时阈的，因此以下求解预测时阈的各节不考虑最优解中无转换点的情形，即只考虑

$$C(t) = \min\{C^1(r_i(t), s_i(t), \boldsymbol{g}(t), e(t), t); C^2(r_i(t), s_i(t), \boldsymbol{g}(t), e(t), t)\} \tag{10-22}$$

令 $m(it)$ 为使 a_{int} 最小的周期，$i = 1, 2$，$1 \leqslant n \leqslant t$。例如，对于任意 k，$1 \leqslant k \leqslant t$，$k \neq n$，都有 $a_{ikt} \geqslant a_{int}$，则 $m(it) = n$。令 $m^-(it)$ 为使 a_{int} 倒数第二小的周期。对于 $m(it)$，更为正式的定义如下：

$$a_{im(it)} = \min_{1 \leqslant n \leqslant t}(a_{int}), \quad i = 1, 2$$

由 $m(it)$ 的定义可得如下两个边际成本之间的不等式关系：对于任意周期 k，若 $k < m(it)$，则有 $c_{ik} + \sum\limits_{l=k}^{t-1} h_{il} > c_{im(it)} + \sum\limits_{l=m(it)}^{t-1} h_{il}$，化简可得 $c_{ik} + \sum\limits_{l=k}^{m(it)-1} h_{il} > c_{im(it)}$；若 $k > m(it)$，则有 $c_{ik} + \sum\limits_{l=k}^{t-1} h_{il} > c_{im(it)} + \sum\limits_{l=m(it)}^{t-1} h_{il}$，化简可得 $c_{ik} > c_{im(it)} + \sum\limits_{l=m(it)}^{k-1} h_{il}$。

令 $N(t)$ 代表 $P(t)$ 的最优解中转换点的个数。以下内容中为了简化符号，将 g_n 和 $g_n(t)$ 简记为 g 和 $g(t)$。

引理 10-1　在 $P(t)$ 的最优解中：

(1) 若 $s_1(t) > s_2(t)$（或 $s_1(t) = s_2(t)$ 且由产品 1 转换到产品 2 是第二次生产转换）、$r_2(t) = m^-(2t)$、$r_1(t) = m(1t)$ 和 $g(t) = m(2t)$ 成立，则在 $P(t+1)$ 的最优解中存在 $N(t+1) \geqslant N(t) - 1$。

(2) 若 $s_2(t) > s_1(t)$（或 $s_1(t) = s_2(t)$ 且由产品 2 转换到产品 1 是第二次生产转换）、$r_1(t) = m^-(1t)$、$r_2(t) = m(2t)$ 和 $g(t) = m(1t)$ 成立，则在 $P(t+1)$ 的最优解中存在 $N(t+1) \geqslant N(t) - 1$。

令 $r_i^l(t)$ 代表 $P(t)$ 的最优解中产品 i 的最后一个生产点，以下定理阐述了生产点的单调性质。

引理 10-1 的证明见附录九。

定理 10-3　在 $P(t)$ 的最优解中：

(1) 若 $s_1(t) > s_2(t)$（或 $s_1(t) = s_2(t)$ 且由产品 1 转换到产品 2 是第二次生产转换）、$r_2(t) = m^-(2t)$、$r_1(t) = m(1t)$ 和 $g_n(t) = m(2t)$ 成立，则在 $P(t+1)$ 的最优解中有 $r_1^l(t+1) \geqslant r_1(t+1)$ 和 $r_2^l(t+1) \geqslant r_2(t)$ 成立。

（2）若 $s_2(t) > s_1(t)$（或 $s_1(t) = s_2(t)$ 且由产品 2 转换到产品 1 是第二次生产转换）、$r_1(t) = m^-(1t)$、$r_2(t) = m(2t)$ 和 $g_n(t) = m(1t)$ 成立，则在 $P(t+1)$ 的最优解中有 $r_1^l(t+1) \geqslant r_1(t+1)$ 和 $r_2^l(t+1) \geqslant r_2(t)$ 成立。

定理 10-3（证明见附录九）表示在 $P(t)$ 的最优解中，若满足一定的条件，则在 $P(t+1)$ 的最优解中产品 i（$i=1,2$）的最后一个生产点不会小于 $P(t)$ 最优解中最后一个转换点之前的最大生产点。

定理 10-4　在 $P(t)$ 的最优解中：

（1）若 $s_1(t) > s_2(t)$（或 $s_1(t) = s_2(t)$ 且由产品 1 转换到产品 2 是第二次生产转换）、$r_2(t) = m^-(2t)$、$r_1(t) = m(1t)$ 和 $g(t) = m(2t)$ 成立，且有 $x_{1l}^*(r_2(t)-1) = x_{1l}^*(r_2(t)) = \cdots = x_{1l}^*(t-1)$ 和 $x_{2l}^*(r_2(t)-1) = x_{2l}^*(r_2(t)) = \cdots = x_{2l}^*(t-1)$ 对于 $l = 1,2,\cdots,\tau$（$1 \leqslant \tau \leqslant r_2(t)-1$）成立，则对于任意更长周期的问题 $P(t^*)$，周期 t 为预测时阈，周期 τ 为相应的决策时阈，$t^* > t$。

（2）若 $s_2(t) > s_1(t)$（或 $s_1(t) = s_2(t)$ 且由产品 2 转换到产品 1 是第二次生产转换）、$r_1(t) = m^-(1t)$、$r_2(t) = m(2t)$ 和 $g(t) = m(1t)$ 成立，且有 $x_{1l}^*(r_1(t)-1) = x_{1l}^*(r_1(t)) = \cdots = x_{1l}^*(t-1)$ 和 $x_{2l}^*(r_1(t)-1) = x_{2l}^*(r_1(t)) = \cdots = x_{2l}^*(t-1)$ 对于 $l = 1,2,\cdots,\tau$（$1 \leqslant \tau \leqslant r_1(t)-1$）成立，则对于任意更长周期的问题 $P(t^*)$，周期 t 为预测时阈，周期 τ 为相应的决策时阈，$t^* > t$。

其中 $x_{iz}^*(t)$ 的定义同 7.5 节。

通过构造数值实验来进一步理解如下情形预测时阈的特征：需求单向和双向替代以及同一周期生产转换最多发生一次和可以发生多次。实验设计如下：假设每一周期两产品的需求服从均值为 15、标准差为 10 的正态分布。任何情形下，若生成的需求小于等于 0，则将需求设定为 1。每一周期的产品 1（2）转换到产品 2（1）的生产转换成本取 6 个值，即 10、20、30、50、75 和 100。产品 1（2）替代产品 2（1）的替代成本设定为 4。两产品的持有成本设定为 1。对于在成本参数非时变情形下的需求单（双）向替代和同一周期生产转换发生一（多）次情形下此问题的动态规划算法以及预测时阈求解可参见靖富营（2019）、Mu 和 Jing（2021）的文献。为了方便找到预测时阈，实验运行 13 次，因此实验运行的总次数为 $2 \times 2 \times 7 \times 13 = 364$。

图 10-6 描述了需求单向替代和双向替代对总成本的影响。生产转换成本和替代成本分别设置为 50 和 4，同一周期允许多次生产转换，计算 10 个周期的总成本。图 10-7 描述

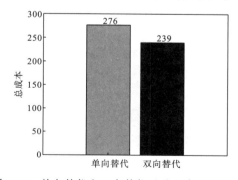

图 10-6　单向替代和双向替代对总成本的影响

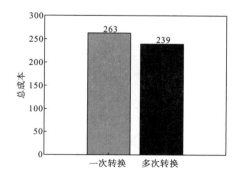

图 10-7　同一周期一次生产转换和多次生产
转换对总成本的影响

了同一周期生产转换最多发生一次与允许发生多次对总成本的影响。同样生产转换成本和替代成本分别设置为 50 和 4，考虑双向替代情形，计算 10 个周期的总成本。综合图 10-6 和图 10-7 可得双向替代和同一周期多次转换策略能够降低企业的成本。

　　图 10-8 描述了预测时阈作为生产转换成本和需求单(双)向替代函数的变化趋势。在给定生产转换成本不变的情形下，双向替代情形下的预测时阈要大于单向替代情形下的预测时阈，另外，发现预测时阈随着生产转换成本的增加而显著递增，主要原因如下：相比于单向替代，双向替代进一步增加了决策柔性，即增加了决策的复杂性，因此只有通过优化更长决策周期的问题才可以得到当期的最优决策。当生产转换成本较大时，每一周期将生产更多的产品以满足更长周期的需求，即一次决策所覆盖的周期数更多，因此导致更长的预测时阈。

　　图 10-9 描述了预测时阈作为生产转换成本和同一周期生产转换次数函数的变化趋势。发现同一周期只允许转换一次情形下的预测时阈要大于允许多次转换情形下的预测时阈，主要原因是转换次数相同的条件下，若同一周期生产转换只允许发生一次，则将会占用更长的周期，即当期的最优决策要求在更长的周期中去选择。

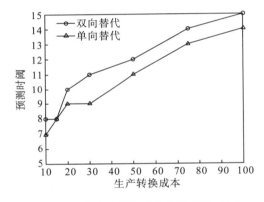 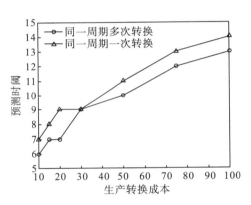

图 10-8　作为生产转换成本和需求单(双)向　　　　　图 10-9　作为生产转换成本和同一周期一次
　　　　替代函数的预测时阈　　　　　　　　　　　　　　　　及多次转换函数的预测时阈

　　综上，若企业想利用双向替代来降低成本，则需要处理未来更长周期的数据信息，以做出更加准确的当前生产决策。另外，若企业想处理较短周期的数据信息便可做出准确的当前生产决策，则需要利用多次生产转换来实现生产的柔性。

10.5　一类特殊情形

　　在时变成本下，研究了需求双向替代和同一周期生产转换可以多次发生情形下动态批量决策与预测时阈问题。本节考虑一类特殊情形，即除库存成本，其他成本均为非时变情形，新增符号定义如表 10-2 所示。

表 10-2　符号定义 2

符号	含义
c_i	产品 i 的单位生产成本，$i=1,2$
ω_{ij}	产品 i 替代产品 j 的替代成本，$i,j=1,2$，$i \neq j$
K_{ij}	生产由产品 i 转换到产品 j 的转换成本，$i=1,2$，$i \neq j$

在生产转换成本、两产品的单位生产成本和替代成本非时变情形下，成本最小化的目标函数如下：

$$\min\left[\sum_{t=1}^{T}(K_{12}\delta_{12t}+K_{21}\delta_{21t})+\sum_{t=1}^{T}\sum_{i=1}^{2}(c_ix_{it}+h_{it}I_{it})+\sum_{t=1}^{T}(\omega_{12}y_{12t}+\omega_{21}y_{21t})\right] \tag{10-23}$$

在成本非时变的特殊情形下，最优解存在如下性质。

定理 10-5 在 T-周期问题的最优解中，任意周期 t 生产转换次数最多发生 1 次，$1 \leqslant t \leqslant T$。

同样，若企业生产 N 种产品，$N \geqslant 3$，则上述性质的一般形式为：任意周期 t 生产转换次数最多发生 $N-1$ 次。

定理 10-6 在 $P(T)$ 的最优解中，对于任意 t（$1 \leqslant t \leqslant T$），产品 i 和产品 j（$i,j=1,2$，$i \neq j$）有如下性质成立：

(1) $x_{it} \in \left\{0, \sum_{l=t}^{m}d_{il}, d_{jt}+\sum_{l=t}^{m}d_{il}\right\}, t \leqslant m \leqslant T$；

(2) $I_{i,t-1}x_{it}=0$；

(3) $x_{jt}y_{ijt}=0$；

(4) $I_{i,t-1}y_{ijt}=0$；

(5) $I_{j,t-1}y_{ijt}=0$；

(6) $I_{1t}I_{2t}=0$；

(7) $y_{12t}y_{21t}=0$。

以上性质是定理 10-2 的拓展，证明略。

下面根据定理 10-6 设计前向动态规划算法求解该模型。因为同一周期允许生产两种产品，因此根据最后一个转换点是否生产两种产品分情形讨论。

令 $C^1(r,s,e,t)$ 表示最后一个转换点 s 只生产一种产品，s 之前的最后一个生产点是 r，r 及其后的第一个共同再生点为 e 时 $P(t)$ 的最优成本，$r \leqslant e \leqslant t$，$1 \leqslant r < s \leqslant t$，则 $r=s-1$ 仍然成立。

令 $C^2(r,s,e,t)$ 表示最后一个转换点 s 生产两种产品，发生在周期 s 的另外一种产品的生产点是 r，r 及其后的第一个共同再生点为 e 时 $P(t)$ 的最优成本，$1 \leqslant s=r \leqslant t$，$s=r \leqslant e \leqslant t$，$1 \leqslant r < s \leqslant t$。根据以上定义有

$$C(t) = \min\left\{{}_{1\leqslant r<s\leqslant t;r\leqslant e\leqslant t}\,C^1(r,s,e,t);{}_{1\leqslant s=r\leqslant t;s=r\leqslant e\leqslant t}\,C^2(r,s,e,t);\omega_{12}\sum_{l=1}^{t}d_{2l};\omega_{21}\sum_{l=1}^{t}d_{1l}\right\} \tag{10-24}$$

其中

$$C^1(r,s,e,t) = C(s-1) + K$$

$$+ \begin{cases} \sum_{l=s}^{t}(c_1 d_{1l} + c_2 d_{2l}) + \sum_{l=r}^{t-1}\sum_{k=l+1}^{t} h_{il} d_{ik}, & e=t, \quad i=1,2 \\ \sum_{l=s}^{e}(c_1 d_{1l} + c_2 d_{2l}) + \sum_{l=e+1}^{t} c_j(d_{1l} + d_{2l}) + \sum_{l=r}^{e-1}\sum_{k=l+1}^{e} h_{il} d_{ik} + \sum_{l=e+1}^{t}\omega_{ji} d_{il}, & r+1 \leqslant e < t, \quad i,j=1,2, \quad i \neq j \\ \sum_{l=s}^{t} c_j(d_{1l} + d_{2l}) + \sum_{l=r+1}^{t}\omega_{ji} d_{il}, & e=r, \quad i,j=1,2, \quad i \neq j \end{cases}$$

$$(10\text{-}25)$$

$$C^2(r,s,e,t) = C(s-1) + K$$

$$+ \begin{cases} \sum_{l=s}^{t}(c_1 d_{1l} + c_2 d_{2l}) + \sum_{l=s}^{t-1}\sum_{k=l+1}^{t} h_{il} d_{ik}, & e=t, \quad i=1,2 \\ \sum_{l=s}^{e}(c_1 d_{1l} + c_2 d_{2l}) + \sum_{l=e+1}^{t} c_j(d_{1l} + d_{2l}) + \sum_{l=s}^{e-1}\sum_{k=l+1}^{e} h_{il} d_{ik} + \sum_{l=e+1}^{t}\omega_{ji} d_{il}, & s+1 \leqslant e < t, \quad i,j=1,2, \quad i \neq j \\ c_i d_{is} + c_j d_{js} + \sum_{l=s+1}^{t} c_j(d_{1l} + d_{2l}) + \sum_{l=s+1}^{t}\omega_{ji} d_{il}, & e=s, \quad i,j=1,2, \quad i \neq j \end{cases}$$

$$(10\text{-}26)$$

对于 $C^1(r,s,e,t)$ 的计算类似 7.4 节，分三种情形讨论，计算示意图如图 10-10 所示，这里不再赘述。

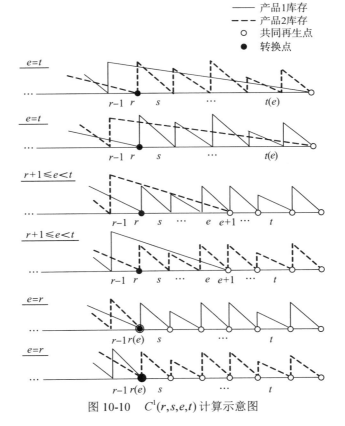

图 10-10 $C^1(r,s,e,t)$ 计算示意图

对于 $C^2(r,s,e,t)$ 的计算，同样考虑三种情形，三种情形的示意图如图 10-11 所示。

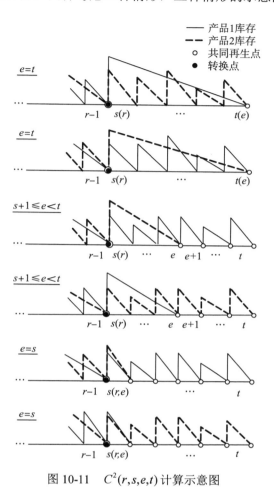

图 10-11　$C^2(r,s,e,t)$ 计算示意图

情形 1　若 $e=t$，则表示在 $P(t)$ 的最优解中从周期 r 到周期 t 仅有周期 t 一个共同再生点。若周期 $s(r)$ 是由产品 i 转换到产品 j 的转换点，$i,j=1,2$，$i \neq j$，则从周期 $s(r)$ 到周期 t 产品 j 的需求由周期 k 的生产满足，$s \leqslant k \leqslant t$。从周期 s 到周期 t 产品 i 的需求由周期 $s(r)$ 生产的产品库存满足。因此，满足两产品从周期 s 到周期 t 的需求所产生的成本为转换成本 K、两产品的变动生产成本 $\sum\limits_{l=s}^{t}(c_1 d_{1l}+c_2 d_{2l})$ 和产品 i 的库存成本 $\sum\limits_{l=s}^{t-1}\sum\limits_{k=l+1}^{t}h_{il}d_{ik}$ 之和。

情形 2　若 $s+1 \leqslant e < t$，则 $P(t)$ 的最优解中从周期 e 到周期 t 每一周期都为共同再生点。若周期 $s(r)$ 是由产品 i 到产品 j 的转换点，$i,j=1,2$，$i \neq j$，则从周期 s 到周期 t 产品 j 的需求由周期 k（$s \leqslant k \leqslant t$）的生产满足，而从周期 s 到周期 e 产品 i 的需求由周期 r 生产的库存满足，从周期 $e+1$ 到周期 t 产品 i 的需求由每一周期生产的产品 j 满足（产品 j 替代产品 i）。因此，满足从周期 s 到周期 t 的两种产品的需求所产生的成本为转换成本 K、两种产品的变动生产成本 $\sum\limits_{l=s}^{e}(c_1 d_{1l}+c_2 d_{2l})+\sum\limits_{l=e+1}^{t}c_j(d_{1l}+d_{2l})$、产品 i 的库存成本 $\sum\limits_{l=s}^{e-1}\sum\limits_{k=l+1}^{e}h_{il}d_{ik}$ 和

产品 j 替代产品 i 的替代成本 $\sum_{l=e+1}^{t}\omega_{ji}d_{il}$ 之和。

情形 3 若 $e=s$，则 $P(t)$ 的最优解中从周期 $s(r)$ 到周期 t 每一周期都为共同再生点。若周期 $s(r)$ 是由产品 i 转换到产品 j 的转换点，$i,j=1,2$，$i \neq j$，则从周期 s 到周期 t 产品 j 的需求由周期 k（$s \leqslant k \leqslant t$）的生产满足，周期 $s+1$ 产品 i 的需求由周期 $s+1$ 的生产满足，从周期 $s+1$ 到周期 t 产品 i 的需求由每一周期生产的产品 j 满足（产品 j 替代产品 i）。因此，满足从周期 s 到周期 t 的两种产品的需求所产生的成本为生产转换成本 K、两种产品的变动生产成本 $c_i d_{is}+c_j d_{js}+\sum_{l=s+1}^{t}c_j(d_{1l}+d_{2l})$ 和产品 j 替代产品 i 的替代成本 $\sum_{l=s+1}^{t}\omega_{ji}d_{il}$ 之和。

注：若 $P(t)$ 的最优解中没有转换点，即从 1 期到 t 期两种产品的需求全部由产品 1 或者产品 2 的生产满足。因此，从 1 期到 t 期的最优成本为 $\omega_{12}\sum_{l=1}^{t}d_{2l}$ 或 $\omega_{21}\sum_{l=1}^{t}d_{1l}$。此种情形如图 10-12 所示。

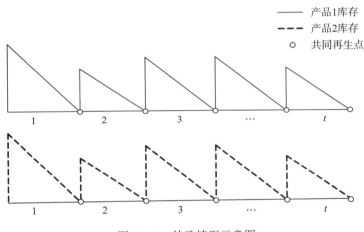

图 10-12　特殊情形示意图

对于成本参数非时变情形，双向替代且同一周期允许多次生产转换的动态批量问题预测时阈的求解同 7.5 节，即 7.5 节中转换点个数有下界的性质及两产品最后一个生产点单调性质，在本节中也成立，证明过程稍作变换即可。

10.6　本　章　小　结

由于产品双向替代能够使企业拥有更大的柔性，因而产品双向替代情形在企业生产运营实践中普遍存在。另外，部分企业生产转换过程用时较短，每一周期能够生产两种甚至多种产品。针对这种现实情况，本章将单向替代情形拓展到双向替代，且将每一周期生产线上只能生产一种产品情形拓展到允许生产两种产品。有趣的是，即便允许同一周期发生多次生产转换，但在模型的最优解中同一周期生产转换次数也不会发生多次。对于两产品，若生产转换成本和变动生产成本时变，则任意周期 t 生产转换次数最多为 2；若生产转换成本和变动生产成本非时变，则任意周期 t 生产转换次数最多为 1。这一结果表明，企业生产中不会在同一周期频繁进行生产转换，即给出了判别企业生产与转换计划是否合理的一条简单易用的经验法则。同样，在最优解性质的基础上，设计前向动态规划算法求解问题。利用边际成本分析方法，给出了两产品转换点个数存在下界的性质和两产品生产点的单调性质，由于零库存性质成立，由两产品生产点的单调性质直接可得两产品再生点的单调性质。在两产品再生点单调性的基础上构造两产品再生集，给出求解预测时阈的充分条件。最后，运用数值实验分析了需求单向替代和双向替代情形下预测时阈的相对大小，以及同一周期最多发生一次生产转换与可以发生多次生产转换情形下预测时阈的相对大小。发现需求双向替代将增加预测时阈的长度，而同一周期可以发生多次生产转换将降低预测时阈的长度。

参 考 文 献

靖富营. 2019. 需求替代和生产转换下动态批量决策与预测时阈研究[D]. 成都：电子科技大学.

Bardhan A，Dawande M，Gavirneni S，et al. 2013. Forecast and rolling horizons under demand substitution and production changeovers: Analysis and insights[J]. IIE Transactions，45（3）：323-340.

Dawande M，Gavirneni S，Mu Y P，et al. 2010. On the interaction between demand substitution and production changeovers[J]. Manufacturing and Service Operations Management，12（4）：682-691.

Deniz B，Karaesmen I，Scheller-Wolf A. 2010. Managing perishables with substitution: Inventory issuance and replenishment heuristics[J]. Manufacturing & Service Operations Management，12（2）：319-329.

Ernst R，Kouvelis P. 1999. The effects of selling packaged goods on inventory decisions[J]. Management Science，45（8）：1142-1155.

Khouja M，Mehrezb A，Rabinowitzbz G. 1996. A two-item newsboy problem with substitutability[J]. International Journal of Production Economics，44：267-275.

Lang J C，Domschke W. 2010. Efficient reformulations for dynamic lot-sizing problems with product substitution[J]. OR Spectrum，32（2）：263-291.

Mu Y P，Jing F Y. 2021. Forecast horizons under demand substitution and production changeovers: A generalized mode[Z]. Working paper.

Nagarajan M，Rajagopalan S. 2008. Inventory models for substitutable products: Optimal policies and heuristics[J]. Management Science，54（8）：1453-1466.

Pasternack B A，Drezner Z. 1991. Optimal inventory policies for substitutable commodities with stochastic demand[J]. Naval Research Logistics，38：221-240.

Tan B，Karabati S. 2013. Retail inventory management with stock-out based dynamic demand substitution[J]. International Journal of Production Economics，145：78-87.

易 逝 品 篇

第11章 需求损失的易逝品动态批量与预测时阈

11.1 问题背景

现实生产和生活中，除了汽车、建材、机械设备等使用时间较长的耐用品，还有一类产品与人们日常生活和企业生产密不可分，这一类产品的生命周期较短，如杂志、果蔬、血液、时装等，称为易逝品。另外，随着市场竞争的日益加剧和企业生产技术的不断提高，产品更新换代的速度也在不断加快，使得一些耐用品也表现出易逝性的特征，如电子产品等。由于易逝品(易腐品)在企业生产和人们生活中的普遍性与重要性，易腐品的生产(采购)批量管理问题不仅在业界受到持续关注，而且也一直是学术研究的热点问题。较高的损耗是易逝品运营的难题之一。据统计，我国的果蔬在运输途中损耗近三成，生鲜电商的损耗普遍在 5%～8%，有的甚至超过 10%。由于易逝品的高损耗性和难以长时间存储等特征，需求损失策略在易逝品运营过程中经常被使用。需求损失即意味着客户流失，企业并不希望频繁采用需求损失策略。因此，如何基于需求损失策略分析最优的动态批量与预测时阈问题，是易逝品运营管理的重要研究主题。一些学者将需求损失视为需求外包(Zhong et al.，2016；Chu et al.，2013)，研究需求损失模型即研究企业如何配合使用自身采购和需求外包两种策略满足需求以降低运营成本。在需求损失的情形下，运营经理需要解决如下三个问题：①何种条件下需要满足需求，何种条件下可以允许缺货？②需求被满足的数量和缺货数量为多少合适？③在做当前的决策时，需要预测未来多长时间的需求与成本信息？

Smith(1975)提出了易腐品定价订货联合决策的动态批量问题，在零库存性质成立的基础上设计了算法求解问题。易腐品动态批量问题中的零库存性质在单位生产成本时变的情形下不再成立(Friedman and Hoch，1978)。因此，Smith(1975)设计的求解问题算法对于时变成本是不准确的。Friedman 和 Hoch(1978)研究了存在库存损失的动态批量模型，通过寻求最优解的性质给出动态规划算法，同时分析了预测时阈问题。但假设了非时间依赖的库存成本和库存损失率函数，这一假设对于非易逝性产品是合理的，但对于易逝品是不符合现实情况的(Hsu，2000)。Hsu(2000)首次分析了库存损失率和库存成本函数依赖于库存时间的易逝品动态批量问题，给出了最优解的"单源满足"性质和"先进先出"性质，利用最优解的性质设计了动态规划算法。Hsu(2003)将时间依赖的库存损失率和库存持有成本函数的易逝品动态批量模型拓展到延迟交货情况，延迟交货成本也是时间依赖的。但该类研究假设库存能力为无穷大，也没有分析预测时阈问题。而本章将研究库存能力有限的情形下易逝品动态批量决策及预测时阈问题。Chu 等(2005)在一般性的规模经济成本函数下研究了易逝品动态批量模型，证明了此种情形下该问题为 NP-难问题，并给出了一种多项式时间的近似算法。Sargut 和 Isik(2017)拓展了 Hsu(2003)的研究，考虑了生产能力约束，证明了所研究问题为 NP-难问题，在最优解性质的基础上，给出了求解最优生产和分配计划的启发式算法。Qiu 等(2019)研究了易逝品生产、库存与配送集成优化的动态批量问题，在最优解性质的基础上设计了分支定界算法求解问题，并用数值实验分析了算法的效率。最后以实际案例分析了所构造模型的合理性。以上易逝品动态批量文献大多聚焦于设计算法求解模型，只有较少的文献分析了预测时阈问题。基于此，本章重点解决需求损失情形下易逝品动态批量决策中的算法设计与预测时阈问题。

11.2　模　型　构　建

早期的易逝品动态批量研究文献大都假定库存损失率和库存成本函数独立于库存持有时间(Friedman and Hoch，1978；Smith，1975)。独立于库存时间的库存成本函数假设对于耐用品或者没有库存损失的易逝品(如生命周期较短的易逝品)是合理的，因为耐用品或者生命周期较短的易逝品没有损失或者等级的降低，可以不考虑产品来自于哪一周期的生产，同一周期持有的库存可以视为同一批量。但对于有库存损失的易逝品，这一假设是不合理的，因为易逝品有库存损失，而且库存持有时间越长损失率越大，同一周期持有的在不同周期生产的产品库存由于等级变化也不能视为同一批量。因此，适用于耐用品的经典动态批量模型不再适用于具有库存损失的易逝品动态批量问题。基于此，本章研究需求损失情形下易逝品生产动态批量决策问题。库存损失率与库存成本依赖于库存时间(库龄)，成本包括生产成本、库存成本和缺货成本。生产成本为固定-线性函数形式，库存成本和缺货成本为线性函数形式。

构造模型需要定义如表 11-1 所示符号。

表 11-1　符号定义

符号	含义
T	时间周期
$P(t)$	t-周期问题，$1 \leqslant t \leqslant T$
X_t	第 t 期期初产品的生产(采购)数量，$1 \leqslant t \leqslant T$
d_t	第 t 期期初产品的需求，$1 \leqslant t \leqslant T$
Z_{it}	第 i 期期初生产的产品用以满足第 t 期期初需求的数量，$1 \leqslant i \leqslant t \leqslant T$
I_{it}	第 i 期期初生产的产品持有到第 t 期期初，减去第 i 到第 $t-1$ 期每一期的库存损失和用以满足第 t 期期初的需求之后的库存数量，$1 \leqslant i \leqslant t \leqslant T$
S_t	第 t 期的需求损失(缺货)数量，$1 \leqslant t \leqslant T$
c_t	第 t 期期初产品的单位生产成本，$1 \leqslant t \leqslant T$
h_{it}	第 t 期持有 I_{it} 数量的单位库存成本，$1 \leqslant i \leqslant t \leqslant T$
σ_t	第 t 期期初生产产品的固定(启动)成本，$1 \leqslant t \leqslant T$
p_t	第 t 期的单位缺货成本，$1 \leqslant t \leqslant T$
α_{it}	库存 I_{it} 在第 T 期的损失率，$1 \leqslant i \leqslant t \leqslant T$
$\delta(x)$	二元变量，$\delta(x) = \begin{cases} 1, & x > 0 \\ 0, & x \leqslant 0 \end{cases}$

若 $0 \leqslant a_{i,t-1} < 1$ 且 $a_{it} = 1$，$t \geqslant i+1$，则定义易逝品的生命周期为 $t-i+1$，即 $m = t-i+1$。若 $a_{ii} = 1$，则定义易逝品的生命周期为 1，即 $m = 1$。

现实情形中，易逝品库存持有时间越长，库存损失率和库存成本越大，因此有如下两个关于库存损失率和库存成本的假设(假设 1 和假设 2)。另外，假设缺货成本不小于单位生产成本(假设 3)。这一假设也是合理的，若单位生产成本大于缺货成本，则每一周期都不会生产，需求全部损失是最优的。在后面的成本最小化目标函数等价于利润最大化目标函数的内容中也将详细说明这一假设的合理性。成本最小化的目标函数中缺货成本在利润最大化的目标函数中是销售价格，而每一单位的销售价格不可能小于每一单位的生产成本，从这一角度看假设 3 也是合理的。根据表 11-1 中的符号定义，以上假设可以归纳如下

假设 1　$\alpha_{it} \geqslant \alpha_{jt}$，$1 \leqslant i \leqslant j \leqslant t \leqslant T$。

假设 2　$h_{it} \geqslant h_{jt}$，$1 \leqslant i \leqslant j \leqslant t \leqslant T$。

假设 3　$p_t \geqslant c_t$，$1 \leqslant t \leqslant T$。

不失一般性，假设初始周期和结束周期库存为零，生产提前期为零。根据以上定义和假设，易逝性库存和缺货下动态批量模型可表示为

$$\min \sum_{t=1}^{T} \left(\sigma_t \delta(X_t) + c_t X_t + \sum_{i=1}^{t} h_{it} I_{it} + p_t S_t \right) \tag{11-1}$$

约束条件为

$$X_t - Z_{tt} = I_{tt}, \quad 1 \leqslant t \leqslant T \tag{11-2}$$

$$(1 - \alpha_{i,t-1}) I_{i,t-1} - Z_{it} = I_{it}, \quad 1 \leqslant i < t \leqslant T \tag{11-3}$$

$$\sum_{i=1}^{t} Z_{it} + S_t = d_t, \quad 1 \leqslant t \leqslant T \tag{11-4}$$

$$X_t, I_{it}, Z_{it}, S_t \geqslant 0, \quad 1 \leqslant i \leqslant t \leqslant T \tag{11-5}$$

企业的目标是 T 个周期的启动成本、变动成本、库存成本与缺货成本之和最小。约束条件(11-2)表示在 t 期期初生产的产品数量减去满足第 t 期需求的数量之后剩余的库存数量。约束条件(11-3)表示由第 i 期期初生产的产品持有到第 $t-1$ 期的库存减去第 $t-1$ 期的库存损失、再减去满足第 t 期需求的数量之后剩余的库存数量。约束条件(11-4)表示 t 期需求量等于 $1 \sim t$ 期的生产量加上缺货量。约束条件(11-5)是非负约束。

以上成本最小化模型等价于利润最大化模型。成本最小化模型中的 p_t 在利润最大化模型中代表销售价格，其余符号含义一致。周期 t 实际的销量为 $d_t - S_t$，实际收益(毛利润)为当期的销售价格乘以当期的实际销量，净收益为当期的实际收益(毛利润)减去当期的成本。因此，T 周期最大化的总利润为

$$\max \sum_{t=1}^{T} \left(p_t(d_t - S_t) - \sigma_t \delta(X_t) - c_t X_t - \sum_{i=1}^{t} h_{it} I_{it} \right) \tag{11-6}$$

将式(11-6)变形可得

$$\max \sum_{t=1}^{T} \left[p_t d_t - \left(\sigma_t \delta(X_t) + c_t X_t + \sum_{i=1}^{t} h_{it} I_{it} + p_t S_t \right) \right] \tag{11-7}$$

因为 p_t 和 d_t 是常数，所以方程(11-7)等价于成本最小化的目标函数。

以下内容将在成本最小化的目标函数下进行研究。

令 SP 代表所构造的需求损失情形下易逝品动态批量问题。在以下内容中，令 $\Omega = \{X, I, Z\}$ 代表 T-周期问题的一个可行解，$V(\Omega)$ 代表相应的目标函数值。

根据 Zangwill(1968，1969)、Sandbothe 和 Thompson(1990)、Hsu(2000)和 Aksen 等(2003)的研究，以上所构造的问题 SP 等价于最小凹成本网络流问题：

(1)定义一个主供应点 M；

(2)定义两个子供应点 F 和 S；

(3)定义一个需求节点 D_t，每一个需求节点对应于需求 d_t，$1 \leqslant t \leqslant T$；

(4)对于一组周期 i 和 t，定义节点 N_{it}，$1 \leqslant i \leqslant t \leqslant T$；

(5)对于周期 t，$1 \leqslant t \leqslant T$，若有向弧 (F, N_{tt}) 上的流 $X_t > 0$，则弧上的成本为 $\sigma_t + c_t X_t$，否则弧上的成本为 0；

(6)对于一组周期 i 和 t，$1 \leqslant i \leqslant t \leqslant T-1$，有限弧 $(N_{it}, N_{i,t+1})$ 以成本 h_{it} 转运一单位流；

(7)对于周期 t，$1 \leqslant t \leqslant T$，有向弧 (S, D_t) 以成本 p_t 转运一单位流。

所构造的网络图 G 如图 11-1 所示。所构造的问题 SP 等价于具有流损失的最小凹成本网络流问题。对于 $1 \leqslant i \leqslant t \leqslant T-1$，$\alpha_{it}$ 是弧 $(N_{it}, N_{i,t+1})$ 上的损失，其他弧上流的损失为零。SP 中的约束条件(11-2)～(11-4)与节点 N_{tt}、N_{it} 和 D_t 所构成的弧一一对应。

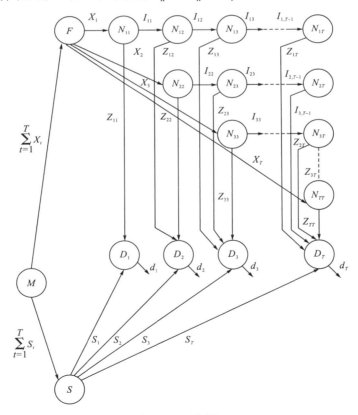

图 11-1　网络图 G

11.3 前向动态规划算法

本节首先研究最优解的结构性质，然后依据结构性质设计动态规划算法。在没有缺货情形下的易逝品动态批量问题中，Hsu(2000)阐述了区间分割性质(interval division property，IDP)，即在最优解中某一周期生产的产品将会满足一个或连续多个周期的需求，并据此设计了一类动态规划算法。然而，在允许缺货的情形下，区间分割性质将不再成立。接下来将分析缺货情形下最优解的结构性质。

因为有库存损失，为了简化公式，定义如下符号。

定义 $A_{kt}^i = \dfrac{1}{\prod\limits_{l=k}^{t-1}(1-\alpha_{il})}$ ($1 \leqslant i \leqslant k < t \leqslant T$)，$A_{ii}^i = 1$。由定义可得 $A_{kt}^i = A_{kq}^i A_{qt}^i$，$k < q < t$。

又由假设 1 可得 $A_{kt}^i \geqslant A_{kt}^j$，$1 \leqslant i < j \leqslant k < t \leqslant T$。

评论 1 若第 t ($i<t$) 期期初 1 单位的产品需求由第 i 期期初的生产满足，由于每一周期都有库存损失，因此需要在第 i 期期初生产 A_{it}^i 单位产品，而在第 i 期到第 $t-1$ 期的任意周期 k ($i \leqslant k \leqslant t-1$)，持有 A_{kt}^i 单位的库存。

下面界定生产(采购点)和再生点的定义。

定义 11-1 给定 T-周期问题的最优解，若 $X_t > 0$，$1 \leqslant t \leqslant T$，则第 t 期定义为生产点或者采购点(ordering point)。

定义 11-2 给定 T-周期问题的最优解，若 $\sum\limits_{l=1}^{t} I_{lt} = 0$，$1 \leqslant t \leqslant T$，则第 t 期定义为再生点。

接下来阐述所构造问题最优解的若干结构性质。

定理 11-1 在 SP 的最优解 Ω^* 中，有 $X_t^* S_t^* = 0$，即若周期 t 是一个生产点，则在第 t 期不会有缺货发生；若第 t 期有缺货发生，则周期 t 不会是生产点。

证明 对于两个生产点 j 和 t，$j < t$，有 $c_j A_{jt}^j + \sum\limits_{l=j}^{t-1} h_{jl} A_{lt}^j \geqslant c_t$ 或 $c_j A_{jt}^j + \sum\limits_{l=j}^{t-1} h_{jl} A_{lt}^j < c_t$ 成立。

若 $c_j A_{jt}^j + \sum\limits_{l=j}^{t-1} h_{jl} A_{lt}^j \geqslant c_t$，则将 $S_t^* = 0$ 增加至 $S_t^* = \delta$，同时降低 X_t^* 至 $X_t^* - \delta$，$0 < \delta \leqslant d_t$。由假设 3 可得 $p_t \geqslant c_t$。变化后的解是可行的，且总成本增加 $(p_t - c_t)\delta$，因此仅当 $\delta = 0$ 时取得最优解，即总成本最小。

若 $c_j A_{jt}^j + \sum\limits_{l=j}^{t-1} h_{jl} A_{lt}^j < c_t$，则由第 j 期生产满足第 t 期需求的变动生产和库存成本之和为 $\left(c_j A_{jt}^j + \sum\limits_{l=j}^{t-1} h_{jl} A_{lt}^j\right) d_t$；由第 t 期生产满足第 t 期需求的变动生产成本 $c_t d_t$。因为有 $c_j A_{jt}^j + \sum\limits_{l=j}^{t-1} h_{jl} A_{lt}^j < c_t$ 和 $X_t^* > 0$，因此第 t 期需求由第 j 期的生产而不是第 t 期的生产满足。

定理 11-1 表明若周期 j 和 t 是两个生产点且 $c_j A_{jt}^j + \sum_{l=j}^{t-1} h_{jl} A_{lt}^j \geqslant c_t$，则周期 t 的需求全部由周期 t 的生产满足；若 $c_j A_{jt}^j + \sum_{l=j}^{t-1} h_{jl} A_{lt}^j < c_t$，则周期 t 的需求全部由周期 j 的生产满足。

下面阐述最优解的另外一个结构性质。

定理 11-2 在 SP 的最优解 Ω^* 中，有 $(d_t - Z_{it}^*)(d_t - S_t^*) = 0$ 成立，$1 \leqslant t \leqslant T$，即第 t 期的需求要么全部由之前周期 i 的生产满足，要么全部损失，$1 \leqslant i \leqslant t$。

证明 $\left(c_i A_{it}^i + \sum_{k=i}^{t-1} h_{ik} A_{kt}^i \right) d_t$ 为由第 i 期的生产满足第 t 期需求的变动生产和库存成本之和，$p_t d_t$ 为第 t 期需求全部损失（缺货）的成本。若 $\left(c_i A_{it}^i + \sum_{k=i}^{t-1} h_{ik} A_{kt}^i \right) > p_t$，则有 $S_t^* = d_t$。对于任意 δ，$0 < \delta \leqslant d_t$，降低 $S_t^* = d_t$ 至 $S_t^* = d_t - \delta$，同时增加 $Z_{it}^* = 0$ 至 $Z_{it}^* = \delta$。若第 t 期的缺货数量降低 δ 个单位，则缺货成本降低 $p_t \delta$。与此同时，第 i 期的生产增加 $A_{it}^i \delta$ 个单位，相应的变动生产成本和库存成本之和增加 $\left(c_i A_{it}^i + \sum_{k=i}^{t-1} h_{ik} A_{kt}^i \right) \delta$。又因为 $\left(c_i A_{it}^i + \sum_{k=i}^{t-1} h_{ik} A_{kt}^i \right) > p_t$，则总成本增加 $\left(c_i A_{it}^i + \sum_{k=i}^{t-1} h_{ik} A_{kt}^i - p_t \right) \delta$，所以可得 $S_t^* = d_t$。若 $\left(c_i A_{it}^i + \sum_{k=i}^{t-1} h_{ik} A_{kt}^i \right) \leqslant p_t$，则有 $Z_{it}^* = d_t$。此种情形的证明类似于情形 $\left(c_i A_{it}^i + \sum_{k=i}^{t-1} h_{ik} A_{kt}^i \right) > p_t$。

SP 等价于最小凹成本网络流问题，因此以上所述结构性质也可以由最小凹成本网络流问题的性质直接得出。这一性质也称为"单源满足性质"（single-period satisfaction property），即某一周期的需求不会被部分满足而部分损失。

在阐述定理 11-3 之前，首先阐述如下引理。

引理 11-1 i、$j(i < j)$ 为 SP 的最优解 Ω^+ 中的两个生产点，假设 $Z_{jk}^+ = d_k$，$k \geqslant j$，则对于任意 ε，$0 \leqslant \varepsilon \leqslant d_k$，有 $c_j A_{jk}^j + \sum_{l=j}^{k-1} h_{jl} A_{lk}^j \leqslant p_k$ 和 $c_i A_{ik}^i + \sum_{l=i}^{k-1} h_{il} A_{lk}^i - c_j A_{jk}^j - \sum_{l=j}^{k-1} h_{jl} A_{lk}^j \geqslant 0$ 成立。

证明 若 $Z_{jk}^+ = d_k$，$c_j A_{jk}^j + \sum_{l=j}^{k-1} h_{jl} A_{lk}^j \leqslant p_k$，则对于任意常数 ε，$0 \leqslant \varepsilon \leqslant d_k$，通过令 $Z_{ik}^* = \varepsilon$ 和 $Z_{jk}^* = d_k - \varepsilon$ 来改变最优解 Ω^+ 获得一个可行解 Ω^*，可行解 Ω^* 中的其余变量与最优解 Ω^+ 保持一致，因此有 $X_i^* = X_i^+ + A_{ik}^i \varepsilon$、$I_{il}^* = I_{il}^+ + A_{lk}^i \varepsilon$（$i \leqslant l \leqslant k-1$）以及 $X_j^* = X_j^+ - A_{jk}^j \varepsilon$、$I_{jl}^* = y_{jl}^+ - A_{lk}^j \varepsilon$（$j \leqslant l \leqslant k-1$）。$V(\Omega^+)$ 代表最优解 Ω^+ 的成本，$V(\Omega^*)$ 代表可行解 Ω^* 的成本，因此可得 $V(\Omega^*) - V(\Omega^+) = \left(c_i A_{ik}^i + \sum_{l=i}^{k-1} h_{il} A_{lk}^i - c_j A_{jk}^j - \sum_{l=j}^{k-1} h_{jl} A_{lk}^j \right) \varepsilon$。因为可行解的成本不会比最优解的成本更低，所以可得 $V(\Omega^*) - V(\Omega^+) \geqslant 0$，即 $\left(c_i A_{ik}^i + \sum_{l=i}^{k-1} h_{il} A_{lk}^i - c_j A_{jk}^j - \sum_{l=j}^{k-1} h_{jl} A_{lk}^j \right) \varepsilon \geqslant 0$。

而 $0 \leqslant \varepsilon \leqslant d_k^n$，因此 $c_i A_{ik}^i + \sum_{l=i}^{k-1} h_{il} A_{lk}^i - c_j A_{jk}^j - \sum_{l=j}^{k-1} h_{jl} A_{lk}^j \geqslant 0$。

在实践中有两种常见的库存管理模式，一种是先进先出（first-in-first-out，FIFO），另一种是后进先出（last-in-first-out，LIFO）。以下定理阐述了易逝品库存采用先进先出的管理模式。

定理 11-3　在 SP 最优解 Ω^* 中，假设 $i < j$ 为两个生产点，对于某周期 k（$k \geqslant j$），若 $Z_{jk}^* > 0$，则有 $Z_{it}^* = 0$ 对于任意周期 t（$k \leqslant t \leqslant T$）成立。

利用以上最优解的结构性质，设计如下动态规划算法。令 $V(t)$ 代表 $P(t)$ 的 SP 问题最优成本。令 $V(i,t)$ 和 $V(g,t-1)$ 分别代表最后一个生产点为 i 和 g 时 $P(t)$ 和 $P(t-1)$ 的最优成本，$1 \leqslant i \leqslant t$，$1 \leqslant g \leqslant t-1$。若 $P(t)$ 没有生产点，即从第 1 期至第 t 期所有的需求全部损失，则 $V(t) = \sum_{l=1}^{t} p_l d_l$。初始值为 $V(1) = \min\{\sigma_1 + c_1 d_1; p_1 d_1\}$。对于 $t \geqslant 2$，动态规划算法设计如下：

$$V(t) = \min\left\{ V(i,t), \sum_{l=1}^{t} p_l d_l \right\} \tag{11-8}$$

根据第 t 期的需求是被满足还是缺货以及第 t 期和第 $t-1$ 期的需求是否由同一个生产点满足，可分三种情形计算 $V(i,t)$。

情形 1　第 t 期的需求全部损失，而第 $t-1$ 期的需求由第 g 期的生产满足，此时 $i = g$，因此可得

$$V(i,t) = V(g,t-1) + p_t d_t = V(i,t-1) + p_t d_t \tag{11-9}$$

情形 2　第 t 期的需求和第 $t-1$ 期的需求由同一个生产点满足，此时 $1 \leqslant i = g \leqslant t-1$，因此可得

$$V(i,t) = V(g,t-1) + \left(c_g A_{gt}^g + \sum_{k=g}^{t-1} h_{kt} A_{kt}^g \right) d_t = V(i,t-1) + \left(c_i A_{it}^i + \sum_{k=i}^{t-1} h_{kt} A_{kt}^i \right) d_t \tag{11-10}$$

情形 3　第 t 期的需求和第 $t-1$ 期的需求由不同的生产点满足，此时 $1 \leqslant g < i \leqslant t$，因此可得

$$V(i,t) = V(g,t-1) + \sigma_i + \left(c_i A_{it}^i + \sum_{k=i}^{t-1} h_{kt} A_{kt}^i \right) d_t \tag{11-11}$$

分析所设计算法的算法复杂度，对于 $g = 1,2,\cdots,t-1$，$i = 1,2,\cdots,t$，$t = 1,2,\cdots,T$，需要 $O(T^2)$ 时间计算 $V(i,t) = V(g,t-1) + \sigma_i + \left(c_i A_{it}^i + \sum_{k=i}^{t-1} h_{kt} A_{kt}^i \right) d_t$。对于 $g = 1,2,\cdots,t-1$ 和 $t = 1,2,\cdots$，T，需要 $O(T)$ 时间计算动态规划循环式 $V(i,t) = V(g,t-1) + \min\left\{ p_t d_t; \left(c_g A_{gt}^g + \sum_{k=g}^{t-1} h_{kt} A_{kt}^g \right) d_t \right\}$。因此，算法的时间复杂度为 $O(T^3)$。

下面用数值算例阐述如何利用以上动态规划算法求解具体问题。

例 11-1　假设前 6 个周期的需求为 50、60、40、70、30 和 50。产品的生命周期为 3 个周期，且生命周期之内没有库存损失。前 6 个周期的成本参数为 $c_t = (8, 9, 10, 13, 13, 9)$、

$h_t = (2, 1, 3, 5, 3, 2)$、$p_t = (17, 20, 18, 20, 17, 21)$和$\sigma_t = (90, 100, 60, 120, 130, 100)$。

此问题的最优解为：在第 1、3、6 期生产，第 1、2、3 期的需求由第 1 期的生产满足，第 4 期需求损失，第 5 期的需求由第 3 期的生产满足，第 6 期的需求由第 6 期的生产满足。具体计算结果如图 11-2 所示。

$$
\begin{aligned}
T=1: &\quad V(1)=V(1,1)=90+8\times 50=490 \\
T=2: &\quad V(2)=V(1,2)=V(1,1)+(8+2)\times 60=490+600=1090 \\
T=3: &\quad V(3)=V(1,3)=V(1,2)+(8+2+1)\times 40=1090+440=1530 \\
T=4: &\quad V(4)=V(3,4)=V(1,3)+60+(10+3)\times 70=1530+970=2500 \\
T=5: &\quad V(5)=V(3,5)=V(3,4)+17\times 30=2500+510=3010 \\
T=6: &\quad V(6)=V(6,6)=V(3,5)+100+9\times 50=3010+550=3560
\end{aligned}
$$

图 11-2　例 11-1 计算结果

根据最优解的结构性质也可以设计出另外一种等价形式的动态规划算法，可参见附录十。

11.4　一类特殊情形：成本无投机性动机

本节讨论持有库存和缺货成本无投机性动机这一特殊情形下的动态批量问题。在本节中，持有库存和缺货没有投机性动机的成本结构分别用如下不等式表示：

$$
c_i A_{it}^i + \sum_{k=i}^{t-1} h_{ik} A_{kt}^i > c_t, \quad i < t \tag{11-12}
$$

$$
p_j + \sum_{k=j}^{t-1} h_{jk} A_{kt}^j > p_t, \quad j < t \tag{11-13}
$$

由以上不等式可以看出，若单位生产成本不变或随时间的波动较小，则满足持有库存没有投机性动机；类似地，若缺货成本不变或者随时间的波动较小，则满足缺货没有投机性动机。

Hsu（2000）指出时间依赖的库存损失率和库存成本下的易逝品动态批量问题中零库存性质不成立，然而若满足持有库存没有投机性动机，则时间依赖的库存损失率和库存成本下的易逝品动态批量问题中零库存性质仍然成立。本节所研究的问题中零库存性质可以表示如下。

零库存性质：$P(T)$ 的最优解中，对于任意 t 和 i，$1 < t \leqslant T$，$1 \leqslant i < t$，有 $I_{i,t-1}X_t = 0$ 成立。

在缺货没有投机性动机的条件下，有如下性质成立。

定理 11-4　在 $P(T)$ 的最优解中，对于任意 t 和 i，$1 < t \leqslant T$，$1 \leqslant i < t$，有 $I_{it}S_t = 0$ 成立。

这一最优解的结构性质类似于 Sandbothe 和 Thompson（1990）的定理，因此证明略。定理 11-4 说明若某一周期的库存为正，则同一周期不会发生缺货；若某一周期发生了缺货，则当期的库存为零。

利用零库存性质和定理 11-4 所述性质可以大大降低每一周期决策的数量。根据以上两条性质，若最后一次生产发生在第 i 期，$1 \leqslant i \leqslant t-1$，则第 t 期的需求要么由第 i 期的生产满足，要么第 t 期缺货。若最后一次生产发生在第 t 期，则从第 1 期至第 t 期的最优成本等于第 1 期至第 $t-1$ 期的最优成本加上满足第 t 期需求所产生的成本。因此，在持有库存和缺货没有投机性动机的情形下，动态规划循环式 $V(i,t)$ 可以表达为如下形式。

情形 1　若 $1 \leqslant i \leqslant t-1$，第 t 期的需求完全损失，第 $t-1$ 期的需求由生产点 i 生产的产品满足，则

$$V(i,t) = V(i,t-1) + p_t d_t \tag{11-14}$$

情形 2　若 $1 \leqslant i \leqslant t-1$，第 t 期和第 $t-1$ 期的需求均由生产点 i 生产的产品满足，则

$$V(i,t) = V(i,t-1) + \left(c_i A_{it}^i + \sum_{k=i}^{t-1} h_{it} A_{kt}^i \right) d_t \tag{11-15}$$

情形 3　若 $i=t$，即第 t 期的需求全部由第 t 期的生产满足，则

$$V(i,t) = V(t,t) = V(t-1) + \sigma_t + c_t d_t \tag{11-16}$$

根据零库存性质，Aksen 等（2003）设计了类似于本节的动态规划算法求解了缺货情形下的耐用品问题，算法的时间复杂度为 $O(T^2)$。本节设计的求解易逝品动态批量问题的动态规划算法也是基于零库存性质，因此求解持有库存没有投机性动机情形下的易逝品缺货问题的算法时间复杂度也为 $O(T^2)$。

11.5　预测时阈分析

预测时阈的分析分为单位生产成本时变和非时变情形，在单位生产成本时变的情形下，将运用边际成本分析法进行处理。令 $a_{it} = c_i A_{it}^i + \sum_{l=i}^{t-1} h_{il} A_{it}^i$，$1 \leqslant i \leqslant t \leqslant T$，若 $i=t$，则 $a_{ii} = c_i$。令 $m(t)$ 为使 a_{it} 最小的周期 i 的取值，$1 \leqslant i \leqslant t \leqslant T$。若对任意的 $j\,(1 \leqslant j \leqslant t)$ 有 $a_{jt} \geqslant a_{it}$ 成立，则 $i = m(t)$。

定理 11-5　t-周期问题的最优解，若 $i(t) = m(t)$，则最后一个生产点是单调的，即 $i(t^*) \geqslant i(t)$，$t+1 \leqslant t^*$。

证明　在 $P(t+1)$ 的最优解中，若 $i(t+1) = t+1$，则直接可得 $i(t+1) > i(t)$。若 $i(t+1) \leqslant t$，则分不同情形讨论：若 $c_{i(t+1)} + \sum_{l=i(t+1)}^{t} h_{i(t+1)l} > p_{t+1}$，则可得 $i(t+1) = i(t)$；若 $c_{i(t+1)} + \sum_{l=i(t+1)}^{t} h_{i(t+1)l} \leqslant p_{t+1}$，运用反证法，假设 $i(t+1) < i(t)$，由 $i(t) = m(t)$ 及 $m(t)$ 的定义，有 $a_{i(t)t} = a_{m(t)t} \leqslant a_{i(t+1)t}$ 成立，又因为 $a_{i(t+1),t+1} = a_{i(t+1)t} + h_{i(t+1)t}$，$a_{i(t),t+1} = a_{i(t)t} + h_{i(t)t} = a_{m(t),t+1} = a_{m(t)t} + h_{m(t)t}$，所以可得 $a_{i(t),t+1} = a_{m(t),t+1} \leqslant a_{i(t+1),t+1}$。说明在第 $i(t)$ 期生产的易逝品满足第 $t+1$ 期需求的成本不会大于在第 $i(t+1)$ 期生产的易逝品满足第 $t+1$ 期需求的成本，因此 $i(t+1) < i(t)$ 不成立，即 $i(t+1) \geqslant i(t)$。同理，在 $P(t+2)$ 最优解中，有 $i(t+2) \geqslant i(t+1)$，由以上分析类推，在 $P(t)$

的最优解中，若有 $i(t)=m(t)$ 成立，则可得 $i(t^*)\geq i(t)$，$t^*\geq t+1$。

定理 11-6 在 $P(t)$ 的最优解中，若 $i(t)=m(t)$，$1\leq t\leq T$，且若有 $X_j^{i(t)-1}=X_j^{i(t)}=\cdots=X_j^{t-1}$ 对于 $j=1,2,\cdots,\tau$（$1\leq\tau\leq i(t)-1$）成立，则周期 t 为更长周期 t^* 的预测时阈，τ 为决策时阈，$t+1\leq t^*$。

证明 由定理 11-5，在 $P(t)$ 的最优解中，若 $i(t)=m(t)$，$1\leq t\leq T$，则可得 $i(t^*)\geq i(t)$，$t+1\leq t^*\leq T$。若 $i(t^*)\leq t$，则根据 $i(t)$ 的定义可得 $i(t^*)$ 在集合 $\{i(t),i(t)+1,\cdots,t\}$ 中。若 $i(t^*)\geq t+1$，则可得 $P(i(t^*)-1)$ 的最优解是 $P(t^*)$ 最优解的一部分且有 $i((i(t^*)-1))\geq i(t)$。若 $i((i(t^*)-1))\leq t$，则 $i(t)\leq i((i(t^*)-1))\leq t$，即得到 $i((i(t^*)-1))$ 在集合 $\{i(t),i(t)+1,\cdots,t\}$ 中。若有 $i((i(t^*)-1))\geq t+1$，则继续上述过程，直到找到一个周期的最优解中有一个生产点属于集合 $\{i(t),i(t)+1,\cdots,t\}$。综合以上各种情形可得在 $P(t)$ 的最优解中，若 $i(t)=m(t)$，$1\leq t\leq T$，则对于任意 t^*，$t+1\leq t^*\leq T$，$P(t^*)$ 的最优解中至少有一个生产点属于集合 $\{i(t),i(t)+1,\cdots,t\}$。集合 $\{i(t),i(t)+1,\cdots,t\}$ 称为生产集。因此，根据以上分析，对于 $r\in\{i(t)-1,i(t),\cdots,t-1\}$，至少有一个 $P(r)$ 的最优解是 $P(t^*)$ 的最优解的一部分。若 $X_j^{i(t)-1}=X_j^{i(t)}=\cdots=X_j^{t-1}$ 对于 $j=1,2,\cdots,\tau$ 成立，则意味着每一个问题 $P(i(t)-1)$，$P(i(t))$，$\cdots$，$P(t-1)$ 有相同的 τ 期最优生产子序列，因此这个 τ 期生产子序列是任何更长周期 t^* 最优解的一部分，则 τ 为决策时阈，又因为仅仅需要 t 周期的信息决定决策时阈，所以 t 为预测时阈。集合 $\{i(t)-1,i(t),\cdots,t-1\}$ 称为再生集（Lundin and Morton，1975）。

值得注意的是，若在 $P(t)$ 的最优解中没有生产点，即从第 1 期至第 t 期的需求全部损失，则不能建立生产点的单调性，也就无法获得预测时阈。

在单位生产成本非时变的情形下，可以直接获得生产点和再生点的单调性。因为在此情形下，零库存性质成立，所以生产点的前一个周期为再生点。令 $e(t)=i(t)-1$，则生产点和再生点的单调性如下。

定理 11-7 在 $P(t)$ 的最优解中，有 $i(t+1)\geq i(t)$，$e(t+1)\geq e(t)$，$1\leq t\leq T$。

在生产点和再生点单调性的基础上，求解预测时阈的充分条件如下。

定理 11-8 在 $P(t)$ 的最优解中，若有 $X_j^{i(t)-1}=X_j^{i(t)}=\cdots=X_j^{t-1}$ 对于 $j=1,2,\cdots,\tau$（$1\leq\tau\leq i(t)-1$）成立，则周期 t 为更长周期 t^* 的预测时阈，τ 为决策时阈，$t+1\leq t^*$。

在单位生产成本非时变的情形下，若 $P(t)$ 的最优解中没有生产点，则也不能获得生产点和再生点的单调性，也就无法进一步获得预测时阈。

11.6 数值实验及管理启示

本节构造数值实验来理解缺货策略、产品生命周期和成本参数等对总成本的影响。假设每一周期的需求服从均值为 10、标准差为 2 的正态分布。若生成的需求小于等于 0，则将需求设定为 1。

实验 1 产品的生命周期 m 设定为 20 个周期，生命周期之内没有库存损失。每一周期的单位生产成本 c_t 设定为 10，$t=1,2,\cdots,T$。若 $t-i+1\leq 20$，$1\leq i\leq t$，单位库存成本 h_{it}

取 3 个值，即 1、2.5 和 3，否则 $h_{it} = +\infty$；生产固定成本 σ_t 取 3 个值，即 50、60 和 100；单位缺货成本 p_t 取 7 个值，即 15、16、17、20、30、40 和 50。在不同的固定成本、库存成本和缺货成本下计算 10 个周期的总成本。因为产品的生命周期为 20，所以 10 个周期的最优决策不受产品生命周期的影响。为了方便找到总成本的中值，对于每一组参数的组合运行 11 次，因此实验运行的总次数为 $3 \times 3 \times 7 \times 11 = 693$。

图 11-3 描述了总成本作为缺货成本和不允许缺货时的变化趋势，其中 $\sigma_t = 100$ 和 $h_{it} = 2$。发现在缺货成本相对较小的情况下，缺货策略可以降低总成本。而在缺货成本非常大的情况下，缺货策略不再使成本降低。这是因为当缺货成本很大时，企业不会选择缺货策略，此时相当于不允许缺货。

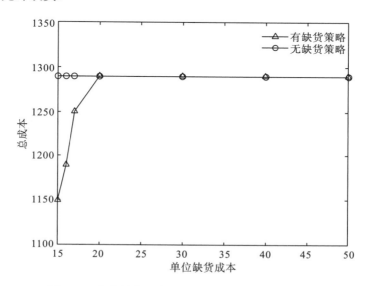

图 11-3　作为缺货成本和不允许缺货时的总成本对比

实验 2　缺货成本 p_t 设定为 50，单位生产成本 c_t 设定为 10，$t = 1, 2, \cdots, T$。产品生命周期 m 取 7 个值，即 3、4、5、6、7、8 和 9，产品生命周期之内没有库存损失率。若 $t - i + 1 \leqslant m$，$1 \leqslant i \leqslant t$，则单位库存成本 h_{it} 取 3 个值，即 1、2.5 和 3，否则 $h_{it} = +\infty$，生产固定成本 σ_t 取 3 个值，即 50、60 和 100。根据单位库存成本和生产固定成本的组合定义一个新的参数，即 $J = (\sigma_t, h_{it})$。这个组合参数取 3 个值，即 $(100, 2)$、$(60, 2.5)$ 和 $(50, 1)$。每一个 J 和 m 的组合计算 10 个周期的总成本，同样运行 11 次，实验运行的总次数为 $3 \times 7 \times 11 = 231$。

图 11-4 描述了总成本作为产品生命周期和组合参数 J 的函数的变化趋势。对于给定的生产固定成本和单位库存成本，总成本随着产品生命周期的增加而递减，然后保持不变。而且在生产固定成本较小（$\sigma_t = 60$）和库存成本较大（$h_{it} = 2.5$）的情形下，总成本很快保持不变。原因如下：由于产品生命周期较短，即便在生产固定成本很大和库存成本很小的情形下，企业产品生产所覆盖的周期数也不会超过产品生命周期。因此，当产品生命周期较小时，企业不得不实施多次生产行为，会产生较大的生产固定成本，而随着产品生命周期的增加，生产的次数逐渐降低，每一次生产的产品覆盖的周期数增加，因此生产的固定成

本也会相应降低，进而总成本降低。在给定生产固定成本和库存成本的情形下，企业一次生产量很大时又会产生高昂的库存成本，在这种情形下，即便产品的生命周期很长，企业的生产量也不会覆盖很长的时间周期，即产品的生命周期不再影响最优决策。从以上分析可以得出，在生产固定成本较小和单位库存成本较大的情形下，企业无须花费大量成本以延长产品的生命周期。

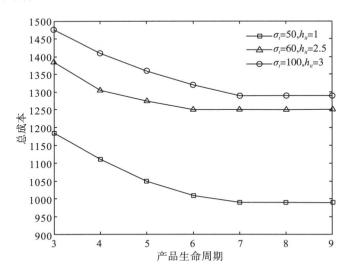

图 11-4　作为产品生命周期和组合参数 J 的总成本分析

11.7　本 章 小 结

本章研究了具有库存损失的易逝品在需求损失情形下的生产批量和预测时阈决策问题。本章假定易逝品的库存损失率和库存成本依赖于库存持有时间。生产成本为固定-线性函数形式，库存成本和缺货成本为线性函数形式。在单位生产成本无约束变化的情况下，零库存性质不再成立，分析证明了"需求单源满足"和"库存先进先出"两条重要的最优解的结构性质，并据此设计了两种前向动态规划算法求解企业的最优生产批量。在持有库存没有投机性动机的条件下，指出零库存性质仍然成立，提出库存数量和缺货数量不可能同时大于零的最优解的结构性质。在没有投机性动机的成本结构下，设计了算法复杂度更低的前向动态规划算法。进一步运用边际成本分析法给出了生产点单调性和求解预测时阈的充分条件。最后运用数值实验得出需求损失策略、产品生命周期和成本参数等对总成本的影响，提出了相应的管理启示。

参 考 文 献

Aksen D，Altinkemer K，Chand S. 2003. The single-item lot-sizing problem with immediate lost sales[J]. European Journal of Operational Research，147(3)：558-566.

Chu C B，Chu F，Zhong J H，et al. 2013. A polynomial algorithm for a lot-sizing problem with backlogging, outsourcing and limited inventory[J]. Computers and Industrial Engineering，64（1）：200-210.

Chu L Y，Hsu V N，Shen Z J M. 2005. An economic lot-sizing problem with perishable inventory and economies of scale costs: Approximation solutions and worst case analysis[J]. Naval Research Logistics，52（6）：536-548.

Friedman Y，Hoch Y. 1978. A dynamic lot-size model with inventory deterioration[J]. INFOR，16（2）：183-188.

Hsu V N. 2000. Dynamic economic lot size model with perishable inventory[J]. Management Science，46（8）：1159-1169.

Hsu V N. 2003. An economic lot size model for perishable products with age-dependent inventory and backorder costs[J]. IIE Transactions，35（8）：775-780.

Lundin R A，Morton T E. 1975. Planning horizons for the dynamic lot size model：Zabel vs. protective procedures and computational results[J]. Operations Research，23（4）：711-734.

Qiu Y Z，Qiao J，Pardalos P M. 2019. Optimal production，replenishment，delivery，routing and inventory management policies for products with perishable inventory[J]. Omega—The International Journal of Management Science，82：193-204.

Sandbothe R A，Thompson G L. 1990. A forward algorithm for the capacitated lot size model with stockouts[J]. Operations Research，38（3）：474-486.

Sargut F Z，Isik G. 2017. Dynamic economic lot size model with perishable inventory and capacity constraints[J]. Applied Mathematical Modelling，48：806-820.

Smith L A. 1975. Simultaneous inventory and pricing decisions for perishable commodities with price fluctuation constraints[J]. INFOR，13（1）：82-87.

Zangwill W I. 1968. Minimum concave cost flows in certain networks[J]. Management Science，14（7）：429-450.

Zangwill W I. 1969. A backlogging model and a multi-echelon model of a dynamic economic lot size production system—A network approach[J]. Management Science，15（9）：506-527.

Zhong J H，Chu F，Chu C B，et al. 2016. Polynomial dynamic programming algorithms for lot sizing models with bounded inventory and stockout and/or backlogging[J]. Journal of Systems Science and Systems Engineering，25（3）：370-397.

第12章 仓储能力约束的易逝品动态批量与预测时阈

12.1 问 题 背 景

易逝品供应链的各环节中，因为产品的易腐性，对库存条件有着非常高的要求，如食品加工、饮料以及乳制品等企业都面临着较为严峻的库存能力约束，这是因为饮料和乳制品生产企业，往往由于储藏罐、储藏桶等不足导致仓储能力的限制。在电子产品行业中，高价值的电子产品存储需要防潮、防尘等，仓储时需要适宜的温度、湿度等，对仓库条件要求非常高，工厂从生产完成到销售给消费者的过程中，往往会面临仓储能力不足的问题。更为典型的仓储能力不足问题通常发生在医疗行业。例如，血液、药品等的特殊性，对储藏条件的要求非常严格，因而医院或药品经销商都会不可避免地受到仓储能力的限制。又如，全血的保质期为 33 天，血小板的保质期只有 7 天，由于血液的生命周期短和仓储条件要求高，医院往往面对一方面血液供应不足无法满足患者的用血需求，而另一方面由于超过保质期，大量血液又不得不浪费的局面。一些有着特殊储存条件要求的药品，如各类疫苗，需要全程 2～8℃的仓储环境，在这样严格的仓储条件下，疫苗从生产制作完成到最终用在需求者身上，会经历多级环节，所涉及的企业都会不同程度地面对仓储能力限制的问题。稀缺的仓储能力对企业运营决策的准确性提出了更高的要求，库存过高不仅会导致产品价值报废，同时会浪费有限的存储空间。易逝品具有腐坏变质、生命周期短等特点，同时对仓储条件要求高，这些特点使得易逝品的生产(采购)企业在做决策时不能照搬耐用品的生产决策，必须要考虑产品的腐坏变质、生命周期短以及仓储能力限制等因素对决策的影响，因而使得易逝品生产企业的运营决策往往更加复杂和困难。

很多学者对库存能力约束的动态批量问题进行了大量有价值的探索与研究。Gutierrez 等(2002, 2007)研究了单调递增凹生产成本和库存成本函数下不允许延迟交货和允许延迟交货的动态批量模型，分析得出了最优解的部分性质，并在此基础上设计了 $O(T^3)$ 时间的动态规划算法对两类模型进行求解。Gutierrez 等(2008)在固定-线性生产成本函数和线性库存成本函数下研究了时变库存能力约束下的动态批量问题，同样设计了 $O(T^3)$ 时间的动态规划算法求解该问题。Sedeno-Noda 等(2004)在线性生产成本和库存成本函数下研究了时变的库存能力约束的动态批量问题，设计了 $O(T \log^T)$ 时间的贪婪启发式算法求解该问题。Atamturk 和 Kucukyavuz(2005)考虑了两种库存能力约束下的动态批量模型，一种为线性库存成本，另外一种为固定-线性库存成本，利用定义有效不等式的方法求解了两种模型。Atamturk 和 Kucukyavuz(2008)进一步利用定义双层值函数的方法改进了固定-线性库存成本函数模型最优解的算法复杂度。在固定-线性生产成本函数和线性库存成本函数下，Liu(2008)研究了时变的库存能力约束和安全库存水平下的动态批量问题，利用寻找包络线的方法提高了算法的效率。Hwang 和 Heuvel(2012)研究了库存能力约束和允许延迟交货的动态批量模型，分析了递增凹成本函数和线性成本结构下的算法复杂度。Phouratsamay 等(2018)考虑了一个零售商和一个供应商的两阶段动态批量问题，在零售商存在库存能力约束情形下设计了多项式时间的动态规划算法，当供应商存在库存能力约束时，证明了该问题是 NP-难问题。仓储能力约束下单产品动态批量问题的研究还可参见 Jaruphongsa 等(2004)和 Akbalik 等(2015)的文献。

12.2　不允许需求延迟的动态批量及预测时阈

本节在不允许需求延迟和损失的情形下研究仓储能力约束的易逝品最优动态批量决策及其预测时阈问题。

12.2.1　基础模型构建

构造规划模型需要定义如下符号(表 12-1)。

表 12-1　符号定义

符号	含义
T	时间周期
$P(t)$	t-周期问题，$1 \leqslant t \leqslant T$
$I^{\max}$	库存能力
X_t	第 t 期期初产品的生产(采购)数量，$1 \leqslant t \leqslant T$
d_t	第 t 期期初产品的需求，$1 \leqslant t \leqslant T$
Z_{it}	第 i 期期初生产的产品用以满足第 t 期期初需求的数量，$1 \leqslant i \leqslant t \leqslant T$
I_{it}	第 i 期期初生产的产品持有到第 t 期期初，减去第 i 期到第 $t-1$ 期每一期的库存损失和用以满足第 t 期期初的需求之后的库存数量，$1 \leqslant i \leqslant t \leqslant T$
c_t	第 t 期期初产品的单位生产成本，$1 \leqslant t \leqslant T$
σ_t	第 t 期期初生产启动成本，$1 \leqslant t \leqslant T$
h_{it}	第 t 期持有第 i 期生产的产品的单位库存成本，$1 \leqslant i \leqslant t \leqslant T$
α_{it}	库存 I_{it} 在第 t 期的损失率，$1 \leqslant i \leqslant t \leqslant T$
$\delta(x)$	二元变量，$\delta(x)=\begin{cases} 1, & x>0 \\ 0, & x \leqslant 0 \end{cases}$

在现实情形中，易逝品库存持有时间越长，库存损失率和库存成本越大，因此有如下两个关于库存损失率和库存成本的假设。

假设 1　$\alpha_{it} \geqslant \alpha_{jt}$，$1 \leqslant i \leqslant j \leqslant t \leqslant T$。

假设 2　$h_{it} \geqslant h_{jt}$，$1 \leqslant i \leqslant j \leqslant t \leqslant T$。

不失一般性，假设第 1 期期初的库存与第 T 期期末的库存均为零。在以上假设和符号定义的基础上，本研究可以用以下数学规划模型描述，企业的目标是在 T 周期内达到生产

成本(包括生产启动成本和变动生产成本)与库存成本之和最小,目标函数表示为

$$\min \sum_{t=1}^{T}\left(\sigma_t \delta(x_t) + c_t x_t + \sum_{i=1}^{t} h_{it} I_{it}\right) \tag{12-1}$$

约束条件为

$$X_t - Z_{tt} = I_{tt}, \quad 1 \leqslant t \leqslant T \tag{12-2}$$

$$(1-\alpha_{i,t-1})I_{i,t-1} - Z_{it} = I_{it}, \quad 1 \leqslant i < t \leqslant T \tag{12-3}$$

$$\sum_{l=1}^{t} Z_{lt} = d_t, \quad 1 \leqslant t \leqslant T \tag{12-4}$$

$$\sum_{l=1}^{t} I_{lt} \leqslant I^{\max}, \quad 1 \leqslant t \leqslant T \tag{12-5}$$

$$X_t, I_{it}, Z_{it} \geqslant 0, \quad 1 \leqslant i \leqslant t \leqslant T \tag{12-6}$$

约束条件(12-2)表示在 t 期期初生产的产品数量减去满足第 t 期需求的数量后剩余的库存数量;约束条件(12-3)表示由第 i 期期初生产的产品持有到第 $t-1$ 期的库存减去第 $t-1$ 期的库存损失和满足第 t 期的需求数量之后剩余的库存数量;约束条件(12-4)表示 t 期需求由 $1\sim t$ 期的生产满足;约束条件(12-5)表示库存能力约束,在第 t 期期初前 t 个周期的库存数量之和不能大于库存能力;约束条件(12-6)是非负约束。在以下分析中,令 $\Omega = \{X, I, Z\}$ 代表 $P(T)$ 的一个可行解,$V(\Omega)$ 代表相应的目标函数值。

$A_{kt}^{i} = \dfrac{1}{\prod\limits_{l=k}^{t-1}(1-\alpha_{il})}$、生命周期及生产点(采购点)的定义同第 11 章,这里不再赘述。

12.2.2 动态规划算法

当无库存能力约束时,Hsu(2000)文献的定理 1 表明某一期期初的需求仅仅由某一期期初的生产满足("单源满足"原则),而在有库存能力约束且单位生产成本无约束变动的情形下,"单源满足"性质不再成立,但有如下性质成立。

定理 12-1 在 $P(T)$ 的最优解 Ω^* 中,对于 $1 \leqslant i \leqslant t \leqslant T$,有

$$\left(I^{\max} + d_i - X_i^* - \sum_{l=1}^{i-1}(1-\alpha_{l,i-1})I_{l,i-1}^*\right) \cdot \left(\sum_{l=1}^{i-1}(1-\alpha_{l,i-1})I_{l,i-1}^* + X_i^* - \sum_{k=i}^{t} A_{ik}^{i} d_k\right) \cdot X_i^* = 0$$

定理 12-1(证明见附录十一)表明企业在周期 t 的最优生产量要么为零,要么为当期和未来连续周期的需求之和减去第 $t-1$ 期的库存,要么为库存能力加上当期需求减去第 $t-1$ 期的库存。

定理 12-2 在 $P(T)$ 的最优解 Ω^* 中,假设 $i < j$ 为两个生产点,对于某周期 k($k \geqslant j$),若 $Z_{jk}^* > 0$,则有 $Z_{it}^* = 0$ 对于任意周期 t($k < t \leqslant T$)成立。

定理 12-2(证明见附录十一)表明在易逝性生产企业的生产计划中,不同周期生产的产品库存按照"先进先出"的原则满足各周期需求。进一步,如果第 j 期期初生产满足 k 期需求的数量大于零,那么第 i 期期初生产满足第 t 期需求的数量是零。换言之,第 t 期期初的需求至少要由第 j 期或者以后周期的生产满足。

根据定理 12-1 和定理 12-2 所述的最优解的结构性质，设计如下动态规划算法解决企业的最优批量决策问题。

令 $V(t)$ 代表 $P(t)$ 的最优成本，$V(i_t^1, i_t^2, \cdots, i_t^R; t)$ 代表周期 t 的需求由生产点 $i_t^1, i_t^2, \cdots, i_t^R$ 满足时的 t-周期问题的成本，$V(i_{t-1}^1, i_{t-1}^2, \cdots, i_{t-1}^S; t-1)$ 代表周期 $t-1$ 的需求由生产点 $i_{t-1}^1, i_{t-1}^2, \cdots, i_{t-1}^S$ 满足时的 $t-1$ 周期问题的成本。由以上定义可得 $i_{t-1}^1 < i_{t-1}^2 < \cdots < i_{t-1}^S \leqslant i_t^1 < i_t^2 < \cdots < i_t^R$。若 $S=1$ 且 $R=1$，则 $i_{t-1}^1 \leqslant i_t^1$。

由 $V(t)$ 及 $V(i_t^1, i_t^2, \cdots, i_t^R; t)$ 的定义可得 $V(t) = \min V(i_t^1, i_t^2, \cdots, i_t^R; t)$。以下分 $R=1$ 及 $R>1$ 两类情况进行讨论计算 $V(i_t^1, i_t^2, \cdots, i_t^R; t)$。

若 $R=1$ 和 $i_t^1 = i_{t-1}^S$，则

$$V(i_t^1; t) = V(i_{t-1}^1, i_{t-1}^2, \cdots, i_{t-1}^S; t-1) + c_{i_t^1} A_{i_t^1}^{i_t^1} d_t + \sum_{l=i_t^1}^{t-1} h_{i_t^1 l} A_{lt}^{i_t^1} d_t \tag{12-7}$$

若 $R=1$ 和 $i_t^1 > i_{t-1}^S$，则

$$V(i_t^1; t) = V(i_{t-1}^1, i_{t-1}^2, \cdots, i_{t-1}^S; t-1) + \sigma_{i_t^1} + c_{i_t^1}\left[A_{i_t^1 t}^{i_t^1} d_t + A_{i_t^1, t-1}^{i_t^1} d_{t-1} - (I_{i_{t-1}^S i_t^1} / A_{i_t^1, t-1}^{i_{t-1}^S}) \right]$$
$$+ \sum_{l=i_t^1}^{t-1} h_{i_t^1 l} A_{lt}^{i_t^1} d_t + \sum_{l=i_t^1}^{t-2} h_{i_t^1 l} A_{l, t-1}^{i_t^1} d_{t-1} - \sum_{l=i_t^1}^{t-1} h_{i_t^1 l} (I_{i_{t-1}^S i_t^1} / A_{l, t-1}^{i_{t-1}^S}) \tag{12-8}$$

若 $R>1$ 和 $i_t^1 = i_{t-1}^S$，则 $X_{i_t^r} = I^{\max} + d_{i_t^r} - \sum_{l=1}^{i_t^r-1} I_{l i_t^r}$，$r = 1, 2, \cdots, R-1$。因此有

$$V(i_t^1, i_t^2, \cdots, i_t^R; t) = V(i_{t-1}^1, i_{t-1}^2, \cdots, i_{t-1}^S; t-1) + \sum_{r=2}^R \sigma_{i_t^r} + c_{i_t^1}\left(I^{\max} + d_{i_t^1} - \sum_{l=1}^{i_t^1} I_{l i_t^1} \right)$$
$$+ \sum_{r=2}^{R-1} c_{i_t^r}\left(I^{\max} + d_{i_t^r} - \sum_{l=1}^{r-1} I_{i_t^l i_t^r} \right) + \sum_{l=i_t^1}^{t-1} h_{i_t^1 l}\left(I^{\max} + d_{i_t^1} - \sum_{k=1}^{i_t^1} I_{k i_t^1} \right) \bigg/ A_{i_t^1 l}^{i_t^1}$$
$$+ \sum_{r=2}^{R-1}\sum_{l=i_t^r}^{t-1} h_{i_t^r l}\left(I^{\max} + d_{i_t^r} - \sum_{k=1}^{r-1} I_{i_t^k i_t^r} \right) \bigg/ A_{i_t^r l}^{i_t^r} + c_{i_t^R}\left[A_{i_t^R t}^{i_t^R} d_t - \sum_{l=1}^r \left(I_{i_t^l i_t^R} / A_{i_t^R t}^{i_t^l} \right) \right]$$
$$+ \sum_{l=i_t^R}^{t-1} h_{i_t^R l}\left(A_{lt}^{i_t^R} d_t - \sum_{k=1}^r \left(I_{i_t^k i_t^R} / A_{lt}^{i_t^k} \right) \right) \tag{12-9}$$

若 $R>1$ 且 $i_t^1 > i_{t-1}^S$，则 $X_{i_t^r} = I^{\max} + d_{i_t^r} - \sum_{l=1}^{i_t^r-1} I_{l i_t^r}$，$r = 1, 2, \cdots, R-1$，因此有

$$V(i_t^1, i_t^2, \cdots, i_t^R; t) = V(i_{t-1}^1, i_{t-1}^2, \cdots, i_{t-1}^S; t-1) + \sum_{r=1}^R \sigma_{i_t^r} + c_{i_t^1}\left(I^{\max} + d_{i_t^1} - \sum_{l=1}^{i_t^1} I_{l i_t^1} \right)$$
$$+ \sum_{r=2}^{R-1} c_{i_t^r}\left(I^{\max} + d_{i_t^r} - \sum_{l=1}^{r-1} I_{i_t^l i_t^r} \right) + \sum_{l=i_t^1}^{t-1} h_{i_t^1 l}\left(I^{\max} + d_{i_t^1} - \sum_{k=1}^{i_t^1} I_{k i_t^1} \right) \bigg/ A_{i_t^1 l}^{i_t^1}$$
$$+ \sum_{r=2}^{R-1}\sum_{l=i_t^r}^{t-1} h_{i_t^r l}\left(I^{\max} + d_{i_t^r} - \sum_{k=1}^{r-1} I_{i_t^k i_t^r} \right) \bigg/ A_{i_t^r l}^{i_t^r} + c_{i_t^R}\left(A_{i_t^R t}^{i_t^R} d_t - \sum_{l=1}^r (I_{i_t^l i_t^R} / A_{i_t^R t}^{i_t^l}) \right)$$
$$+ \sum_{l=i_t^R}^{t-1} h_{i_t^R l}\left(A_{lt}^{i_t^R} d_t - \sum_{k=1}^r (I_{i_t^k i_t^R} / A_{lt}^{i_t^k}) \right) \tag{12-10}$$

若持有库存没有投机性动机，则零库存性质在时间依赖的库存损失率、库存成本和库存能力的约束下依然成立。

在持有库存没有投机性动机的情况下，令 $V(i,t)$ 代表最后一个生产点为 i 时 $P(t)$ 的最优成本，因为零库存性质成立，则可由如下动态规划算法求解：

$$V(t) = \min_{1 \leq i \leq t} V(i,t) = \min_{1 \leq i \leq t} \left\{ V(i-1) + c_i \sum_{k=i}^{t} A_{ik}^i d_k + \sum_{l=i}^{t-1} \sum_{k=l+1}^{t} h_{il} A_{lk}^i d_k \right\} \tag{12-11}$$

其中，周期 i 需要满足 $\sum_{k=i+1}^{t} A_{ik}^i d_k \leq I^{\max}$。

在现实应用中，若单位生产成本不变、递减或者波动幅度很小，则满足持有库存没有投机性动机这一条件。

12.2.3　预测时阈分析

给定 $1 \leq t \leq T$，若第 1 期至第 t 期的最优决策不受第 T 期之后的信息影响，则 t 为决策时阈，T 为相应的预测时阈。下面利用边际成本分析方法求解 12.2.2 节动态批量模型的预测时阈。

若 X_z^t 是 $P(t)$ 最优解中周期 z 的产量，则生产序列 $\{X_1^t, X_2^t, \cdots, X_t^t\}$ 是 $P(t)$ 的最优生产序列。若生产序列 $\{X_1^t, X_2^t, \cdots, X_t^t\}$ 是 $P(t)$ 的最优生产序列，则生产序列 $\{X_1^t, X_2^t, \cdots, X_{t'}^t\}$（$t' \leq t$）是 $P(t)$ 的最优生产子序列。

在 $P(t)$ 的最优解中，假设满足第 t 期需求的生产点有 R 个，令 $i(rt)$ 代表满足第 t 期需求的第 r 个生产点，$1 \leq r \leq R$。则 $i(1t)$ 为满足第 t 期需求的第 1 个生产点，$i(Rt)$ 为满足第 t 期需求的第 R 个生产点。a_{it} 和 $m(t)$ 的定义可参见 11.5 节。在以上定义的基础上，可得如下生产点的单调性。

定理 12-3　在 $P(t)$ 的最优解中，若 $i(Rt) = m(t)$，则 $i(1t^*) \geq i(Rt)$，$t+1 \leq t^*$。

证明　在 $P(t+1)$ 的最优解中，若 $i(1, t+1) = t+1$，此时满足第 $t+1$ 期需求的生产点仅有 1 个，即第 $t+1$ 期的需求全部由第 $t+1$ 期的生产满足，则可得 $i(1, t+1) > i(1t)$。若 $i(1, t+1) \leq t$，由 $m(t)$ 的定义及 $i(Rt) = m(t)$ 的假设可得，周期 $i(Rt)$ 之前生产的产品库存在周期 $i(Rt)$ 期初时（周期 $i(Rt) - 1$ 期末时）全部为零。进一步可得第 $i(Rt)$ 期到第 t 期的需求全部由第 $i(Rt)$ 期的生产满足，即 $R=1$。假设 $i(1, t+1) < i(Rt) = m(t)$，在 $Z_{i(Rt)t}^* > 0$ 的情况下，由定理 12-2 可得 $Z_{i(1,t+1), t+1}^* = 0$。若 $X_{i(1t)} < I^{\max} + d_{i(1t)}$，增加周期 $i(1, t+1)$ 的生产，降低周期 $i(1t)$ 的生产，由 $m(t)$ 的定义及 $i(1t) = m(t)$ 的假设可得此生产变动将会导致成本增加，当且仅当周期 $i(1, t+1)$ 的生产降至零时成本最低，因此可得 $i(1, t+1) = i(1t)$；若 $X_{i(1t)} = I^{\max} + d_{i(1t)}$，同理可得 $i(1, t+1) > i(1t)$。若 $i(Rt) = m(t)$，综合以上各种情形可得在 $P(t+1)$ 的最优解中有 $i(1, t+1) \geq i(Rt)$。

由以上分析依此类推可得：若 $i(Rt) = m(t)$，则 $i(1, t+2) \geq i(Rt)$，$i(1, t+3) \geq i(Rt), \cdots$，$i(1t^*) \geq i(Rt)$。任意 $P(t^*)$ 的最优解中，满足第 t^* 期需求的所有生产点都不小于生产点 $i(Rt)$，$t+1 \leq t^*$。

定理12-4　在 $P(t)$ 的最优解中，若 $i(Rt) = m(t)$ 且有 $X_j^{i(Rt)-1} = X_j^{i(Rt)} = \cdots = X_j^{t-1}$ 对于 $j = 1,2,\cdots,\tau$ $(1 \leqslant \tau \leqslant i(Rt)-1)$ 成立，则对于任意更长周期的问题 $P(t^*)$，t 为预测时阈，τ 为相应的决策时阈，$t+1 \leqslant t^*$。

证明　对于 $P(t^*)$，$t^* \geqslant t+1$，若 $i(Rt) = m(t)$，则由定理 12-3 可得 $i(1t^*) \geqslant i(Rt)$；若 $i(1t^*) \leqslant t$，则可得 $i(Rt) \leqslant i(1t^*) \leqslant t$，即任意 t^* $(t+1 \leqslant t^*)$ 周期问题的最优解中至少有一个生产点属于集合 $\{i(Rt), i(Rt)+1, \cdots, t\}$。若 $i(1t^*) \geqslant t+1$，则 $P(i(1t^*)-1)$ 的最优解是 $P(t^*)$ 最优解的一部分且有 $i(1(i(1t^*)-1)) \geqslant i(Rt)$；若 $i(1(i(1t^*)-1)) \leqslant t$，则 $i(Rt) \leqslant i(1(i(1t^*)-1)) \leqslant t$，即任意 t^* $(t+1 \leqslant t^*)$ 周期问题的最优解中至少有一个生产点属于集合 $\{i(Rt), i(Rt)+1, \cdots, t\}$；若 $i(1(i(t^*)-1)) \geqslant t+1$，则继续上述过程，直到找到一个周期的最优解的一个生产点属于集合 $\{i(Rt), i(Rt)+1, \cdots, t\}$。集合 $\{i(Rt), i(Rt)+1, \cdots, t\}$ 称为生产集。

由以上分析可得在 $P(t)$ 的最优解中，若 $i(Rt) = m(t)$，则任意 t^* $(t+1 \leqslant t^*)$ 周期问题的最优解中至少有一个生产点属于集合 $\{i(Rt), i(Rt)+1, \cdots, t\}$。因此，对于 $r \in \{i(Rt)-1, i(Rt), \cdots, t-1\}$，至少有一个 $P(r)$ 的最优解是 $P(t^*)$ 最优解的一部分。若 $X_j^{i(Rt)-1} = X_j^{i(Rt)} = \cdots = X_j^{t-1}$ 对于 $j = 1,2,\cdots,\tau$ $(1 \leqslant \tau \leqslant i(Rt)-1)$ 成立，意味着每一个问题 $P(i(Rt)-1), P(i(Rt)), \cdots, P(t-1)$ 有相同的 τ 周期最优生产子序列，因此 τ 周期子序列是任何更长周期 t^* 最优解的一部分，则 τ 为决策时阈，决策时阈需要 t 周期的信息，所以 t 为预测时阈。

12.3　需求延迟的动态批量及预测时阈

12.3.1　模型构建

需求延迟是企业管理产品库存的有效方式。需求延迟策略能够较好地平衡生产启动成本和库存成本。相比于需求损失策略，企业更偏好采用需求延迟策略，因为需求延迟不会造成客户的流失，在降低总运营成本的同时还保持了服务水平。仓储能力限制是造成需求延迟的一个重要原因。企业选择需求延迟策略的另外一个原因是若企业未来一段时间内的需求较小，则选择生产将会产生高昂的启动成本，因此为了降低运营成本，企业也会选择延迟满足客户的需求。传统的需求延迟问题假设单位需求延迟成本是独立于延迟时间的，但是现实中需求延迟的时间越长，单位需求延迟成本越大，即单位需求延迟成本是时间依赖的(Hsu, 2003)。在 12.2 节研究的基础上，本节研究仓储能力约束下允许需求延迟的易逝品动态批量模型。

设 B_{it} 为延迟到第 t 期的未满足的第 i 期的需求数量，b_{it} 为未满足的第 i 期的需求数量在第 t 期的单位延迟成本，$1 \leqslant i \leqslant t \leqslant T$。$Z_{it}$ 为第 i 期期初生产的产品用以满足第 t 期期初需求的数量，因为允许需求延迟满足，所以周期 i 并不一定小于周期 t，即 $1 \leqslant i \leqslant T$。根据 Hsu(2003)关于时间依赖的单位需求延迟成本的研究，设定如下假设条件。

假设3　$b_{it} \geqslant b_{jt}$，$1 \leqslant i \leqslant j \leqslant t \leqslant T$。

假设初始周期需求延迟数量为零，允许需求延迟下成本最小化的目标函数可表示为

$$\min \sum_{t=1}^{T} \left(\sigma_t \delta(x_t) + c_t X_t + \sum_{i=1}^{t} h_{it} I_{it} + \sum_{i=1}^{t} b_{it} B_{it} \right) \tag{12-12}$$

约束条件为

$$X_t - \sum_{l=1}^{t} Z_{lt} = I_{tt} , \quad 1 \leqslant t \leqslant T \tag{12-13}$$

$$(1 - \alpha_{i,t-1}) I_{i,t-1} - Z_{it} = I_{it} , \quad 1 \leqslant i < t \leqslant T \tag{12-14}$$

$$B_{i,t-1} - Z_{ti} = B_{it} , \quad 1 \leqslant i < t \leqslant T \tag{12-15}$$

$$\sum_{l=1}^{t} I_{lt} \leqslant I^{\max} , \quad 1 \leqslant t \leqslant T \tag{12-16}$$

$$X_t, I_{it}, B_{it} \geqslant 0 , \quad 1 \leqslant i \leqslant t \leqslant T \tag{12-17}$$

$$Z_{it} \geqslant 0 , \quad 1 \leqslant i \leqslant T , \quad 1 \leqslant t \leqslant T \tag{12-18}$$

约束条件 (12-15) 表示延迟到第 $t-1$ 期的未满足的第 i 期的需求数量减去用以满足 i 期需求的数量后，剩余的延迟数量。其余约束条件的含义参见 12.2.1 节。若 $b_{it} = +\infty$，则允许需求延迟模型退化为不允许需求延迟模型。

12.3.2 动态规划算法

在允许需求延迟的情形下，根据模型最优解的性质设计动态规划算法求解最优决策批量。

引理 12-1 在 $P(T)$ 的最优解 Ω^* 中，对于任意 i,k,t，$1 \leqslant i \leqslant k \leqslant t \leqslant T$，有 $I_{ik}^* B_{kt}^* = 0$ 成立。

$I_{ik}^* B_{kt}^* = 0$ 是正交性质，说明某一周期库存与需求延迟不可能同时为正，证明过程参见 Zangwill (1969) 的文献。这一重要的正交性质将会大大简化下述定理 12-5 和定理 12-6 的证明。

定理 12-5 在 $P(T)$ 的最优解 Ω^* 中，对于 $1 \leqslant i \leqslant t \leqslant T$：

(1) 若 $\sum_{l=1}^{i-1} (1 - \alpha_{l,i-1}) I_{l,i-1}^* \geqslant 0$，则

$$\left(I^{\max} + d_i - X_i^* - \sum_{l=1}^{i-1} (1 - \alpha_{l,i-1}) I_{l,i-1}^* \right) \cdot \left(\sum_{l=1}^{i-1} (1 - \alpha_{l,i-1}) I_{l,i-1}^* + X_i^* - \sum_{k=i}^{t} A_{ik}^i d_k \right) \cdot X_i^* = 0$$

(2) 若 $\sum_{l=1}^{i-1} B_{l,i-1}^* > 0$，则

$$\left(I^{\max} + d_i - X_i^* - \sum_{l=1}^{i-1} B_{l,i-1}^* \right) \cdot \left(X_i^* - \sum_{k=i}^{t} A_{ik}^i d_k - \sum_{l=1}^{i-1} B_{l,i-1}^* \right) \cdot X_i^* = 0$$

证明 根据引理 12-1 可知某一周期库存与需求延迟不可能同时为正，因此只需考虑 $\sum_{l=1}^{i-1} (1 - \alpha_{l,i-1}) I_{l,i-1}^* \geqslant 0$ 和 $\sum_{l=1}^{i-1} B_{l,i-1}^* > 0$ 两种情形。在 $\sum_{l=1}^{i-1} (1 - \alpha_{l,i-1}) I_{l,i-1}^* \geqslant 0$ 情形下的性质同定理 12-1，在 $\sum_{l=1}^{i-1} B_{l,i-1}^* > 0$ 情形下的性质的证明与定理 12-1 证明类似。此定理也界定了企业在周

期 t 的最优生产数量的取值范围。

定理12-6 在 $P(T)$ 的最优解 Ω^* 中，假设 $i<j$ 为两个生产点，对于任意周期 k，$1\leqslant k\leqslant T$，若 $Z_{jk}^*>0$，则有 $Z_{it}^*=0$ 对于任意周期 t 成立，$k<t\leqslant T$。

证明 定理 12-2 中已经证明情形 $i<j\leqslant k<t\leqslant T$。情形 $k<t\leqslant i<j\leqslant T$ 的证明与定理 12-2 类似。运用反证法，假设在 T-周期问题中存在一个最优解 Ω^+，有 $Z_{jk}^+>0$ 和 $Z_{it}^+>0$ 对于 $k<t\leqslant i<j\leqslant T$ 成立。调整最优解 Ω^+，建立一个新的可行解 Ω^* 使得 $Z_{jk}^*>0$ 和 $Z_{it}^*=0$，而新的可行解 Ω^* 不会增加总成本，得出矛盾的结果。从引理 12-1 可得，无须考虑情形 $i<k\leqslant j<t\leqslant T$、$i\leqslant k<j\leqslant t\leqslant T$、$i\leqslant k<t\leqslant j\leqslant T$、$k<i\leqslant t<j\leqslant T$、$k\leqslant i<t\leqslant j\leqslant T$、$k\leqslant i<j\leqslant t\leqslant T$ 和 $k<i\leqslant j<t\leqslant T$。

定理 12-6 是"先进先出"的库存管理原则的拓展形式。

根据定理 12-5 和定理 12-6，在 $P(t)$ 中，令 $V(i_e^1,i_e^2,\cdots,i_e^R;e;t)$ 代表周期 e 的部分需求和周期 $e+1$ 到周期 t 的需求全部延迟，而周期 e 的部分或全部需求由生产点 $i_e^1,i_e^2,\cdots,i_e^R$ 满足时 $P(t)$ 的成本。令 $V(i_{e-1}^1,i_{e-1}^2,\cdots,i_{e-1}^S;e-1)$ 代表周期 $e-1$ 的需求由生产点 $i_{e-1}^1,i_{e-1}^2,\cdots,i_{e-1}^S$ 满足时 $P(e-1)$ 的成本。则由以上定义可得 $i_{e-1}^1<i_{e-1}^2<\cdots<i_{e-1}^S\leqslant i_e^1<i_e^2<\cdots<i_e^R$。若 $S=1$ 且 $R=1$，则 $i_{e-1}^1\leqslant i_e^1$。由以上定义及分析可得 $V(t)=\min\left\{\sum_{l=1}^{t}\sum_{k=1}^{l}b_{1l}d_k;V(i_e^1,i_e^2,\cdots,i_e^R;e;t)\right\}$。若在 $P(t)$ 中没有生产点，即第 1 期至第 t 期的需求全部延迟，则 $V(t)=\sum_{l=1}^{t}\sum_{k=1}^{l}b_{1l}d_k$（$V(t)$ 的含义同 12.1.3 节）。

以下分 $R=1$ 及 $R>1$ 两类情况讨论计算 $V(i_e^1,i_e^2,\cdots,i_e^R;e;t)$。

若 $R=1$、$i_t^1=i_{t-1}^S$ 和 $I^{\max}-\sum_{k=1}^{S-1}(1-\alpha_{i_{e-1}^k,i_{e-1}^1})I_{i_{e-1}^k,i_{e-1}^1}^*\geqslant\sum_{k=i_e^1+1}^{e}A_{i_e^1k}^{i_e^1}d_k$，则

$$V(i_e^1;e;t)=V(i_{e-1}^1,i_{e-1}^2,\cdots,i_{e-1}^S;e-1)+c_{i_e^1}A_{i_e^1e}^{i_e^1}d_e+\sum_{l=i_e^1}^{e-1}h_{i_e^1l}A_{le}^{i_e^1}d_e+\sum_{l=e+1}^{t}\sum_{k=e+1}^{l}b_{e+1,l}d_k \quad (12\text{-}19)$$

若 $R=1$、$i_t^1=i_{t-1}^S$ 和 $I^{\max}-\sum_{k=1}^{S-1}(1-\alpha_{i_{e-1}^k,i_{e-1}^1})I_{i_{e-1}^k,i_{e-1}^1}^*<\sum_{k=i_e^1+1}^{e}A_{i_e^1k}^{i_e^1}d_k$，则

$$
\begin{aligned}
V(i_e^1;e;t)=&V(i_{e-1}^1,i_{e-1}^2,\cdots,i_{e-1}^S;e-1)+c_{i_e^1}\left[I^{\max}+d_i-\sum_{k=1}^{S-1}(1-\alpha_{i_{e-1}^k,i_{e-1}^1})I_{i_{e-1}^k,i_{e-1}^1}^*\right]\\
&+\sum_{l=i_e^1}^{e}h_{i_e^1l}\left[I^{\max}+d_i-\sum_{k=1}^{S-1}(1-\alpha_{i_{e-1}^k,i_{e-1}^1})I_{i_{e-1}^k,i_{e-1}^1}^*\right]\Big/A_{i_e^1l}^{i_e^1}\\
&+\sum_{l=e}^{t}b_{el}\left[d_e+\sum_{k=1}^{S-1}(1-\alpha_{i_{e-1}^k,i_{e-1}^1})I_{i_{e-1}^k,i_{e-1}^1}-I^{\max}-\sum_{k=i_e^1+1}^{e-1}A_{i_e^1k}^{i_e^1}d_k\right]+\sum_{l=e+1}^{t}\sum_{k=e+1}^{l}b_{e+1,l}d_k
\end{aligned}
\quad (12\text{-}20)
$$

若 $R=1$、$i_t^1>i_{t-1}^S$ 和 $I^{\max}-\sum_{k=1}^{S}(1-\alpha_{i_{e-1}^k,i_{e-1}^1})I_{i_{e-1}^k,i_{e-1}^1}^*\geqslant\sum_{k=i_e^1+1}^{e}A_{i_e^1k}^{i_e^1}d_k$，则

$$V(i_t^1;t)=V(i_{t-1}^1,i_{t-1}^2,\cdots,i_{t-1}^S;t-1)+\sigma_{i_t^1}+c_{i_e^1}A_{i_e^1e}^{i_e^1}d_e+\sum_{l=i_e^1}^{e-1}h_{i_e^1l}A_{le}^{i_e^1}d_e+\sum_{l=e+1}^{t}\sum_{k=e+1}^{l}b_{e+1,l}d_k \quad (12\text{-}21)$$

若 $R=1$、$i_t^1 > i_{t-1}^S$ 和 $I^{\max} - \sum_{k=1}^{S}(1-\alpha_{i_{e-1}^k, i_{e-1}^1})I_{i_{e-1}^k, i_{e-1}^1}^* < \sum_{k=i_e^1+1}^{e} A_{i_e^1 k}^{i_e^1} d_k$，则

$$V(i_e^1; e; t) = V(i_{e-1}^1, i_{e-1}^2, \cdots, i_{e-1}^S; e-1) + \sigma_{i_t^1} + c_{i_e^1}\left[I^{\max} + d_i - \sum_{k=1}^{S}(1-\alpha_{i_{e-1}^k, i_{e-1}^1})I_{i_{e-1}^k, i_{e-1}^1}^*\right]$$

$$+ \sum_{l=i_e^1}^{e} h_{i_e^1 l}\left[I^{\max} + d_i - \sum_{k=1}^{S}(1-\alpha_{i_{e-1}^k, i_{e-1}^1})I_{i_{e-1}^k, i_{e-1}^1}^*\right]\Big/ A_{i_e^1 l}^{i_e^1} \qquad (12\text{-}22)$$

$$+ \sum_{l=e}^{t} b_{el}\left[d_e + \sum_{k=1}^{S}(1-\alpha_{i_{e-1}^k, i_{e-1}^1})I_{i_{e-1}^k, i_{e-1}^1} - I^{\max} - \sum_{k=i_e^1+1}^{e-1} A_{i_e^1 k}^{i_e^1} d_k\right] + \sum_{l=e+1}^{t}\sum_{k=e+1}^{l} b_{e+1,l} d_k$$

若 $R>1$、$i_t^1 = i_{t-1}^S$ 和 $I^{\max} - \sum_{k=1}^{R-1}(1-\alpha_{i_e^k, i_e^R-1})I_{i_e^k, i_e^R-1}^* \geqslant \sum_{k=i_e^R+1}^{e} A_{i_e^R k}^{i_e^R} d_k$，则 $X_{i_t^r} = I^{\max} + d_{i_t^r} - \sum_{l=1}^{i_t^r-1} I_{li_t^r}$，

$r = 1, 2, \cdots, R-1$，故有

$$V(i_t^1, i_t^2, \cdots, i_t^R; t) = V(i_{t-1}^1, i_{t-1}^2, \cdots, i_{t-1}^S; t-1) + \sum_{r=2}^{R}\sigma_{i_t^r} + c_{i_t^1}\left(I^{\max} + d_{i_t^1} - \sum_{l=1}^{1} I_{li_t^1}\right)$$

$$+ \sum_{r=2}^{R-1} c_{i_t^r}\left(\cdot I^{\max} + d_{i_t^r} - \sum_{l=1}^{r-1} I_{i_t^l i_t^r}\right) + \sum_{l=i_t^1}^{t-1} h_{i_t^1 l}\left(I^{\max} + d_{i_t^1} - \sum_{k=1}^{i_t^1} I_{ki_t^1}\right)\Big/ A_{i_t^1 l}^{i_t^1} \qquad (12\text{-}23)$$

$$+ \sum_{r=2}^{R-1}\sum_{l=i_t^r}^{t-1} h_{i_t^r l}\left(I^{\max} + d_{i_t^r} - \sum_{k=1}^{r-1} I_{i_t^k i_t^r}\right)\Big/ A_{i_t^r l}^{i_t^r} + c_{i_e^R} A_{i_e^R e}^{i_e^R} d_e + \sum_{l=i_e^R}^{e-1} h_{i_e^R l} A_{le}^{i_e^R} d_e$$

$$+ \sum_{l=e+1}^{t}\sum_{k=e+1}^{l} b_{e+1,l} d_k$$

若 $R>1$、$i_t^1 = i_{t-1}^S$ 和 $I^{\max} - \sum_{k=1}^{R-1}(1-\alpha_{i_e^k, i_e^R-1})I_{i_e^k, i_e^R-1}^* < \sum_{k=i_e^R+1}^{e} A_{i_e^R k}^{i_e^R} d_k$，则 $X_{i_t^r} = I^{\max} + d_{i_t^r} - \sum_{l=1}^{i_t^r-1} I_{li_t^r}$，

$r = 1, 2, \cdots, R-1$，因此有

$$V(i_t^1, i_t^2, \cdots, i_t^R; t) = V(i_{t-1}^1, i_{t-1}^2, \cdots, i_{t-1}^S; t-1) + \sum_{r=2}^{R}\sigma_{i_t^r} + c_{i_t^1}\left(I^{\max} + d_{i_t^1} - \sum_{l=1}^{1} I_{li_t^1}\right)$$

$$+ \sum_{r=2}^{R-1} c_{i_t^r}\left(I^{\max} + d_{i_t^r} - \sum_{l=1}^{r-1} I_{i_t^l i_t^r}\right) + \sum_{l=i_t^1}^{t-1} h_{i_t^1 l}\left(I^{\max} + d_{i_t^1} - \sum_{k=1}^{i_t^1} I_{ki_t^1}\right)\Big/ A_{i_t^1 l}^{i_t^1}$$

$$+ \sum_{r=2}^{R-1}\sum_{l=i_t^r}^{t-1} h_{i_t^r l}\left(I^{\max} + d_{i_t^r} - \sum_{k=1}^{r-1} I_{i_t^k i_t^r}\right)\Big/ A_{i_t^r l}^{i_t^r} + c_{i_e^R}\left[I^{\max} + d_i - \sum_{k=1}^{R-1}(1-\alpha_{i_e^k, i_e^R-1})I_{i_e^k, i_e^R-1}^*\right]$$

$$+ \sum_{l=i_e^R}^{e} h_{i_e^R l}\left[I^{\max} + d_i - \sum_{k=1}^{R-1}(1-\alpha_{i_e^k, i_e^R-1})I_{i_e^k, i_e^R-1}^*\right]\Big/ A_{i_e^R l}^{i_e^R}$$

$$+ \sum_{l=e}^{t} b_{el}\left[d_e + \sum_{k=1}^{R-1}(1-\alpha_{i_e^k, i_e^R-1})I_{i_e^k, i_e^R-1} - I^{\max} - \sum_{k=i_e^R+1}^{e-1} A_{i_e^R k}^{i_e^R} d_k\right] + \sum_{l=e+1}^{t}\sum_{k=e+1}^{l} b_{e+1,l} d_k$$

$$(12\text{-}24)$$

若 $R>1$、$i_t^1 > i_{t-1}^S$ 和 $I^{\max} - \sum_{k=1}^{R-1}(1-\alpha_{i_e^k, i_e^R-1})I_{i_e^k, i_e^R-1}^* \geqslant \sum_{k=i_e^R+1}^{e} A_{i_e^R k}^{i_e^R} d_k$，则 $X_{i_t^r} = I^{\max} + d_{i_t^r} - \sum_{l=1}^{i_t^r-1} I_{li_t^r}$，

$r = 1, 2, \cdots, R-1$，因此有

$$V(i_t^1, i_t^2, \cdots, i_t^R; t) = V(i_{t-1}^1, i_{t-1}^2, \cdots, i_{t-1}^S; t-1) + \sum_{r=1}^{R} \sigma_{i_t^r} + c_{i_t^1}\left(I^{\max} + d_{i_t^1} - \sum_{l=1}^{i_t^1} I_{li_t^1}\right)$$
$$+ \sum_{r=2}^{R-1} c_{i_t^r}\left(I^{\max} + d_{i_t^r} - \sum_{l=1}^{r-1} I_{i_t^l i_t^r}\right) + \sum_{l=1}^{t-1} h_{i_t^1 l}\left(I^{\max} + d_{i_t^1} - \sum_{k=1}^{i_t^1} I_{ki_t^1}\right)\Big/ A_{i_t^1 l}^{i_t^1}$$
$$+ \sum_{r=2}^{R-1}\sum_{l=i_t^r}^{t-1} h_{i_t^r l}\left(I^{\max} + d_{i_t^r} - \sum_{k=1}^{r-1} I_{i_t^k i_t^r}\right)\Big/ A_{i_t^r l}^{i_t^r} + c_{i_e^R} A_{i_e^R e}^{i_e^R} d_e + \sum_{l=i_e^R}^{e-1} h_{i_e^R l} A_{le}^{i_e^R} d_e$$
$$+ \sum_{l=e+1}^{t}\sum_{k=e+1}^{l} b_{e+1,l} d_k \qquad (12\text{-}25)$$

若 $R>1$、$i_t^1 > i_{t-1}^S$ 和 $I^{\max} - \sum_{k=1}^{R-1}(1-\alpha_{i_e^k, i_e^R-1})I_{i_e^k, i_e^R-1}^* < \sum_{k=i_e^R+1}^{e} A_{i_e^R k}^{i_e^R} d_k$，则 $X_{i_t^r} = I^{\max} + d_{i_t^r} - \sum_{l=1}^{i_t^{r-1}} I_{li_t^r}$，

$r=1,2,\cdots,R-1$，因此有

$$V(i_t^1, i_t^2, \cdots, i_t^R; t) = V(i_{t-1}^1, i_{t-1}^2, \cdots, i_{t-1}^S; t-1) + \sum_{r=1}^{R} \sigma_{i_t^r} + c_{i_t^1}\left(I^{\max} + d_{i_t^1} - \sum_{l=1}^{i_t^1} I_{li_t^1}\right)$$
$$+ \sum_{r=2}^{R-1} c_{i_t^r}\left(I^{\max} + d_{i_t^r} - \sum_{l=1}^{r-1} I_{i_t^l i_t^r}\right) + \sum_{l=i_t^1}^{t-1} h_{i_t^1 l}\left(I^{\max} + d_{i_t^1} - \sum_{k=1}^{i_t^1} I_{ki_t^1}\right)\Big/ A_{i_t^1 l}^{i_t^1}$$
$$+ \sum_{r=2}^{R-1}\sum_{l=i_t^r}^{t-1} h_{i_t^r l}\left(I^{\max} + d_{i_t^r} - \sum_{k=1}^{r-1} I_{i_t^k i_t^r}\right)\Big/ A_{i_t^r l}^{i_t^r} + c_{i_e^R}\left[I^{\max} + d_i - \sum_{k=1}^{R-1}(1-\alpha_{i_e^k, i_e^R-1})I_{i_e^k, i_e^R-1}^*\right]$$
$$+ \sum_{l=i_e^R}^{e} h_{i_e^R l}\left[I^{\max} + d_i - \sum_{k=1}^{R-1}(1-\alpha_{i_e^k, i_e^R-1})I_{i_e^k, i_e^R-1}^*\right]\Big/ A_{i_e^R l}^{i_e}$$
$$+ \sum_{l=e}^{t} b_{el}\left[d_e + \sum_{k=1}^{R-1}(1-\alpha_{i_e^k, i_e^R-1})I_{i_e^k, i_e^R-1} - I^{\max} - \sum_{k=i_e^R+1}^{e-1} A_{i_e^R k}^{i_e^R} d_k\right] + \sum_{l=e+1}^{t}\sum_{k=e+1}^{l} b_{e+1,l} d_k$$

$$(12\text{-}26)$$

在允许需求延迟的情况下，若持有库存没有投机性动机，则零库存性质在时间依赖的库存损失率、库存成本和库存能力约束下仍然成立。另外，对于 $\forall 1 \leq j < k \leq T$，若有如下表达式成立，则称这种成本结构为需求延迟没有投机性动机：

$$c_k + \sum_{l=j}^{k-1} b_{jl} > c_j \qquad (12\text{-}27)$$

在持有库存和需求延迟没有投机性动机的条件下，除了零库存性质和正交性质的成立，还有如下性质成立。

定理 12-7　在 $P(T)$ 的最优解 Ω^* 中，对于任意 t，$1 \leq t \leq T$，有

(1) $x_t^* B_{tk}^* = 0$ 对于所有的 k 成立，$t \leq k \leq T$；

(2) $I_{i,t-1}^* B_{tk}^* = 0$ 对于所有的 i 和 k 成立，$1 \leq i \leq t-1$，$t \leq k \leq T$。

证明过程参见 Zangwill(1969) 的文献。定理 12-7(1) 说明周期 t 若有生产，则周期 t 没有需求延迟。定理 12-7(2) 说明若某周期的库存数量大于零，则下一周期不会出现需求延迟。

在持有库存和需求延迟没有投机性动机的情况下，令 $V(i,e,t)$ 代表最后一个生产点为 i，大于等于 i 的一个库存为零的周期为 e 时 $P(t)$ 的最优成本。根据零库存性质和定理 12-7，

构造如下动态规划算法求解模型：

$$V(t) = \min\left\{\sum_{l=1}^{t}\sum_{k=1}^{l}b_{1l}d_k; \min_{1\leqslant i\leqslant e\leqslant t}V(i,e,t)\right\}$$

$$= \min\left\{\sum_{l=1}^{t}\sum_{k=1}^{l}b_{1l}d_k; \min_{1\leqslant i\leqslant e}\left\{V(i-1) + c_i\sum_{k=i}^{e}A_{ik}^{i}d_k + \sum_{l=i}^{e-1}\sum_{k=l+1}^{e}h_{il}A_{lk}^{i}d_k + \sum_{l=e+1}^{t}\sum_{k=e+1}^{l}b_{e+1,l}d_k\right\}\right\}$$

$$(12\text{-}28)$$

其中，周期 i 需要满足 $\displaystyle\sum_{k=i+1}^{e}A_{ik}^{i}d_k \leqslant I^{\max}$。

12.3.3 预测时阈分析

与上述基础模型类似，本节仍然利用边际成本分析方法求解模型中的预测时阈问题。令 $\lambda_{1j} = c_j + \sum_{l=1}^{j-1}b_{1l}$，$1\leqslant j\leqslant t\leqslant T$，若 $j=1$，则 $\lambda_{11} = c_1$。令 $n(t)$ 为使 λ_{1j} 为最小的周期 j 的取值，$1\leqslant j\leqslant t\leqslant T$，如对任意的 g（$1\leqslant g\leqslant t$）有 $\lambda_{1g}\geqslant\lambda_{1j}$ 成立，则 $j=n(t)$。

定理 12-8 在 $P(t)$ 的最优解中，若 $i(Rt) = m(t) = n(t)$，则 $i(1t^*)\geqslant i(Rt)$，$t+1\leqslant t^*$。

证明过程类似定理 12-3。此引理阐述了在允许需求延迟的情形下生产点的单调性。

定理 12-9 在 $P(t)$ 的最优解中，若 $i(Rt) = m(t) = n(t)$ 且有 $X_l^{i(Rt)-1} = X_l^{i(Rt)} = \cdots = X_l^{t-1}$ 对于 $j = 1,2,\cdots,\tau$（$1\leqslant\tau\leqslant i(Rt)-1$）成立，则对于任意更长周期的问题 $P(t^*)$，t 为预测时阈，τ 为相应的决策时阈，$t+1\leqslant t^*$。

证明过程类似于定理 12-4。此定理为允许需求延迟情形下求解预测时阈的充分条件，若再生集中的每一个元素都有一个共同的 τ 周期决策，则 τ 为决策时阈，t 为预测时阈。

12.4 需求损失的动态批量及预测时阈

12.4.1 模型构建

仓储能力的限制也会造成需求损失，因此本节在第 11 章的基础上研究仓储能力约束及需求损失下易逝品动态批量决策及预测时阈问题。令 S_t 为第 t 期的需求损失（缺货）数量，s_t 为第 t 期的单位缺货成本，$1\leqslant t\leqslant T$，其余符号同 12.2.1 节。另外，根据第 11 章的研究，设定如下假设条件。

假设 4 需求损失（缺货）成本大于单位生产成本，即 $s_t > c_t$，$1\leqslant t\leqslant T$。

不失一般性，假设第一个周期的期初和结束周期的期末可用库存为零，结束周期允许缺货。则允许需求损失的成本最小化模型可表示为

$$\min\sum_{t=1}^{T}\left(\sigma_t\delta(X_t) + c_tX_t + \sum_{i=1}^{t}h_{it}I_{it} + s_tS_t\right) \tag{12-29}$$

约束条件为

$$X_t - Z_{tt} = I_{tt}，\quad 1\leqslant t\leqslant T \tag{12-30}$$

$$(1-\alpha_{i,t-1})I_{i,t-1}-Z_{it}=I_{it} , \quad 1\leq i<t\leq T \tag{12-31}$$

$$\sum_{i=1}^{t} Z_{it}+S_t=d_t , \quad 1\leq t\leq T \tag{12-32}$$

$$\sum_{l=1}^{t} I_{lt}\leq I^{\max} , \quad 1\leq t\leq T \tag{12-33}$$

$$X_t,I_{it},Z_{it}\geq 0 , \quad 1\leq i\leq t\leq T \tag{12-34}$$

约束条件(12-32)表示第 t 期期初的需求与第 $1\sim t$ 期的生产和第 t 期的缺货保持平衡；其余约束条件的含义参见 12.2.1 节。若 $s_t=+\infty$，则允许需求损失模型退化为不允许需求损失模型。

12.4.2　前向动态规划算法

在允许需求损失的情形下有如下最优解的结构性质。

定理 12-10　在 $P(T)$ 的最优解 Ω^* 中，有 $X^*S^*=0$，$t=1,2,\cdots,T$。

与定理 11-1 一致，证明略。

在阐述定理 12-11 之前需要定义一个集合，令满足 $c_iA_{it'}^i+\sum_{l=i}^{t'-1}h_{il}A_{it'}^i\leq s_{t'}$ 的所有周期 t' （$i\leq t'\leq t$）组成的集合为 U_i^t。

定理 12-11　在 $P(T)$ 的最优解 Ω^* 中，对于 $1\leq i\leq t\leq T$，有

$$\left(I^{\max}+d_i-X_i^*-\sum_{l=1}^{i-1}(1-\alpha_{l,i-1})I_{l,i-1}^*\right)\cdot\left(\sum_{l=1}^{i-1}(1-\alpha_{l,i-1})I_{l,i-1}^*+X_i^*-\sum_{t'\in U_i^t}A_{it'}^id_{t'}\right)\cdot X_i^*=0$$

证明过程与定理 12-1 类似。

定理 12-12　在 $P(T)$ 的最优解 Ω^* 中，假设 $i<j$ 为两个生产点，对于某周期 k（$k\geq j$），若 $Z_{jk}^*>0$，则有 $Z_{it}^*=0$ 对于任意周期 t（$k<t\leq T$）成立。

通过以上性质的分析发现，带有库存水平约束及允许缺货下易逝品动态批量预测时阈问题可以通过前向递归动态规划算法解决。

由定理12-10~定理12-12可得 $P(t)$ 可以分解为一系列的子问题解决。令 $V(i_t^1,i_t^2,\cdots,i_t^R;t)$ 代表周期 t 的需求由生产点 $i_t^1,i_t^2,\cdots,i_t^R$ 满足时 $P(t)$ 的成本，$V(i_{t-1}^1,i_{t-1}^2,\cdots,i_{t-1}^S;t-1)$ 代表周期 $t-1$ 的需求由生产点 $i_{t-1}^1,i_{t-1}^2,\cdots,i_{t-1}^S$ 满足时 $P(t-1)$ 的成本。若 $R=0$，则将 $V(i_t^1,i_t^2,\cdots,i_t^R;t)$ 标记为 $V(;t)$。若 $S>1$ 且 $R>1$，则由以上定义可得 $i_{t-1}^1<i_{t-1}^2<\cdots<i_{t-1}^S\leq i_t^1<i_t^2<\cdots<i_t^R$。若 $S=1$ 且 $R=1$，则 $i_{t-1}^1\leq i_t^1$。若在 $P(t)$ 中没有生产点，即第 $1\sim t$ 期的需求全部损失，则 $V(t)=\sum_{l=1}^{t}s_ld_l$。由以上定义及分析可得，$V(t)=\min\left\{\sum_{l=1}^{t}s_ld_l;V(i_t^1,i_t^2,\cdots,i_t^R;t)\right\}$。以下分 $R=0$、$R=1$ 及 $R>1$ 三类情况讨论计算 $V(i_t^1,i_t^2,\cdots,i_t^R;t)$。

若 $R=0$，则

$$V(;t)=V(i_{t-1}^1,i_{t-1}^2,\cdots,i_{t-1}^S;t-1)+s_td_t \tag{12-35}$$

若 $R=1$、$i_t^1 = i_{t-1}^S$ 和 $I^{\max} - \sum_{k=1}^{S-1}(1-\alpha_{i_{t-1}^k, i_t^1-1})I_{i_{t-1}^k, i_t^1-1} \geqslant \sum_{k=i_t^1+1}^{t} A_{i_t^1 k}^{i_t^1} d_k$，则

$$V(i_t^1; t) = V(i_{t-1}^1, i_{t-1}^2, \cdots, i_{t-1}^S; t-1) + c_{i_t^1} A_{i_t^1 t}^{i_t^1} d_t + \sum_{l=i_t^1}^{t-1} h_{i_t^1 l} A_{lt}^{i_t^1} d_t \qquad (12\text{-}36)$$

若 $R=1$、$i_t^1 = i_{t-1}^S$ 和 $I^{\max} - \sum_{k=1}^{S-1}(1-\alpha_{i_{t-1}^k, i_t^1-1})I_{i_{t-1}^k, i_t^1-1} < \sum_{k=i_t^1+1}^{t} A_{i_t^1 k}^{i_t^1} d_k$，则

$$
\begin{aligned}
V(i_t^1; t) = & V(i_{t-1}^1, i_{t-1}^2, \cdots, i_{t-1}^S; t-1) + c_{i_t^1}\left[I^{\max} + d_i - \sum_{k=1}^{S-1}(1-\alpha_{i_{t-1}^k, i_t^1-1})I_{i_{t-1}^k, i_t^1-1} \right] \\
& + \sum_{l=i_t^1}^{t} h_{i_t^1 l}\left[I^{\max} + d_i - \sum_{k=1}^{S-1}(1-\alpha_{i_{t-1}^k, i_t^1-1})I_{i_{t-1}^k, i_t^1-1} \right] \Big/ A_{i_t^1 l}^{i_t^1} \\
& + s_t\left[d_t + \sum_{k=1}^{S-1}(1-\alpha_{i_{t-1}^k, i_t^1-1})I_{i_{t-1}^k, i_t^1-1} - I^{\max} - \sum_{k=i_t^1+1}^{t-1} A_{i_t^1 k}^{i_t^1} d_k \right]
\end{aligned}
\qquad (12\text{-}37)
$$

若 $R=1$、$i_t^1 > i_{t-1}^S$ 和 $I^{\max} - \sum_{k=1}^{S}(1-\alpha_{i_{t-1}^k, i_t^1-1})I_{i_{t-1}^k, i_t^1-1} \geqslant \sum_{k=i_t^1+1}^{t} A_{i_t^1 k}^{i_t^1} d_k$，则

$$V(i_t^1; t) = V(i_{t-1}^1, i_{t-1}^2, \cdots, i_{t-1}^S; t-1) + \sigma_{i_t^1} + c_{i_t^1} A_{i_t^1 t}^{i_t^1} d_t + \sum_{l=i_t^1}^{t-1} h_{i_t^1 l} A_{lt}^{i_t^1} d_t \qquad (12\text{-}38)$$

若 $R=1$、$i_t^1 > i_{t-1}^S$ 和 $I^{\max} - \sum_{k=1}^{S}(1-\alpha_{i_{t-1}^k, i_t^1-1})I_{i_{t-1}^k, i_t^1-1} < \sum_{k=i_t^1+1}^{t} A_{i_t^1 k}^{i_t^1} d_k$，则

$$
\begin{aligned}
V(i_t^1; t) = & V(i_{t-1}^1, i_{t-1}^2, \cdots, i_{t-1}^S; t-1) + \sigma_{i_t^1} + c_{i_t^1}\left[I^{\max} + d_{i_t^1} - \sum_{k=1}^{S}(1-\alpha_{i_{t-1}^k, i_t^1-1})I_{i_{t-1}^k, i_t^1-1} \right] \\
& + \sum_{l=i_t^1}^{t} h_{i_t^1 l}\left[I^{\max} + d_i - \sum_{k=1}^{S}(1-\alpha_{i_{t-1}^k, i_t^1-1})I_{i_{t-1}^k, i_t^1-1} \right] \Big/ A_{i_t^1 l}^{i_t^1} \\
& + s_t\left[d_t + \sum_{k=1}^{S}(1-\alpha_{i_{t-1}^k, i_t^1-1})I_{i_{t-1}^k, i_t^1-1} - I^{\max} - \sum_{k=i_t^1+1}^{t-1} A_{i_t^1 k}^{i_t^1} d_k \right]
\end{aligned}
\qquad (12\text{-}39)
$$

若 $R>1$、$i_t^1 = i_{t-1}^S$ 和 $I^{\max} - \sum_{k=1}^{R-1}(1-\alpha_{i_t^k, i_t^R-1})I_{i_t^k, i_t^R-1} \geqslant \sum_{k=i_t^R+1}^{t} A_{i_t^R k}^{i_t^R} d_k$，则有 $X_{i_t^r} = I^{\max} + d_{i_t^r} - \sum_{l=1}^{i_t^r-1} I_{l i_t^r}$，$r=1,2,\cdots,R-1$，因此可得

$$
\begin{aligned}
V(i_t^1, i_t^2, \cdots, i_t^R; t) = & V(i_{t-1}^1, i_{t-1}^2, \cdots, i_{t-1}^S; t-1) + \sum_{r=2}^{R}\sigma_{i_t^r} + c_{i_t^1}\left(I^{\max} + d_{i_t^1} - \sum_{l=1}^{i_t^1} I_{l i_t^1} \right) \\
& + \sum_{r=2}^{R-1} c_{i_t^r}\left(I^{\max} + d_{i_t^r} - \sum_{l=1}^{i_t^r} I_{i_t^l i_t^r} \right) + \sum_{l=i_t^1}^{t-1} h_{i_t^1 l}\left(I^{\max} + d_{i_t^1} - \sum_{k=1}^{i_t^1} I_{k i_t^1} \right) \Big/ A_{i_t^1 l}^{i_t^1} \\
& + \sum_{r=2}^{R-1}\sum_{l=i_t^r}^{t-1} h_{i_t^r l}\left(I^{\max} + d_{i_t^r} - \sum_{k=1}^{i_t^r-1} I_{i_t^k i_t^r} \right) \Big/ A_{i_t^r l}^{i_t^r} + c_{i_t^R} A_{i_t^R t}^{i_t^R} d_t + \sum_{l=i_t^R}^{t-1} h_{i_t^R l} A_{lt}^{i_t^R} d_t
\end{aligned}
\qquad (12\text{-}40)
$$

若 $R>1$、$i_t^1 = i_{t-1}^S$ 和 $I^{\max} - \sum_{k=1}^{R-1}(1-\alpha_{i_t^k, i_t^R-1})I_{i_t^k, i_t^R-1} \geqslant \sum_{k=i_t^R+1}^{t} A_{i_t^R k}^{i_t^R} d_k$，则 $X_{i_t^r} = I^{\max} + d_{i_t^r} - \sum_{l=1}^{i_t^r-1} I_{l i_t^r}$，$r=1,2,\cdots,R-1$，因此可得

$$V(i_t^1, i_t^2, \cdots, i_t^R; t) = V(i_{t-1}^1, i_{t-1}^2, \cdots, i_{t-1}^S; t-1) + \sum_{r=2}^{R} \sigma_{i_t^r} + c_{i_t^1}\left(I^{\max} + d_{i_t^1} - \sum_{l=1}^{i_t^1} I_{li_t^1}\right)$$

$$+ \sum_{r=2}^{R-1} c_{i_t^r}\left(I^{\max} + d_{i_t^r} - \sum_{l=1}^{r-1} I_{i_t^l i_t^r}\right) + \sum_{l=1}^{t-1} h_{i_t^1 l}\left(I^{\max} + d_{i_t^1} - \sum_{k=1}^{i_t^1} I_{ki_t^1}\right)\bigg/ A_{i_t^1 l}^{i_t^1}$$

$$+ \sum_{r=2}^{R-1}\sum_{l=i_t^r}^{t-1} h_{i_t^r l}\left(I^{\max} + d_{i_t^r} - \sum_{k=1}^{r-1} I_{i_t^k i_t^r}\right)\bigg/ A_{i_t^r l}^{i_t^r} \tag{12-41}$$

$$+ c_{i_t^R}\left[I^{\max} + d_{i_t^R} - \sum_{k=1}^{R-1}(1-\alpha_{i_t^k, i_t^R - 1})I_{i_t^k, i_t^R - 1}\right]$$

$$+ \sum_{l=i_t^R}^{t-1} h_{i_t^R l}\left[I^{\max} + d_{i_t^R} - \sum_{k=1}^{R-1}(1-\alpha_{i_t^k, i_t^R - 1})I_{i_t^k, i_t^R - 1}\right]\bigg/ A_{i_t^R l}^{i_t^R}$$

$$+ s_t\left[d_t + \sum_{k=1}^{R-1}(1-\alpha_{i_t^k, i_t^R - 1})I_{i_t^k, i_t^R - 1} - I^{\max} - \sum_{k=i_t^R + 1}^{t-1} A_{i_t^R k}^{i_t^R} d_k\right]$$

若 $R>1$、$i_t^1 = i_{t-1}^S$ 和 $I^{\max} - \sum_{k=1}^{R-1}(1-\alpha_{i_t^k, i_t^R - 1})I_{i_t^k, i_t^R - 1} \geqslant \sum_{k=i_t^R + 1}^{t} A_{i_t^R k}^{i_t^R} d_k$，则 $X_{i_t^r} = I^{\max} + d_{i_t^r} - \sum_{l=1}^{i_t^r - 1} I_{li_t^r}$，$r = 1, 2, \cdots, R-1$，因此可得

$$V(i_t^1, i_t^2, \cdots, i_t^R; t) = V(i_{t-1}^1, i_{t-1}^2, \cdots, i_{t-1}^S; t-1) + \sum_{r=2}^{R} \sigma_{i_t^r} + c_{i_t^1}\left(I^{\max} + d_{i_t^1} - \sum_{l=1}^{i_t^1} I_{li_t^1}\right)$$

$$+ \sum_{r=2}^{R-1} c_{i_t^r}\left(I^{\max} + d_{i_t^r} - \sum_{l=1}^{r-1} I_{i_t^l i_t^r}\right) + \sum_{l=i_t^1}^{t-1} h_{i_t^1 l}\left(I^{\max} + d_{i_t^1} - \sum_{k=1}^{i_t^1} I_{ki_t^1}\right)\bigg/ A_{i_t^1 l}^{i_t^1} \tag{12-42}$$

$$+ \sum_{r=2}^{R-1}\sum_{l=i_t^r}^{t-1} h_{i_t^r l}\left(I^{\max} + d_{i_t^r} - \sum_{k=1}^{r-1} I_{i_t^k i_t^r}\right)\bigg/ A_{i_t^r l}^{i_t^r} + c_{i_t^R} A_{i_t^R t}^{i_t^R} d_t + \sum_{l=i_t^R}^{t-1} h_{i_t^R l} A_{lt}^{i_t^R} d_t$$

若 $R>1$、$i_t^1 > i_{t-1}^S$ 和 $I^{\max} - \sum_{k=1}^{R-1}(1-\alpha_{i_t^k, i_t^R - 1})I_{i_t^k, i_t^R - 1} < \sum_{k=i_t^R + 1}^{t} A_{i_t^R k}^{i_t^R} d_k$，则 $X_{i_t^r} = I^{\max} + d_{i_t^r} - \sum_{l=1}^{i_t^r - 1} I_{li_t^r}$，$r = 1, 2, \cdots, R-1$，因此可得

$$V(i_t^1, i_t^2, \cdots, i_t^R; t) = V(i_{t-1}^1, i_{t-1}^2, \cdots, i_{t-1}^S; t-1) + \sum_{r=1}^{R} \sigma_{i_t^r} + c_{i_t^1}\left(I^{\max} + d_{i_t^1} - \sum_{l=1}^{i_t^1} I_{li_t^1}\right)$$

$$+ \sum_{r=2}^{R-1} c_{i_t^r}\left(I^{\max} + d_{i_t^r} - \sum_{l=1}^{r-1} I_{i_t^l i_t^r}\right) + \sum_{l=i_t^1}^{t-1} h_{i_t^1 l}\left(I^{\max} + d_{i_t^1} - \sum_{k=1}^{i_t^1} I_{ki_t^1}\right)\bigg/ A_{i_t^1 l}^{i_t^1}$$

$$+ \sum_{r=2}^{R-1}\sum_{l=i_t^r}^{t-1} h_{i_t^r l}\left(I^{\max} + d_{i_t^r} - \sum_{k=1}^{r-1} I_{i_t^k i_t^r}\right)\bigg/ A_{i_t^r l}^{i_t^r} \tag{12-43}$$

$$+ c_{i_t^R}\left[I^{\max} + d_i - \sum_{k=1}^{R-1}(1-\alpha_{i_t^k, i_t^R - 1})I_{i_t^k, i_t^R - 1}\right]$$

$$+ \sum_{l=i_t^R}^{t} h_{i_t^R l}\left[I^{\max} + d_i - \sum_{k=1}^{R-1}(1-\alpha_{i_t^k, i_t^R - 1})I_{i_t^k, i_t^R - 1}\right]\bigg/ A_{i_t^R l}^{i_t^R}$$

$$+s_t\left[d_t+\sum_{k=1}^{R-1}(1-\alpha_{i_t^k,i_t^R-1})I_{i_t^k,i_t^R-1}-I^{\max}-\sum_{k=i_t^R+1}^{t-1}A_{i_t^Rk}^{i_t^R}d_k\right]$$

12.4.3　预测时阈分析

需求损失情形下的预测时阈分析类似于不允许需求延迟和损失情形。也是运用边际成本分析法建立生产点的单调性，可得如下定理。

定理 12-13　在 $P(t)$ 的最优解中，若 $i(Rt)=m(t)$ ，则 $i(1t^*)\geqslant i(Rt)$ ， $t+1\leqslant t^*$ 。

证明过程类似于定理 12-3。

在生产点单调性的基础上，存在如下预测时阈的充分条件。

定理 12-14　在 $P(t)$ 的最优解中，若 $i(Rt)=m(t)$ 且有 $X_j^{i(Rt)-1}=X_j^{i(Rt)}=\cdots=X_j^{t-1}$ 对于 $j=1,2,\cdots,\tau$ （ $1\leqslant\tau\leqslant i(Rt)-1$ ）成立，则对于任意更长周期的问题 $P(t^*)$ ， t 为预测时阈， τ 为相应的决策时阈， $t+1\leqslant t^*$ 。

与第 11 章类似的是，在 $P(t)$ 的最优解中若没有生产点，则无法建立生产点的单调性，也就无法获得分析预测时阈的充分条件。

12.5　数值分析及管理启示

本节根据 Chand 和 Morton（1986）的研究，构造数值实验进一步分析库存能力约束下易逝品动态批量预测时阈的变化特点。各周期的需求均值由 $D_{t+1}=D_0(G)^t$ 产生，其中， $G=1.000$ 反映市场需求不变， $G=1.005$ 反映市场需求递增， $G=0.995$ 反映市场需求递减。确定需求均值之后，进一步利用函数 $D_{t+1}=D_0(G)^t+VD_0\xi$ 产生各周期的实际需求。其中 ξ 表示标准正态变量， V 为需求波动的程度， V 取 3 个不同的值表示波动程度的大小，即 0.15、0.50 和 1.15。若产品需求小于 1，则设定为 1。与需求特征参数相关的组合有 9 种方式（3 个增长特性参数和 3 个波动特性参数）。基准需求设为 $D_0=10$ 。

图 12-1 描述了预测时阈作为产品生命周期和库存成本函数的变化趋势。其中为了将产品生命周期和库存成本作为单一变量，对于 $1\leqslant i\leqslant t\leqslant T$ ，将其他参数设为 $\alpha_{it}=0$ ， $\sigma_t=60$ ， $s_t=12$ ， $c_t=2$ ， $I^{\max}=120$ ， $G=1.000$ ， $V=0.50$ ， m 取 3、4、5、6、7、8、9、10 八个值。在产品生命周期之内，库存成本 h_{it} 取三个值，即 0.5、1、1.5，超出产品生命周期库存成本设为 $h_{it}=+\infty$ 。为了方便找到预测时阈，对每一组参数运行 11 次，本实验运行的次数为 $3\times8\times11=264$ 。发现随着生命周期的递增，预测时阈先显著递增然后呈不变趋势。这是因为随着生命周期的增加，生产集 $\{i(t),i(t)+1,\cdots,t\}$ 的长度增加，进而导致集合 $\{i(t)-1,i(t),\cdots,t-1\}$ 的长度增加，因而预测时阈递增，当生命周期增加到一定程度时，由于固定成本和库存成本一定，产品生命周期不再影响预测时阈。

图 12-2 描述了预测时阈作为库存损失率和固定成本函数的变化趋势。同样为了将库存损失率和固定成本作为单一变量，将其他参数设为 $m=10$ ， $s_t=12$ ， $c_t=2$ ， $I^{\max}=120$ ， $V=0.50$ ， $G=1.000$ ， σ_t 取 50、60 和 100 三个值，对于 $k\leqslant9$ ， $\alpha_{i,i+k}$ 取 0.01、0.05、0.1、

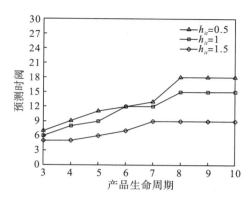

图 12-1　作为产品生命周期和库存成本函数的预测时阈

0.15、0.2、0.3、0.4、0.5 八个值，$h_{i,i+k}=1$；若 $k>9$，则设置 $\alpha_{i,i+k}=1$，$h_{i,i+k}=+\infty$。同样对每一组参数运行 11 次，本实验运行的次数为 $3\times8\times11=264$。随着库存损失率的递增，预测时阈先是显著降低然后保持不变。主要是因为若库存损失率较大，则库存持有的时间将会较短，最优解的生产点覆盖的周期数较少，生产集的长度降低，进而再生集的长度降低，因而预测时阈递减，当库存损失率特别大时，由于固定成本和库存成本一定，库存损失率不再影响预测时阈。

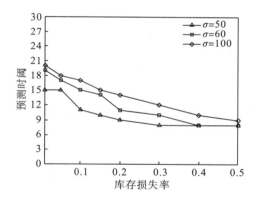

图 12-2　作为产品库存损失率和固定成本函数的预测时阈

综合图 12-1 和图 12-2，发现随着生产启动成本的递增，预测时阈递增，随着库存成本的增加，预测时阈递减。因为启动成本相比于库存成本较小时，启动的次数较多，每一次启动所覆盖的周期数较小，而启动成本相比于库存成本很大时，每一次启动所覆盖的周期数较多，生产集的长度较大，进而导致再生集长度较大。从而表明，如果企业启动成本相比较库存成本较小，则在做生产决策时只需考虑未来较短时期的数据信息，反之则需要处理较长时期的数据信息以确定更为准确的生产批量。

图 12-3 描述了预测时阈作为固定成本和单位延迟成本函数的变化趋势。其他参数设为 $\alpha_{it}=0$，$m=5$，$c_t=2$，$I^{\max}=+\infty$，$G=1.000$，$V=0.50$，$h_{it}=2$，b_{it} 取 1、2 和 $+\infty$ 三个值，σ_t 取 15、20、30、50、75、100、150、200 八个值。对每一组参数运行 11 次，本

实验运行次数为 3×8×11=264。发现在允许需求延迟时，将会增加预测时阈的长度，而且随着延迟成本的增加，预测时阈逐渐递减；随着固定成本的递增，预测时阈先递增，之后呈不变趋势。因为需求延迟增加了额外的决策柔性，当期的决策要求在更长的决策期限中进行选择。当固定成本相比于延迟成本较小时，生产启动的次数较多，每一次启动所覆盖

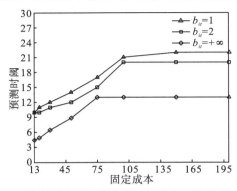

图 12-3 作为固定成本和单位延迟成本函数的预测时阈

的未来周期数较少，产生的生产点较多，而当固定成本相比于延迟成本很大时，每一次生产启动所覆盖的未来周期数较多，最大可覆盖产品的生命周期。从而告诉企业，需求延迟策略可以增加企业的决策柔性，降低企业的运作成本，但同时也要求企业具有处理未来更长周期信息的能力。若固定成本相比于延迟成本较小，则在做生产决策时只需考虑未来较短时期的数据信息，反之则需要处理较长时期的数据信息以确定更为准确的生产批量；当产品生命周期一定且固定成本较单位延迟成本非常大时，处理数据信息的时间周期无须增加也可确定准确的生产批量。

图 12-4 描述了预测时阈作为缺货成本和需求波动函数的变化趋势。同样为了将缺货成本和需求波动作为单一变量，将其他参数设为 $\alpha_{it}=0$，$m=10$，$\sigma_t=60$，$c_t=2$，$I^{\max}=120$，$G=1.000$，V 取 0.15、0.50 和 1.15 三个值，s_t 取 5.5、6.5、7.5、8.5、9.5、10.5、11.5、12.5 八个值。在产品生命周期内，库存成本设为 $h_{it}=1$，超出产品生命周期库存成本设为 $h_{it}=+\infty$。同样对每一组参数运行 11 次，本实验运行的次数为 3×8×11=264。分析发现，随着缺货成本的递增，预测时阈先递增，然后保持不变。

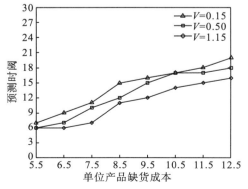

图 12-4 作为缺货成本和需求波动函数的预测时阈

图 12-5 描述了预测时阈作为库存能力和需求波动函数的变化趋势。同样为了将库存能力和需求波动作为单一变量，将其他参数设为 $\alpha_{it}=0$，$m=10$，$\sigma_t=60$，$s_t=12$，$c_t=2$，$V=0.50$，G 取 0.995、1.000 和 1.005 三个值，$I^{\max}$ 取 20、30、40、50、60、70、80、90 八个值。在产品生命周期内，库存成本设为 $h_{it}=1$，超出产品生命周期库存成本设为 $h_{it}=+\infty$。同样对每一组参数运行 11 次，本实验运行的次数为 $3\times8\times11=264$。分析发现，随着库存能力的递增，预测时阈先递增，然后保持不变。这是因为随着缺货成本或者库存能力的增加，最优解的生产点需要在更长的时间周期中去选择，生产集的长度增加导致预测时阈递增。然而，当缺货成本和库存能力相比于其他参数很大时，这两个约束将不再起作用，即最优决策不受这两个约束的影响，预测时阈呈不变趋势。同样发现，预测时阈随着需求波动参数 V 的增加而递减，随着需求增长参数 G 的增加而递减。直观的解释是波动参数 V 越大，需求的波动越大，从而遇到更大需求的概率将会越高，因而可以降低预测时阈的长度。随着需求增长参数的增加，下一周期的需求将会增大，因此预测时阈长度降低。对于企业，若产品生命周期长、库存损失率较小、缺货成本大、库存容量大，需求总体趋势递减且平稳，则在做当前的生产计划时，需要分析相对较长时期的数据信息；反之则需要分析较短时期的未来数据信息。

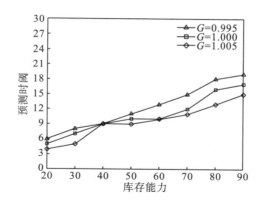

图 12-5　作为库存能力和需求波动函数的预测时阈

综合以上分析可知，企业当前的最优生产决策受到未来周期成本和需求等因素的影响，而预测未来合理周期的数据信息受到产品生命周期、库存损失率、库存能力、固定成本、延迟成本和缺货成本，以及需求的增长性和波动性等多种因素的影响。因此，企业在做当期的生产决策时需要考虑多种因素以获得最优的决策结果。

12.6　本 章 小 结

易逝性产品的库存能力约束是制约企业高效率运营的一个主要原因，如何在现有仓储能力下提高运作效率是企业亟待解决的问题。本章主要研究了在仓储能力约束下易逝品生产运营决策，构建了不允许需求延迟和损失、允许需求延迟和允许需求损失三种动态批量模型，证明了最优解的结构性质，并根据最优解的性质设计前向动态规划算法求解企业的最优生产批量。最后，利用边际成本分析方法给出生产点单调性的充分条件，在生产点单调性的基础上进一步构造再生集给出求解预测时阈的充分条件。同时，在三种情形下给出了零库存性质成立与否的边界条件，即在持有库存没有投机性动机的条件下，即便在仓储能力约束和易逝性库存的情形下零库存性质也是成立的。最后利用数值实验直观展示了成本参数、产品易逝性和库存能力等因素对预测时阈的影响。

参 考 文 献

Akbalik A，Penz B，Rapine C. 2015. Capacitated lot sizing problems with inventory bounds[J]. Annals of Operations Research，229(1)：1-18.

Atamturk A，Kucukyavuz S. 2005. Lot sizing with inventory bounds and fixed costs：Polyhedral study and computation[J]. Operations Research，53(4)：711-730.

Atamturk A，Kucukyavuz S. 2008. An $O(n^2)$ algorithm for lot sizing with inventory bounds and fixed costs[J]. Operations Research Letters，36(3)：297-299.

Chand S，Morton T E. 1986. Minimal forecast horizon procedures for dynamic lot size models[J]. Naval Research Logistics，33(1)：111-122.

Gutierrez J，Sedeno-Noda A，Colebrook M，et al. 2002. A new characterization for the dynamic lot size problem with bounded inventory[J]. Computers & Operations Research，30(3)：383-395.

Gutierrez J，Sedeno-Noda A，Colebrook M，et al. 2007. A polynomial algorithm for the production/ordering planning problem with limited storage[J]. Computers & Operations Research，34(4)：934-937.

Gutierrez J，Sedeno-Noda A，Colebrook M，et al. 2008. An efficient approach for solving the lot-sizing problem with time-varying storage capacities[J]. European Journal of Operational Research，189(3)：682-693.

Hsu V N. 2000. Dynamic economic lot size model with perishable inventory[J]. Management Science，46(8)：1159-1169.

Hsu V N. 2003. An economic lot size model for perishable products with age-dependent inventory and backorder costs[J]. IIE Transactions，35(8)：775-780.

Hwang H C，Heuvel W V D. 2012. Improved algorithms for a lot-sizing probelm with inventory bounds and backlogging[J]. Naval Research Logistics，59(6)：244-253.

Jaruphongsa W，Cetinkaya S，Lee C Y. 2004. Warehouse space capacity and delivery time window considerations in dynamic lot-sizing for a simple supply chain[J]. International Journal of Production Economics，92(2)：169-180.

Liu T. 2008. Economic lot sizing problem with inventory bounds[J]. European Journal of Operational Research，158(1)：204-215.

Phouratsamay S L，Kedad-Sidhoum S，Pascual F. 2018. Two-level lot-sizing with inventory bounds[J]. Discrete Optimization，30(1)：1-19.

Sedeno-Noda A，Gutierrez J，Abdul-Jalbar B，et al. 2004. An $O(T\log T)$ algorithm for the dynamic lot size problem with limited storage and linear costs[J]. Computational Optimization and Applications，28(3)：311-323.

Zangwill W I. 1969. A backlogging model and a multi-echelon model of a dynamic economic lot size production system—A network approach[J]. Management Science，15(9)：506-527.

第13章　两替代易逝品联合生产的动态批量与预测时阈

13.1　问　题　背　景

需求(产品)替代是指顾客原始需要的某种特定产品不能被满足时选择一种功能相同或相近的另外一种产品进行需求满足(Bardhan et al.，2013；Dawande et al.，2010)。替代本身所具有的柔性使其成为管理多产品库存的有效方式。替代按照由企业驱动还是顾客驱动，可以分为供应商驱动和顾客驱动两种方式。供应商驱动的替代存在于按订单生产的环境，供应商给顾客提供等级更高的产品(与顾客需要的产品相比)以满足顾客的需求。对于供应商，此种替代的成本为生产高等级产品所付出的额外的原材料或工艺成本。顾客驱动的替代存在于按库存生产的环境，顾客对于所要选择的产品缺货时，从供应商提供的产品中选择功能相同并且能够给自己带来最大效用的产品。对于供应商，此种替代的成本为顾客满意度下降和企业商誉的损失。需求替代按照替代的方向可以分为单向替代和双向替代。需求(产品)替代下的动态批量问题的研究可参见 Balakrishnan 和 Geunes(2000)、Geunes(2003)、Hsu 等(2005)、Li 等(2006，2007)、胡海菊和李勇建(2007)、Yaman(2009、2011)、Lang 和 Domschke(2010)、Lang 和 Shen(2011)、Pineyro 和 Viera(2010，2014)的文献，这些研究主要针对耐用品。对于易逝品，Hsu(2000)首次在递增凹函数的生产成本和库存成本下，假设不允许缺货和延迟交货，构建了时间依赖的库存损失率和库存成本函数的易逝品动态批量模型，得出了模型最优解的两个基本性质，并在此基础上给出动态规划算法对模型进行求解。此后，大量文献对该研究进行拓展，见 Hsu(2003)、Chu 等(2005)、Peng 等(2008)、Bai 等(2010)、Sargut 和 Isik(2017)、Qiu 等(2019)的文献。但这些文献都是针对单产品生产(采购)问题，没有涉及多易逝品之间的替代与联合生产问题。基于此，本章重点研究解决两种单向替代的易逝品动态批量决策及预测时阈问题。

13.2　模　型　构　建

考虑现实中两种易逝品联合生产和单向替代的现象：产品 1 是冷鲜品，产品 2 是冷冻品，冷鲜品是高等级产品，可以替代满足顾客冷冻品的需求，企业可以在某一周期只生产一种产品或者同时生产两种产品。K_t 为第 t 期的联合启动成本，σ_t^n 为第 t 期产品 n 的单独启动成本，$n=1,2$。当在第 t 期仅生产产品 n 时发生的启动成本为 $K_t+\sigma_t^n$，当在第 t 期生产两种产品时发生的启动成本为 $K_t+\sigma_t^1+\sigma_t^2$。当周期 t 企业用产品 1 满足产品 2 的一单位需求时发生替代成本 s_t。企业生产产品时还会产生变动生产成本。当企业持有产品从前一个周期到下一个周期时将产生库存成本。假定不允许延迟和缺货，没有生产能力和库存能力限制。企业决策生产计划使得 T 个周期的联合启动成本、单独启动成本、变动生产成本、库存成本和替代成本之和最小。

在模型构建中需要定义如下符号（表 13-1）。

表 13-1 符号定义

符号	含义
T	时间周期
d_t^n	第 t 期期初产品 n 的需求，$1 \leqslant t \leqslant T$，$n = 1,2$
K_t	第 t 期期初生产（采购）产品的联合启动成本，$1 \leqslant t \leqslant T$
σ_t^n	第 t 期期初生产产品 n 的单独启动成本，$1 \leqslant t \leqslant T$，$n = 1,2$
c_t^n	第 t 期期初产品 n 的单位生产成本，$1 \leqslant t \leqslant T$，$n = 1,2$
h_{it}^n	第 t 期持有第 i 生产的产品的单位库存成本，$1 \leqslant i \leqslant t \leqslant T$，$n = 1,2$
s_t	第 t 期的单位替代成本，$1 \leqslant t \leqslant T$
x_t^n	第 t 期期初产品 n 的生产数量，$1 \leqslant t \leqslant T$，$n = 1,2$
z_{it}^n	第 i 期期初生产的产品 n 用以满足周期 t 需求的数量，$1 \leqslant i \leqslant t \leqslant T$，$n = 1,2$
w_{it}	第 t 期产品 2 的需求由第 i 期生产的产品 1 替代满足，$1 \leqslant i \leqslant t \leqslant T$
y_{it}^n	第 i 期期初生产的产品 n 持有到 t 周期期初，减去用以满足第 t 期需求的数量之后的库存数量，$1 \leqslant i \leqslant t \leqslant T$，$n = 1,2$
α_{it}^n	库存 y_{it}^n 在第 t 期的损失率，$1 \leqslant i \leqslant t \leqslant T$，$n = 1,2$
$\delta(x)$	二元变量，$\delta(x) = \begin{cases} 1, & x > 0 \\ 0, & x = 0 \end{cases}$

若 $x_i^n > 0$，则周期 i 定义为产品 n 的生产点（采购点），$n = 1,2$，$1 \leqslant i \leqslant t \leqslant T$。

类似于第 11 章和第 12 章研究的单易逝品情形，关于两种易逝品的库存损失率和库存成本也有如下两个假设。

假设 1 $\alpha_{it}^n \geqslant \alpha_{jt}^n$，$n = 1,2$，$1 \leqslant i \leqslant j \leqslant t$。

假设 2 $h_{it}^n \geqslant h_{jt}^n$，$n = 1,2$，$1 \leqslant i \leqslant j \leqslant t$。

若 $0 \leqslant \alpha_{i,t-1}^n < 1$ 且 $\alpha_{it}^n = 1$，$n = 1,2$，$t \geqslant i+1$，则定义易逝品 n 的生命周期为 $t - i + 1$。令 $m^n = t - i + 1$，若 $\alpha_{ii}^n = 1$，则定义易逝品的生命周期为 1，即 $m^n = 1$。

不失一般性，假设生产提前期为零，第 1 期期初的库存与第 T 期期末的库存均为零。在以上假设和符号定义的基础上，本问题可以用以下数学规划模型描述，企业的目标是在 T 个周期达到成本之和最小，目标函数表示为

$$\min \left\{ \sum_{t=1}^{T} K_t \delta \left(\sum_{n=1}^{2} x_t^n \right) + \sum_{t=1}^{T} \sum_{n=1}^{2} \left[\sigma_t^n \delta \left(x_t^n \right) + c_t^n x_t^n + \sum_{i=1}^{t} h_{it}^n y_{it}^n \right] + \sum_{t=1}^{T} \sum_{i=1}^{t} s_t w_{it} \right\} \quad (13\text{-}1)$$

约束条件为

$$x_t^1 - z_{tt}^1 - w_{tt} = y_{tt}^1, \quad 1 \leqslant t \leqslant T \tag{13-2}$$

$$x_t^2 - z_{tt}^2 = y_{tt}^2, \quad 1 \leqslant t \leqslant T \tag{13-3}$$

$$(1 - \alpha_{i,t-1}^1) y_{i,t-1}^1 - z_{it}^1 - w_{it} = y_{it}^1, \quad 1 \leqslant i < t \leqslant T \tag{13-4}$$

$$(1 - \alpha_{i,t-1}^2) y_{i,t-1}^2 - z_{it}^2 = y_{it}^2, \quad 1 \leqslant i < t \leqslant T \tag{13-5}$$

$$\sum_{i=1}^{t} z_{it}^1 = d_t^1, \quad 1 \leqslant t \leqslant T \tag{13-6}$$

$$\sum_{i=1}^{t} z_{it}^2 + \sum_{i=1}^{t} w_{it} = d_t^2, \quad 1 \leqslant t \leqslant T \tag{13-7}$$

$$x_{it}^n, y_{it}^n, z_{it}^n \geqslant 0, \quad n = 1, 2, \quad 1 \leqslant i \leqslant t \leqslant T \tag{13-8}$$

$$w_{it} \geqslant 0, \quad 1 \leqslant i \leqslant t \leqslant T \tag{13-9}$$

约束条件(13-2)~(13-5)表示两产品库存平衡；约束条件(13-2)表示第 t 期期初生产的产品 1 的数量减去满足第 t 期产品 1 需求的数量和产品 2 需求的数量之后剩余的库存数量；约束条件(13-3)表示在第 t 期期初生产的产品 2 减去满足第 t 期需求的数量之后剩余的库存数量；约束条件(13-4)表示由第 i 期期初生产的产品 1 持有到第 $t-1$ 期的库存减去第 $t-1$ 期的库存损失和满足第 t 期产品 1 和产品 2 的需求之后剩余的产品 1 的库存数量；约束条件(13-5)表示由第 i 期期初生产的产品 2 持有到第 $t-1$ 期的库存减去第 $t-1$ 期的库存损失，并满足第 t 期产品 2 的需求后剩余的产品 2 的库存数量；约束条件(13-6)表示第 t 期产品 1 的需求由 $1 \sim t$ 期的产品 1 的生产满足；约束条件(13-7)表示第 t 期产品 2 的需求由 $1 \sim t$ 期的产品 2 的生产和产品 1 的替代满足；约束条件(13-8)和(13-9)是非负约束。令 SP(T) 代表所构造的 T-周期问题，$\Omega = \{x, y, z, w\}$ 代表 SP(T) 的可行解，$V(\Omega)$ 代表 Ω 的目标值。

Sandbothe 和 Thompson(1990)证明了允许缺货的单产品动态批量问题等价于最小凹成本网络流问题。Hsu(2000)证明了单易逝品动态批量问题等价于有流损失的最小凹成本网络流问题。Hsu 等(2005)证明了单向替代的多耐用品动态批量问题等价于具有单一源节点、多个目的节点的最小凹成本网络流问题。根据以上研究，本章接下来证明所构造的动态批量问题 SP(T) 等价于最小凹成本网络流问题。令 $n = 1, 2$，定义如下节点和弧：

(1) 单一主供应节点 F；

(2) 两个子供应(中转)节点 F^1 和 F^2；

(3) 需求节点 S_t^n，每一个需求节点代表有需求 d_t^n，$1 \leqslant t \leqslant T$；

(4) 对于每一个数对 (i, t)，定义中转节点 N_{it}^n，$1 \leqslant i \leqslant t \leqslant T$；

(5) 对于每一个 t，$1 \leqslant t \leqslant T$，有向弧 (F^n, N_{tt}^n) 在弧上的流为零时成本也为零，在弧上的流大于零时，如 $x_t^n > 0$，则弧上的成本为 $K_t + \sigma_t^n + c_t^n x_t^n$；

(6) 对于周期组合 i 和 t，$1 \leqslant i \leqslant t \leqslant T - 1$，有向弧 $(N_{it}^n, N_{i,t+1}^n)$ 以单位流成本 h_{it}^n 转运产品库存；

(7) 有向弧 (F, F^1) 和 (F, F^2) 以零成本转运弧上的流且转运能力为 $+\infty$，对于任意 t，$1 \leqslant t \leqslant T$，有向弧 (N_{it}^n, S_t^n) 和 (N_{it}^1, S_t^2) 也以零成本转运弧上的流，$1 \leqslant i \leqslant t$。

如图 13-1 所示，最小成本流网络等价于所构造的问题 SP(T)。对于 $1\leqslant i\leqslant t\leqslant T-1$，$n=1,2$，$\alpha_{it}^n$ 是弧 $(N_{it}^n,N_{i,t+1}^n)$ 上的流损失，在其他弧上的流损失为零。以上阐述了所构造的问题 SP(T) 等价于单源最小凹成本网络流问题。Zangwill（1968，1969）证明了等价于最小凹成本网络流问题的动态批量问题 SP(T) 的最优解有如下性质。

定理 13-1 SP(T) 的最优解 Ω^* 有如下性质：

（1）若 $i\neq j$，则 $(d_t^n-z_{it}^{n*})(d_t^n-z_{jt}^{n*})=0$，$n=1,2$，$1\leqslant i\leqslant t$，$1\leqslant j\leqslant t$。

（2）若 $i\neq j$，则 $(d_t^2-w_{it}^*)(d_t^2-w_{jt}^*)(d_t^2-z_{gt}^{2*})=0$，$1\leqslant i\leqslant t$，$1\leqslant j\leqslant t$，$1\leqslant g\leqslant t$。

定理 13-1 表明产品 1 在周期 t 的所有需求都由产品 1 某一个生产点生产的产品 1 满足，产品 2 在周期 t 的所有需求都由产品 2 某一个生产点生产的产品 2 满足或者由产品 1 某一个生产点生产的产品 1 替代满足。这一性质的成立也依赖于如下两个前提条件：①成本函数为凹函数（固定-线性和线性成本函数是特殊形式的凹函数）；②没有生产能力和库存能力的限制。

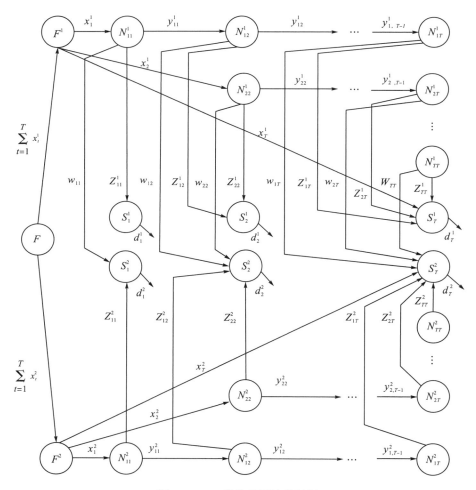

图 13-1　SP 等价于网络流问题

13.3　前向动态规划算法

在大多数动态批量问题的最优解中都存在零库存性质和区间分割性质，这两条性质表述如下。

零库存性质：在 $\mathrm{SP}(T)$ 的最优解中，对于任意 $1 \leqslant i < t \leqslant T$，有 $y_{i,t-1}^n \cdot x_t^n = 0$ 成立，$n = 1, 2$。

在时间依赖的库存成本中，即使没有库存损失，零库存性质也不成立（Hsu，2000）。

区间分割性质：假设 $1 \leqslant i_1^n < i_2^n < \cdots < i_R^n \leqslant T$ 为产品 n（$n = 1, 2$）的生产点，对于每一个 t－周期问题有 $R+1$ 个指数，$1 \leqslant t \leqslant R$，$1 \leqslant j_1^n < j_2^n < \cdots < j_R^n < j_{R+1}^n = T+1$，且 $i_t^n \leqslant j_t^n$，则产品 n 从周期 j_t^n 到周期 $j_{t+1}^n - 1$ 的需求由生产点 i_t^n 满足。

区间分割性质说明每一种产品的每一个生产点满足未来连续一段时间周期的产品需求。然而，在有产品替代的情形下，区间分割性质不再成立。对于产品 2，一段连续时间内的需求可以由产品 1 和产品 2 共同交叉满足，在这种情形下，区间分割性质将不成立。

例 13-1　计算一个 6 周期的问题。假设库存损失率为零。参数如下：$d_t^1 = 10$，$d_t^2 = 15$，$K_t = 200$，$\sigma_t^1 = \sigma_t^2 = 100$，$s_t = +\infty$，$1 \leqslant t \leqslant 6$；$c_t^1 = (3, 8, 6, 8, 10, 8)$，$c_t^2 = (2, 6, 4, 6, 8, 6)$；$h_{i,i+k}^n = 1$（$1 \leqslant i \leqslant 6$，$0 \leqslant k \leqslant 2$，$n = 1, 2$），$h_{i,i+k}^n = +\infty$（$1 \leqslant i \leqslant 6$，$k \geqslant 3$，$n = 1, 2$）。两种产品最优的生产计划是在第 1 期和第 3 期生产。在第 1 期生产两种产品分别满足第 1~4 期两产品的需求；在第 3 期生产两种产品分别满足第 5 期和第 6 期两产品的需求。显然，两种产品在第 3 期期初的库存不为零，最优解示意图如图 13-2 所示。

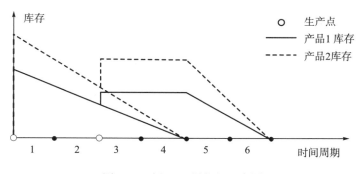

图 13-2　例 13-1 最优解示意图

例 13-2　计算一个 4 周期的问题。同样假设库存损失率为零。参数如下：$d_t^1 = 10$，$d_t^2 = 25$，$K_t = 300$，$\sigma_t^1 = \sigma_t^2 = 100$，$c_t^1 = 10$，$c_t^2 = 8$，$s_t = (5, 5, 2, 5)$，$1 \leqslant t \leqslant 4$；$h_{i,i+k} = 1$，$1 \leqslant i \leqslant 4$，$k = 0, 1$；$h_{i,i+2}^1 = 6$，$1 \leqslant i \leqslant 4$；$h_{i,i+k}^1 = +\infty$，$1 \leqslant i \leqslant 4$，$k \geqslant 3$；$h_{ii}^2 = 1$，$1 \leqslant i \leqslant 4$；$h_{i,i+k}^2 = 6$，$1 \leqslant i \leqslant 4$，$k = 1, 2$；$h_{i,i+k}^2 = +\infty$，$1 \leqslant i \leqslant 4$，$k \geqslant 3$。最优的生产计划是在第 1 期生产两种产品，具体来讲在第 1 期生产产品 1 满足产品 1 从第 1~4 期的需求及产品 2 在第 3 期的需求，在第 1 期生产产品 2 满足产品 2 第 1、2 和 4 期的需求。显然从第 1~4 期产品 2 的需求并不完全由产品 2 的生产点满足。最优解示意图如图 13-3 所示。

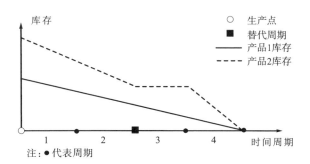

图 13-3 例 13-2 最优解示意图

在零库存性质和区间分割性质不成立的情况下,需要证明最优解的其他性质并依此设计动态规划算法求解模型。首先需要定义如下符号。

令 $A_{ii}^{ni} \equiv 1$ 和 $A_{kt}^{ni} = \dfrac{1}{\displaystyle\prod_{l=k}^{t-1}(1-\alpha_{il}^{n})}$, $n=1,2$, $1 \leqslant i \leqslant k < t \leqslant T$ 。

以上定义可得 $A_{kt}^{ni} = A_{kq}^{ni} A_{qt}^{ni}$, $n=1,2$, $k < q < t$ 。

另外,由假设 1 可得 $A_{kt}^{ni} \geqslant A_{kt}^{nj}$, $n=1,2$; $1 \leqslant i < j \leqslant k < t \leqslant T$ 。

评论 1 若第 t ($i < t$)期期初 1 单位产品 n ($n=1,2$)的需求由第 i 期期初生产的产品 n 满足,因为每一周期都有库存损失,因此需要在第 i 期期初生产 A_{it}^{ni} 单位的产品 n ,而在第 i 期到第 $t-1$ 期的任意周期 k ($i \leqslant k \leqslant t-1$),持有 A_{kt}^{ni} 单位的库存。因为产品 1 可以替代产品 2 ,若要在第 i 期生产产品 1 以满足第 t 期 1 单位产品 2 的需求,则需要在第 i 期期初生产 A_{it}^{1i} 单位的产品 1 ,而在第 i 期到第 $t-1$ 期的任意周期 k ($i \leqslant k \leqslant t-1$),持有 A_{kt}^{1i} 单位的库存。

在阐述定理 13-2 之前,首先阐述如下引理。

引理 13-1 假设在 SP(T) 的最优解 Ω^{+} 中,周期 $i < j$ 是产品 n ($n=1,2$)的两个生产点,若有 $z_{jk}^{n+} = d_{k}^{n}$ ($w_{jk}^{+} = d_{k}^{2}$)对于 $j \leqslant k$ 成立,则有 $c_{i}^{n} A_{ik}^{ni} + \sum_{l=i}^{k-1} h_{il}^{n} A_{lk}^{ni} - c_{j}^{n} A_{jk}^{nj} - \sum_{l=j}^{k-1} h_{jl}^{n} A_{lk}^{nj} \geqslant 0$ 。

证明 运用反证法证明此性质。对于常数 ε , $0 \leqslant \varepsilon \leqslant d_{k}^{n}$, $n=1,2$,通过令 $z_{ik}^{n*} = z_{ik}^{n+} + \varepsilon$ ($w_{ik}^{*} = w_{ik}^{+} + \varepsilon$), $z_{jk}^{n*} = z_{jk}^{n+} - \varepsilon = d_{k}^{n} - \varepsilon$ ($w_{jk}^{*} = w_{jk}^{+} - \varepsilon = d_{k}^{2} - \varepsilon$)修改最优解 Ω^{+} 来获得一个新的可行解解 Ω^{*} 。由评论 1 可得,在新的可行解解 Ω^{*} 中有 $x_{i}^{n*} = x_{i}^{n+} + A_{ik}^{ni} \varepsilon$ ($x_{i}^{1*} = x_{i}^{1+} + A_{ik}^{1i} \varepsilon$), $x_{j}^{n*} = x_{j}^{n+} - A_{jk}^{nj} \varepsilon$ ($x_{j}^{1*} = x_{j}^{1+} + A_{jk}^{1j} \varepsilon$), $y_{il}^{n*} = y_{il}^{n+} + A_{lk}^{ni} \varepsilon$ ($y_{il}^{1*} = y_{il}^{1+} + A_{lk}^{1i} \varepsilon$), $i \leqslant l \leqslant k-1$, $y_{jl}^{n*} = y_{jl}^{n+} - A_{lk}^{nj} \varepsilon$ ($y_{jl}^{1*} = y_{jl}^{1+} - A_{lk}^{1j} \varepsilon$), $j \leqslant l \leqslant k-1$ 。在最优解 Ω^{+} 和可行解 Ω^{*} 中的其他参数保持不变,有

$$V(\Omega^{*}) - V(\Omega^{+}) = \left(c_{i}^{n} A_{ik}^{ni} + \sum_{l=i}^{k-1} h_{il}^{n} A_{lk}^{ni} - c_{j}^{n} A_{jk}^{nj} - \sum_{l=j}^{k-1} h_{jl}^{n} A_{lk}^{nj} \right) \varepsilon \tag{13-10}$$

和

$$V(\Omega^{*}) - V(\Omega^{+}) = \left(c_{i}^{1} \cdot A_{ik}^{1i} + \sum_{l=i}^{k-1} h_{il}^{1} A_{lk}^{1i} - c_{j}^{1} A_{jk}^{1j} - \sum_{l=j}^{k-1} h_{jl}^{1} A_{lk}^{1j} \right) \varepsilon \tag{13-11}$$

根据解 Ω^+ 的最优性，新的可行解 Ω^* 的成本不可能低于最优解 Ω^+ 的成本，因此有 $V(\Omega^*) - V(\Omega^+) \geqslant 0$。因为 $0 \leqslant \varepsilon \leqslant d_k^n$，即可得 $\left(c_i^n A_{ik}^{ni} + \sum\limits_{l=i}^{k-1} h_{il}^n A_{lk}^{ni} - c_j^n A_{jk}^{nj} - \sum\limits_{l=j}^{k-1} h_{jl}^n A_{lk}^{nj} \right) \varepsilon \geqslant 0$。

定理 13-2　$SP(T)$ 的最优解 Ω^* 有如下性质成立：

（1）若 $i < j$ 是产品 n（$n = 1,2$）的两个生产点且有 $z_{jk}^{n*} = d_k^n$ 对于 $k \geqslant j$ 成立，则对于任意周期 t，$k \leqslant t \leqslant T$，有 $z_{it}^{n*} = 0$；

（2）若 $i < j$ 是产品 1 的两个生产点且有 $w_{jk}^* = d_k^2$ 对于 $k \geqslant j$ 成立，则对于任意周期 t，$k \leqslant t \leqslant T$，有 $w_{it}^* = 0$。

定理 13-2（证明见附录十二）说明企业应该采用"先进先出"的策略管理易逝品库存。综合定理 13-1 和定理 13-2，可以得出如下性质。

生产点集-区间分割性质（order point set-interval division property，OPS-IDP）：假设 $1 \leqslant i_1^n < i_2^n < \cdots < i_R^n \leqslant T$ 为产品 n（$n = 1,2$）的生产点，对于每一个 t（$1 \leqslant t \leqslant R$）有 $R+1$ 个指数，$1 \leqslant j_1^n < j_2^n < \cdots < j_R^n < j_{R+1}^n = T+1$，且 $i_t^n \leqslant j_t^n$，则产品 1 从周期 j_t^1 到周期 $j_{t+1}^1 - 1$ 的需求由生产点 i_t^1 满足，而产品 2 从周期 j_t^2 到周期 $j_{t+1}^2 - 1$ 的需求由生产点 i_t^1 和 i_t^2 组合满足。这一性质可以用以下例子予以说明。

例 13-3　在某一生产计划中，企业在周期 i 生产产品 1 满足产品 1 从周期 $i+2$ 到周期 $i+5$ 的需求，以及产品 2 第 $i+2$ 期和第 $i+4$ 期的需求。在 $i+1$ 期生产产品 2 满足产品 2 在第 $i+3$ 期和第 $i+5$ 期的需求。这一最优解的示意图如图 13-4 所示。

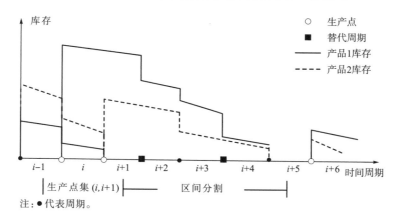

图 13-4　例 13-3 最优解示意图

根据生产点集-区间分割性质设计前向动态规划算法。令 $V(t)$ 代表 $SP(t)$ 的最优解，$V_t(i_t^1, i_t^2)$ 代表产品 1 的最后一个生产点为 i_t^1、产品 2 的最后一个生产点为 i_t^2 时 $SP(t)$ 的最优解。周期 t 产品 1 和 2 的需求分别由 i_t^1 和 i_t^2 生产的相应产品满足，若产品 2 在 t 期的需求由生产点 i_t^1 生产的产品 1 替代满足，则令 $i_t^2 = i_t^1$。由以上定义可得，最优目标值 $V(t)$ 可以通过计算 $\min\limits_{1 \leqslant i_t^1 \leqslant t, 1 \leqslant i_t^2 \leqslant t} V_t(i_t^1, i_t^2)$ 得出。

接下来说明如何利用所设计的动态规划算法求解该问题。首先设置动态规划初始值为

$V(1,1) = K_1 + \sigma_1^1 + c_1^1 d_1^1 + \sigma_1^2 + c_1^2 d_1^2$ 和 $V(1,1) = K_1 + \sigma_1^1 + c_1^1(d_1^1 + d_1^2) + s_1 d_1^2$ 。而

$$V_t(i_t^1, i_t^2) = \min V_{t-1}(i_{t-1}^1, i_{t-1}^2) + F(i_t^1, i_t^2, i_{t-1}^1, i_{t-1}^2) \tag{13-12}$$

下面重点说明如何计算动态规划循环式 $F(i_t^1, i_t^2, i_{t-1}^1, i_{t-1}^2)$。对于 $1 \leq i_t^1 \leq t \leq T$，$1 \leq i_t^2 \leq t \leq T$，令 $f_t^n(i_t^n)$ 代表最后一个生产点 i_t^n 生产产品 n 满足其在第 t 期需求的变动成本，$f_t^{1,2}(i_t^1)$ 代表最后一个生产点 i_t^1 生产产品 1 满足两产品在第 t 期需求的变动成本。根据 $f_t^n(i_t^n)$ 和 $f_t^{1,2}(i_t^1)$ 的定义可得

$$f_t^n(i_t^n) = c_{i_t^n}^n A_{i_t^n, t}^{n, i_t^n} d_t^n + \sum_{l=i_t^n}^{t-1} h_{i_t^n, l} A_{l, t}^{n, i_t^n} d_t^n, \quad 1 \leq i_t^n \leq t-1 \tag{13-13}$$

$$f_t^n(t) = c_t^n d_t^n \tag{13-14}$$

$$f_t^{1,2}(i_t^1) = c_{i_t^1}^1 A_{i_t^1, t}^{1, i_t^1}(d_t^1 + d_t^2) + \sum_{l=i_t^1}^{t-1} h_{i_t^1, l} A_{l, t}^{1, i_t^1}(d_t^1 + d_t^2) + s_t d_t^2, \quad 1 \leq i_t^n \leq t-1 \tag{13-15}$$

$$f_t^{1,2}(t) = c_t^1(d_t^1 + d_t^2) + s_t d_t^2 \tag{13-16}$$

进一步根据同一种产品在第 $t-1$ 期和第 t 期的需求是否由同一周期满足、同一周期生产一种还是两种产品以及在 t 期产品 2 的需求是否由产品 1 的替代满足，需要考虑如下 10 种不同的情形计算 $F(i_t^1, i_t^2, i_{t-1}^1, i_{t-1}^2)$。

$F(i_t^1, i_t^2, i_{t-1}^1, i_{t-1}^2) =$

$$\min \begin{cases} f_t^1(i_t^1) + f_t^2(i_t^2), & i_t^1 = i_{t-1}^1, \ i_t^2 = i_{t-1}^2 \\ f_t^1(i_t^1) + K_{i_t^2} + \sigma_{i_t^2}^2 + f_t^2(i_t^2), & i_t^1 = i_{t-1}^1, \ i_t^2 > i_{t-1}^2, \ i_t^2 \neq i_t^1 = i_{t-1}^1 \\ f_t^1(i_t^1) + \sigma_{i_t^2}^2 + f_t^2(i_t^2), & i_t^1 = i_{t-1}^1, \ i_t^2 > i_{t-1}^2, \ i_t^2 = i_t^1 = i_{t-1}^1 \\ K_{i_t^1} + \sigma_{i_t^1}^1 + f_t^1(i_t^1) + f_t^2(i_t^2), & i_t^1 > i_{t-1}^1, \ i_t^2 = i_{t-1}^2, \ i_t^2 \neq i_t^1 = i_{t-1}^1 \\ \sigma_{i_t^1}^1 + f_t^1(i_t^1) + f_t^2(i_t^2), & i_t^1 > i_{t-1}^1, \ i_t^2 = i_{t-1}^2, \ i_t^2 = i_t^1 = i_{t-1}^1 \\ f_t^{1,2}(i_t^1), & i_t^1 = i_{t-1}^1, \ w_{i_t^1, t} = d_t^2 \\ K_{i_t^1} + \sigma_{i_t^1}^1 + f_t^{1,2}(i_t^1), & i_t^1 > i_{t-1}^1, \ i_t^2 \neq i_{t-1}^2, \ w_{i_t^1, t} = d_t^2 \\ \sigma_{i_t^1}^1 + f_t^{1,2}(i_t^1), & i_t^1 > i_{t-1}^1, \ i_t^2 = i_{t-1}^2, \ w_{i_t^1, t} = d_t^2 \\ K_{i_t^1} + \sigma_{i_t^1}^1 + f_t^1(i_t^1) + \sigma_{i_t^2}^2 + f_t^2(i_t^2), & i_t^1 > i_{t-1}^1, \ i_t^2 > i_{t-1}^2, \ i_t^1 = i_t^2 \\ K_{i_t^1} + \sigma_{i_t^1}^1 + f_t^1(i_t^1) + K_{i_t^2} + \sigma_{i_t^2}^2 + f_t^2(i_t^2), & i_t^1 > i_{t-1}^1, \ i_t^2 > i_{t-1}^2, \ i_t^1 \neq i_t^2, \ i_t^1 \neq i_{t-1}^1, \ i_t^2 \neq i_{t-1}^1 \end{cases} \tag{13-17}$$

分析以上解决 SP(T) 的动态规划算法的时间复杂度，需要计算 $V_{t-1}(i_{t-1}^1, i_{t-1}^2)$ 的值 $O(T)$ 次，$1 \leq i_{t-1}^1 \leq t-1$，$1 \leq i_{t-1}^2 \leq t-1$，$1 \leq t \leq T$。对于固定的 i_{t-1}^1、i_{t-1}^2 和 t，需要 $O(T^4)$ 次计算 $F(i_t^1, i_t^2, i_{t-1}^1, i_{t-1}^2)$，$i_{t-1}^n \leq i_t^n \leq t$，$n = 1, 2$，$1 \leq t \leq T$。因此，计算 SP(T) 最优值的时间复杂度为 $O(T^5)$。

接下来讨论一种特殊情形，令 $c_t^n = c^n$，$t = 1, 2, \cdots, T$，$n = 1, 2$，即两种产品的单位生产成本是非时变的。在此种特殊情形下，发现零库存性质仍然成立。

根据零库存性质，$F(i_t^1, i_t^2, i_{t-1}^1, i_{t-1}^2)$ 可以由如下动态规划循环式计算得出。

$$F(i_t^1, i_t^2, i_{t-1}^1, i_{t-1}^2) =$$

$$\min \begin{cases} K_{i_t^1} + \sigma_{i_t^1}^1 + f_t^1(i_t^1) + \sigma_{i_t^2}^2 + f_t^2(i_t^2), & i_t^1 = t > i_{t-1}^1, \ i_t^2 = t > i_{t-1}^2 \\ K_{i_t^1} + \sigma_{i_t^1}^1 + f_t^{1,2}(i_t^1), & i_t^1 = t > i_{t-1}^1, \ w_{i_t^1,t} = d_t^2 \\ K_{i_t^1} + \sigma_{i_t^1}^1 + f_t^1(i_t^1) + f_t^2(i_t^2), & i_t^1 = t > i_{t-1}^1, \ i_t^2 = i_{t-1}^2 \leqslant t-1 \\ f_t^1(i_t^1) + K_{i_t^2} + \sigma_{i_t^2}^2 + f_t^2(i_t^2), & i_t^1 = i_{t-1}^1 \leqslant t-1, \ i_t^2 = t > i_{t-1}^2 \\ f_t^1(i_t^1) + f_t^2(i_t^2), & i_t^1 = i_{t-1}^1 \leqslant t-1, \ i_t^2 = i_{t-1}^2 \leqslant t-1 \\ f_t^{1,2}(i_t^1), & i_t^1 = i_{t-1}^1 \leqslant t-1, \ w_{i_t^1,t} = d_t^2 \end{cases} \tag{13-18}$$

接下来说明 $\mathrm{SP}(T)$ 等价于最短路径问题，因此本章所构造的动态批量问题也可以用网络算法来求解。

一个长周期问题求解的基本思想是分割成两个短周期问题分别求解。例如，将 $\mathrm{SP}(T)$ 分割成两个子问题：其一是第 1 期到第 $i-1$ 期问题，其二是从第 i 期到第 T 期问题。后一个子问题又可以继续用以上步骤分割成两个更短周期的子问题。构造有向无圈图 $G(N,A)$，图上的弧代表所有可行的子问题。

（1）定义点集 $N = N_1 \cup \{T\}$，周期 T 是目的节点。每一个节点 N_1 有 3 个指标 $(i_t, j_t)^n$，其中 i_t 和 j_t 代表周期，而 n 代表产品，$1 \leqslant i_1 < i_2 < \cdots < i_t < \cdots \leqslant T$，$1 \leqslant j_1 < j_2 < \cdots < j_t < \cdots \leqslant T$，$i_t \leqslant j_t$，$n=1,2$。节点 N_1 包含两种类型：$(1,1)^1$ 和 $(i_t, j_t)^1$。节点 $(i_t, j_t)^1$ 代表周期 j_t 产品 1 和集合 U_1 中产品 2 的需求由周期 i_t 生产的产品 1 满足。集合 U_1 定义如下：$g_{2t}(n,k)$ 代表周期 k 生产产品 n 以满足周期 t 产品 2 需求的最小变动成本，包括变动生产成本、库存成本和替代成本，$n=1,2$，$1 \leqslant k \leqslant t \leqslant T$。若 $g_{2t}(1,k) \leqslant g_{2t}(2,k)$，$j_{t-1} \leqslant t \leqslant j_t - 1$，则产品 2 在集合 U_1 中；若 $g_{2t}(1,k) > g_{2t}(2,k)$，则产品 2 在集合 U_2 中。节点 $(i_t, j_t)^2$ 代表周期 j_t 集合 U_2 中产品的需求由周期 i_t 生产的产品 2 满足。

（2）弧集 A 包含两种类型的弧：①从节点 $(i_t, j_t)^1$ 到 $(i_t, j_{t+1} - 1)^1$ 的有向弧，$1 \leqslant i_t \leqslant T$，$i_t \leqslant j_t$，代表在周期 i_t 生产产品 1 满足从周期 j_t 到 $j_{t+1} - 1$ 产品 1 的需求和在集合 U_1 中产品 2 的需求。令 $C_{j_t, j_{t+1}-1}^{1,i_t}$ 代表此弧的成本，因此 $C_{j_t, j_{t+1}-1}^{1,i_t}$ 代表以下成本之和：联合启动成本、两种产品的单独启动成本和满足从周期 j_t 到 $j_{t+1} - 1$ 产品 1 的需求和在集合 U_1 中产品 2 的需求的变动成本。②从节点 $(i_t, j_t)^2$ 到 $(i_t, j_{t+1} - 1)^2$ 的有向弧 $(1 \leqslant i_t \leqslant T, \ i_t \leqslant j_t)$，代表在周期 i_t 生产产品 2 满足在集合 U_2 中产品 2 的需求。令 $C_{j_t, j_{t+1}-1}^{2,i_t}$ 代表此弧的成本，$C_{j_t, j_{t+1}-1}^{2,i_t}$ 代表以下成本之和：产品 2 的单独启动成本和周期 i_t 生产产品 2 满足在集合 U_2 中产品 2 需求的变动成本。

以上分析可以得到，$\mathrm{SP}(T)$ 中每一个可行解都代表图 G 中的一条路径，说明所构造的问题等价于最短路径问题。

13.4　预测时阈分析

定义边际成本 $a_{it}^n = c_i^n A_{it}^{ni} + \sum_{l=i}^{t-1} h_l^n A_{lt}^{ni}$，$1 \leqslant i \leqslant t \leqslant T$，$n=1,2$，若 $i=t$，则 $a_{ii}^n = c_i^n$。令 $m^n(t)$

为最小化 a_{jt}^n 的周期，$1 \leqslant j \leqslant t$，$n=1,2$。例如，若有 $a_{kt}^n \geqslant a_{jt}^n$ 对于任意 k 成立，$1 \leqslant k \leqslant t$，则 $m^n(t) = j$。令 $i^n(t)$ 代表 SP(t) 最优解中产品 n 的最后一个生产点，同时令 $i(t) = \min\{i^1(t), i^2(t)\}$。

令 $x_j^{n,t}$ 代表 SP(t) 中产品 n 在周期 j 的最优生产数量，$n=1,2$，$\{x_1^{n,t}, x_2^{n,t}, \cdots, x_t^{n,t}\}$ 代表 SP(t) 中产品 n 的最优生产序列，$\{x_1^{n,t}, x_2^{n,t}, \cdots, x_{t'}^{n,t}\}$ 代表 SP(t) 中产品 n 的最优生产子序列，$t' \leqslant t$。

定理 13-3　在 SP(t) 的最优解中，若有 $i^n(t) = m^n(t)$ 成立，$n=1,2$，则对于任意更长的周期 t^*，$t+1 \leqslant t^* \leqslant T$，在 SP$(t^*)$ 的最优解中，有 $i^n(t^*) \geqslant i^n(t)$ 成立。

证明　考虑 SP$(t+1)$，若 $i^1(t+1) = i^2(t+1) = t+1$，则由 $i(t)$ 的定义可得 $i(t) \leqslant t$，因此可得 $i(t+1) > i(t)$。否则，考虑三种情形：① $i^1(t+1) \leqslant t$，$i^2(t+1) = t+1$；② $i^2(t+1) \leqslant t$，$i^1(t+1) = t+1$；③ $i^1(t+1) \leqslant t$，$i^2(t+1) \leqslant t$。对于情形①，假设 $i^1(t+1) < i^1(t) = m^1(t)$，根据 $m^n(t)$ 和 a_{it}^n 的定义，有 $a_{i^1(t),t}^1 = a_{m^1(t),t}^1 \leqslant a_{i^1(t+1),t}^1$。因为 $a_{i^1(t),t+1}^1 = a_{m^1(t),t+1}^1 = (a_{i^1(t),t}^1 + h_{i^1(t),t}^1)A_{t,t+1}^{1i^1(t)} = (a_{m^1(t),t}^1 + h_{m^1(t),t}^1)A_{t,t+1}^{1m^1(t)}$，$a_{i^1(t+1),t+1}^1 = (a_{i^1(t+1),t}^1 + h_{i^1(t+1),t}^1)A_{t,t+1}^{1i^1(t+1)}$，则有 $a_{i^1(t),t+1}^1 = a_{m^1(t),t+1}^1 \leqslant a_{i^1(t+1),t+1}^1$ 和 $a_{i^1(t),t+1}^1 + s_{t+1} = a_{m^1(t),t+1}^1 + s_{t+1} \leqslant a_{i^1(t+1),t+1}^1 + s_{t+1}$。以上两个不等式也意味着在周期 $i^1(t)$ 生产产品 1 以满足产品 1 和产品 2 在 $t+1$ 期需求的成本不会大于在周期 $i^1(t+1)$ 生产产品 1 以满足产品 1 和产品 2 在 $t+1$ 期需求的成本。因此可得 $i^1(t+1) \geqslant i^1(t) = m^1(t)$。根据 $i(t)$ 的定义可得 $i(t+1) \geqslant i(t)$。其他两种情形的证明类似于情形①。从以上分析可得 $i(t+1) \geqslant i(t)$。考虑 $t+2$ 期问题，可得 $i(t+2) \geqslant i(t+1)$。以上过程可以一直迭代，因此对于周期 t^*，$t^* \geqslant t+1$，有 $i(t^*) \geqslant i(t)$ 成立。

定理 13-4　在 SP(t) 的最优解中，若有 $i^n(t) = m^n(t)$ 成立，$n=1,2$，则任意更长的问题 SP(t^*) 的最优解中至少有一个产品 1 和产品 2 的生产点在集合 $\{i(t), i(t)+1, \cdots, t\}$ 中。

证明　考虑 SP(t^*)，$t+1 \leqslant t^* \leqslant T$，由定理 13-3 可得 $i^1(t^*) \geqslant i^1(t)$ 和 $i^2(t^*) \geqslant i^2(t)$。若 $i^1(t^*) \leqslant t$ 和 $i^2(t^*) \leqslant t$，则 $i^1(t^*)$ 和 $i^2(t^*)$ 在集合 $\{i(t), i(t)+1, \cdots, t\}$ 中。否则有三种可能的情形：① $i^1(t^*) \geqslant t+1$，$i^2(t^*) \leqslant t$；② $i^1(t^*) \leqslant t$，$i^2(t^*) \geqslant t+1$；③ $i^1(t^*) \geqslant t+1$，$i^2(t^*) \geqslant t+1$。对于第一种情形①，$i^1(t^*)-1$ 问题的最优解是 SP(t^*) 最优解的一部分，若 $i^1(i^1(t^*)-1) \leqslant t$，则问题得证。否则，有 $i^1(i^1(t^*)-1) \geqslant t+1$，继续迭代以上过程直到找到一个周期最优解中产品 1 和产品 2 的生产点在集合 $\{i(t), i(t)+1, \cdots, t\}$ 中。情形②与情形③的证明类似情形①，故略。

定理 13-5　在 SP(t) 的最优解中，若有 $i^n(t) = m^n(t)$ 成立，$n=1,2$，且在系列问题 SP$(i(t)-1)$，SP$(i(t))$，$\cdots$，SP$(t-1)$ 中，若有 $x_\tau^{n,i(t)-1} = x_\tau^{n,i(t)} = \cdots = x_\tau^{n,t-1}$ 对于 $\tau=1,2,\cdots,t'$（$1 \leqslant t' \leqslant i(t)-1$）成立，则周期 t 为更长时间周期问题 SP(t^*) 的预测时阈，周期 t' 为决策时阈，$t+1 \leqslant t^* \leqslant T$。

证明　由定理 13-4 可得，更长周期 SP(t^*) 最优解的一部分有产品 1 和产品 2 的生产点在集合 $\{i(t), i(t)+1, \cdots, t\}$ 中，$t^* \geqslant t+1$。因此，当求解系列问题 SP$(i(t)-1)$，SP$(i(t))$，$\cdots$，

SP$(t-1)$ 时，至少有一个问题的最优解是更长周期问题 SP(t^*) 最优解的一部分，$t+1 \leqslant t^* \leqslant T$。若 $x_\tau^{n,i(t)-1} = x_\tau^{n,i(t)} = \cdots = x_\tau^{n,t-1}$ 对于 $\tau = 1,2,\cdots,t'$ 成立，$1 \leqslant t' \leqslant i(t)-1$，$n=1,2$，则说明每一个问题 SP$(i(t)-1)$，SP$(i(t))$，$\cdots$，SP$(t-1)$ 都有一个相同的 t' 周期的最优决策。因此，t' 周期的最优决策是更长周期问题 SP(t^*) 最优解的一部分，$t+1 \leqslant t^* \leqslant T$。这也说明周期 t 是预测时阈，周期 t' 是相应的决策时阈。

$\{i(t)-1,i(t),\cdots,t-1\}$ 定义为再生集（Lundin and Morton，1975）。值得注意一种特殊情形：若 $i^1(t) = m^1(t) = i^2(t) = m^2(t) = t$，则 $t-1$ 是决策时阈，周期 t 是预测时阈。即前 $t-1$ 期的最优决策不会受到第 t 期以后信息的影响。另外，若在 SP(t) 的最优解中没有产品 2 的生产点，即产品 2 的需求全部由产品 1 替代满足，则优化 t 个周期的问题不能获得预测时阈，需要优化更长时间周期的问题。

下面用数值算例说明如何计算预测时阈。

例 13-4　考虑 6 个周期的问题，即 $T=6$。产品 1 和产品 2 的需求为 $d_t^1 = (10,10,4,6,4,20)$，$d_t^2 = (15,20,5,5,5,20)$。成本为 $K_t = (100,120,80,120,130,80)$，$\sigma_t^1 = (60,70,50,70,60,50)$，$\sigma_t^2 = (30,40,40,50,50,30)$，$c_t^1 = (2,6,7,8,7,2)$，$c_t^2 = (1,4,6,7,6,1)$。产品 1 的库存损失率设为 $\alpha_{ii}^1 = 0.05$，$1 \leqslant i \leqslant 6$；$\alpha_{i,i+1}^1 = 0.1$，$1 \leqslant i \leqslant 5$；$\alpha_{i,i+k}^1 = 1$，$1 \leqslant i \leqslant 4$，$k \geqslant 2$。产品 2 的库存损失率设为 $\alpha_{ii}^2 = 0.2$，$1 \leqslant i \leqslant 6$；$\alpha_{i,i+k}^2 = 1$，$1 \leqslant i \leqslant 5$，$k \geqslant 1$。产品 1 的单位库存成本设为 $h_{ii}^1 = 1$，$1 \leqslant i \leqslant 6$；$h_{i,i+1}^1 = 1.5$，$1 \leqslant i \leqslant 5$；$h_{i,i+k}^1 = +\infty$，$1 \leqslant i \leqslant 4$，$k \geqslant 2$。产品 2 的库存成本设为 $h_{ii}^2 = 1.2$，$1 \leqslant i \leqslant 6$；$h_{i,i+k}^2 = +\infty$，$1 \leqslant i \leqslant 5$，$k \geqslant 1$。单位替代成本为 $s_t = 1.2$。

问题的最优解为第 1 期生产产品 1 满足产品 1 在第 1、2 和 3 期的需求，同时替代满足产品 2 第 3 期的需求；在第 1 期生产产品 2 满足产品 2 在第 1 期和第 2 期的需求。在第 3 期生产产品 1 满足产品 1 在第 4 期和第 5 期的需求，同时替代满足第 5 期产品 2 的需求；在第 3 期生产产品 2 满足产品 2 在第 4 期的需求。第 6 期生产产品 1 和 2 分别满足产品 1 和产品 2 在第 6 期的需求。发现 $i(t)=t=6$，因此 $t=6$ 是预测时阈，$t=5$ 是相应的决策时阈。计算结果如表 13-2 所示，图 13-5 展示了最优解的结构示意图。

表 13-2　例 13-4 预测时阈的计算结果

t	1	2	3	4	5	6
(d_t^1, d_t^2)	(10,15)	(10,20)	(4,5)	(6,5)	(4,5)	(20,20)
	(10,15)	×	×	×	×	×
	(20.53,40)	(0,0)	×	×	×	×
(x_t^{1*}, x_t^{2*})	(31.06,40)	(0,0)	(0,0)	×	×	×
	(31.06,40)	(0,0)	(6.32,6.25)	(0,0)	×	×
	(31.06,40)	(0,0)	(16.85,6.25)	(0,0)	(0,0)	×
	(31.06,40)	(0,0)	(16.85,6.25)	(0,0)	(0,0)	(20,20)
$V(t)$	225	311.58	364.16	591.3	698.12	918.12
预测时阈	×	×	×	×	×	6

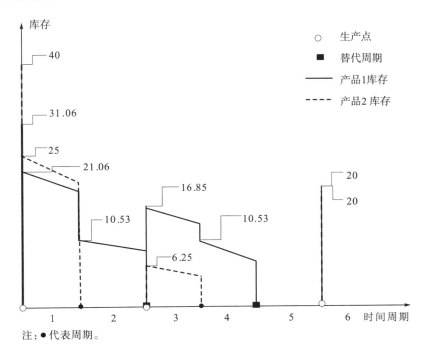

图 13-5　例 13-4 最优解示意图

　　预测时阈随着启动成本的增加而递增，随着需求波动参数和增长参数的增加而递减。另外，需求替代也会增大预测时阈的长度。这些结果可参见 Dawande 等(2006,2007,2009)、Bardhan 等(2013)的文献。在其他参数不变的情形下，预测时阈随着产品库存损失率的增加而递减，最后保持不变；随着产品生命周期的增加而增加，最后保持不变。这些结果可参见第 12 章。

　　接下来比较不同的联合启动成本和替代成本对滚动时阈的影响。滚动时阈是在多周期动态决策问题中基于预测时阈的一种有效且简单易用的决策方法。在动态决策中，往往需要考虑 R 个周期的信息以做出前 τ 个周期的决策，$R \geqslant \tau$。在第 $\tau + 1$ 期期初，利用 $\tau + 1$，$\tau + 2, \cdots, R + \tau$ 期的信息又可以做出从第 $\tau + 1$ 期到第 2τ 期 τ 个周期的决策，即又解决了一个新的 R 周期的问题。此时，实践中需要选择一个合适的滚动决策周期以权衡准确性和计算效率：较短的滚动决策周期所得出的决策可能不是最优的，而较长的滚动决策周期在决策准确性增加的同时也增加了计算的复杂性。下面通过数值实验进行分析。

　　根据 Dawande 等(2010)和 Bardhan 等(2013)的研究设计本章的实验参数。两产品各周期的需求均值由 $D_{t+1}^n = D_0^n(G)^t$ 产生，$n = 1,2$，其中，$G = 1.000$ 反映了市场需求不变，$G = 1.005$ 反映了市场需求递增，$G = 0.995$ 反映了市场需求递减。确定需求均值之后，进一步利用函数 $D_{t+1}^n = D_0^n(G)^t + SD_0^n \xi$ 产生两产品各周期的实际需求。其中 ξ 表示标准正态变量，V 为需求波动的程度，V 取 3 个不同的值表示波动程度的大小，即 0.15、0.50 和 1.15。若两产品需求小于 1，则设定为 1。与需求特征参数相关的组合有 9 种(3 个增长特性参数和 3 个波动特性参数)。产品 1 的基准需求 D_0^1 设为 10，产品 2 的基准需求 D_0^2 设为 15。对于 $t = 1,2, \cdots, T$ 和 $n = 1,2$，产品 1 和产品 2 的单独启动成本 σ_t^n 分别设为 60 和 50，变动生

产成本 c_t'' 分别设为 5 和 3。两种产品的生命周期设为 20，在生命周期内假设两产品的库存损失率为零。

为了验证不同的联合启动成本和替代成本对不同长度滚动时阈的影响，联合启动成本取 4 个值，即 100、150、200 和 300；替代成本取 4 个值，即 1、2、4 和 6。对于所有参数的组合运行 3 次。计算相同周期的问题，滚动时阈 R 的长度取 5、10 和 15。滚动时阈的有效性用近似成本和最优成本的差值比例来衡量，计算结果如图 13-6 和图 13-7 所示。较长的滚动时阈具有较好的有效性，在 $R=15$ 情形下的效率要高于 $R=10$ 和 $R=5$ 的情形，$R=10$ 情形下的效率要高于 $R=5$ 的情形。随着替代成本的增加，滚动时阈在 $R=10$ 和 $R=15$ 情形下的有效性增加（图 13-6）。在很高的替代成本情形下，$R=15$ 是一个非常好的滚动时阈长度。随着联合启动成本的增加，滚动时阈在 $R=10$ 和 $R=15$ 的情形下的有效性降低（图 13-7），这也说明在较高的联合启动成本情形下滚动时阈的长度将会变长。

为了获得一个良好的滚动时阈长度，本章进一步做如下分析。定义一个新的参数，即联合启动成本与替代成本和产品 2 需求均值乘积的比例。这一参数反映了联合启动成本和替代成本的相对值。如图 13-8 所示，滚动时阈的长度 $R=5$ 在任何相对值的情形下都是效

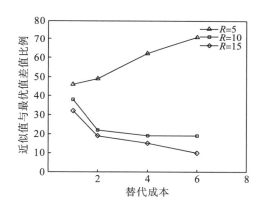

图 13-6　替代成本对滚动时阈近似值与最优值比例的影响

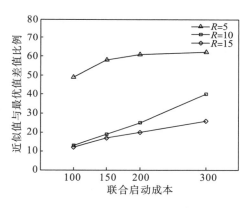

图 13-7　联合启动成本对滚动时阈近似值与最优值比例的影响

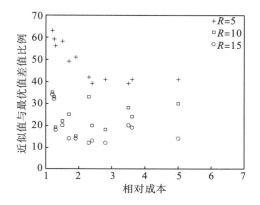

图 13-8　相对成本对滚动时阈近似值与最优值比例的影响

率较差的。当相对值较小时，滚动时阈的长度 $R=10$ 有较好的效率，因此可以将滚动时阈设为 10。当相对值居中时，较好的预测时阈的长度为 15。当相对值较大时，理想的预测时阈的长度要大于 15。

13.5　本　章　小　结

近年来，利用产品替代提升企业的运营效率越来越受到学术界和企业界的关注。本章重点分析了联合生产下两替代易逝品的动态批量决策和预测时阈问题。对于易逝性，本章考虑了库存损失和产品生命周期两个方面，库存损失率和库存成本依赖于产品库龄。在有联合启动成本和单独启动成本的情形下，企业为了获得规模经济往往采用产品替代策略。对于产品替代，考虑单向替代情形，即高等级产品可以替代低等级产品满足客户对低等级产品的需求。本章构造了包含联合启动成本、单独启动成本、单位生产成本、替代成本和库存成本的成本最小化模型。在最优解结构性质的基础上，设计了多项式时间的动态规划算法求解问题。证明了所构造的问题等价于最小凹成本网络流问题和最短路径问题，这也说明有多种算法可以求解本章所构造的问题。在生产点单调性的基础上构造了两产品的再生集，给出了求解预测时阈的充分条件。利用数值实验得出了有益的管理启示，以预测时阈为基础，生产运营经理可以不断滚动地制订生产计划，这一策略能够大幅降低企业的运营成本。

参　考　文　献

胡海菊，李勇建. 2007. 考虑再制造和产品需求可替代的短生命周期产品动态批量生产计划问[J]. 系统工程理论与实践，27(12)：76-84.

Bai Q G，Zhang Y Z，Dong G L. 2010. A note on an economic lot-sizing problem inventory and economies of scale costs：Approximation solutions and worst case analysis[J]. International Journal of Automation and Computing，7(1)：132-136.

Balakrishnan A，Geunes J. 2000. Requirements planning with substitutions: Exploiting bill-of-materials flexibility in production planning[J]. Manufacturing and Service Operations Management，2(2)：166-185.

Bardhan A，Dawande M，Gavirneni S，et al. 2013. Forecast and rolling horizons under demand substitution and production changeovers：Analysis and insights[J]. IIE Transactions，45(3)：323-340.

Chu L Y，Hsu V N，Shen Z J M. 2005. An economic lot-sizing problem with perishable inventory and economies of scale costs：Approximation solutions and worst case analysis[J]. Naval Research Logistics，52(6)：536-548.

Dawande M，Gavirneni S, Naranpanawe S，et al. 2006. Computing minimal forecast horizons: An integer programming approach[J]. Journal of Mathematical Modelling and Algorithm，5(2)：239-258.

Dawande M，Gavirneni S，Naranpanawe S，et al. 2007. Forecast horizons for a class of dynamic lot-size problems under discrete future demand[J]. Operations Research，55(4)：688-702.

Dawande M，Gavirneni S, Naranpanawe S，et al. 2009. Discrete forecast horizons for two-product variants of the dynamic lot-size problem[J]. International Journal of Production Economics，120(2)：430-436.

Dawande M，Gavirneni S，Mu Y P，et al. 2010. On the interaction between demand substitution and production changeovers[J].

Manufacturing and Service Operations Management，12（4）：682-691.

Geunes J. 2003. Solving large-scale requirements planning problems with component substitution options[J]. Computers and Industrial Engineering，44（3）：475-491.

Hsu V N. 2000. Dynamic economic lot size model with perishable inventory[J]. Management Science，46（8）：1159-1169.

Hsu V N. 2003. An economic lot size model for perishable products with age-dependent inventory and backorder costs[J]. IIE Transactions，35（8）：775-780.

Hsu V N，Li C L，Xiao W Q. 2005. Dynamic lot size problem with one-way product substitution[J]. IIE Transactions，37（3）：201-215.

Lang J C，Domschke W. 2010. Efficient reformulations for dynamic lot-sizing problems with product substitution[J]. OR Spectrum，32（2）：263-291.

Lang J C，Shen Z J M. 2011. Fix-and-optimize heuristics for capacitated lot-sizing with sequence-dependent setups and substitutions[J]. European Journal of Operational Research，214（3）：595-605.

Li Y J，Chen J，Cai X Q. 2006. Uncapacitated production planning with multiple product types，returned product remanufacturing，and demand substitution[J]. OR Spectrum，28（1）：101-125.

Li Y J，Chen J，Cai X Q. 2007. Heuristic genetic algorithm for capacitated production planning problems with batch processing and remanufacturing[J]. International Journal of Production Economics，105（2）：301-307.

Lundin R A，Morton T E. 1975. Planning horizons for the dynamic lot size model：Zabel vs. protective procedures and computational results[J]. Operations Research，23（4）：711-734.

Peng S Y，Wee H M，Yang C C，et al. 2008. A note on an economic lot size model for a perishable age-dependent inventory system with backorders[J]. Journal of Information and Optimization Sciences，29（1）：191-202.

Pineyro P，Viera O. 2010. The economic lot-sizing problem with remanufacturing and one-way substitution[J]. International Journal of Production Economics，124（2）：482-488.

Pineyro P，Viera O. 2014. Note on "The economic lot-sizing problem with remanufacturing and one-way substitution"[J]. International Journal of Production Economics，156：167-168.

Qiu Y Z，Qiao J，Pardalos P M. 2019. Optimal production，replenishment，delivery，routing and inventory management policies for products with perishable inventory[J]. Omega—The International Journal of Management Science，82：193-204.

Sandbothe R A，Thompson G L. 1990. A forward algorithm for the capacitated lot size model with stockouts[J]. Operations Research，38（3）：474-486.

Sargut F Z，Isik G. 2017. Dynamic economic lot size model with perishable inventory and capacity constraints[J]. Applied Mathematical Modelling，48：806-820.

Yaman H. 2009. Polyhedral analysis for the two-item uncapacitated lot-sizing problem with one-way substitution[J]. Discrete Applied Mathematics，157（14）：3133-3151.

Yaman H. 2011. Erratum to：Polyhedral analysis for the two-item uncapacitated lot-sizing problem with one-way substitution[J]. Discrete Applied Mathematics，159（10）：1058.

Zangwill W I. 1968. Minimum concave cost flows in certain networks[J]. Management Science，14（7）：429-450.

Zangwill W I. 1969. A backlogging model and a multi-echelon model of a dynamic economic lot size production system-a network approach[J]. Management Science，15（9）：506-527.

第14章 仓储约束的两替代易逝品联合
生产动态批量与预测时阈

14.1 问 题 背 景

由于易逝品具有腐坏变质、生命周期短等特点，对仓储条件有着非常高的要求，因而易逝品企业在实际运营中往往会受到仓储能力的制约。仓储能力限制对企业运营决策的准确性提出了更高的要求。易逝品库存过高不仅会导致产品价值报废，也会浪费宝贵的存储空间。在此背景下，第 12 章研究了单易逝品在仓储能力约束下的动态批量决策与预测时阈问题。在实际中，若两种产品对仓储条件(如温度)的要求相同，如都需要冷鲜或者冷冻，则两种产品可以共用仓储能力。基于此，本章考虑两替代易逝品共用有限仓储能力的情形，构造共用有限仓储能力和联合采购下的两单向替代易逝品动态批量决策模型，并对预测时阈进行分析。多产品共用有限仓储能力的动态批量问题的研究大多聚焦在近似算法设计方面。Minner(2009)考虑了在多产品共用有限仓储能力下的补货问题，设计了两类启发式算法求解多产品补货问题，同时设计了一类适合单产品补货问题的启发式算法。Gutierrez等(2013)在固定-线性生产成本函数和线性库存成本函数下研究了时变的库存能力约束的多产品共用仓储的动态批量问题，同样设计了启发式算法求解该问题。Akbalik 等(2015)证明了多产品共用仓储能力的动态批量问题为 NP-难问题，并进一步拓展研究了生产能力和仓储能力双重约束下的多产品动态批量问题。Brahimi 等(2015)研究了两级动态批量问题，并设计了拉格朗日启发式算法求解该问题。Melo 和 Riberio(2017)研究了多产品共用有限仓储能力的动态批量模型，每一种产品的生产成本为固定-线性函数形式，库存成本为线性函数形式，设计了两类启发式算法求解所构造的问题并用数值实验验证了两类算法的效率。但以上多产品共用仓储能力的动态批量问题都没有考虑产品的易逝性与替代性，也没有对预测时阈进行分析。因此，本章研究解决两替代易逝品共用仓储能力下的动态批量决策与预测时阈问题。

14.2 模 型 构 建

两产品面临仓储能力约束存在两种情况：其一是两种产品共用仓储能力。在现实情况中，若两种产品的仓储条件(如温度)是相同的，则适用两种产品共用仓储能力情形。其二是两种产品有各自的仓储能力约束，若两种产品对仓储条件的要求不同，需要分别存储，则适用各自的仓储能力约束情形。对于第二种情形，可以在决策时将两产品划分为两个独立单产品的组合，此时的算法设计可参考第 12 章研究的单个易逝品在仓储能力约束下的动态批量问题。因此，本章的模型考虑两产品共用有限仓储能力的情形，令 $I^{\max}$ 代表仓储能力，其余符号、定义和假设同 13 章。关于两种易逝品的库存损失率和库存成本的两个假设如下。

假设 1　$\alpha_{it}^{n} \geqslant \alpha_{jt}^{n}$，$n=1,2$，$1 \leqslant i \leqslant j \leqslant t$。

假设 2　$h_{it}^{n} \geqslant h_{jt}^{n}$，$n=1,2$，$1 \leqslant i \leqslant j \leqslant t$。

因此，仓储能力约束下的两替代易逝品联合生产动态批量问题的目标函数和约束条件如下：

$$\min\left\{\sum_{t=1}^{T}K_t\delta\left(\sum_{n=1}^{2}x_t^n\right)+\sum_{t=1}^{T}\sum_{n=1}^{2}\left[\sigma_t^n\delta\left(x_t^n\right)+c_t^nx_t^n+\sum_{i=1}^{t}h_{it}^ny_{it}^n\right]+\sum_{t=1}^{T}\sum_{i=1}^{t}s_tw_{it}\right\} \tag{14-1}$$

$$x_t^1-z_{tt}^1-w_{tt}=y_{tt}^1,\quad 1\leqslant t\leqslant T \tag{14-2}$$

$$x_t^2-z_{tt}^2=y_{tt}^2,\quad 1\leqslant t\leqslant T \tag{14-3}$$

$$(1-\alpha_{i,t-1}^1)y_{i,t-1}^1-z_{it}^1-w_{it}=y_{it}^1,\quad 1\leqslant i<t\leqslant T \tag{14-4}$$

$$(1-\alpha_{i,t-1}^2)y_{i,t-1}^2-z_{it}^2=y_{it}^2,\quad 1\leqslant i<t\leqslant T \tag{14-5}$$

$$\sum_{i=1}^{t}z_{it}^1=d_t^1,\quad 1\leqslant t\leqslant T \tag{14-6}$$

$$\sum_{i=1}^{t}z_{it}^2+\sum_{i=1}^{t}w_{it}=d_t^2,\quad 1\leqslant t\leqslant T \tag{14-7}$$

$$x_{it}^n,y_{it}^n,z_{it}^n,w_{it}\geqslant 0,\quad n=1,2,\quad 1\leqslant i\leqslant t\leqslant T \tag{14-8}$$

$$\sum_{n=1}^{2}\sum_{i=1}^{t}y_{it}^n\leqslant I^{\max},\quad 1\leqslant t\leqslant T \tag{14-9}$$

约束条件(14-2)～(14-8)的含义同第 13 章；约束条件(14-9)是仓储能力约束。令 SP(t) 代表以上所构造的问题。

14.3　动态规划算法

在没有仓储能力约束的单易逝品动态批量问题中，Hsu(2000)提出的单源满足性质可以表述如下：在最优解中，任意周期 t 的需求仅仅由某一个周期 i 的生产满足，$1\leqslant i\leqslant t$。Jing 和 Mu(2019)在两产品替代的情形下也得出了类似的性质。然而，在库存能力约束下，这一性质并不总是成立的，下面用一个具体例子予以说明。

例 14-1　考虑 6 个周期的单产品问题。假设前 6 个周期的需求为 $(10,15,23,19,25,10)$，单位生产成本为 $(2,5,6,5,5,6)$，启动成本为 $\sigma_t=25$，库存成本为 $h_{it}=1$，$1\leqslant i\leqslant t\leqslant 6$。产品生命周期假定为 3，在生命周期之内没有库存损失。假设库存能力为 $I^{\max}=20$。

以上问题的最优解为通过第 1 期和第 3 期的生产满足第 3 期的需求，通过第 4 期和第 5 期的生产满足第 5 期的需求，因此第 3 期和第 5 期的需求并不是仅仅通过一个周期的生产满足。图 14-1 展示了例 14-1 的最优解示意图。

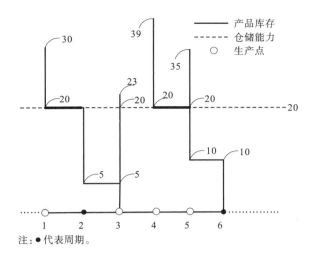

图 14-1　例 14-1 最优解示意图

例 14-1 在单产品的情形下说明了存在仓储能力约束情形下的"单源满足性质"不成立，进一步可得在两产品单向替代和仓储能力约束的复杂情形下"单源满足性质"将不成立。下面阐述两个最优解的结构性质，并在此基础上设计动态规划算法求解问题。

定理 14-1　$SP(t)$ 的最优解 Ω^* 有如下性质成立：

（1）若 $i < j$ 是产品 n 的两个生产点且有 $z_{jk}^{n*} > 0$，$k \geq j$，则对于任意周期 t，$k < t \leq T$，有 $z_{it}^{n*} = 0$ 成立，$n = 1, 2$；

（2）若 $i < j$ 是产品 1 的两个生产点且有 $w_{jk}^* > 0$，$k \geq j$，则对于任意周期 t，$k < t \leq T$，有 $w_{it}^* = 0$ 成立。

定理 14-1（证明见附录十三）阐述了"先进先出"的库存管理策略。

在阐述定理 14-2 之前，首先定义两个周期集合 U_1 和 U_2。假设从周期 θ 到周期 t 产品 2 的部分需求由产品 1 的生产点 i 生产的产品 1 替代满足和产品 2 的生产点 λ 生产的产品 2 满足，$1 \leq i \leq t$，$1 \leq \lambda \leq t$，$i \leq \theta \leq t$，$\lambda \leq \theta \leq t$。若 $c_i^1 A_{ir}^{1i} + \sum_{l=i}^{r-1} h_{il}^1 A_{lr}^{1i} + s_r < c_\lambda^2 A_{ir}^{2i} + \sum_{l=\lambda}^{r-1} h_{il}^2 A_{lr}^{2i}$，则通过产品 1 的生产点 i 生产产品 1 满足第 r 期产品 2 的需求成本较小，$\theta \leq r \leq t$，则定义周期 r 在集合 U_1 中。若 $c_i^1 A_{ir}^{1i} + \sum_{l=i}^{r-1} h_{il}^1 A_{lr}^{1i} + s_r \geq c_\lambda^2 A_{ir}^{2i} + \sum_{l=\lambda}^{r-1} h_{il}^2 A_{lr}^{2i}$，则通过产品 2 的生产点 λ 生产产品 2 满足第 r 期产品 2 的需求成本较小，则定义周期 r 在集合 U_2 中。

定理 14-2　$SP(t)$ 的最优解 Ω^* 有如下性质成立：

（1）$x_i^{1*} \cdot \left[\sum_{l=1}^{i-1} (1 - \alpha_{l,i-1}^1) y_{l,i-1}^{1*} + x_i^{1*} - \sum_{k=i}^{t} A_{ik}^{1i} d_k^1 - \sum_{k \in U_1} A_{ik}^{1i} d_k^2 \right] \left[y^{\max} + d_i^1 + d_i^2 - x_i^{1*} - \sum_{l=1}^{i-1} (1 - \alpha_{l,i-1}^1) y_{l,i-1}^{1*} - x_i^{2*} - \sum_{l=1}^{i-1} (1 - \alpha_{l,i-1}^2) y_{l,i-1}^{2*} \right] = 0$；

（2）$x_i^{2*} \cdot \left[\sum_{l=1}^{i-1} (1 - \alpha_{l,i-1}^2) y_{l,i-1}^{2*} + x_i^{2*} - \sum_{k \in U_2} A_{ik}^{2i} d_k^2 \right] \left[y^{\max} + d_i^1 + d_i^2 - x_i^{1*} - \sum_{l=1}^{i-1} (1 - \alpha_{l,i-1}^1) y_{l,i-1}^{1*} - x_i^{2*} - \right.$

$$\sum_{l=1}^{i-1}(1-\alpha_{l,i-1}^2)y_{l,i-1}^{2*}\Bigg]=0 。$$

定理 14-2（证明见附录十三）说明了某周期产品 1 和产品 2 的最优生产数量情况，以定理 14-2(1) 为例说明某周期产品 1 的最优生产数量：①等于零；②等于未来整数周期产品 1 的需求和部分产品 2 的需求之和减去前一期期末产品 1 的库存；③等于仓储能力加上当期两产品需求之和减去前一期期末两种产品的库存与当期产品 2 的生产量之和。某周期产品 2 的最优生产数量与产品 1 类似。定理 14-2 阐述的产品 1 和产品 2 的最优生产数量规则能够极大地降低两种产品最优数量的搜索范围。

通过定理 14-1 和定理 14-2 可以明晰最优生产计划，进一步设计有效的动态规划算法求得问题的最优解。该算法主要需要在可行的生产数量 x_t^n 的范围内确定最优的生产数量，$n=1,2$，$t=1,2,\cdots,T$。首先定义如下符号，对于 $t=1,2,\cdots,T$，$n=1,2$，令 L_t^n 代表第 t 期产品 n 库存可行状态的集合，$Q_t^n(y_{1t}^1,y_{2t}^1,\cdots,y_{t-1,t}^1;y_{1t}^2,y_{2t}^2,\cdots,y_{t-1,t}^2)$ 代表产品 n 第 t 期期初可行生产数量的集合，$y_{1t}^1,y_{2t}^1,\cdots,y_{t-1,t}^1;y_{1t}^2,y_{2t}^2,\cdots,y_{t-1,t}^2$ 为产品 1 和 2 在第 t 期期初的库存状态。因此可得

$$
\begin{aligned}
Q_t^1(y_{1t}^1,&y_{2t}^1,\cdots,y_{t-1,t}^1;y_{1t}^2,y_{2t}^2,\cdots,y_{t-1,t}^2)=\{0\}\\
&\cup\left\{\sum_{l=1}^{t-1}(1-\alpha_{l,t-1}^1)y_{l,t-1}^{1*}+x_t^{1*}=\sum_{k=t}^{t}A_{tk}^{1t}d_k^1+\sum_{k\in U_1}A_{tk}^{1t}d_k^2\right\}\\
&\cup\left\{x_t^{1*}+\sum_{l=1}^{t-1}(1-\alpha_{l,t-1}^1)y_{l,t-1}^{1*}+x_t^{2*}+\sum_{l=1}^{t-1}(1-\alpha_{l,t-1}^2)y_{l,t-1}^{2*}-d_t^1-d_t^2=y^{\max}\right\}
\end{aligned}
\tag{14-10}
$$

和

$$
\begin{aligned}
Q_t^2(y_{1t}^1,&y_{2t}^1,\cdots,y_{t-1,t}^1;y_{1t}^2,y_{2t}^2,\cdots,y_{t-1,t}^2)=\{0\}\\
&\cup\left\{\sum_{l=1}^{t-1}(1-\alpha_{l,t-1}^2)y_{l,t-1}^{2*}+x_t^{2*}=\sum_{k\in U_2}A_{tk}^{2t}d_k^2\right\}\\
&\cup\left\{x_t^{1*}+\sum_{l=1}^{t-1}(1-\alpha_{l,t-1}^1)y_{l,t-1}^{1*}+x_t^{2*}+\sum_{l=1}^{t-1}(1-\alpha_{l,t-1}^1)y_{l,t-1}^{2*}-d_t^1-d_t^2=y^{\max}\right\}
\end{aligned}
\tag{14-11}
$$

令 $V_t(y_{1t}^1,y_{2t}^1,\cdots,y_{tt}^1;y_{1t}^2,y_{2t}^2,\cdots,y_{tt}^2)$ 为两产品在 t 期期末库存状态为 $y_{1t}^1,y_{2t}^1,\cdots,y_{tt}^1$ 和 $y_{1t}^2,y_{2t}^2,\cdots,y_{tt}^2$ 时从第 1 期至第 t 期的最优成本。初始值为 $V_0(0,0,\cdots,0;0,0,\cdots,0)=0$。

可以获得如下动态规划循环式：

$$
V_t(y_{1t}^1,y_{2t}^1,\cdots,y_{tt}^1;y_{1t}^2,y_{2t}^2,\cdots,y_{tt}^2)=\min\left\{
\begin{aligned}
&K_t\delta\left(\sum_{n=1}^{2}x_t^n\right)+\sum_{n=1}^{2}\sigma_t^n\delta(x_t^n)+\sum_{n=1}^{2}c_t^nx_t^n+\sum_{n=1}^{2}\sum_{l=1}^{t}h_{lt}^ny_{lt}^n\\
&+s_t\sum_{l=1}^{t}w_{lt}+V_{t-1}(y_{1t}^1,y_{2t}^1,\cdots,y_{t-1,t-1}^1;y_{1t}^2,y_{2t}^2,\cdots,y_{t-1,t-1}^2)
\end{aligned}
\right\}
\tag{14-12}
$$

下面展示了以上动态规划算法的计算步骤。

初始化：L_t^n、$V_t(y_{1t}^1, y_{2t}^1, \cdots, y_{tt}^1; y_{1t}^2, y_{2t}^2, \cdots, y_{tt}^2)$ 和 $Q_t^n(y_{1t}^1, y_{2t}^1, \cdots, y_{tt}^1; y_{1t}^2, y_{2t}^2, \cdots, y_{tt}^2)$

　对于 $t = 1 \sim T$：

　　对于在 L_{t-1}^n 中的 $y_{1k}^1, y_{2k}^1, \cdots, y_{kk}^1; y_{1k}^2, y_{2k}^2, \cdots, y_{kk}^2$ 执行{

　　　对于在 $Q_t^n(y_{1j}^1, y_{2j}^1, \cdots, y_{jj}^1; y_{1j}^2, y_{2j}^2, \cdots, y_{jj}^2)$ 中的 x^n 执行{

　　　　$(1 - \alpha_{j,k-1}^1) y_{j,k-1}^1 - z_{jk}^1 - w_{jk} = y_{jk}^1$ 和 $(1 - \alpha_{j,k-1}^2) y_{j,k-1}^2 - z_{jk}^2 = y_{jk}^2$

　　　　若

$$K_t \delta\left(\sum_{n=1}^2 x_t^n\right) + \sum_{n=1}^2 \sigma_t^n \delta(x_t^n) + \sum_{n=1}^2 c_t^n x_t^n + \sum_{n=1}^2 \sum_{l=1}^k h_{lt}^n y_{lt}^n + s_t \sum_{l=1}^t w_{lt},$$
$$+ V_{t-1}(y_{1j}^1, y_{2j}^1, \cdots, y_{jj}^1; y_{1j}^2, y_{2j}^2, \cdots, y_{jj}^2) < V_t(y_{1k}^1, y_{2k}^1, \cdots, y_{kk}^1; y_{1k}^2, y_{2k}^2, \cdots, y_{kk}^2)$$

　　　则

$$V_t(y_{1k}^1, y_{2k}^1, \cdots, y_{kk}^1; y_{1k}^2, y_{2k}^2, \cdots, y_{kk}^2) = K_t \delta\left(\sum_{n=1}^2 x_t^n\right) + \sum_{n=1}^2 \sigma_t^n \delta(x_t^n)$$
$$+ \sum_{n=1}^2 c_t^n x_t^n + \sum_{n=1}^2 \sum_{l=1}^k h_{lt}^n y_{lt}^n + s_t \sum_{l=1}^t w_{lt} + V_{t-1}(y_{1j}^1, y_{2j}^1, \cdots, y_{jj}^1; y_{1j}^2, y_{2j}^2, \cdots, y_{jj}^2)$$

　　　}

　　}

返回 $V_T(y_{1T}^1, y_{2T}^1, \cdots, y_{TT}^1; y_{1T}^2, y_{2T}^2, \cdots, y_{TT}^2)$

　　算法的复杂度分析：首先，对于给定的周期 t，需要计算 $\sum_{n=1}^2 \sum_{l=1}^t y_{lt}^n$ 的值 $O(T^2)$ 次。对于任意的 x_t^n，需要考虑 $O(T)$ 次。对于固定的 t（$t = 1, 2, \cdots, T$），需要考虑 $O(T^3)$ 次 $V_t(y_{1t}^1, y_{2t}^1, \cdots, y_{tt}^1; y_{1t}^2, y_{2t}^2, \cdots, y_{tt}^2)$ 的值。因此，计算 $V_t(y_{1t}^1, y_{2t}^1, \cdots, y_{tt}^1; y_{1t}^2, y_{2t}^2, \cdots, y_{tt}^2)$ 的时间复杂度为 $O(T^5)$。

14.4　预　测　时　阈

　　在时变的单位生产成本情形下，不能直接获得生产点和再生点的单调性。根据 Eppen 等（1969）提出的边际成本分析法建立生产点和再生点的单调性。将 14.3 节所述的动态规划算法变换为另外一种形式。$V(t)$ 的含义同第 13 章，令 $V_t(i_{1t}^1, i_{2t}^1, \cdots, i_{Rt}^1; i_{1t}^2, i_{2t}^2, \cdots, i_{St}^2)$ 代表 SP(t) 中第 $1 \sim t$ 期产品 1 的需求由产品 1 的生产点 $i_{1t}^1, i_{2t}^1, \cdots, i_{Rt}^1$ 生产的产品 1 满足，第 $1 \sim t$ 期产品 2 的需求由产品 1 的生产点 $i_{1t}^1, i_{2t}^1, \cdots, i_{Rt}^1$ 生产的产品 1 和产品 2 的生产点 $i_{1t}^2, i_{2t}^2, \cdots, i_{St}^2$ 生产的产品 2 满足情形下的最优成本。令 $V_{t-1}(i_{1,t-1}^1, i_{2,t-1}^1, \cdots, i_{N,t-1}^1; i_{1,t-1}^2, i_{2,t-1}^2, \cdots, i_{Q,t-1}^2)$ 代表 SP$(t-1)$ 中第 $1 \sim t-1$ 期产品 1 的需求由产品 1 的生产点 $i_{1,t-1}^1, i_{2,t-1}^1, \cdots, i_{N,t-1}^1$ 满足。第 $1 \sim t-1$ 期产品 2 的需求由产品 1 的生产点 $i_{1,t-1}^1, i_{2,t-1}^1, \cdots, i_{N,t-1}^1$ 和产品 2 的生产点 $i_{1,t-1}^2, i_{2,t-1}^2, \cdots, i_{Q,t-1}^2$ 满足情形下的最优成本。根据以上定义可得 $V(t) = \min V_t(i_{1t}^1, i_{2t}^1, \cdots, i_{Rt}^1; i_{1t}^2, i_{2t}^2, \cdots, i_{St}^2)$，$R \geqslant 1$，$S \geqslant 0$。根据 R 和 S 的值、第 $t-1$ 期和第 t 期的需求是否由同一期生产满足、同一周期是生产一种产品还是两种产品、第 t 期产品 2 的需求是否由产品 1 的替代满足，可由表 14-1 中所示的 20 种组合情形计算 $V_t(i_{1t}^1, i_{2t}^1, \cdots, i_{Rt}^1; i_{1t}^2, i_{2t}^2, \cdots, i_{St}^2)$。

表 14-1　最优解的计算情形

条件	$R=1,$ $S=0$	$R=1,$ $S=1$	$R>1,$ $S=0$	$R>1,$ $S\geqslant1$
$i_{1t}^1 = i_{N,t-1}^1$，$w_{i_1^1,t} = d_{2t}$	√			
$i_{1t}^1 > i_{N,t-1}^1$，$i_{1t}^1 \neq i_{q,t-1}^2$，$w_{i_1^1,t} = d_{2t}$	√			
$i_{1t}^1 > i_{N,t-1}^1$，$i_{1t}^1 = i_{q,t-1}^2$，$w_{i_1^1,t} = d_{2t}$	√			
$i_{1t}^1 = i_{N,t-1}^1$，$i_{1t}^2 = i_{Q,t-1}^2$，$w_{i_1^1,t} = 0$		√		
$i_{1t}^1 = i_{N,t-1}^1$，$i_{1t}^2 = i_{Q,t-1}^2$，$w_{i_1^1,t} > 0$		√		
$i_{1t}^1 > i_{N,t-1}^1$，$i_{1t}^2 > i_{Q,t-1}^2$，$i_{1t}^1 = i_{1t}^2$，$w_{i_1^1,t} = 0$ ； $i_{1t}^1 > i_{N,t-1}^1$，$i_{1t}^2 > i_{Q,t-1}^2$，$i_{1t}^1 \neq i_{1t}^2$，$i_{1t}^2 = i_{n,t-1}^1$，$i_{1t}^1 \neq i_{q,t-1}^2$，$w_{i_1^1,t} = 0$		√		
$i_{1t}^1 > i_{N,t-1}^1$，$i_{1t}^2 > i_{Q,t-1}^2$，$i_{1t}^1 = i_{1t}^2$，$w_{i_1^1,t} > 0$ ； $i_{1t}^1 > i_{N,t-1}^1$，$i_{1t}^2 > i_{Q,t-1}^2$，$i_{1t}^1 \neq i_{1t}^2$，$i_{1t}^2 = i_{n,t-1}^1$，$i_{1t}^1 \neq i_{q,t-1}^2$，$w_{i_1^1,t} > 0$		√		
$i_{1t}^1 > i_{N,t-1}^1$，$i_{1t}^2 > i_{Q,t-1}^2$，$i_{1t}^1 \neq i_{1t}^2$，$i_{1t}^1 = i_{q,t-1}^2$，$i_{1t}^2 \neq i_{n,t-1}^1$，$w_{i_1^1,t} = 0$		√		
$i_{1t}^1 > i_{N,t-1}^1$，$i_{1t}^2 > i_{Q,t-1}^2$，$i_{1t}^1 \neq i_{1t}^2$，$i_{1t}^1 = i_{q,t-1}^2$，$i_{1t}^2 \neq i_{n,t-1}^1$，$w_{i_1^1,t} > 0$		√		
$i_{1t}^1 > i_{N,t-1}^1$，$i_{1t}^2 > i_{Q,t-1}^2$，$i_{1t}^1 \neq i_{1t}^2$，$i_{1t}^2 \neq i_{n,t-1}^1$，$i_{1t}^1 \neq i_{q,t-1}^2$，$w_{i_1^1,t} = 0$		√		
$i_{1t}^1 > i_{N,t-1}^1$，$i_{1t}^2 > i_{Q,t-1}^2$，$i_{1t}^1 \neq i_{1t}^2$，$i_{1t}^2 \neq i_{n,t-1}^1$，$i_{1t}^1 \neq i_{q,t-1}^2$，$w_{i_1^1,t} > 0$		√		
$i_{1t}^1 = i_{N,t-1}^1$，$i_{rt}^1 = i_{q,t-1}^2$，$w_{it} = 0$ ；$i_{1t}^1 > i_{N,t-1}^1$，$i_{rt}^1 = i_{q,t-1}^2$，$w_{it} = 0$			√	
$i_{1t}^1 = i_{N,t-1}^1$，$i_{1t}^2 = i_{Q,t-1}^2$，$i_{rt}^1 = i_{st}^2$，$w_{it} = 0$				√
$i_{1t}^1 > i_{N,t-1}^1$，$i_{1t}^2 = i_{Q,t-1}^2$，$i_{1t}^1 = i_{1t}^2$，$w_{it} = 0$				√
$i_{1t}^1 > i_{N,t-1}^1$，$i_{1t}^2 = i_{Q,t-1}^2$，$i_{rt}^1 = i_{st}^2$，$w_{it} = 0$ ； $i_{1t}^1 > i_{N,t-1}^1$，$i_{1t}^2 = i_{Q,t-1}^2$，$i_{rt}^1 = i_{qt}^2$，$i_{rt}^1 = i_{st}^2$，$w_{it} = 0$				√
$i_{1t}^1 > i_{N,t-1}^1$，$i_{1t}^2 = i_{Q,t-1}^2$，$i_{rt}^1 = i_{st}^2$，$w_{it} = 0$ ； $i_{1t}^1 > i_{N,t-1}^1$，$i_{1t}^2 = i_{Q,t-1}^2$，$i_{rt}^1 = i_{qt}^2$，$i_{rt}^1 = i_{st}^2$，$w_{it} = 0$				√
$i_{1t}^1 = i_{N,t-1}^1$，$i_{1t}^2 > i_{Q,t-1}^2$，$i_{rt}^1 = i_{st}^2$，$w_{it} = 0$ ； $i_{1t}^1 = i_{N,t-1}^1$，$i_{1t}^2 > i_{Q,t-1}^2$，$i_{rt}^1 = i_{qt}^2$，$i_{rt}^1 = i_{st}^2$，$w_{it} = 0$				√
$i_{1t}^1 = i_{N,t-1}^1$，$i_{1t}^2 > i_{Q,t-1}^2$，$i_{rt}^1 = i_{st}^2$，$w_{it} = 0$ ； $i_{1t}^1 = i_{N,t-1}^1$，$i_{1t}^2 > i_{Q,t-1}^2$，$i_{rt}^1 = i_{qt}^2$，$i_{rt}^1 = i_{st}^2$，$w_{it} = 0$				√
$i_{1t}^1 > i_{N,t-1}^1$，$i_{1t}^2 > i_{Q,t-1}^2$，$i_{rt}^1 = i_{st}^2$，$w_{it} = 0$ ； $i_{1t}^1 > i_{N,t-1}^1$，$i_{1t}^2 > i_{Q,t-1}^2$，$i_{rt}^1 = i_{qt}^2$，$i_{rt}^1 = i_{st}^2$，$w_{it} = 0$				√
$i_{1t}^1 > i_{N,t-1}^1$，$i_{1t}^2 > i_{Q,t-1}^2$，$i_{rt}^1 = i_{st}^2$，$w_{it} = 0$ ； $i_{1t}^1 > i_{N,t-1}^1$，$i_{1t}^2 > i_{Q,t-1}^2$，$i_{rt}^1 = i_{qt}^2$，$i_{rt}^1 = i_{st}^2$，$w_{it} = 0$				√

以下列举部分情形予以具体说明计算过程，其余情形不再赘述。

若 $R=1$、$S=0$、$i_{1t}^1=i_{N,t-1}^1$ 和 $w_{i_{1t}^1}=d_{2t}$，则

$$V_t(i_{1t}^1;i_{1t}^1)=V_{t-1}(i_{1,t-1}^1,i_{2,t-1}^1,\cdots,i_{N,t-1}^1;i_{1,t-1}^2,i_{2,t-1}^2,\cdots,i_{Q,t-1}^2)$$

$$+c_{i_{1t}^1}^1 A_{i_{1t}^1 t}^{1 i_{1t}^1}(d_t^1+d_t^2)+\sum_{l=i_{1t}^1}^{t-1}h_{i_{1t}^1}^1 A_{lt}^{1 i_{1t}^1}(d_t^1+d_t^2)+s_t d_t^2 \tag{14-13}$$

若 $R=1$、$S=0$，$i_{1t}^1>i_{N,t-1}^1$、$i_{1t}^1\neq i_{q,t-1}^2$ 和 $w_{i_{1t}^1}=d_{2t}$，$q\in\{1,2,\cdots,Q\}$，则

$$V_t(i_{1t}^1;i_{1t}^1)=V_{t-1}(i_{1,t-1}^1,i_{2,t-1}^1,\cdots,i_{N,t-1}^1;i_{1,t-1}^2,i_{2,t-1}^2,\cdots,i_{Q,t-1}^2)+K_{i_{1t}^1}+s_t d_t^2$$

$$+\sigma_{i_{1t}^1}^1+c_{i_{1t}^1}^1[A_{i_{1t}^1 t}^{1 i_{1t}^1}(d_t^1+d_t^2)+A_{i_{1t}^1,t-1}^{1 i_{1t}^1}(d_{t-1}^1+d_{t-1}^2)-(y_{i_{1,t-1}^N i_{1t}^1}^1/A_{i_{1t}^1,t-1}^{1 i_{1t}^1})] \tag{14-14}$$

$$+\sum_{l=i_{1t}^1}^{t-1}h_{i_{1t}^1}^1 A_{lt}^{1 i_{1t}^1}(d_t^1+d_t^2)+\sum_{l=i_{1t}^1}^{t-2}h_{i_{1t}^1}^1 A_{l,t-1}^{1 i_{1t}^1}(d_{t-1}^1+d_{t-1}^2)-\sum_{l=i_{1t}^1}^{t-2}h_{i_{1t}^1}^1(y_{i_{1,t-1}^N i_{1t}^1}^1/A_{l,t-1}^{1 i_{1,t-1}^1})$$

若 $R=1$、$S=0$，$i_{1t}^1>i_{N,t-1}^1$、$i_{1t}^1=i_{q,t-1}^2$ 和 $w_{i_{1t}^1}=d_{2t}$，$q\in\{1,2,\cdots,Q\}$，则

$$V_t(i_{1t}^1;i_{1t}^1)=V_{t-1}(i_{1,t-1}^1,i_{2,t-1}^1,\cdots,i_{N,t-1}^1;i_{1,t-1}^2,i_{2,t-1}^2,\cdots,i_{Q,t-1}^2)+s_t d_t^2$$

$$+\sigma_{i_{1t}^1}^1+c_{i_{1t}^1}^1[A_{i_{1t}^1 t}^{1 i_{1t}^1}(d_t^1+d_t^2)+A_{i_{1t}^1,t-1}^{1 i_{1t}^1}(d_{t-1}^1+d_{t-1}^2)-(y_{i_{1,t-1}^N i_{1t}^1}^1/A_{i_{1t}^1,t-1}^{1 i_{1t}^1})] \tag{14-15}$$

$$+\sum_{l=i_{1t}^1}^{t-1}h_{i_{1t}^1}^1 A_{lt}^{1 i_{1t}^1}(d_t^1+d_t^2)+\sum_{l=i_{1t}^1}^{t-2}h_{i_{1t}^1}^1 A_{l,t-1}^{1 i_{1t}^1}(d_{t-1}^1+d_{t-1}^2)-\sum_{l=i_{1t}^1}^{t-2}h_{i_{1t}^1}^1(y_{i_{1,t-1}^1 i_{1t}^1}^1/A_{l,t-1}^{1 i_{1,t-1}^1})$$

若 $R=1$、$S=1$，$i_{1t}^1=i_{N,t-1}^1$、$i_{1t}^2=i_{Q,t-1}^2$ 和 $w_{i_{1t}^1}=0$，则

$$V_t(i_{1t}^1;i_{1t}^2)=V_{t-1}(i_{1,t-1}^1,i_{2,t-1}^1,\cdots,i_{N,t-1}^1;i_{1,t-1}^2,i_{2,t-1}^2,\cdots,i_{Q,t-1}^2)$$

$$+c_{i_{1t}^1}^1 A_{i_{1t}^1 t}^{1 i_{1t}^1}d_t^1+\sum_{l=i_{1t}^1}^{t-1}h_{i_{1t}^1}^1 A_{lt}^{1 i_{1t}^1}d_t^1+c_{i_{2t}^2}^2 A_{i_{2t}^2 t}^{2 i_{1t}^2}d_t^2+\sum_{l=i_{2t}^2}^{t-1}h_{i_{2t}^2}^2 A_{lt}^{2 i_{1t}^2}d_t^2 \tag{14-16}$$

若 $R=1$、$S=1$，$i_{1t}^1>i_{N,t-1}^1$、$i_{1t}^2>i_{Q,t-1}^2$、$i_{1t}^1=i_{1t}^2$ 和 $w_{i_{1t}^1}=0$，或者 $R=1$、$S=1$、$i_{1t}^1>i_{N,t-1}^1$、$i_{1t}^2>i_{Q,t-1}^2$、$i_{1t}^1\neq i_{1t}^2$、$i_{1t}^2=i_{n,t-1}^1$、$i_{1t}^1\neq i_{q,t-1}^2$ 和 $w_{i_{1t}^1}=0$，$n\in\{1,2,\cdots,N\}$，$q\in\{1,2,\cdots,Q\}$，则

$$V_t(i_{1t}^1;i_{1t}^2)=V_{t-1}(i_{1,t-1}^1,i_{2,t-1}^1,\cdots,i_{N,t-1}^1;i_{1,t-1}^2,i_{2,t-1}^2,\cdots,i_{Q,t-1}^2)+K_{i_{1t}^1}$$

$$+\sigma_{i_{1t}^1}^1+c_{i_{1t}^1}^1\left[A_{i_{1t}^1 t}^{1 i_{1t}^1}d_t^1+A_{i_{1t}^1,t-1}^{1 i_{1t}^1}d_{t-1}^1-\left(y_{i_{1,t-1}^N i_{1t}^1}^1/A_{i_{1t}^1,t-1}^{1 i_{1,t-1}^1}\right)\right]$$

$$+\sum_{l=i_{1t}^1}^{t-1}h_{i_{1t}^1}^1 A_{lt}^{1 i_{1t}^1}d_t^1+\sum_{l=i_{1t}^1}^{t-2}h_{i_{1t}^1}^1 A_{l,t-1}^{1 i_{1t}^1}d_{t-1}^1-\sum_{l=i_{1t}^1}^{t-2}h_{i_{1t}^1}^1\left(y_{i_{1,t-1}^N i_{1t}^1}^1/A_{l,t-1}^{1 i_{1,t-1}^1}\right) \tag{14-17}$$

$$+\sigma_{i_{1t}^2}^2+c_{i_{1t}^2}^2\left[A_{i_{1t}^2 t}^{2 i_{1t}^2}d_t^2+A_{i_{1t}^2,t-1}^{2 i_{1t}^2}d_{t-1}^2-\left(y_{i_{1,t-1}^2 i_{1t}^2}^2/A_{i_{1t}^2,t-1}^{2 i_{1t}^2}\right)\right]$$

$$+\sum_{l=i_{1t}^2}^{t-1}h_{i_{1t}^2}^2 A_{lt}^{2 i_{1t}^2}d_t^2+\sum_{l=i_{1t}^2}^{t-2}h_{i_{1t}^2}^2 A_{l,t-1}^{2 i_{1t}^2}d_{t-1}^2-\sum_{l=i_{1t}^2}^{t-2}h_{i_{1t}^2}^2\left(y_{i_{1,t-1}^2 i_{1t}^2}^2/A_{l,t-1}^{2 i_{1,t-1}^2}\right)$$

若 $R=1$、$S=1$，$i_{1t}^1>i_{N,t-1}^1$、$i_{1t}^2>i_{Q,t-1}^2$、$i_{1t}^1\neq i_{1t}^2$、$i_{1t}^1=i_{q,t-1}^2$、$i_{1t}^2\neq i_{n,t-1}^1$ 和 $w_{i_{1t}^1}=0$，$n\in\{1,2,\cdots,N\}$，$q\in\{1,2,\cdots,Q\}$），则

$$V_t(i_{1t}^1; i_{1t}^2) = V_{t-1}(i_{1,t-1}^1, i_{2,t-1}^1, \cdots, i_{N,t-1}^1; i_{1,t-1}^2, i_{2,t-1}^2, \cdots, i_{Q,t-1}^2)$$

$$+ \sigma_{i_{1t}^1}^1 + c_{i_{1t}^1}^1 \left[A_{i_{1t}^1}^{1i_{1t}^1} d_t^1 + A_{i_{1t}^1,t-1}^{1i_{1t}^1} d_{t-1}^1 - \left(y_{i_{1,t-1}^1 i_{1t}^1}^1 / A_{i_{1,t-1}^1}^{1i_{1,t-1}^1} \right) \right]$$

$$+ \sum_{l=i_{1t}^1}^{t-1} h_{i_{1t}^1}^1 A_{lt}^{1i_{1t}^1} d_t^1 + \sum_{l=i_{1t}^1}^{t-2} h_{i_{1t}^1}^1 A_{l,t-1}^{1i_{1t}^1} d_{t-1}^1 - \sum_{l=i_{1t}^1}^{t-2} h_{i_{1t}^1}^1 \left(y_{i_{1,t-1}^1 i_{1t}^1}^1 / A_{l,t-1}^{1i_{1,t-1}^1} \right) \qquad (14\text{-}18)$$

$$+ K_{i_{1t}^2} + \sigma_{i_{1t}^2}^2 + c_{i_{1t}^2}^2 \left[A_{i_{1t}^2}^{2i_{1t}^2} d_t^2 + A_{i_{1t}^2,t-1}^{2i_{1t}^2} d_{t-1}^2 - \left(y_{i_{1,t-1}^2 i_{1t}^2}^2 / A_{i_{1t}^2,t-1}^{2i_{1t}^2} \right) \right]$$

$$+ \sum_{l=i_{1t}^2}^{t-1} h_{i_{1t}^2}^2 A_{lt}^{2i_{1t}^2} d_t^2 + \sum_{l=i_{1t}^2}^{t-1} h_{i_{1t}^2}^2 A_{l,t-1}^{1i_{1t}^2} d_{t-1}^2 - \sum_{l=i_{1t}^2}^{t-2} h_{i_{1t}^2}^2 \left(y_{i_{1,t-1}^2 i_{1t}^2}^2 / A_{l,t-1}^{2i_{1,t-1}^2} \right)$$

若 $R=1$、$S=1$、$i_{1t}^1 > i_{N,t-1}^1$、$i_{1t}^2 > i_{Q,t-1}^2$、$i_{1t}^1 \neq i_{1t}^2$、$i_{1t}^2 \neq i_{n,t-1}^1$、$i_{1t}^1 \neq i_{q,t-1}^2$ 和 $w_{i_{1t}^1} = 0$，$n \in \{1, 2, \cdots, N\}$，$q \in \{1, 2, \cdots, Q\}$），则

$$V_t(i_{1t}^1; i_{1t}^2) = V_{t-1}(i_{1,t-1}^1, i_{2,t-1}^1, \ldots, i_{N,t-1}^1; i_{1,t-1}^2, i_{2,t-1}^2, \ldots, i_{Q,t-1}^2) + K_{i_{1t}^1}$$

$$+ \sigma_{i_{1t}^1}^1 + c_{i_{1t}^1}^1 [A_{i_{1t}^1}^{1i_{1t}^1} d_t^1 + A_{i_{1t}^1,t-1}^{1i_{1t}^1} d_{t-1}^1 - (y_{i_{1,t-1}^1 i_{1t}^1}^1 / A_{i_{1,t-1}^1}^{1i_{1,t-1}^1})]$$

$$+ \sum_{l=i_{1t}^1}^{t-1} h_{i_{1t}^1}^1 A_{lt}^{1i_{1t}^1} d_t^1 + \sum_{l=i_{1t}^1}^{t-2} h_{i_{1t}^1}^1 A_{l,t-1}^{1i_{1t}^1} d_{t-1}^1 - \sum_{l=i_{1t}^1}^{t-2} h_{i_{1t}^1}^1 (y_{i_{1,t-1}^1 i_{1t}^1}^1 / A_{l,t-1}^{1i_{1,t-1}^1}) \qquad (14\text{-}19)$$

$$+ K_{i_{1t}^2} + \sigma_{i_{1t}^2}^2 + c_{2_{1t}^2}^2 [A_{2_{1t}^2}^{2i_{1t}^2} d_t^2 + A_{i_{1t}^2,t-1}^{2i_{1t}^2} d_{t-1}^2 - (y_{i_{1,t-1}^2 i_{1t}^2}^2 / A_{2,t-1}^{2i_{1t}^2})]$$

$$+ \sum_{l=i_{1t}^2}^{t-1} h_{i_{1t}^2}^2 A_{lt}^{2i_{1t}^2} d_t^2 + \sum_{l=i_{1t}^2}^{t-2} h_{i_{1t}^2}^2 A_{l,t-1}^{2i_{1t}^2} d_{t-1}^2 - \sum_{l=i_{1t}^2}^{t-2} h_{i_{1t}^2}^2 (y_{i_{1,t-1}^2 i_{1t}^2}^2 / A_{l,t-1}^{2i_{1,t-1}^2})$$

根据改变后的动态规划算法可以适用边际成本分析法的基本思路。同第 13 章，首先定义边际成本 $a_{it}^n = c_i^n A_{it}^{ni} + \sum_{l=i}^{t-1} h_{il}^n A_{lt}^{ni}$，$1 \leqslant i \leqslant t \leqslant T$，$n = 1, 2$，若 $i = t$，则 $a_{ii}^n = c_i^n$。令 $m(nt)$ 为最小化 a_{jt}^n 的周期，$1 \leqslant j \leqslant t$，$n = 1, 2$，例如，若 $a_{kt}^n \geqslant a_{jt}^n$ 对于任意 k 成立 $(1 \leqslant k \leqslant t)$，则 $m^n(t) = j$。令 $i(nt)$ 代表 $\mathrm{SP}(t)$ 最优解中产品 n 的最后一个生产点。在 $\mathrm{SP}(t-1)$ 的最优解中若有 $m(nt) = i(nt)$ 成立，则可以获得两产品生产点和再生点的单调性，进一步可以构造两产品再生集给出预测时阈存在的充分条件。

在单位生产成本非时变 $(c_i^n = c^n$，$1 \leqslant i \leqslant T$，$n = 1, 2)$ 的情形下，可以设计一款更为有效的动态规划算法，也可直接得出两产品生产点和再生点的单调性。值得注意的是，在单位生产成本非时变的条件下，即便是在时间依赖的库存成本和库存损失率以及仓储能力约束的条件下，零库存性质依然成立。根据零库存性质可得如下推论。

推论 14-1　若周期 t_1 和 t_2 分别是 $\mathrm{SP}(t)$ 的最优解中产品 1 和产品 2 的两个生产点，则发生在周期 t_1 和 t_2 的生产量 $x_{t_1}^1$ 和 $x_{t_2}^1$ 满足如下关系：$x_{t_1}^1 = \sum_{l=t_1}^T A_{t_1 l}^{1t_1} d_l^1 + \sum_{l \in U_1} A_{t_1 l}^{1t_1} d_l^2$ 和 $x_{t_2}^1 = \sum_{l \in U_2} A_{t_2 l}^{2t_2} d_l^2$。

因为有仓储能力约束，所以周期 t_1 和 t_2 的生产量 $x_{t_1}^1$ 和 $x_{t_2}^1$ 还需满足关系 $x_{t_1}^1 + x_{t_1}^2 - d_{t_1}^1 - d_{t_1}^2 \leqslant I^{\max}$ 和 $x_{t_2}^1 + x_{t_2}^2 - d_{t_2}^1 - d_{t_2}^2 \leqslant I^{\max}$。

若 $\sum_{l=1}^t y_{lt}^n = 0$，则周期 t 定义为产品 n 的再生点，$1 \leqslant t \leqslant T$，$n = 1, 2$。

根据推论 14-1，可以设计前向动态规划算法求解单位生产成本非时变的预测时阈问题。令 $V_t(i_t^1,i_t^2)$ 代表 SP(t) 中第 t 期产品 1 的需求由最大的产品 1 的生产点 i_t^1 生产的产品 1 满足，第 t 期产品 2 的需求由最大的产品 2 的生产点 i_t^2 生产的产品 2 满足时的最优成本。若第 t 期产品 2 的需求由最大的产品 1 的生产点 i_t^1 生产的产品 1 替代满足，则令 $i_t^2 = i_t^1$。根据以上定义可得 $V(t) = \min_{1 \leq i_t^1 \leq t, 1 \leq i_t^2 \leq t} V_t(i_t^1, i_t^2)$。

令 $f_t^n(i_t^n)$ 代表由产品 n 的最后一个生产点 i_t^n 满足产品 n 第 t 期的需求的变动成本，$n=1,2$，$1 \leq i_t^1 \leq t \leq T$，$1 \leq i_t^2 \leq t \leq T$。$f_t^{1,2}(i_t^1)$ 代表由产品 1 的最后一个生产点 i_t^1 满足两产品第 t 期的需求的变动成本。根据 $f_t^n(i_t^n)$ 和 $f_t^{1,2}(i_t^1)$ 的定义可得

$$f_t^n(i_t^n) = c^n A_{i_t^n,t}^{n,i_t^n} d_t^n + \sum_{l=i_t^n}^{t-1} h_{i_t^n,l} A_{l,t}^{n,i_t^n} d_t^n, \quad 1 \leq i_t^n \leq t-1 \tag{14-20}$$

$$f_t^n(t) = c^n d_t^n \tag{14-21}$$

$$f_t^{1,2}(i_t^1) = c^1 A_{i_t^1,t}^{1,i_t^1}(d_t^1 + d_t^2) + \sum_{l=i_t^1}^{t-1} h_{i_t^1,l} A_{l,t}^{1,i_t^1}(d_t^1 + d_t^2) + s_t d_t^2, \quad 1 \leq i_t^n \leq t-1 \tag{14-22}$$

$$f_t^{1,2}(t) = c^1(d_t^1 + d_t^2) + s_t d_t^2 \tag{14-23}$$

初始值为 $V_1(1,1) = K_1 + \sigma_1^1 + c^1 d_1^1 + \sigma_1^2 + c^2 d_1^2$ 或 $V_1(1,1) = K_1 + \sigma_1^1 + c^1(d_1^1 + d_1^2) + s_1 d_1^2$。因此，单位生产成本非时变的问题可以用如下动态规划循环式求解：

$$V_t(i_t^1,i_t^2) = V_{t-1}(i_{t-1}^1, i_{t-1}^2)$$

$$+ \min \begin{cases} K_{i_t^1} + \sigma_{i_t^1}^1 + f_t^1(i_t^1) + \sigma_{i_t^2}^2 + f_t^2(i_t^2), & i_t^1 = t > i_{t-1}^1, \ i_t^2 = t > i_{t-1}^2 \\ K_{i_t^1} + \sigma_{i_t^1}^1 + f_t^{1,2}(i_t^1), & i_t^1 = t > i_{t-1}^1, \ w_{i_t^1,t} = d_t^2 \\ K_{i_t^1} + \sigma_{i_t^1}^1 + f_t^1(i_t^1) + f_t^2(i_t^2), & i_t^1 = t > i_{t-1}^1, \ i_t^2 = i_{t-1}^2 \leq t-1 \\ f_t^1(i_t^1) + K_{i_t^2} + \sigma_{i_t^2}^2 + f_t^2(i_t^2), & i_t^1 = i_{t-1}^1 \leq t-1, \ i_t^2 = t > i_{t-1}^2 \\ f_t^1(i_t^1) + f_t^2(i_t^2), & i_t^1 = i_{t-1}^1 \leq t-1, \ i_t^2 = i_{t-1}^2 \leq t-1 \\ f_t^{1,2}(i_t^1), & i_t^1 = i_{t-1}^1 \leq t-1, \ w_{i_t^1,t} = d_t^2 \end{cases} \tag{14-24}$$

令 $\lambda(nt)$ 代表 SP(t) 中产品 n 的倒数第二个再生点（周期 t 为最后一个再生点），$1 \leq t \leq T$，$n=1,2$。令 $i(t) = \min\{i(1t), i(2t)\}$ 和 $\lambda(t) = \min\{\lambda(1t), \lambda(2t)\}$。

定理 14-3   在 SP($t+1$) 的最优解中有 $i(t+1) \geq i(t)$ 成立。

定理 14-3（证明见附录十三）阐述了生产点的单调性。推论 14-1 说明若周期 t 是产品 n 的生产点，则周期 $t-1$ 是产品 n 的再生点，即 $i(nt) - 1 = \lambda(nt)$，$1 \leq t \leq T$，$n=1,2$。因此，由定理 14-3 所述的生产点的单调性可直接得出再生点的单调性。

推论 14-2   在 SP($t+1$) 的最优解中有 $\lambda(t+1) \geq \lambda(t)$ 成立。

根据两产品再生点的单调性构造再生集 $\{\lambda(t), \lambda(t)+1, \cdots, t-1\}$，由 Lundin 和 Morton（1975）的研究可得如下预测时阈定理。

定理 14-4   在系列问题 SP($\lambda(t)$)，SP($\lambda(t)+1$)，$\cdots$，SP($t-1$) 中，若有 $x_\tau^{n,i(t)-1} = x_\tau^{n,i(t)} = \cdots = x_\tau^{n,t-1}$ 对于 $\tau = 1,2,\cdots,t'$（$1 \leq t' \leq i(t)-1$）成立，则周期 t 为更长时间周期问题 SP(t^*) 的预测时阈，周期 t' 为决策时阈，$t+1 \leq t^* \leq T$。

在 SP(t) 的最优解中，若不存在产品 2 的生产点，即产品 2 所有的需求全部由产品 1 替代满足，则无法获得产品 2 生产点的单调性，在这种情形下将无法获得预测时阈。

下面举例说明预测时阈的求解过程。

例 14-2　假设两产品前 6 期的需求分别为 $d_t^1 = (10,6,3,10,3,20)$ 和 $d_t^2 = (10,8,5,3,3,25)$。库存能力为 25，每一种产品的生命周期均为 3，没有库存损失。其他成本参数如下：$K_t = 20$，$c_t^1 = 5$，$c_t^2 = 4$，$s_t = 1$，$\sigma_t^1 = \sigma_t^2 = (10,15,15,15,10,10)$，$1 \leqslant t \leqslant 6$，$h_{it}^1 = h_{it}^2 = 2$，$1 \leqslant i \leqslant t \leqslant 6$。

在此算例中，最优的生产计划为在第 1、4 和 6 期生产产品 1 以及在第 1 期和第 6 期生产产品 2。在第 1 期生产的产品 1 和产品 2 分别满足产品 1 和产品 2 从第 1～3 期的需求。在第 4 期生产的产品 1 满足产品 1 第 4、5 期的需求和替代满足产品 2 第 4、5 期的需求。在第 6 期生产的产品 1 和产品 2 分别满足产品 1 和产品 2 第 6 期的需求。令 x_t^n 代表第 t 期产品 n 的最优生产量，$n=1,2$，$1 \leqslant t \leqslant 6$。表 14-2 给出了计算结果，因为 $i(t) = t = 6$，所以周期 6 是预测时阈，而周期 5 是相应的决策时阈。

表 14-2　例 14-2 预测时阈计算结果

T	1	2	3	4	5	6
(d_t^1, d_t^2)	(10,10)	(6,8)	(3,5)	(10,3)	(3,3)	(20,25)
(x_t^{1*}, x_t^{2*})	(10,10)	×	×	×	×	×
(x_t^{1*}, x_t^{2*})	(16,18)	(0,0)	×	×	×	×
(x_t^{1*}, x_t^{2*})	(19,23)	(0,0)	(0,0)	×	×	×
(x_t^{1*}, x_t^{2*})	(19,23)	(0,0)	(0,0)	(13,0)	×	×
(x_t^{1*}, x_t^{2*})	(19,23)	(0,0)	(0,0)	(19,0)	(0,0)	×
(x_t^{1*}, x_t^{2*})	(19,23)	(0,0)	(0,0)	(19,0)	(0,0)	(20,25)
$V(T)$	130	220	287	393	438	678

14.5　数值实验及管理启示

下面通过构造数值实验来进一步理解仓储能力、产品生命周期和成本参数等对预测时阈和总成本的影响。根据 Bardhan 等(2013)、Jing 和 Mu(2019，2020)等的研究，设计本章的实验环境。

实验 1　两产品的需求设定为服从均值为 10、标准差为 1.5 的正态分布。任何情形下，若产品需求小于 0，则需求设定为 1。联合启动成本 K_t 取 5 个值，即 20、30、50、100 和 150。仓储能力 $I^{\max}$ 取 4 个值，即 15、25、60 和 $+\infty$。为了简化算法和程序设计，将成本参数设置为非时变情形。对于 $n=1,2$，$1 \leqslant i \leqslant t \leqslant T$，两产品的单位库存成本 h_{it}^n 设定为 2，两产品的单独启动成本 σ_t^n 设定为 15，两产品的单位变动生产成本 c_t^n 设定为 5，单位替代成本 s_t 设定为 2。两产品的生命周期 m^n 设定为 $+\infty$，且没有库存损失。对于不同的联合启动成本和仓储能力，首先计算预测时阈，然后计算 6 个周期的总成本。为了方便找到预测时阈和总成本中值，对于每一组参数的组合，运行 13 次。因此，本实验运行的总次数为 $5 \times 4 \times 13 = 260$。

图 14-2 描述了预测时阈作为联合启动成本和仓储能力函数的变化趋势。在较小或中等大小的仓储能力下，预测时阈首先随着联合启动成本的增加而增加，然后呈不变趋势。在仓储能力很大的情形下，预测时阈随着联合启动成本的增加而增加。这是因为在联合启动成本较大的情形下，企业启动生产的频率会降低，每一次生产更多的产品以覆盖未来更长周期的需求，从而预测时阈的长度将会增加。然而，在联合启动成本非常大的情形下，因为有库存能力的限制，所以生产批量不会一直增加。在给定其他参数的情形下，同样发现预测时阈随着库存能力的增加而增加，随后保持不变。这是因为在仓储能力较大的情形下，每一次生产决策将会覆盖更多的周期从而预测时阈的长度会增加。图 14-3 描述了总成本作为联合启动成本和仓储能力函数的变化趋势。在联合启动成本较小或中等大小的情形下，发现仓储能力的增加并不一定会降低总成本，这也表明在联合启动成本并不高的情形下，企业无须花费巨额成本增加仓储能力。

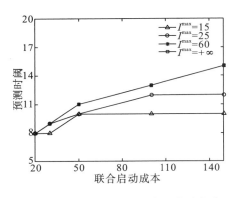

图 14-2　作为联合启动成本和仓储能力
函数的预测时阈

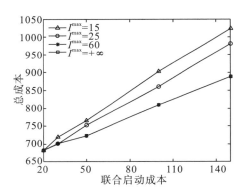

图 14-3　作为联合启动成本和仓储能力
函数的总成本

实验 2　对于 $n = 1,2$，$1 \leqslant i \leqslant t \leqslant T$，两产品的单位库存成本 h_{it}^n 取 3 个值，即 1、2 和 3。两产品的生命周期 L 取 4 个值，即 3、5、10 和 $+\infty$。在产品生命周期内，假定库存损失率为零。联合启动成本 K_t 设定为 100，两产品单独启动成本 σ_t^n 设定为 15，两产品单位变动生产成本 c_t^n 设定为 5，单位替代成本 s_t 设定为 2，仓储能力设定为 $+\infty$。对于不同的产品生命周期和库存成本，首先计算预测时阈，然后计算 6 个周期的总成本。对于每一组参数的组合，运行 13 次。

图 14-4 描述了预测时阈作为库存成本和产品生命周期函数的变化趋势。与联合启动成本情形相反，预测时阈随着库存成本的增加而降低。因为在库存成本较大的情形下，企业启动生产的频率会增加，每一次较少的产品，即每一次生产将会覆盖较少的周期，从而

预测时阈的长度会降低。另外，预测时阈随着产品生命周期的增加而增加，随后保持不变。这是因为在其他参数不变的情况下，随着产品生命周期的增加，每一次所覆盖的周期数增加，从而使得预测时阈相应增加，但当生命周期很大时，即便生命周期增加，最优生产批量和所覆盖的周期数也不再增加，相应的预测时阈也不再变化。图 14-5 描述了总成本作为库存成本和产品生命周期函数的变化趋势。同样发现总成本并不一定随着产品生命周期的增加而降低，这也表明在产品库存成本较大或联合启动成本较小时企业无须花费巨额成本延长产品生命周期。

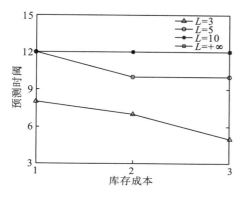
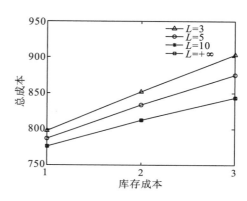

图 14-4　作为库存成本和产品生命周期　　　　图 14-5　作为库存成本和产品生命周期
　　　　函数的预测时阈　　　　　　　　　　　　　　函数的总成本

根据实验 1 和实验 2 的计算结果可得：较大的联合启动成本、仓储能力和产品生命周期将会增加预测时阈的长度。总成本并不必然随着仓储能力和产品生命周期的增加而降低，企业在较小或中等大小的联合启动成本的情形下，可以不必花费高昂的成本新增仓库或延长产品的生命周期。

14.6　本　章　小　结

现实中，若两种易逝性产品共用仓储能力，则应如何决策最优的动态批量和预测时阈（两种产品有各自的仓储能力约束问题是共用仓储能力问题的一种特殊情形）？本章研究了两种替代性易逝品在共用仓储能力的情形下的联合生产批量决策问题。易逝品的库存损失率和库存成本依赖于产品库龄。研究发现，在单位生产成本时变的情况下，零库存性质不再成立。研究得出"需求多源满足"和"库存先进先出"两条最优解的结构性质，并在此基础上设计出动态规划算法求解问题。在持有库存无投机性动机的条件下，分析了两替代易逝品联合生产动态批量决策的预测时阈问题。最后运用数值实验得出了关于预测时阈和总成本的管理启示。即较大的联合启动成本、仓储能力和产品生命周期将会增加预测时阈的长度。总成本并不必然随着仓储能力和产品生命周期的增加而降低，企业在较小或中等大小的联合启动成本的情形下，可以不必花费高昂的成本增加库存能力或延长产品的生命周期。

参 考 文 献

Akbalik A，Penz B，Rapine C. 2015. Multi-item uncapacitated lot sizing problem with inventory bounds[J]. Optimization Letters，9（1）：143-154.

Bardhan A，Dawande M，Gavirneni S，et al. 2013. Forecast and rolling horizons under demand substitution and production changeovers：Analysis and insights[J]. IIE Transactions，45（3）：323-340.

Brahimi N，Absi N，Peres S D. 2015. Models and Lagrangian heuristic for a two level lot-sizing problem with bounded inventory[J]. OR Spektrum，37（4）：983-1006.

Eppen G D，Gould F J，Pashigian B P. 1969. Extensions of the planning horizon theorem in the dynamic lot size model[J]. Management Science，15（5）：268-277.

Gutierrez J，Colebrook M，Abdul-Jalbar B，et al. 2013. Effective replenishment policies for the multi-item dynamic lot-sizing problem with storage capacities[J]. Computers & Operations Research，40（12）：2844-2851.

Hsu V N. 2000. Dynamic economic lot size model with perishable inventory[J]. Management Science，46（8）：1159-1169.

Jing F Y，Mu Y P. 2019. Forecast horizon for dynamic lot sizing model under product substitution and perishable inventories[J]. Computers and Operations Research，110：77-87.

Jing F Y，Mu Y P. 2020. Dynamic lot sizing model under perishability，substitution and limited storage capacity[J]. Computers and Operations Research，DOI：10.1016/j.cor.2020.104978.

Lundin R A，Morton T E. 1975. Planning horizons for the dynamic lot size model: Zabel vs. protective procedures and computational results[J]. Operations Research，23（4）：711-734.

Melo R A，Riberio C C. 2017. Formulations and heuristics for the multi-item uncapacitated lot-sizing problem with inventory bounds[J]. International Journal of Production Research，55（2）：576-592.

Minner S. 2009. A comparison of simple heuristics for multi-product dynamic demand lot-sizing with limited warehouse capacity[J]. International Journal of Production Economics，118（1）：305-310.

第15章 生产转换的两替代易逝品
动态批量与预测时阈

15.1 问题背景

现实生产经营中,为每一种产品分别建立一条生产线并不非常普遍,因为这样不仅耗费巨额的资金,同样会造成大量生产线的闲置,导致生产运营的低效率。而在一条生产线上经过生产转换从而生产多种产品的方式往往更受企业的青睐,尤其是被资金紧张的中小企业普遍采用。正如 Blocher 等(1999)所讲"在一个多产品的生产环境中,企业往往在一台'柔性'的设备上生产几种产品,而不是选择每一台特定设备只生产一种产品"。因此,企业往往采用同一条生产线交替生产多种系列产品。该特点使得企业在生产运营决策时不能将多产品划分为多个独立单产品的组合,必须考虑生产的交替性。针对这一现象,学术界开始关注一条生产线经过生产转换生产多种产品的生产方式。具有生产转换(交替生产)的多产品动态批量问题的难度大大高于独立生产的多产品动态批量问题。研究生产转换下的多产品动态批量问题的文献比较少,见 Kwak 和 Jeong(2011)、Transchel 等(2011)、Camargo 等(2012)、Gicquel 等(2011,2012,2014)、Karimi-Nasab 等(2013)、Gicquel 和 Minoux(2015)、Ceschia 等(2017)的文献。上述有限的研究生产转换的动态批量问题的文献也都假定各个产品之间是相互独立的,没有考虑产品之间的替代性,并且也没有考虑产品的易逝性特征。基于此,本章研究生产转换下的两替代易逝品的动态批量与预测时阈问题。

15.2 模型构建

为了刻画易逝品的特性,本章假设易逝品库存不能持有无限周期,产品有一个较短的生命周期,产品在生命周期内没有库存损失。设 m_i 为产品 i 的生命周期,$i=1,2$。例如,企业在一台机器上印刷装订精装版和平装版两种杂志,精装版(高等级产品)可以替代平装版(普通产品)满足客户对平装版的需求。假定每一周期只能印刷装订一种产品,从一种产品转换到另一种产品时会产生转换成本。两种产品的需求都必须满足,不允许需求延迟和损失。不考虑生产启动成本,不失一般性,假设 $m_1 < m_2$,其他符号同 9.2 节。生产转换下易逝品动态批量问题的成本最小化目标函数如下:

$$\min \sum_{t=1}^{T} K_t \delta_t + \sum_{t=1}^{T} \sum_{i=1}^{2} (c_{it} x_{it} + h_{it} I_{it}) + \sum_{t=1}^{T} \omega_t y_t \tag{15-1}$$

约束条件为

$$I_{1t} = I_{1,t-1} + x_{1t} - y_t - d_{1t} , \quad t = 1,2,\cdots,T \tag{15-2}$$

$$I_{2t} = I_{2,t-1} + x_{2t} + y_t - d_{2t} , \quad t = 1,2,\cdots,T \tag{15-3}$$

$$I_{i0} = I_{iT} , \quad i = 1,2 \tag{15-4}$$

$$x_{it} \geq 0 , \quad I_{it} \geq 0 , \quad i = 1,2; \quad t = 1,2,\cdots,T \tag{15-5}$$

$$y_t \geq 0 , \quad t = 1,2,\cdots,T \tag{15-6}$$

$$I_{1t} \leq \sum_{i=1}^{2} \sum_{l=t}^{t+m_1-1} d_{il} , \quad I_{2t} \leq \sum_{l=t}^{t+m_2-1} d_{2l} , \quad t = 1,2,\cdots,T \tag{15-7}$$

约束条件 $(15\text{-}2)\sim(15\text{-}6)$ 的含义同 9.2 节的约束条件；约束条件 $(15\text{-}7)$ 是产品生命周期约束，在任意周期期末产品 1 的库存不会超过产品 1 的生命周期内两产品的需求之和，在任意周期期末产品 2 的库存不会超过产品 2 的生命周期内产品 2 的需求之和。

15.3 前向动态规划算法

因为每一周期生产线上只能生产一种产品，所以最优解具备性质 $x_{1t}x_{2t}=0$。为了更好地表达易逝品的"单源满足"性质，首先做如下定义：对于 $i=1,2$，$1 \leq k \leq t \leq T$，令 z_{ikt} 代表由周期 k 生产的产品 i 满足产品 i 在周期 t 的需求的数量，y_{kt} 代表由周期 k 生产的产品 1 满足产品 2 在周期 t 的需求的数量，$\Omega = \{x_{it}, I_{it}, z_{ikt}, y_{kt}\}$ 为 $P(T)$ 的一个可行解。在以上定义的基础上，有如下性质成立。

定理 15-1 在 $P(T)$ 的最优解 Ω^* 中，对于产品 i $(i=1,2)$ 和任意 t $(1 \leq t \leq T)$，有如下性质成立：

(1) $z_{ikt}^*(d_{it} - z_{ikt}^*) = 0$，$1 \leq k \leq t \leq T$。

(2) $y_{kt}^*(d_{2t} - y_{kt}^*) = 0$，$1 \leq k \leq t \leq T$。

这一性质也是"单源满足"性质，由 8.2 节所构造的最小凹成本网络流问题的性质可得。(1) 说明产品 1 或者产品 2 某一周期 t 的需求将完全由一个生产点生产的产品满足。(2) 说明如果周期 t 发生替代，则产品 2 在周期 t 的需求全部由某一周期生产的产品 1 满足。

定理 15-2 在 $P(T)$ 的最优解 Ω^* 中：

(1) 假设 $u<v$ 是产品 i 的两个连续生产点，$i=1,2$，若对于某一周期 t，$t \geq v$，有 $z_{ivt}^* = d_{it}$ 成立，则对于所有周期 w，$t \leq w \leq T$，有 $z_{iuw}^* = 0$ 成立（若对于某周期 w，$w \geq t \geq v$，有 $z_{iuw}^* = d_{iw}$ 成立，则对于所有周期 t，$t \leq w \leq T$，有 $z_{ivt}^* = 0$ 成立）。

(2) 假设 u、v $(u<v)$ 是产品 1 的两个连续生产点，若对于某周期 t，$t \geq v$，有 $y_{vt}^* = d_{2t}$ 成立，则对于所有周期 w，$t \leq w \leq T$，有 $y_{uw}^* = 0$ 成立（若对于某周期 w，$w \geq t \geq v$，有 $y_{uw}^* = d_{2w}$ 成立，则对于所有周期 t，$t \leq w \leq T$，有 $y_{vt}^* = 0$ 成立）。

证明 (1) 假设在最优解 Ω^+ 中，对于周期 t 和 w，有 $z_{ivt}^+ = d_{it}$ 和 $z_{iuw}^+ = d_{iw}$ 成立，$v \leq t \leq w$。若 $c_{iu} + \sum_{l=u}^{v-1} h_{il} - c_{iv} \geq 0$，令 $z_{iuw}^* = 0$ 和 $z_{ivw}^* = d_{iw}$，则变换最优解 Ω^+ 为一个新的可行解 Ω^*。在新的可行解 Ω^* 中，有 $x_{iu}^* = x_{iu}^+ - d_{iw}$，$x_{iv}^* = x_{iv}^+ + d_{iw}$，$I_{il}^* = I_{il}^+ - d_{iw}$ $(u \leq l \leq v-1)$，$I_{il}^* = I_{il}^+$

$(v \leqslant l \leqslant t-1)$ 。可行解 Ω^* 的其余变量与最优解 Ω^+ 中一致。由于 $V(\Omega^+) - V(\Omega^*) =$ $\left(c_{iu} + \sum\limits_{l=u}^{v-1} h_{il} - c_{iv} \right) d_{iw} \geqslant 0$ ，即 $V(\Omega^+) \geqslant V(\Omega^*)$ ，因此在 $z_{ivt}^+ = d_{it}$ 和 $z_{iuw}^+ = d_{iw}$ 下， Ω^+ 不是最优解。

若 $c_{iu} + \sum\limits_{l=u}^{v-1} h_{il} - c_{iv} < 0$ ，令 $z_{iut}^* = d_{it}$ 和 $z_{ivt}^* = 0$ ，则变换最优解 Ω^+ 为一个新的可行解 Ω^* 。在新的可行解 Ω^* 中，有 $x_{iu}^* = x_{iu}^+ + d_{it}$ ， $x_{iv}^* = x_{iv}^+ - d_{it}$ ， $I_{il}^* = I_{il}^+ + d_{it}$ $(u \leqslant l \leqslant v-1)$ ， $I_{il}^* = I_{il}^+$ $(v \leqslant l \leqslant t-1)$ 。可行解 Ω^* 的其余变量与最优解 Ω^+ 一致。由于 $V(\Omega^+) - V(\Omega^*) =$ $\left(-c_{iu} - \sum\limits_{l=u}^{v-1} h_{il} + c_{iv} \right) d_{iw} > 0$ ，即 $V(\Omega^+) \geqslant V(\Omega^*)$ ，因此在 $z_{ivt}^+ = d_{it}$ 和 $z_{iuw}^+ = d_{iw}$ 下， Ω^+ 不是最优解。

（2）证明与（1）相似，故略。

令 $C(t)$ 为 $P(t)$ 的最优成本， $C(r,s,r',g_1,g_1',g_2,g_2',\cdots,g,g',e,t)$ 表示最后一个转换点是 s ， s 之前的最大生产点是 r ，大于等于 s 的生产点依次是 $g_1,g_2,\cdots,g$ ，大于等于最后一个产品 2 的生产点的第一个产品 2 的再生点是 e 时 $P(t)$ 的最优成本。 $r',g_1',g_2',\cdots,g'$ 的含义为对应的生产点 $r,g_1,g_2,\cdots,g_n$ 之前的最大的同类生产点生产的产品库存为零的周期。根据最后一个转换点是由产品 1 转换到产品 2 还是由产品 2 转换到产品 1 ， $r',g_1',g_2',\cdots,g'$ 和 $r,g_1,g_2,\cdots,g_n$ 的大小并不确定。令 $\boldsymbol{g} = g_1,g_2,\cdots,g_n$ ， $\boldsymbol{g}' = g_1',g_2',\cdots,g_n'$ ，则 $C(r,s,r',g_1,g_1',g_2,g_2',\cdots,g_n,g_n',e,t)$ 可以表示为简洁的形式 $C(r,s,r',\boldsymbol{g},\boldsymbol{g}',e,t)$ 。令 $C(g_n,g_n',t)$ 代表无转换点且最后一个产品 1 的生产点为 g_n 、周期 g_n 生产的产品 1 满足两产品从周期 $g_n'+1$ 到周期 t 的需求时 $P(t)$ 的最优成本。则

$$\begin{aligned} C(t) &= \min\{C(r,s,r',g_1,g_1',g_2,g_2',\cdots,g_n,g_n',e,t)_{;1 \leqslant g_n \leqslant g_n' \leqslant t} \, C(g_n,g_n',t)\} \\ &= \min\{C(r,s,r',\boldsymbol{g},\boldsymbol{g}',e,t)_{;1 \leqslant g_n \leqslant g_n' \leqslant t} \, C(g_n,g_n',t)\} \end{aligned} \tag{15-8}$$

根据 g_1 、 g_1' 和 r' 的大小不同， $C(r,s,r',\boldsymbol{g},\boldsymbol{g}',e,t)$ 的计算方式可分为三种情形：

（1）若 $g_1 > \max\{g_1',r'\}$ ，则

$$C(r,s,r',\boldsymbol{g},\boldsymbol{g}',e,t) = C(g_1 - 1) + K_s + f(r,s,r',\boldsymbol{g},\boldsymbol{g}',e,t) \tag{15-9}$$

（2）若 $g_1' > \max\{g_1,r'\}$ ，则

$$C(r,s,r',\boldsymbol{g},\boldsymbol{g}',e,t) = C(g_1') + K_s + f(r,s,r',\boldsymbol{g},\boldsymbol{g}',e,t) \tag{15-10}$$

（3）若 $g_1' > \max\{g_1,r'\}$ ，则

$$C(r,s,r',\boldsymbol{g},\boldsymbol{g}',e,t) = C(r') + K_s + f(r,s,r',\boldsymbol{g},\boldsymbol{g}',e,t) \tag{15-11}$$

若 $g_1 > \max\{g_1',r'\}$ ，则令 $f(r,s,r',\boldsymbol{g},\boldsymbol{g}',e,t)$ 表示满足两产品从周期 g_1 到周期 t 的需求的变动成本，包括变动生产成本、库存成本和替代成本；若 $g_1' > \max\{g_1,r'\}$ ，则令 $f(r,s,r',\boldsymbol{g},\boldsymbol{g}',e,t)$ 表示满足两产品从周期 $g_1'+1$ 到周期 t 的需求的变动成本；若 $r' > \max\{g_1,g_1'\}$ ，则令 $f(r,s,r',\boldsymbol{g},\boldsymbol{g}',e,t)$ 表示满足两产品从周期 $r'+1$ 到周期 t 的需求的变动成本。

令 $V(r,s,r',\boldsymbol{g},\boldsymbol{g}',e,t)$ 、 $H(r,s,r',\boldsymbol{g},\boldsymbol{g}',e,t)$ 和 $W(r,s,r',\boldsymbol{g},\boldsymbol{g}',e,t)$ 分别代表满足两产品从周期 g_1 （ $g_1'+1$ 或 $r'+1$ ）到周期 t 的需求的变动生产成本、库存成本和替代成本，则

$$\begin{aligned} f(r,s,r',\boldsymbol{g},\boldsymbol{g}',e,t) &= V(r,s,r',\boldsymbol{g},\boldsymbol{g}',e,t) + H(r,s,r',\boldsymbol{g},\boldsymbol{g}',e,t) \\ &\quad + W(r,s,r',\boldsymbol{g},\boldsymbol{g}',e,t) \end{aligned} \tag{15-12}$$

　　下面根据最后一个转换点由产品 1 转换到产品 2 还是由产品 2 转换到产品 1，以及 g_1、$g_1'+1$ 与 $r'+1$ 的大小，分类讨论计算 $V(r,s,r',\boldsymbol{g},\boldsymbol{g}',e,t)$、$H(r,s,r',\boldsymbol{g},\boldsymbol{g}',e,t)$ 和 $W(r,s,r',\boldsymbol{g},\boldsymbol{g}',e,t)$。$U_2^1(\beta,\gamma)$ 和 $U_2^2(t_1,t_n)$ 的定义同 8.3 节。

　　易逝品动态批量决策存在一个有趣的现象，即若时间区间 $[t_1,t_2]$ 小于等于产品 i 的生命周期，即 $t_2-t_1+1\leqslant m_i$，$i=1,2$，或者时间区间 $[t_1,t_2]$ 内有 q 个产品 i 的生产点 $l_1<l_2<\cdots<l_q$，$l_1\geqslant t_1$，$l_q\leqslant t_2$，则对于生产点 $l_2,l_3,\cdots,l_q$，每一个生产点的前一个周期期末产品 i 的库存为零，即零库存性质成立。

　　情形 1　在 $P(t)$ 中，若最后一个转换点 s 是从产品 1 转换到产品 2，周期 r 必定生产产品 1，周期 $g_1,g_2,\cdots,g_n$ 必定生产产品 2，而且周期 e 满足 $g_1\leqslant e\leqslant t$。在产品 1 转换到产品 2 的情形下，有 $t-r+1\leqslant m_1$，又由 $m_1<m_2$ 可得 $t-r+1\leqslant m_2$，因此在区间 $[r,t]$ 内的产品 2 的生产点 $g_2,g_3,\cdots,g_n$ 的前一个周期期末产品 2 的库存为零，即可得 $g_2>g_2',g_3>g_3',\cdots,g_n>g_n'$。因为周期 r 生产产品 1 且需求必须满足，所以可得 $r'\geqslant r$。需要注意的是，因为有替代情形发生，所以 g_1 和 g_1' 的大小并不确定。以下根据 g_1、g_1' 和 r' 的大小，说明如何计算 $V(r,s,r',\boldsymbol{g},\boldsymbol{g}',e,t)$、$H(r,s,r',\boldsymbol{g},\boldsymbol{g}',e,t)$ 和 $W(r,s,r',\boldsymbol{g},\boldsymbol{g}',e,t)$。

　　若 $g_1\geqslant\max\{g_1',r'\}$，此种子情形的示意图如图 15-1 所示，则

$$V(r,s,r',\boldsymbol{g},\boldsymbol{g}',e,t)=c_{1r}\sum_{k=g_1}^{t}d_{1k}+c_{1r}\sum_{k\in U_2^2(g_1,t)}d_{2k}+\sum_{q=1}^{n-1}c_{2g_q}\sum_{k\in U_2^1(g_q,g_{q+1})}d_{2k}+c_{2g_n}\sum_{k\in U_2^1(g_n,e)}d_{2k} \tag{15-13}$$

$$\begin{aligned}
H(r,s,r',\boldsymbol{g},\boldsymbol{g}',e,t)&=\sum_{l=r}^{g_1-1}\sum_{k=g_1}^{t}h_{1l}d_{1k}+\sum_{l=g_1}^{t-1}\sum_{k=l+1}^{t}h_{1l}d_{1k}+\sum_{l=r}^{g_1}\sum_{k\in U_2^2(g_1,t)}h_{1l}d_{2k}\\
&+\sum_{l=g_1}^{t}h_{1l}\left(\sum_{k\in U_2^2(g_1,t)}d_{2k}-\sum_{m=g_1}^{l}y_m\right)+\sum_{q=1}^{n-1}\sum_{l=g_q}^{g_{q+1}}h_{2l}\left[\sum_{k\in U_2^1(g_q,g_{q+1})}d_{2k}-\sum_{m=g_q}^{l}(d_{2m}-y_m)\right]\\
&+\sum_{l=g_n}^{e}h_{2l}\left[\sum_{k\in U_2^1(g_n,e)}d_{2k}-\sum_{m=g_n}^{l}(d_{2m}-y_m)\right]
\end{aligned}$$
$$\tag{15-14}$$

$$W(r,s,r',\boldsymbol{g},\boldsymbol{g}',e,t)=\omega_k\sum_{k\in U_2^2(g_1,t)}d_{2k} \tag{15-15}$$

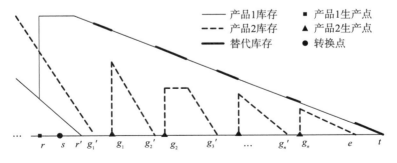

图 15-1　情形 1 的第 1 种子情形示意图

　　若 $g_1'>\max\{g_1,r'\}$，此种子情形的示意图如图 15-2 所示，则

$$V(r,s,r',\boldsymbol{g},\boldsymbol{g}',e,t)=c_{1r}\sum_{k=g_1'+1}^{t}d_{1k}+c_{1r}\sum_{k\in U_2^2(g_1'+1,t)}d_{2k}+c_{2g_1}\sum_{k\in U_2^1(g_1',g_2')}d_{2k}$$

$$+\sum_{q=2}^{n-1}c_{2g_q}\sum_{k\in U_2^1(g_q,g_{q+1}')}d_{2k}+c_{2g_n}\sum_{k\in U_2^1(g_n,e)}d_{2k} \tag{15-16}$$

$$H(r,s,r',\boldsymbol{g},\boldsymbol{g}',e,t)=\sum_{l=r}^{g_1'}\sum_{k=g_1'+1}^{t}h_{1l}d_{1k}+\sum_{l=g_1'+1}^{t-1}\sum_{k=l+1}^{t}h_{1l}d_{1k}+\sum_{l=r}^{g_1'}\sum_{k\in U_2^2(g_1'+1,t)}h_{1l}d_{2k}$$

$$+\sum_{l=g_1'+1}^{t}h_{1l}\left(\sum_{k\in U_2^2(g_1'+1,t)}d_{2k}-\sum_{m=g_1'+1}^{l}y_m\right)+\sum_{l=g_1}^{g_1'}\sum_{k\in U_2^1(g_1'+1,g_2')}h_{2l}d_{2k}+\sum_{l=g_1'+1}^{g_2'}h_{2l}\left[\sum_{k\in U_2^1(g_1'+1,g_2')}d_{2k}\right.$$

$$\left.-\sum_{m=g_1'+1}^{l}(d_{2m}-y_m)\right]+\sum_{q=2}^{n-1}\sum_{l=g_q}^{g_{q+1}'}h_{2l}\left[\sum_{k\in U_2^1(g_q,g_{q+1}')}d_{2k}-\sum_{m=g_q}^{l}(d_{2m}-y_m)\right]$$

$$+\sum_{l=g_n}^{e}h_{2l}\left[\sum_{k\in U_2^1(g_n,e)}d_{2k}-\sum_{m=g_n}^{l}(d_{2m}-y_m)\right] \tag{15-17}$$

$$W(r,s,r',\boldsymbol{g},\boldsymbol{g}',e,t)=\omega_k\sum_{k\in U_2^2(g_1'+1,t)}d_{2k} \tag{15-18}$$

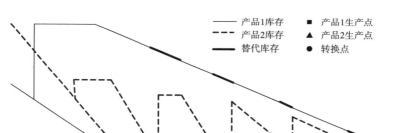

图 15-2　情形 1 的第 2 种子情形示意图

若 $r'>\max\{g_1,g_1'\}$，此种子情形的示意图如图 15-3 所示，则

$$V(r,s,r',\boldsymbol{g},\boldsymbol{g}',e,t)=c_{1r}\sum_{k=r'+1}^{t}d_{1k}+c_{1r}\sum_{k\in U_2^2(r'+1,t)}d_{2k}+c_{2g_1}\sum_{k\in U_2^1(r'+1,g_2')}d_{2k}$$

$$+\sum_{q=2}^{n-1}c_{2g_q}\sum_{k\in U_2^1(g_q,g_{q+1}')}d_{2k}+c_{2g_q}\sum_{k\in U_2^1(g_n,e)}d_{2k} \tag{15-19}$$

$$H(r,s,r',\boldsymbol{g},\boldsymbol{g}',e,t)=\sum_{l=r}^{r'}\sum_{k=r'+1}^{t}h_{1l}d_{1k}+\sum_{l=r'+1}^{t-1}\sum_{k=l+1}^{t}h_{1l}d_{1k}+\sum_{l=r}^{r'}\sum_{k\in U_2^2(r'+1,t)}h_{1l}d_{2k}$$

$$+\sum_{l=r'+1}^{t}h_{1l}\left(\sum_{k\in U_2^2(r'+1,t)}d_{2k}-\sum_{m=r'+1}^{l}y_m\right)+\sum_{l=g_1}^{r'}\sum_{k\in U_2^1(r'+1,g_2)}h_{2l}d_{2k}+\sum_{l=r'+1}^{g_2'}h_{2l}\left[\sum_{k\in U_2^1(r'+1,g_2)}d_{2k}\right.$$

$$\left.-\sum_{m=r'+1}^{l}(d_{2m}-y_m)\right]+\sum_{q=2}^{n-1}\sum_{l=g_q}^{g_{q+1}'}h_{2l}\left[\sum_{k\in U_2^1(g_q,g_{q+1}')}d_{2k}-\sum_{m=g_q}^{l}(d_{2m}-y_m)\right]$$

$$+\sum_{l=g_n}^{e}h_{2l}\left[\sum_{k\in U_2^1(g_n,e)}d_{2k}-\sum_{m=g_n}^{l}(d_{2m}-y_m)\right] \tag{15-20}$$

$$W(r,s,r',\boldsymbol{g},\boldsymbol{g}',e,t) = \omega_k \sum_{k \in U_2^2(r'+1,t)} d_{2k} \tag{15-21}$$

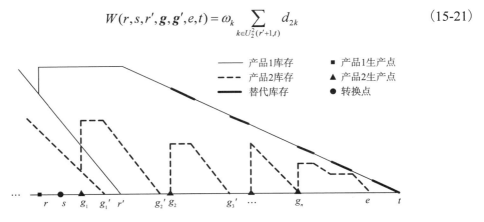

图 15-3　情形 1 的第 3 种子情形示意图

情形 2　在 $P(t)$ 中，若最后一个转换点 s 是从产品 2 转换到产品 1，周期 r 必定生产产品 2，周期 $g_1, g_2, \cdots, g_n$ 必定生产产品 1。因为周期 $g_1, g_2, \cdots, g_n$ 生产产品 1 且需求必须满足，即可得 $g_1' \geqslant g_1, g_2' \geqslant g_2, \cdots, g_n' > g_n$。同样因为有替代情形的发生，所以 r 和 r' 的大小并不确定。若 $r > r'$，则周期 e 满足 $r \leqslant e \leqslant t$；若 $r' \geqslant r$，则周期 e 满足 $r \leqslant r' < e \leqslant t$。以下根据 g_1' 和 r' 的大小，说明如何计算 $V(r,s,r',\boldsymbol{g},\boldsymbol{g}',e,t)$、$H(r,s,r',\boldsymbol{g},\boldsymbol{g}',e,t)$ 和 $W(r,s,r',\boldsymbol{g},\boldsymbol{g}',e,t)$。

若 $g_1' \geqslant r'$，根据周期 e 在周期 r 到周期 t 之间的位置不同，又可分为三种子情形计算 $V(r,s,r',\boldsymbol{g},\boldsymbol{g}',e,t)$、$H(r,s,r',\boldsymbol{g},\boldsymbol{g}',e,t)$ 和 $W(r,s,r',\boldsymbol{g},\boldsymbol{g}',e,t)$，此种子情形的示意图如图 15-4 所示。

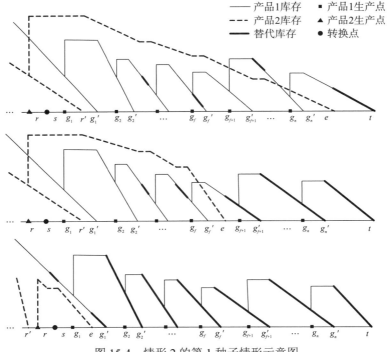

图 15-4　情形 2 的第 1 种子情形示意图

若 $g'_n < e \leqslant t$ ，则

$$V(r,s,r',\boldsymbol{g},\boldsymbol{g}',e,t) = c_{2r} \sum_{k \in U_1^1(g_1'+1,t)} d_{2k} + \sum_{q=1}^{n-1} c_{1g_q} \left(\sum_{k=g_q'+1}^{g_{q+1}'} d_{1k} + \sum_{k \in U_1^2(g_{q+1}'+1,g_{q+1}')} d_{2k} \right)$$
$$+ c_{1g_n} \left(\sum_{k=g_n'+1}^{t} d_{1k} + \sum_{k \in U_1^2(g_n'+1,t)} d_{2k} \right) \tag{15-22}$$

$$H(r,s,r',\boldsymbol{g},\boldsymbol{g}',e,t) = \sum_{l=r}^{g_1'} \sum_{k \in U_1^1(g_1'+1,t)} h_{2l}d_{2k} + \sum_{l=g_1'+1}^{t} h_{2l} \left[\sum_{k \in U_1^1(g_1'+1,t)} d_{2k} - \sum_{m=g_1'+1}^{l} (d_{2m} - y_m) \right]$$
$$+ \sum_{q=1}^{n-1} \left[\sum_{l=g_q}^{g_{q+1}'} \sum_{k=g_q'+1}^{g_{q+1}'} h_{1l}d_{1k} + \sum_{l=g_q'+1}^{g_{q+1}'-1} \sum_{k=l+1}^{g_{q+1}'} h_{1l}d_{1k} + \sum_{l=g_q}^{g_q'} \sum_{k \in U_1^2(g_q'+1,g_{q+1}')} h_{1l}d_{2k} \right.$$
$$+ \left. \sum_{l=g_q'+1}^{g_{q+1}'} h_{1l} \left(\sum_{k \in U_1^2(g_q'+1,g_{q+1}')} d_{2k} - \sum_{m=g_q'+1}^{l} y_m \right) \right] + \sum_{l=g_n}^{g_n'} \sum_{k=g_n'+1}^{t} h_{1l}d_{1k} + \sum_{l=g_n'+1}^{t-1} \sum_{k=l+1}^{t} h_{1l}d_{1k}$$
$$+ \sum_{l=g_n}^{g_n'} \sum_{k \in U_1^2(g_n'+1,t)} h_{1l}d_{2k} + \sum_{l=g_n'+1}^{t} h_{1l} \left(\sum_{k \in U_1^2(g_n'+1,t)} d_{2k} - \sum_{m=g_n'+1}^{l} y_m \right)$$
$$\tag{15-23}$$

$$W(r,s,r',\boldsymbol{g},\boldsymbol{g}',e,t) = \sum_{q=1}^{n-1} \sum_{k \in U_1^2(g_q'+1,g_{q+1}')} \omega_k d_{2k} + \sum_{k \in U_1^2(g_n'+1,t)} \omega_k d_{2k} \tag{15-24}$$

若 $g_1' < e \leqslant g_n'$ ，假设 $g_f' < e \leqslant g_{f+1}'$ ，则说明周期 $e+1$ 到周期 t 的产品 2 的需求全部由产品 1 满足，则

$$V(r,s,r',\boldsymbol{g},\boldsymbol{g}',e,t) = c_{2r} \sum_{k \in U_1^1(g_1'+1,t)} d_{2k} + \sum_{q=1}^{f-1} c_{1g_q} \left(\sum_{k=g_q'+1}^{g_{q+1}'} d_{1k} + \sum_{k \in U_1^2(g_q'+1,g_{q+1}')} d_{2k} \right)$$
$$+ c_{1g_f} \left(\sum_{k=g_f'+1}^{g_{f+1}'} d_{1k} + \sum_{k \in U_1^2(g_f'+1,e)} d_{2k} + \sum_{k=e+1}^{g_{f+1}'} d_{1k} \right) \tag{15-25}$$
$$+ \sum_{q=f+1}^{n-1} \sum_{i=1}^{2} \sum_{k=g_q'+1}^{g_{q+1}'} d_{ik} + c_{1g_n} \sum_{i=1}^{2} \sum_{k=g_q'+1}^{t} d_{ik}$$

$$H(r,s,r',\boldsymbol{g},\boldsymbol{g}',e,t) = \sum_{l=r}^{g_1'} \sum_{k \in U_1^1(g_1'+1,t)} h_{2l}d_{2k} + \sum_{l=g_1'+1}^{t} h_{2l} \left[\sum_{k \in U_1^1(g_1'+1,t)} d_{2k} - \sum_{m=g_1'+1}^{l} (d_{2m} - y_m) \right]$$
$$+ \sum_{q=1}^{f} \left[\sum_{l=g_q}^{g_q'} \sum_{k=g_q'+1}^{g_{q+1}'} h_{1l}d_{1k} + \sum_{l=g_q'+1}^{g_{q+1}'-1} \sum_{k=l+1}^{g_{q+1}'} h_{1l}d_{1k} + \sum_{l=g_q}^{g_q'} \sum_{k \in U_1^2(g_q'+1,g_{q+1}')} h_{1l}d_{2k} \right.$$
$$+ \left. \sum_{l=g_q'+1}^{g_{q+1}'} h_{1l} \left(\sum_{k \in U_1^2(g_q'+1,g_{q+1}')} d_{2k} - \sum_{m=g_q'+1}^{l} y_m \right) \right] + \sum_{q=f+1}^{n-1} \sum_{i=1}^{2} \sum_{l=g_q}^{g_q'} \sum_{k=g_q'+1}^{g_{q+1}'} h_{1l}d_{ik}$$
$$+ \sum_{q=f+1}^{n-1} \sum_{i=1}^{2} \sum_{l=g_q'+1}^{g_{q+1}'-1} \sum_{k=l+1}^{g_{q+1}'} h_{1l}d_{ik} + \sum_{i=1}^{2} \sum_{l=g_n}^{g_n'} \sum_{k=g_n'+1}^{t} h_{1l}d_{ik} + \sum_{i=1}^{2} \sum_{l=g_n'+1}^{t-1} \sum_{k=l+1}^{t} h_{1l}d_{ik}$$
$$\tag{15-26}$$

$$W(r,s,r',\boldsymbol{g},\boldsymbol{g}',e,t) = \sum_{q=1}^{f-1} \sum_{k \in U_1^2(g_q'+1,g_{q+1}')} \omega_k d_{2k} + \sum_{k \in U_1^2(g_f'+1,e)} \omega_k d_{2k} + \sum_{k=e+1}^{t} \omega_k d_{2k} \tag{15-27}$$

若 $r \leqslant r' < e \leqslant g_1'$ 或 $r' < r \leqslant e \leqslant g_1'$ ，则

$$V(r,s,r',\boldsymbol{g},\boldsymbol{g}',e,t) = \sum_{q=1}^{n-1}\sum_{i=1}^{2}\sum_{k=g'_q+1}^{g'_{q+1}} d_{ik} + c_{1g_n}\sum_{i=1}^{2}\sum_{k=g'+1}^{t} d_{ik} \tag{15-28}$$

$$H(r,s,r',\boldsymbol{g},\boldsymbol{g}',e,t) = \sum_{q=f+1}^{n-1}\sum_{i=1}^{2}\sum_{l=g_q}^{g'_q}\sum_{k=g'_q+1}^{g'_{q+1}} h_{1l}d_{ik} + \sum_{q=f+1}^{n-1}\sum_{i=1}^{2}\sum_{l=g'_{q}+1}^{g'_{q+1}-1}\sum_{k=l+1}^{g'_{q+1}} h_{1l}d_{ik}$$

$$+ \sum_{i=1}^{2}\sum_{l=g_n}^{g'_n}\sum_{k=g'_n+1}^{t} h_{1l}d_{ik} + \sum_{i=1}^{2}\sum_{l=g'_n+1}^{t-1}\sum_{k=l+1}^{t} h_{1l}d_{ik} \tag{15-29}$$

$$W(r,s,r',\boldsymbol{g},\boldsymbol{g}',e,t) = \omega_k\sum_{k=g'_1+1}^{t} d_{2k} \tag{15-30}$$

若 $g'_1 < r'$，根据周期 e 在周期 r 到周期 t 之间的位置不同，又可分为两种子情形计算 $V(r,s,r',\boldsymbol{g},\boldsymbol{g}',e,t)$、$H(r,s,r',\boldsymbol{g},\boldsymbol{g}',e,t)$ 和 $W(r,s,r',\boldsymbol{g},\boldsymbol{g}',e,t)$，此种子情形的示意图如图 15-5 所示。

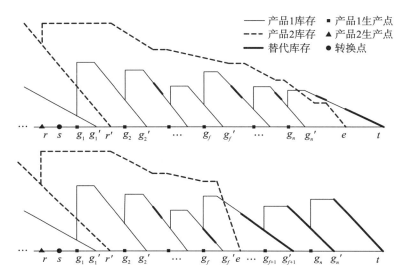

图 15-5　情形 2 的第 2 种子情形示意图

若 $g'_n < e \leqslant t$，则

$$V(r,s,r',\boldsymbol{g},\boldsymbol{g}',e,t) = c_{2r}\sum_{k\in U_1^1(r'+1,t)} d_{2k} + c_{1g_1}\left(\sum_{k=r'+1}^{g'_2} d_{1k} + \sum_{k\in U_1^2(r'+1,g'_2)} d_{2k}\right)$$

$$+ \sum_{q=2}^{n-1} c_{1g_q}\left(\sum_{k=g'_q+1}^{g'_{q+1}} d_{1k} + \sum_{k\in U_1^2(g'_q+1,g'_{q+1})} d_{2k}\right) + c_{1g_n}\left(\sum_{k=g'_n+1}^{t} d_{1k} + \sum_{k\in U_1^2(g'_n+1,t)} d_{2k}\right) \tag{15-31}$$

$$H(r,s,r',\boldsymbol{g},\boldsymbol{g}',e,t) = \sum_{l=r}^{r'}\sum_{k\in U_1^1(r'+1,t)} h_{2l}d_{2k} + \left[\sum_{l=r'+1}^{t} h_{2l}\sum_{k\in U_1^1(r'+1,t)} d_{2k} - \sum_{m=r'+1}^{l}(d_{2m}-y_m)\right]$$

$$+ \sum_{l=g_1}^{r'}\sum_{k=r'+1}^{g'_2} h_{1l}d_{1k} + \sum_{l=r'+1}^{g'_2-1}\sum_{k=l+1}^{g'_2} h_{1l}d_{1k} + \sum_{l=g_1}^{r'}\sum_{k\in U_1^2(r'+1,g'_2)} h_{1l}d_{2k} + \sum_{l=r'+1}^{g'_2} h_{1l}\left(\sum_{k\in U_1^2(r'+1,g'_2)} d_{2k}\right.$$

$$
\begin{aligned}
&-\sum_{m=r'+1}^{l} y_m\Bigg) + \sum_{q=2}^{n-1}\Bigg[\sum_{l=g_q}^{g'_{q+1}}\sum_{k=g'_q+1}^{g'_{q+1}} h_{1l}d_{1k} + \sum_{l=g'_q+1}^{g'_{q+1}-1}\sum_{k=l+1}^{g'_{q+1}} h_{1l}d_{1k} + \sum_{l=g'_q}^{g'_q}\sum_{k\in U_1^2(g'_q+1,g'_{q+1})} h_{1l}d_{2k}\\
&+\sum_{l=g'_q+1}^{g'_{q+1}}\Bigg(h_{1l}\sum_{k\in U_1^2(g'_q+1,g'_{q+1})} d_{2k} - \sum_{m=g'_q+1}^{l} y_m\Bigg)\Bigg] + \sum_{l=g_n}^{g'_n}\sum_{k=g'_n+1}^{t} h_{1l}d_{1k} + \sum_{l=g'_n+1}^{t-1}\sum_{k=l+1}^{t} h_{1l}d_{1k}\\
&+\sum_{l=g_n}^{g'_n}\sum_{k\in U_1^2(g'_n+1,t)} h_{1l}d_{2k} + \sum_{l=g'_n+1}^{t} h_{1l}\Bigg(\sum_{k\in U_1^2(g'_n+1,t)} d_{2k} - \sum_{m=g'_n+1}^{l} y_m\Bigg)
\end{aligned}
$$

$$\tag{15-32}$$

$$
W(r,s,r',\boldsymbol{g},\boldsymbol{g}',e,t)=\sum_{k\in U_1^2(r'+1,g'_2)} \omega_k d_{2k} + \sum_{q=2}^{n-1}\sum_{k\in U_1^2(g'_q+1,g'_{q+1})} \omega_k d_{2k} + \sum_{k\in U_1^2(g'_n+1,t)} \omega_k d_{2k} \tag{15-33}
$$

若 $r' < e \leqslant g'_n$，假设 $r' \leqslant g'_f < e \leqslant g'_{f+1}$，说明周期 $e+1$ 到周期 t 的产品 2 的需求全部由产品 1 满足，则

$$
\begin{aligned}
V(r,s,r',\boldsymbol{g},\boldsymbol{g}',e,t)&=c_{2r}\sum_{k\in U_1^1(r'+1,t)} d_{2k} + c_{1g_1}\Bigg(\sum_{k=r'+1}^{g'_2} d_{1k} + \sum_{k\in U_1^2(r'+1,g'_2)} d_{2k}\Bigg)\\
&+\sum_{q=2}^{f-1} c_{1g_q}\Bigg(\sum_{k=g'_q+1}^{g'_{q+1}} d_{1k} + \sum_{k\in U_1^2(g'_q+1,g'_{q+1})} d_{2k}\Bigg) + c_{1g_f}\Bigg(\sum_{k=g'_f+1}^{g'_{f+1}} d_{1k} + \sum_{k\in U_1^2(g'_f+1,e)} d_{2k} + \sum_{k=e+1}^{g'_{f+1}} d_{2k}\Bigg)\\
&+\sum_{q=f+1}^{n-1}\sum_{i=1}^{2}\sum_{k=g'_q+1}^{g'_{q+1}} d_{ik} + c_{1g_n}\sum_{i=1}^{2}\sum_{k=g'_n+1}^{t} d_{1k}
\end{aligned}
$$

$$\tag{15-34}$$

$$
\begin{aligned}
H(r,s,r',\boldsymbol{g},\boldsymbol{g}',e,t)&=\sum_{l=r}^{r'}\sum_{k\in U_1^1(r'+1,t)} h_{2l}d_{2k} + \sum_{l=r'+1}^{t} h_{2l}\Bigg[\sum_{k\in U_1^1(r'+1,t)} d_{2k} - \sum_{m=r'+1}^{l}(d_{2m}-y_m)\Bigg]\\
&+\sum_{l=g_1}^{r'}\sum_{k=r'+1}^{g'_2} h_{1l}d_{1k} + \sum_{l=r'+1}^{g'_2-1}\sum_{k=l+1}^{g'_2} h_{1l}d_{1k} + \sum_{l=g_1}^{r'}\sum_{k\in U_1^2(r'+1,g'_2)} h_{1l}d_{2k} + \sum_{l=r'+1}^{g'_2} h_{1l}\Bigg(\sum_{k\in U_1^2(r'+1,g'_2)} d_{2k}\\
&-\sum_{m=r'+1}^{l} y_m\Bigg) + \sum_{q=2}^{f}\Bigg[\sum_{l=g_q}^{g'_q}\sum_{k=g'_q+1}^{g'_{q+1}} h_{1l}d_{1k} + \sum_{l=g'_q+1}^{g'_{q+1}-1}\sum_{k=l+1}^{g'_{q+1}} h_{1l}d_{1k} + \sum_{l=g'_q}^{g'_q}\sum_{k\in U_1^2(g'_q+1,g'_{q+1})} h_{1l}d_{2k}\\
&+\sum_{l=g'_q+1}^{g'_{q+1}} h_{1l}\Bigg(\sum_{k\in U_1^2(g'_q+1,g'_{q+1})} d_{2k} - \sum_{m=g'_q+1}^{l} y_m\Bigg)\Bigg] + \sum_{q=f+1}^{n-1}\sum_{i=1}^{2}\sum_{l=g_q}^{g'_q}\sum_{k=g'_q+1}^{g'_{q+1}} h_{1l}d_{ik}\\
&+\sum_{q=f+1}^{n-1}\sum_{i=1}^{2}\sum_{l=g_q}^{g'_{q+1}-1}\sum_{k=l+1}^{g'_{q+1}} h_{1l}d_{ik} + \sum_{i=1}^{2}\sum_{l=g_n}^{g'_n}\sum_{k=g'_n+1}^{t} h_{1l}d_{ik} + \sum_{i=1}^{2}\sum_{l=g'_n+1}^{t-1}\sum_{k=l+1}^{t} h_{1l}d_{ik}
\end{aligned}
$$

$$\tag{15-35}$$

$$
\begin{aligned}
W(r,s,r',\boldsymbol{g},\boldsymbol{g}',e,t)&=\sum_{k\in U_1^2(r'+1,g'_2)} \omega_k d_{2k} + \sum_{q=2}^{f-1}\sum_{k\in U_1^2(g'_q+1,g'_{q+1})} \omega_k d_{2k}\\
&+\sum_{k\in U_1^2(g'_f+1,e)} \omega_k d_{2k} + \sum_{k=e+1}^{t} \omega_k d_{2k}
\end{aligned} \tag{15-36}
$$

若在 $P(t)$ 的最优解中没有转换点，即从第 1 周期至第 t 周期两种产品的需求全部由产

品 1 满足。此特殊情形的示意图如图 15-6 所示，因此有

$$C(g_n, g'_n, t) = C(g'_n) + c_{1g_n} \sum_{i=1}^{2} \sum_{k=g'_n+1}^{t} d_{ik} + \sum_{i=1}^{2} \sum_{l=g_n}^{g'_n} \sum_{k=g'_n+1}^{t} h_{il} d_{ik}$$

$$+ \sum_{i=1}^{2} \sum_{l=g_n}^{t-1} \sum_{k=l+1}^{t} h_{il} d_{ik} + \omega_k \sum_{k=g'_n+1}^{t} d_{2k} \tag{15-37}$$

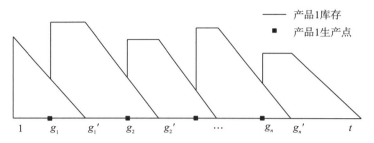

图 15-6　无转换点的特殊情形示意图

在最后一个转换点 s 是从产品 1 转换到产品 2 的情形下，g_1 到 g_n 的 n 个产品 2 的生产点与边际成本之间的关系，在最后一个转换点 s 是从产品 2 转换到产品 1 的情形下，g_1 到 g_n 的 n 个产品 1 的生产点与边际成本之间的关系，以及无转换点时产品 1 的生产点与边际成本之间的关系，可参见 9.3 节的分析。

易逝品动态批量最优决策中另外一个有趣的现象是，在单位生产成本非时变（或持有库存没有投机性动机）的情形下，易逝品动态批量问题中的零库存性质仍然成立，因此在这两种成本结构下，基于零库存性质成立的耐用品动态批量问题的算法也适用于易逝品动态批量问题。当然，产品 1 和产品 2 在某生产点生产的产品数量不能大于生命周期内的需求数量。换言之，当单位生产成本比较平稳、波动幅度很小的情况下，易逝品动态批量问题可以按照耐用品问题进行处理。

与耐用品情形类似，在有仓储能力约束（如两产品共用有限仓储能力或者每一种产品有各自的仓储能力上限约束）且单位生产成本无条件变动的情况下，易逝品动态批量问题中的"单源满足"性质也不再成立，但"先进先出"性质仍然成立。在持有库存没有投机性动机或者单位生产成本不变的情况下，即便在有仓储能力约束的易逝品动态批量问题的零库存性质依然成立。

15.4　预测时阈分析

对于易逝品动态批量预测时阈的求解，也可以分为单位生产成本无条件变动和持有库存没有投机性动机两种情形。在持有库存没有投机性动机的条件下，易逝品和耐用品动态批量问题与预测时阈的求解方式一致。在单位生产成本无条件变动下，易逝品动态批量问题预测时阈的求解也可以应用边际成本分析法进行解决，与耐用品预测时阈求解类似，因此下面仅做简要说明。

在 $P(t)$ 的最优解中，$s_i(t)$、$r_i(t)$，$e(t)$，$g_1(t), g_2(t), \cdots, g_n(t)$ 和 $\boldsymbol{g}(t)$ 的含义同 9.3 节。$r_i'(t), g_1'(t), g_2'(t), \cdots, g_n'(t)$ 的含义为对应的生产点 $r_i(t), g_1(t), g_2(t), \cdots, g_n(t)$ 之前的最大的同类生产点生产的产品的最优库存为零的周期。为了简化符号，将 g_n、$g_n(t)$ 和 $g_n'(t)$ 简记为 g、$g(t)$ 和 $g'(t)$。令 $\boldsymbol{g}'(t) = g_1'(t), g_2'(t), \cdots, g_n'(t)$。同样 $P(t)$ 的最优解不考虑无转换点的情形，则根据以上定义可得

$$C(t) = \min C(r, s, r', \boldsymbol{g}, \boldsymbol{g}', e, t) = C(r_i(t), s_i(t), r_i'(t), \boldsymbol{g}(t), \boldsymbol{g}'(t), e(t), t) \qquad (15\text{-}38)$$

$m(it)$ 和 $m^-(it)$ 的含义同 9.3 节，$i = 1, 2$。

以下引理和定理的严格证明与前面章节中引理 9-1 和定理 9-2 类似，因此本章引理 15-1 与定理 15-3 仅做一些解释性的证明。

引理 15-1　在 $P(t')$ 的最优解中：

（1）若 $s_1(t') > s_2(t')$、$r_2(t') = m^-(2t')$、$r_1(t') = m(1t')$ 和 $g(t') = m(2t')$ 成立，则在 $P(t)$ 的最优解中存在 $N(t) \geqslant N(t') - 1$，$t > t'$；

（2）若 $s_2(t') > s_1(t')$、$r_1(t') = m^-(1t')$、$r_2(t') = m(2t')$ 和 $g(t') = m(1t')$ 成立，则在 $P(t)$ 的最优解中存在 $N(t) \geqslant N(t') - 1$，$t > t'$。

证明　不失一般性，假设在 $P(t')$ 的最优解中 $s_1(t') > s_2(t')$，若有 $r_2(t') = m^-(2t')$、$r_1(t') = m(1t')$ 和 $g(t') = m(2t')$ 成立，则由 $m^-(2t')$、$m(1t')$ 和 $m(2t')$ 的定义，可得 $I_{2, r_2(t')-1} = I_{2, g(t')-1} = 0$，$I_{1, r_1(t')-1} = 0$。若周期 $t'+1$ 到周期 t 没有生产点，则由 $r_1(t') = m(1t')$ 和 $g(t') = m(2t')$ 可得，周期 $t'+1$ 到周期 t 产品 1 的需求由 $r_1(t')$ 生产的产品 1 满足，周期 $t'+1$ 到周期 t 产品 2 的需求由 $r_1(t')$ 生产的产品 1 或者 $g(t')$ 生产的产品 2 满足，此时在 $P(t)$ 的最优解中 $N(t) = N(t')$。若周期 $t'+1$ 到周期 t 只有产品 2 的生产点，同理可得 $N(t) = N(t')$。若周期 $t'+1$ 到周期 t 只有产品 1 的生产点，则说明在 $P(t)$ 的最优解中，周期 $g_1'(t)$ 到周期 t' 发生了一次由产品 2 到产品 1 的转换或 $s_1'(t)$ 不发生转换。若周期 $g_1'(t)$ 到周期 t' 发生了一次由产品 2 到产品 1 的转换，则 $N(t) = N(t') + 1$；若 $s_1'(t)$ 不发生转换，则由 $r_2(t') = m^-(2t')$，可得周期 $t'+1$ 到周期 t 产品 2 的需求由 $r_2(t')$ 生产的产品 2 或者周期 $t'+1$ 到周期 t 生产的产品 1 满足，此时 $N(t) = N(t') - 1$。若周期 $t'+1$ 到周期 t 既有产品 1 生产点又有产品 2 的生产点，则 $P(t)$ 得到最优解满足 $N(t) \geqslant N(t') + 1$。综上可得 $N(t) \geqslant N(t') - 1$。

定理 15-3　在 $P(t)$ 的最优解中：

（1）若 $s_1(t) > s_2(t)$、$r_2(t) = m^-(2t)$、$r_1(t) = m(1t)$ 和 $g(t) = m(2t)$ 成立，则 $P(t^*)$ 的最优解有 $r_1'(t^*) \geqslant r_1(t)$ 和 $r_2'(t^*) \geqslant r_2(t)$ 成立，$t^* > t$。

（2）若 $s_2(t) > s_1(t)$、$r_1(t) = m^-(1t)$、$r_2(t) = m(2t)$ 和 $g(t) = m(1t)$ 成立，则 $P(t^*)$ 的最优解有 $r_1'(t^*) \geqslant r_1(t)$ 和 $r_2'(t^*) \geqslant r_2(t)$ 成立，$t^* > t$。

证明　（1）由引理 15-1 可得，在 $P(t)$ 的最优解中，若有 $s_1(t) > s_2(t)$、$r_2(t) = m^-(2t)$、$r_1(t) = m(1t)$ 和 $g(t) = m(2t)$ 成立，则有 $N(t+1) \geqslant N(t) - 1$。若 $N(t+1) = N(t) - 1$，则又由引理 15-1 可得 $r_1'(t+1) = t+1 > t > r_1(t)$，$r_2'(t+1) = r_2(t)$。

（2）在 $P(t)$ 的最优解中，若有 $s_1(t) > s_2(t)$、$r_2(t') = m^-(2t)$、$r_1(t) = m(1t)$ 和 $g(t) = m(2t)$ 成立，则 $r_1'(t) = r_1(t)$，$r_2'(t) = g(t)$。由 $m(1t)$、$m(2t)$ 和 $m^-(2t)$ 的定义可得 $I_{1, r_1(t)-1} = 0$、

$I_{2,g(t)-1} = I_{2,r_2(t)-1} = 0$。若 $N(t+1) = N(t)$ ，则在 $P(t+1)$ 的最优解中仍然是 $s_1(t+1) > s_2(t+1)$ ，且有 $r_1^l(t+1) = r_1(t+1)$ ，$r_2^l(t+1) = g(t+1)$ 。假设 $r_1(t+1) < r_1(t)$ 和 $g(t+1) < g(t)$ ，由 $r_1(t)=m(1t)$ 和 $g(t)=m(2t)$ 可得 $a_{1r_1(t)t} = a_{1m(1t)t}$ 和 $a_{2g(t)t} = a_{2m(2t)t}$ ，又由 $m(1t)$ 和 $m(2t)$ 的定义可得 $a_{1r_1(t)t} = a_{1m(1t)t} < a_{1r_1(t+1)t}$ 和 $a_{2g(t)t} = a_{2m(2t)t} < a_{2g(t+1)t}$ 。又因为 $a_{1r_1(t),t+1} = a_{1r_1(t),t} + h_{1t}$ 和 $a_{1r_1(t+1),t+1} = a_{1r_1(t+1)t} + h_{1t}$ ，所以可得 $a_{1r_1(t+1),t+1} > a_{1r_1(t),t+1}$ ，即说明在周期 $r_1(t)$ 生产产品 1 满足周期 $t+1$ 产品 1 的需求的成本要优于周期 $r_1(t+1)$ 生产产品 1 满足周期 $t+1$ 产品 1 的需求的成本，因此 $r_1(t+1) \geqslant r_1(t)$ 。同样，由 $a_{2g(t),t+1} = a_{2g(t),t} + h_{2t}$ 和 $a_{2g(t+1),t+1} = a_{2g(t+1)t} + h_{2t}$ ，可得 $a_{2g(t+1),t+1} > a_{2g(t+1),t+1}$ 。由于有替代情形的发生，进一步分析可得，若 $a_{2g(t),t+1} \leqslant \min\{a_{1r_1(t),t+1} + \omega_{t+1}; c_{2,t+1}\}$ ，即在周期 $g(t)$ 生产产品 2 满足周期 $t+1$ 产品 2 的需求的成本要优于周期 $t+1$ 生产产品 2 和周期 $r_1(t)$ 生产产品 1 满足周期 $t+1$ 产品 2 的需求的成本，因此可得 $g(t+1) = g(t)$ 。若 $a_{1r_1(t),t+1} + \omega_{t+1} \leqslant \min\{c_{2,t+1}; a_{2g(t),t+1}\}$ ，则说明在周期 $r_1(t)$ 生产产品 1 满足周期 $t+1$ 产品 2 的需求的成本要优于在周期 $t+1$ 和 $g(t)$ 生产产品 2 满足周期 $t+1$ 产品 2 的需求的成本，因此可得 $g(t+1) = g(t)$ 。若 $c_{2,t+1} \leqslant \min\{a_{1r_1(t),t+1} + \omega_{t+1}; a_{2g(t),t+1}\}$ ，则说明在周期 $t+1$ 生产产品 2 满足周期 $t+1$ 产品 2 的需求的成本要优于在周期 $r_1(t)$ 生产产品 1 和 $g(t)$ 生产产品 2 满足周期 $t+1$ 产品 2 的需求的成本，因此可得 $g(t+1) = t+1 > g(t)$ 。综合以上分析可得 $r_1(t+1) \geqslant r_1(t)$ 和 $g(t+1) \geqslant g(t)$ 。又因为 $r_1^l(t) = r_1(t)$ ，$r_2^l(t) = g(t)$ ，$r_1^l(t+1) = r_1(t+1)$ ，$r_2^l(t+1) = g(t+1)$ ，$g(t) > r_2(t)$ ，所以 $r_1^l(t+1) \geqslant r_1(t)$ 和 $r_2^l(t+1) \geqslant r_2(t)$ 。

（3）在 $P(t)$ 的最优解中，若有 $s_2(t) > s_1(t)$ 、$r_1(t) = m^-(1t)$ 、$r_2(t) = m(2t)$ 和 $g(t) = m(1t)$ 成立，且 $N(t+1) = N(t)$ ，则 $r_1^l(t+1) \geqslant r_1(t)$ 和 $r_2^l(t+1) \geqslant r_2(t)$ 。证明过程与（2）类似，略。

（4）在 $P(t)$ 的最优解中，若有 $s_1(t) > s_2(t)$ 、$r_2(t) = m^-(2t)$ 、$r_1(t) = m(1t)$ 和 $g(t) = m(2t)$ 成立，则 $r_1^l(t) = r_1(t)$ 和 $r_2^l(t) = g(t)$ 。若 $N(t+1) = N(t)$ ，则在 $P(t+1)$ 的最优解中，有 $s_2(t+1) > s_1(t+1)$ ，又因为 $r_1^l(t+1) \geqslant s_2(t+1) > s_1(t+1) > r_1(t)$ 和 $r_2^l(t+1) > s_1(t+1) > s_2(t+1) > r_2(t)$ ，所以可得 $r_1^l(t+1) > r_1(t)$ 和 $r_2^l(t+1) > r_2(t)$ 。

以上在 $s_1(t) > s_2(t)$ 的情形下证明了 $r_1^l(t+1) \geqslant r_1(t)$ 和 $r_2^l(t+1) \geqslant r_2(t)$ 成立。在 $s_2(t) > s_1(t)$ 的情形下 $r_1^l(t+1) \geqslant r_1(t)$ 和 $r_2^l(t+1) \geqslant r_2(t)$ 的证明与 $s_1(t) > s_2(t)$ 的情形类似。以上内容证明了 $r_1^l(t+1) \geqslant r_1(t)$ 和 $r_2^l(t+1) \geqslant r_2(t)$ ，只需重复证明过程即可得 $r_1^l(t^*) \geqslant r_1(t)$ 和 $r_2^l(t^*) \geqslant r_2(t)$ 。

在建立两生产点单调性的基础上，易逝品在单位生产成本时变条件下的预测时阈的充分条件与定理 9-2 一致。

定理 15-4 在 $P(t)$ 的最优解中：

（1）若 $s_1(t) > s_2(t)$ 、$r_2(t) = m^-(2t)$ 、$r_1(t) = m(1t)$ 和 $g(t) = m(2t)$ 成立，且 $x_{1l}^*(r_2(t)-1) = x_{1l}^*(r_2(t)) = \cdots = x_{1l}^*(t-1)$ 和 $x_{2l}^*(r_2(t)-1) = x_{2l}^*(r_2(t)) = \cdots = x_{2l}^*(t-1)$ 对于 $l = 1, 2, \cdots, \tau$ （ $1 \leqslant \tau \leqslant r_2(t)-1$ ）成立，则对于任意更长周期的问题 $P(t^*)$ ，周期 t 为预测时阈，周期 τ 为相应的决策时阈，$t^* > t$ 。

（2）若有 $s_2(t) > s_1(t)$ 、$r_1(t) = m^-(1t)$ 、$r_2(t) = m(2t)$ 和 $g(t) = m(1t)$ 成立，且 $x_{1l}^*(r_1(t)-1) = x_{1l}^*(r_1(t)) = \cdots = x_{1l}^*(t-1)$ 和 $x_{2l}^*(r_1(t)-1) = x_{2l}^*(r_1(t)) = \cdots = x_{2l}^*(t-1)$ 对于 $l = 1, 2, \cdots, \tau$ （ $1 \leqslant \tau \leqslant$

$r_2(t)-1$）成立，则对于任意更长周期的问题 $P(t^*)$，周期 t 为预测时阈，周期 τ 为相应的决策时阈，$t^* > t$。

15.5 本 章 小 结

本章研究了生命周期不同的两种易逝品在需求单向替代和生产转换情形下的动态批量决策和预测时阈问题。在单位生产成本无条件变动的情形下，因为易逝品的库存不能无限期持有，所以零库存性质不再成立。因此，耐用品问题求解中将最后一个转换点或者之后的第一个生产点作为分割周期划分问题的方式不再适用于易逝品问题。为了选取合适的分割周期，首先证明了库存的"先进先出"性质，在"单源满足"性质和"先进先出"性质下，选取最后一个转换点之前的最大生产点生产的产品满足多个周期需求的第一个周期，以及大于等于最后一个转换点的第一个生产点生产的产品满足多个周期需求的第一个周期作为分割周期。在分析预测时阈过程中，利用边际成本分析方法，给出求解预测时阈的充分条件。最后指出，在单位生产成本固定不变或者有条件变动的情形下，如持有库存没有投机性动机，即使产品库存不能无限期持有，零库存性质也是成立的。依据零库存性质，易逝品动态批量的最优决策和预测时阈问题的求解同耐用品动态批量问题完全一致。

参 考 文 献

Blocher J D，Chand S，Sengupta K. 1999. The changeover scheduling problem with time and cost considerations：Analytical results and a forward algorithm[J]. Operations Research，47（4）：559-569.

Camargo V C B，Toledo F M B，Almada-Lobo B. 2012. Three time-based scale formulations for the two-stage lot-sizing and scheduling in process industries[J]. Journal of the Operational Research Society，63（11）：1613-1630.

Ceschia S，Gaspero L D，Schaerf A. 2017. Solving discrete lot-sizing and scheduling by simulated annealing and mixed integer programming[J]. Computers and Industrial Engineering，114：235-243.

Gicquel C，Minoux M. 2015. Multi-product valid inequalities for the discrete lot-sizing and scheduling problem[J]. Computers and Operations Research，54：12-20.

Gicquel C，Minous M，Dallery Y. 2011. Exact solution approaches for the discrete lot-sizing and scheduling problem with parallel resources[J]. International Journal of Production Research，49（9）：2587-2603.

Gicquel C，Wolsey L A，Minous M. 2012. On discrete lot-sizing and scheduling on identical parallel machines[J]. Optimization Letters，6：545-557.

Gicquel C，Lisser A，Minous M. 2014. An evaluation of semidefinite programming based approaches for discrete lot-sizing problems[J]. European Journal of Operational Research，237：498-507.

Karimi-Nasab M，Seyedhoseini S M，Modarres M，et al. 2013. Multi-period lot sizing and job shop scheduling with compressible process times for multilevel product structures[J]. International Journal of Production Research，51（20）：6229-6246.

Kwak I S，Jeong I J. 2011. A hierarchical approach for the capacitated lot-sizing and scheduling problem with a special structure of sequence-dependent setups[J]. International Journal of Production Research，49（24）：7425-7439.

Transchel S，Minner S，Kallrath J，et al. 2011. A hybrid general lot-sizing and scheduling formulation for a production process with a two-stage product structure[J]. International Journal of Production Research，49（9）：2463-2480.

结　　语

1. 研究结论

动态批量与预测时阈决策是运营管理领域学术研究和企业实践的热点。智能制造和个性化消费的兴起对动态批量与预测时阈决策带来了新的问题。本书针对新环境和新模式下的动态批量与预测时阈问题展开研究，得出如下创新性的理论和方法。

1）生产与外包联合的动态批量决策与预测时阈研究

研究了企业自身生产和外包情形下的单产品动态批量决策与预测时阈问题。构造了包含生产与外包固定成本、生产与外包变动成本和库存成本在内的成本最小化模型。根据下一周期是生产点还是外包点定义了两类再生点，在最优解性质的基础上设计了三种等价的前向动态规划算法求解模型。分两种情形分析了预测时阈：在单位生产成本和外包成本非时变情形下证明了再生点的单调性，进而构造再生集给出了求解预测时阈的充分条件；在单位生产成本和外包成本时变情形下，运用边际成本分析法建立了再生点的单调性，进一步构造再生集给出求解预测时阈的充分条件。另外，构造了企业自身生产和存在多种外包选择情形的成本最小化模型，生产成本和多种类型的外包成本均是固定-线性成本函数形式，库存成本为线性函数形式，利用最优解的结构性质设计了前向动态规划算法求解模型。最后，设计数值实验给出了有无外包情形以及不同成本参数对预测时阈和总成本的影响。

2）批量生产方式下动态批量决策与预测时阈研究

首先研究了批量生产方式无外包情形下的动态批量问题，构造包含生产固定成本、单位生产成本和库存成本在内的成本最小化模型。在生产固定成本和单位生产成本时变和非时变情形下证明了最优解的结构性质，重新定义了再生点。依据最优解的结构性质，即生产点和再生点关系的性质，设计了前向动态规划算法求解模型。在单位生产成本时变情形下运用边际成本分析法建立了生产点和再生点的单调性，构造再生集给出了求解预测时阈的充分条件。在单位生产成本非时变情形下直接得出了生产点和再生点的单调性，构造再生集给出了求解预测时阈的充分条件。然后构建了批量生产方式在有外包情形下的动态批量模型。在最优解性质的基础上定义了三类再生点，设计了三种等价的前向动态规划算法求解模型。同样在分析预测时阈时分别考虑了单位生产成本和外包成本时变及非时变情形。最后，设计数值实验给出了批量基准和单位外包成本对预测时阈的影响。

3）数量折扣下动态批量决策与预测时阈研究

研究了数量折扣情形下的动态批量问题。考虑了 N 种不同的折扣率和折扣率的数量分界点。在采购成本（包含采购固定成本和变动成本）非时变的情形下考虑了不允许需求延迟和允许需求延迟两种模型。阐述了不允许需求延迟和允许需求延迟两类模型最优解的结构性质，重新定义了再生点，并在此基础上设计了前向动态规划算法求解模型。根据问题特性，建立了采购点和再生点的单调性，进而构造再生集给出了求解预测时阈的充分条件。

在采购成本时变的情形下同样考虑了不允许需求延迟和允许需求延迟两种模型。依据模型最优解的性质设计了前向动态规划算法求解了两类模型。在采购成本时变情形下运用边际成本分析法建立了采购点和再生点的单调性，构造再生集给出了求解预测时阈的充分条件。最后，构造数值实验给出了折扣率和折扣率数量分界点的大小以及延迟成本对预测时阈的影响。

4) 联合生产的动态批量决策与预测时阈研究

研究了两产品联合生产情形下的动态批量问题。在无生产能力约束的情形下构造了允许需求延迟和允许需求损失两类成本最小化模型。在允许需求延迟(损失)模型中成本包含联合启动成本、两种产品的单独启动成本、变动生产成本、库存成本和需求延迟(缺货)成本。依据最优解的结构性质设计了前向动态规划算法求解了这两类模型。在两类模型中，同样在单位生产成本无条件变动的情形下，运用边际成本分析法建立了两产品生产点和再生点的单调性，进一步构建了两产品再生集并给出了求解预测时阈的充分条件。针对需求延迟模型，在持有库存和延迟交货没有投机性动机的条件下，证明了两产品生产点和再生点的单调性，构建两产品再生集给出了求解预测时阈的充分条件。针对需求损失模型，在持有库存没有投机性动机的条件下，证明了两产品生产点和再生点的单调性，然后构建两产品再生集给出了求解预测时阈的充分条件。另外，还研究了两产品共用有限生产能力的联合生产动态批量决策问题，根据最优解的结构性质设计了前向动态规划算法求解模型，依据问题特性给出了求解预测时阈的充分条件。最后设计数值实验分析了生产能力对总成本和预测时阈的影响。

5) 两级动态批量决策与预测时阈研究

研究了每一级都有外生需求情形下的两级动态批量问题，构造了库存成本非时间依赖和时间依赖两类成本最小化模型，每一级的成本包含生产固定成本、变动生产成本和库存成本。在非时间依赖的库存成本模型中，依据最优解的零库存性质，设计了三种等价的求解预测时阈的前向动态规划算法。运用边际成本分析法建立了两级生产点和再生点的单调性，进一步构建了两级再生集给出了求解预测时阈的充分条件。在时间依赖的库存成本模型中，若持有库存满足无投机性动机，则零库存性质依然成立，此时前向动态规划算法与非时间依赖的库存成本模型的动态规划算法类似。若持有库存不满足无投机性动机，则依据"需求单源满足"和"库存先进先出"两条最优解结构性质设计了前向动态规划算法求解模型，给出了求解预测时阈的方法。最后利用数值实验分析了决策模式(集中化决策和分散化决策)、第一级有无外生需求以及单位生产成本的波动性对预测时阈的影响。

6) 生产转换与单向替代下动态批量决策与预测时阈研究

研究了需求单向替代和生产转换的两产品动态批量决策问题。构造了包含生产转换成本、替代成本和库存成本在内的成本最小化模型。在最优解结构性质的基础上设计了前向动态规划算法求解模型。在模型最优解的基础上给出转换点个数的下界，证明两产品最后一个生产点的单调性，由生产点和再生点的关系得出再生点的单调性，进而构造两产品再生集并给出了求解预测时阈的充分条件。进一步阐述了一类近似算法，该近似算法首先需要依据两个再生点之间生产转换的次数定义三种类型的再生点。证明了每一类再生点的单调性，然后建立了混合再生点的单调性，从而构造了再生集并给出了求解预测时阈的充分条件。最后运用数值实验分析了预测时阈与生产转换成本、替代成本、需求增长性和波动性之间的关系。

7) 生产转换与启动成本下单向替代的动态批量决策与预测时阈研究

考虑企业生产过程中不仅有生产转换成本还有生产启动成本的情形,构造包含生产转换成本、生产启动成本、替代成本和库存成本在内的成本最小化模型。证明了所构造的成本最小化模型等价于凹成本网络流问题。分析了模型最优解的性质,并设计了前向动态规划算法求解模型。证明了最优解中存在转换点个数下界的性质,在此基础上证明了两产品最后一个生产点的单调性。由生产点和再生点的关系得出再生点的单调性,进而构造两产品再生集给出求解预测时阈的充分条件。最后运用数值实验得出了生产启动成本将会增加预测时阈的长度的结论。

8) 生产转换与时变成本下单向替代的动态批量决策与预测时阈研究

考虑了单位生产成本、生产转换成本与替代成本时变的两产品动态批量与预测时阈问题,构造了包含生产转换成本、变动生产成本、替代成本和库存成本在内的成本最小化模型。分析了模型最优解的性质,设计了前向动态规划算法求解模型。分析了有生产转换时部分生产点与边际成本的关系与无转换时全部生产点与边际成本之间的关系。利用边际成本分析方法,给出了转换点个数存在下界的充分条件以及两产品最后一个生产点单调性的充分条件,进而得出了两产品再生点的单调性。在此基础上构造了两产品再生集,并给出求解预测时阈的充分条件。

9) 生产转换下双向替代的动态批量决策与预测时阈研究

考虑了产品双向替代以及同一周期允许多次转换的动态批量与预测时阈决策。构建了包含生产转换成本、变动生产成本、替代成本和库存成本在内的成本最小化模型。证明了所构造的成本最小化模型等价于凹成本网络流问题。分析了模型最优解的结构性质,设计了前向动态规划算法求解模型。在成本时变情形下,利用边际成本分析方法,给出了转换点个数存在下界的充分条件以及两产品最后一个生产点单调性的充分条件,进而得出了两产品再生点的单调性。在此基础上构造了两产品再生集,并给出求解预测时阈的充分条件。利用数值实验分析发现双向替代会增加预测时阈的长度,而同一周期允许多次转换会降低预测时阈的长度。

10) 需求损失的易逝品动态批量决策与预测时阈研究

研究了需求损失(缺货)情形下易逝品的动态批量问题。易逝品的库存损失率和库存成本依赖于库存持有时间。构造了包含采购固定成本、采购变动成本、库存成本和缺货成本在内的成本最小化模型。证明了所构造的动态批量问题是最小凹成本网络流问题。在持有库存和缺货不满足无投机性动机的情形下,证明了最优解的结构性质,如"单源满足性质"和"库存先进先出"性质,依据这些性质,设计了两种等价的动态规划算法。利用边际成本分析法建立了采购点和再生点的单调性,进一步建立了再生集给出求解预测时阈的充分条件。在持有库存和缺货满足无投机性动机的情形下,发现零库存性质及缺货和库存不能同时为正的性质仍然成立,依据这两条性质,设计了两种算法复杂度更低的等价算法。最后运用数值实验分析了总成本与产品生命周期、缺货成本、固定成本和库存成本之间的关系。

11）仓储能力约束的易逝品动态批量决策与预测时阈研究

研究了仓储能力约束下易逝品的动态批量问题。构造了不允许需求延迟和损失的成本最小化模型。若持有库存不满足无投机性动机，则在仓储能力约束下，"需求单源满足"的性质不再成立，"库存先进先出"性质仍然成立。在此情形下，证明了最优解的另一结构性质，即某一采购周期采购数量的取值范围性质。依据最优解的结构性质设计了前向动态规划算法求解模型。运用边际成本分析法建立了采购点和再生点的单调性，进一步构建再生集给出了求解预测时阈的充分条件。若持有库存满足无投机性动机，则在仓储能力约束和时间依赖的库存成本和库存损失率的情形下，零库存性质依然成立，依据零库存性质设计了算法复杂度更低的前向动态规划算法。进一步将基础模型拓展到允许需求延迟情形和允许需求损失情形。分别考虑持有库存和需求延迟是否满足无投机性动机两种情形，依据最优解的结构性质设计了前向动态规划算法并求解了预测时阈。

12）两替代易逝品联合生产的动态批量决策与预测时阈研究

研究了联合采购情形下的两替代易逝品动态批量问题。两种易逝品的库存损失率和库存成本都依赖于库存持有时间。构造了包含采购联合启动成本、两产品采购单独启动成本、两产品变动采购成本、两产品库存成本和替代成本在内的成本最小化模型。证明了所构造的问题等价于最小凹成本网络流问题和最短路径问题。在两产品单位生产成本无条件变动的情形下，依据"需求单源满足"性质和"库存先进先出"性质设计了前向动态规划算法求解模型。利用边际成本分析法建立了两产品采购点和再生点的单调性，进一步构建两产品再生集，并给出了求解预测时阈的充分条件。在单位生产成本非时变的情形下，利用零库存性质，设计了算法复杂度更低的前向动态规划算法。最后利用数值实验分析了联合启动成本和替代成本对滚动时阈的影响。

13）仓储约束的两替代易逝品联合生产动态批量决策与预测时阈研究

研究了两替代易逝品共用有限仓储能力的动态批量问题。在两易逝品单位采购成本无条件变动的情形下，证明了"需求多源满足"性质和"库存先进先出"性质成立。依据这两条最优解的结构性质设计了前向动态规划算法求解模型。在两易逝品单位采购成本非时变的情形下，证明了零库存性质成立。在此情形下设计了前向动态规划算法求解模型，证明了两产品采购点和再生点的单调性，构建了两产品再生集并给出了求解预测时阈的充分条件。同时阐述了单位采购成本时变情形下运用边际成本分析法求解预测时阈的基本思路与方法。最后用数值实验分析了仓储能力、产品生命周期和成本参数对总成本和预测时阈的影响。

14）生产转换的两替代易逝品动态批量决策与预测时阈研究

采用短生命周期来刻画易逝品，生命周期之内没有库存损失，库存成本是非时间依赖的。构造了包含生产转换成本、变动生产成本、替代成本和库存成本在内的成本最小化模型。在单位生产成本无条件变动的情形下，发现零库存性质不再成立，在"需求单源满足"和"库存先进先出"两个性质的基础上设计了前向动态规划算法求解模型。利用边际成本分析方法分析了预测时阈问题。在持有库存没有投机性动机或单位生产成本非时变的情形下，证明了零库存性质成立。分析了这种特殊成本结构下易逝品的动态批量和预测时阈问题。

2. 今后研究机会

随着新的生产技术、生产模式和新商业场景出现，未来的动态批量和预测时阈领域将出现更多的新研究机会，本书简要列举一些今后的新研究方向，供读者思考和拓展研究。

1) 产能共享情形下的动态批量与预测时阈研究

伴随着共享经济理念在消费端的逐渐成熟，生产制造领域也开始出现制造产能共享，并成为制造业深入推进供给侧结构性改革和拥抱新经济发展理念的最新尝试。共享经济模式向制造领域的深入渗透、全面融合以及再次创新，形成了制造业产能共享的新模式。近年来，我国制造产能共享快速发展，2018 年我国制造业产能共享市场规模约 8236 亿元，其市场规模在共享经济总体中比重较 2017 年提高了 8%。通过产能共享平台提供生产服务的企业数量超过 20 万家。相比于产能约束，产能共享使得企业的运作柔性增加，因此企业在产能共享下的动态批量与预测时阈决策更为复杂。决策的复杂性主要体现在不仅要决策出生产与库存数量，同时还要决策出每一周期从市场上租赁多少产能与出租多少产能，产能租入与租出和产品生产与库存数量的即时协同增加了企业生产运作的复杂性。因此，在产能共享模式下企业动态批量与预测时阈问题是未来重要的研究机会。

2) 云仓储情形下的动态批量与预测时阈研究

云仓储是一种全新的仓储模式，是依托信息技术平台充分共享社会仓储资源，做到迅速经济地获得理想的仓储服务。云仓库的发展引发了新的决策挑战。例如，如何进行合理的库存供需匹配，从而有效降低库存成本和提高服务水平是云仓储管理平台重点解决的问题。另外，仓储存在机会成本，当某个仓库接受了某个时间段的仓储需求时，这个时间段便不能再接受其他仓储需求。例如，某一仓库接受了 1 月 1～7 日的 1 万 m^3 的仓储需求，那么此仓库这 1 万 m^3 的仓容便不能接受 1 月 1～20 日的仓储需求，而后一需求订单可能为云仓储平台带来更高的收益。因此，在存在机会成本的情形下，云仓储平台如何对仓容进行有效分配进而获取最大收益是未来动态批量与预测时阈研究的重要机会。Fan 和 Wang (2018) 初步探讨了在仓储能力共享下的单产品动态批量决策问题，为云仓储情形下动态批量问题的研究做出了有益的尝试。

3) 平台采购情形下的动态批量与预测时阈研究

随着互联网经济的迅速发展，大部分企业采购都是通过线上采购平台来完成的。就目前市场而言，除了阿里采购平台，还出现了很多较为成熟的 B2B 网站，如京东企业购、专注于办公用品采购的晨光科力普等，这些平台都能够为企业提供一站式采购、定制化服务和专业配送。对于采购平台，将面临更为复杂的批量决策问题。例如，采购平台为了实现规模经济，将会对企业的采购订单进行分类整合，当达到一定采购数量或一定的金额后再进行采购与配送，而配送也是采用 Batch 运输方式。因此，在平台采购情形下的动态批量问题集成了最小采购批量约束与 Batch 运输方式约束。另外，平台采购方式还需考虑每一个企业订单数量与金额的不同而设计不同的采购价格和折扣。因此，集成了多重约束的平台采购的动态批量与预测时阈研究是未来的研究重点。

4) 需求参数未知情形下的动态批量与预测时阈研究

在现有的动态批量优化问题中都假设企业能够从历史数据中推断出未来周期的需求

情况，但是在很多实际情形中，往往缺乏有效的历史需求数据。例如，一个在历史上从没有被采用过的新销售策略就无法获得历史需求数据。因此，需求参数具有不确定性，而尝试积累数据的过程有可能会对未来的决策效果产生影响。例如，使用了一个大的降价策略之后可能会对消费者的行为产生影响，进而对需求产生影响，这也意味着不可能提前精准地知道需求情况。另外，消费者的需求会随着时间和外部环境等因素而改变。上述情形下，关键的问题是如何能够获得动态的决策方案使其可以在决策过程中积累最有用的需求数据，从而对模型有更为精准的把握，同时在整个过程中获得整体的最优回报，并且可以适应环境的不断变化。这类问题通常称为需求学习问题，近些年随着数据科学的进步而得以快速发展（Chen and Chao，2020；Miao and Chao，2020；Zhang et al.，2018，2020；Chen et al.，2019）。处理这类问题的算法通常称为在线学习算法，该类算法的特点是不断地在决策中学习，在学习中决策，将学习和决策的过程以最优的方式融为一体，从而达到整体的和长期的优化。这类问题极具挑战性而又具有重要的实际意义，是动态批量与预测时阈领域未来重要的研究方向。

5）个性化定制情形下的动态批量与预测时阈研究

随着消费观念的改变，新时代的消费者越来越厌倦千篇一律、毫无新意的产品。而那些手工打磨、精雕细琢的产品却备受青睐，消费者甚至愿意以数倍于"标准化"产品的价格来为"个性化"买单。个性化消费促使企业定制化生产的出现，同时标准化产品也为大量追求性价比的顾客所选择。这导致企业既要生产定制化产品满足消费者个性化的需求，又要生产标准化产品满足消费者常规性的需求。标准化产品的生产是大批量生产模式，而定制化产品的生产通常采用小批量甚至单件生产模式。当企业同时生产这两类产品时，需要对大批量和小批量两种生产模式进行动态化协同，这为生产批量与库存批量决策带来了挑战。由于两种生产模式需要协同优化，预测时阈决策较单一生产模式情形更为复杂。因此，同时存在个性化定制与常规化生产的动态批量与预测时阈决策问题在未来将具有重要的研究价值。

6）基于概率销售的动态批量与预测时阈研究

概率销售（probabilistic selling）即销售商在销售过程中，基于两种以上的实物产品设计出一种概率产品（probabilistic goods），凡是购买了该概率产品的顾客将以一定的概率获得某种实物产品。采用这种销售模式的好处在于有效地刺激了那些在意产品价格甚于产品款式的顾客的需求。例如，美国最大的游泳产品在线专卖网站 SwimOutlet.com，在利用传统模式出售泳衣的同时，还提供一种名为"Grab-bag"（摸彩袋子）的概率泳衣。消费者只可以选择泳衣的尺码，而颜色、样式均由企业随机决定。购买 SwimOutlet 概率泳衣的消费者可以享受低于五折的价格优惠，受到了追求性价比的消费者的青睐。概率销售能够帮助企业提升商品供求的匹配度，最大限度地降低产品库存。当下流行的"盲盒"和"福袋"等也是典型的概率销售模式。作为一种模糊销售策略的概率销售可以通过具有不确定性的交付来帮助销售商更好地匹配需求与供给，从而起到降低库存风险的作用。概率销售通过利用价格敏感性顾客的产品需求与企业的生产与库存进行完美匹配，达到减少库存（清库存）和促进销售的目的，但同时会导致一些原打算以正常价格购买正常产品的顾客转向概率产品，对产品的正常销售产生了一定程度的竞争，这种（正负）双重效应将给生产与库存决策带来一定的挑战。因此，对于产品概率销售与生产/库存动态批量和预测时阈的集成优化问题的研究在未来应予以更多关注。

7) 关联性多产品的动态批量与预测时阈研究

多产品动态批量问题的研究主要集中在产品之间的独立或相互替代性关系，而关联性多产品(如互补性产品、捆绑销售多产品等)的动态批量问题的研究目前还基本处于空白状态。飞机、汽车和手机等产品是由大量零部件组装生产而成的，而这些零部件是一种互补关系，缺少任何一种部件都无法生产出可以交付使用的产品。另外，互补产品的动态批量决策也天然地与多级动态批量问题和(非)合作博弈动态批量问题交织在一起，大大增加了互补产品动态批量决策的难度。捆绑销售的多产品也是关联性产品的一种形式，捆绑销售的多产品可以是互补性较强的产品，也可以是彼此独立的产品通过人为地捆绑在一起销售。多产品之间的关联性使得在做批量决策时不能简单地将多产品划分为多个独立单产品的组合，而必须考虑产品之间的互补性、捆绑销售等因素对批量决策的影响，从而使得动态批量和预测时阈决策变得比较复杂。因此，对于关联性多产品的批量决策与预测时阈问题在未来的研究中应重点考虑。

8) 基于动态定价的动态批量与预测时阈研究

随着数字化程度提升，定价的灵活性有了长足的发展。对于企业，动态定价可以增加销售机会，更好地满足消费者需求。动态定价的核心逻辑是基于供需关系的调整策略，在成本相对稳定的前提下，动态定价可以有效平衡需求量与收益。定价过程依赖数据和算法，以及营销策略的综合实现。亚马逊每天都会调整无数次价格。除了在线商店，实体店也在应用动态定价方面取得了突破。欧洲的超市里面"智能货架"的出现使得实体店铺有了应用动态定价的基础，根据商品的供需信息在不同时间显示不同价格。Sainsbury、Morrisons和 Tesco 已经在试点门店中实验电子价格系统。需求预测是动态定价的核心问题之一，既包括需求的整体预测，也包括细分维度的预测。另外，零售平台通常经营成千上万的商品，且这些商品之间并不是完全独立的，如何基于产品的生产/库存批量进行动态定价，以及如何根据动态定价进行生产/库存批量决策，这些都是此类研究的难点问题。因此，在动态定价情形下研究动态批量与预测时阈决策是未来重要的研究机会。

9) 先用后付模式下的动态批量与预测时阈研究

很多消费者在线上购物时通常会有这样一种心理：商品图片看着还行，但万一买后感觉质量不好或者不合适怎么办？拼多多和淘宝的先用后付模式打消了消费者的顾虑。先用后付是指在不付款情况下可提前享用产品或服务，使用完后再付款，是平台的最新营销工具。先用后付模式在营销上给企业带来好处的同时也给后端的运营带来了较大的压力，主要体现在退换货的增加，增加了企业的生产与库存计划难度，进一步导致了运营成本增加。退换的商品可以分为两类，一类是不影响二次销售的，另一类是影响二次销售的。不影响二次销售的退换商品能够重新上架销售，而影响二次销售的退换商品的处理方式一般有三类：一是完全废弃；二是将产品拆解，将其中有用的零部件进行重新使用；三是当成二手产品上架销售。先用后付模式导致的退换货随机性增加了企业生产/库存批量和定价决策的难度，同时也对预测时阈的决策带来了挑战。因此，在先用后付模式下进行定价与生产(采购)批量联合决策是动态批量与预测时阈问题拓展研究的重要方向。

10）基于智能制造的动态批量与预测时阈研究

随着美国、德国、英国、日本等国家制造业不断地加快向数字化、智能化方向发展，智能制造对制造业竞争力的影响也越来越大。中国将智能制造作为《中国制造 2025》的主攻方向，在《中国制造 2025》规划中，指出智能制造是未来制造业发展的重大趋势和核心内容，也是解决我国制造业由大变强的根本路径。智能制造不仅决定了未来制造业的竞争格局，而且是整个制造业重塑的核心和关键。智能制造使得生产柔性大幅度提升，多品种、小批量的生产方式得以实现，但也产生了生产线的频繁切换以及通用件与特殊件生产调度的难题，因此智能制造环境下的动态批量和预测时阈问题将会产生新的研究课题。另外，智能制造需要实现高水平的人机协同，由此产生的人机协同条件下的动态批量和预测时阈决策问题也非常值得探索。因此，智能制造背景下的动态批量与预测时阈决策为今后的研究提供了重要的机会。

11）考虑学习效应的制造平台的动态批量与预测时阈研究

犀牛智造工厂是阿里巴巴探索新制造模式打造出的数字化智能化制造平台，运用阿里巴巴的云计算、物联网、人工智能技术，为工厂赋予了"智慧大脑"，连通个性消费和弹性生产，构建新制造体系，实现制造的智能化、个性化、定制化升级。其实，除了犀牛智造，大量的制造平台已经或即将出现于各个行业领域。此类制造平台的特征是拥有海量数据。如何有效地利用这些数据，通过学习效应实现生产批量与需求的完美匹配是这些制造平台需要解决的问题。因此，考虑学习效应的制造平台的动态批量与预测时阈研究将是未来重要的研究机会。

12）基于多主体风险特征的易逝品动态批量与预测时阈研究

果蔬类易逝品容易受天气、气候等因素的影响而存在供应不足的风险。另外，以生鲜农产品为代表的食品安全问题屡见不鲜，民众普遍对食品安全充满忧虑。同时，易逝品从生产制作完成到最终消费者往往会经历多个主体（如制造商、分销商、零售商等），而各主体往往具有不同的风险特征。例如，在生产环节面临的风险一般为添加剂超标、农药残留超标、重金属污染等，在运输环节面临的主要风险是温度、湿度等运输条件引起的产品品质下降，以及机械损伤导致微生物侵染而腐烂变质。根据不同的风险需要建立有针对性的风险防控措施，如建立多源采购机制以降低供应不足的风险；建立产品全生命周期的追溯系统能够在出现产品安全问题时有针对性地召回。将抵御风险机制纳入批量决策将大大增加决策的复杂性，如在多源采购的情形下需要决策什么时间从哪些供应商处采购多少，如何在各个主体的风险特征与风险大小不同的情形下决策采购批量与库存批量。另外，上游主体出现的安全风险问题导致产品召回，使得下游主体也会产生相应的成本，此时上游主体如何对下游主体因产品召回产生的成本进行分摊？因此，在多主体不同风险特征情形下研究易逝品动态批量与预测时阈决策将是今后重要的研究方向。

13）顾客自主定价模式下的易逝品动态批量与预测时阈研究

顾客自主定价（逆向定价或逆向拍卖）的模式在美国已有二十年历史。长久以来，商家定价、消费者选择买或不买是经典的商业逻辑，反过来，买家定价、商家决定卖还是不卖则是创新的商业模式。在自主定价模式下，顾客选定要购入的商品与数量并报出自己的出价，成交之前顾客并不知道此种商品的产地、距离过期日还有多长时间等具体信息，若电商平台拒绝顾客的出价，则顾客可以提高出价再和电商平台博弈，但任何出价在被电商平台拒绝前都无法撤回，而且一旦成交，顾客支付账户会立即支付。这时顾客才会收到商品的具体信息，且订单无法取消。自主定价模式最早应用于酒店、机票等易逝品预订，如Priceline 网站就因采用自主定价的商业模式而大获成功。近年来，随着网络平台的快速发展，此定价模式也蔓延到了电商百货行业，如 Theorem 购物网站和"好价由你定"电商平台。在电商普及的时代，自主定价模式给了消费者参与定价的权利，既能精准定位用户需求、找准用户期待价格，也让消费者体验到了购物的自主性和趣味性，从而会极大地促进销售。另外，对于过期即无价值的易逝品销售电商，这将是一种很好的处理库存增加价值的机会。但自主定价模式也增加了电商平台决策的复杂度。电商平台需要考虑顾客出价的大小、数量，同时结合产品的库存和补货策略，确定最终的销售决策。因此，在顾客自主定价模式下研究电商平台关于易逝品的动态补货与库存批量决策，今后将具有重要的研究意义。

14) 存在 3D 打印的多级动态批量与预测时阈研究

三维 (3D) 打印是一种增材制造技术，其对应的生产方式是以商品 3D 数据文件为基础，使用粉末状金属或塑料等可黏合材料，通过逐层打印实现制造过程。与传统制造方式相比，它具有不浪费原材料、环保经济的特点。3D 打印正逐渐取代传统工艺，成为制造需求量低或价格昂贵的备用零部件的最佳解决方案。例如，戴姆勒股份公司利用 3D 打印技术，专门为经典老车打造备用件，实现个别零件的小批量生产。相比传统大规模生产，3D 打印由于生产流程大幅简化，制造成本可以大幅降低，且不需要准备最低备货量，一定程度降低了零部件的库存压力。3D 打印可能存在于产品制造多环节的任何一环，当某一环节采用 3D 打印时，相对于其他环节的大批量制造，这一环节的产出量相对较小。因此，如何实现分散在各环节的传统大批量制造与 3D 打印环节小批量制造之间的有机协调是此类生产批量决策问题的难点。因此，在存在 3D 打印制造环节的情况下，多级协同的动态批量与预测时阈问题非常值得今后深入研究。

15) 存在多销售渠道的动态批量与预测时阈研究

随着电子商务的持续发展，众多企业开始在传统零售渠道的基础上致力于网络渠道的建立与发展，如电子产品行业中的苹果、小米等，服装制造行业中的耐克等，这些企业不仅通过第三方零售商店销售产品，也通过自己的销售店进行直销。《纽约时报》的一项调查表明，约有 42% 的顶尖品牌已开设了网络直销渠道，如 IBM、耐克、雅诗兰黛等。在多渠道的情形下，传统的动态批量与预测时阈决策将发生改变。例如，不同渠道的销售模式不同、成本结构不同等，导致各个渠道的批量决策存在差异。同时各个渠道之间需要高效协同，以实现规模经济性。因此，如何决策最优的动态批量和预测时阈以实现多渠道协调将是非常值得研究的问题。同时，多渠道情形下预测时阈的存在性及存在条件也是今后重要的研究问题。

16) 多种折扣 (组合) 模式下的动态批量与预测时阈研究

折扣促销由于给消费者以较明显的价格优惠，可以有效地提高商品的市场竞争力，应争取消费者，创造出良好的市场销售态势，同时可以刺激消费者的消费欲望，鼓励消费者大批量购买商品，创造出"薄利多销"的市场获利机制。折扣促销手段被电商平台广泛使用，除了数量折扣、价格折扣、功能折扣和季节折扣，电商平台还采用如下折扣模式：特价、满减、满件折、买赠、换购、套装、限时购、预售等。对于以上多种折扣模式下动态批量决策及预测时阈问题的分析，需要新的思路。优化算法的设计与预测时阈的存在性分析是电商平台折扣情境下动态批量决策的重要研究方向。而对于某些折扣模式下被证明为NP-难问题的动态批量问题，设计多项式时间的有效近似算法，并进一步基于近似算法求解预测时阈也是未来此类问题的研究机会。另外，Dawande 等（2006，2007，2009）提出的整数规划方法是一种全新的求解预测时阈的视角，整数规划方法是解决复杂现实情形下预测时阈问题的一种有力工具。因此，应用整数规划方法求解电商平台多种折扣模式下的动态批量和预测时阈问题也是未来值得研究的方向。

17）线上线下全渠道多折扣协同的动态批量与预测时阈研究

随着消费水平的提升和市场竞争的加剧，全渠道销售场景在零售市场中逐渐普及。在线上线下全渠道销售过程中，企业将面临这样一些问题，即线上线下采取同样的折扣组合方式还是不同的折扣组合方式，哪一种方式能够更好地协调渠道，为企业带来更高的利润？另外，随着线上线下的融合，线上购买线下提货的模式也越来越普遍。例如，在淘宝商城上海大众朗逸可以线上购买线下提车，谈判、购车、支付都是在网上，只要达到一定人数，汽车就打 9 折，30 人打 8.5 折，150 人打 7.3 折。在线上购买线下提货的模式中，线上销售和线下销售的最终数量可能并不相同，即存在部分消费者在参与了线上折扣后在线下并没有完成消费或发生了退货。这些问题都会对企业的生产批量及线上线下的采购/库存批量和预测时阈决策产生影响。因此，如何协同全渠道的多种折扣模式，以及在多折扣模式下进行生产/采购/库存批量和预测时阈决策都是值得今后重点研究的方向。

18）碳排放约束下的闭环制造动态批量与预测时阈研究

实现碳达峰、碳中和目标是广泛而深刻的经济社会系统性变革。2021 年 2 月，生态环境部公布了《碳排放权交易管理办法》，并印发配套的配额分配方案和重点排放单位名单。2021 年 6 月 22 日，上海能源环境交易所正式发布《关于全国碳排放权交易相关事项的公告》，该公告明确了全国碳排放权交易机构负责组织开展全国碳排放权集中统一交易。生产制造业是我国碳达峰、碳中和的重要组成部分，碳达峰、碳中和将会改变制造业的生产运营决策。Absi 等（2013，2016）、Helmrich 等（2015）和 Wu 等（2018）对于存在碳排放限额情形下的动态批量问题进行了初步探讨。但相比于碳排放限额，碳排放配额交易机制下的企业生产批量和预测时阈决策研究更为现实和关键。这是因为在碳排放配额交易机制下，企业不仅要优化每一周期产品的生产与库存数量，同时还要优化出每一周期购入或卖出碳排放配额的数量（黄帝等，2016）。碳排放配额的交易数量与产品的生产与库存批量的协同优化增加了动态批量和预测时阈决策的挑战性。另外，除了碳排放权交易，碳税也是一种碳减排的重要手段。因此，企业在碳减排政策或政策组合约束下，最优的生产批量和预测时阈决策问题是今后值得深入研究的重要方向。

19）碳排放约束下的闭环平台动态批量与预测时阈研究

平台是企业发展的新模式之一，随着环保政策的更加严格以及企业对环保的重视，闭环平台相继出现。例如，京东和万物新生（爱回收）、淘宝和闲鱼都是闭环平台的初步形态。闭环平台通常关联多个制造和服务企业，当碳排放配额约束平台时，平台需要决策碳排放交易的数量，碳排放配额如何在多个企业之间进行分配，以及协调各个企业的生产/采购/库存批量；当碳排放配额同时约束平台和企业时，平台和企业之间以及企业与企业之间会有碳排放配额和生产/采购/库存批量的博弈。这些问题将是今后碳排放约束下的闭环平台动态批量决策与预测时阈研究的重要方向。

20) 考虑供应链韧性的多主体动态批量与预测时阈研究

供应链的韧性是指供应链上的个别企业或所有企业在经受一定内外压力，导致企业资源、流程、组织等配置出现困难且正常运营受到影响时，仍能共同灵活应对且能很快恢复常态，始终维持供应链正常运营的能力。显然一个具有韧性的供应链一定具有快速应对外部扰动的能力。在突发灾难的情况下，供应链韧性的作用尤为明显和突出。新冠肺炎疫情是典型的突发性灾难，给企业供应链造成极大的冲击。当今的供应链运营结构大多是线性模式，供应链上游出现扰动时，必将影响下游，例如，原材料短缺会导致生产中断，成品交付延迟则导致市场缺货，最终冲击销售等供应链上的其他节点。这种线性特点造成供应链在结构上无法灵活应对日益频繁的突发事件，以致供应链韧性有限，任何一次突发性的中断，都将威胁到整体供应链端到端的稳定。全球疫情还极不稳定，企业要做好在后疫情时代应对长期挑战的计划。Liu 等(2016)提出一种多企业动态虚拟转运混同存储产品(原材料)安全库存的方法以提高供应链韧性，此方法要求多个企业动态联合决策产品(原材料)的安全库存。这种增加供应链韧性的方法，可以降低安全库存成本，但协调的复杂度将大幅度增加，给生产/库存批量决策带来了极大的挑战。因此，今后在考虑供应链韧性的条件下研究多个企业之间的动态批量集成优化与预测时阈协调将是极具创新性的研究方向。

21) 存在平台竞争/合作的动态批量与预测时阈研究

自 2013 年起，我国已连续八年成为全球最大的网络零售市场。2020 年，我国网上零售额达 11.76 万亿元。截至 2020 年 12 月，我国网络购物用户规模达 7.82 亿。繁荣的网络购物市场给平台企业带来了新的发展机遇，也带来了诸多挑战。例如，自营式网络零售商京东，不仅平台自身进行产品销售，还存在诸多第三方企业在京东平台进行产品销售，由于企业和平台之间存在博弈行为，因此此类销售模式给平台和企业的库存批量和预测时阈决策带来了新的问题。另外，京东和淘宝是相互竞争的零售平台，每一个平台上又存在多个相互竞争的企业，两个平台和多个企业之间形成了多条相互竞争的平台供应链。而且同一家企业同时在两个平台进行产品销售的现象也存在。这种平台供应链的竞争也对平台和企业的库存批量和预测时阈决策带来了新的挑战。除了竞争平台，还存在合作平台，如淘宝和闲鱼、京东和爱回收都是典型的合作平台。平台的合作又将如何影响生产/库存批量和预测时阈决策，这些问题都值得深入思考。因此，考虑平台竞争与合作环境下各个主体的动态批量与预测时阈决策将是值得深入拓展的研究方向。

本书的研究为生产运营管理领域的研究者和实践者描绘出动态批量与预测时阈的新研究蓝图。新方向和新问题的提出将为学者今后在该领域的深入研究提供新的思考对象和研究机会。

参 考 文 献

黄帝，陈剑，周泓. 2016. 配额-交易机制下动态批量生产和减排投资策略研究[J]. 中国管理科学，24(4)：129-137.

Absi N，Dauzere-Peres S，Kedad-Sidhoum S，et al. 2013. Lot sizing with carbon emission constraints[J]. European Journal of Operational Research，2013，227：55-61.

Absi N，Dauzere-Peres S，Kedad-Sidhoum S，et al. 2016. The single-item green lot-sizing problem with fixed carbon emissions[J]. European Journal of Operational Research，248：849-855.

Chen B X，Chao X L. 2020. Dynamic inventory control with stockout substitution and demand learning[J]. Management Science，66(11)：5108-5127.

Chen B X，Chao X L，Ahn H S. 2019. Coordinating pricing and inventory replenishment with nonparametric demand learning[J]. Operations Research，67(4)：1035-1052.

Dawande M，Gavirneni S，Naranpanawe S，et al. 2006. Computing minimal forecast horizons：An integer programming approach[J]. Journal of Mathematical Modelling and Algorithm，5(2)：239-258.

Dawande M，Gavirneni S，Naranpanawe S，et al. 2007. Forecast horizons for a class of dynamic lot-size problems under discrete future demand[J]. Operations Research，55(4)：688-702.

Dawande M，Gavirneni S，Naranpanawe S，et al. 2009. Discrete forecast horizons for two-product variants of the dynamic lot-size problem[J]. International Journal of Production Economics，120(2)：430-436.

Fan J，Wang G Q. 2018. Joint optimization of dynamic lot and warehouse sizing problems[J]. European Journal of Operational Research，267：849-854.

Helmrich M J R，Jans R，Heuvel W V D，et al. 2015. The economic lot-sizing problem with an emission capacity constraint[J]. European Journal of Operational Research，241：50-62.

Liu F，Song J S，Tong J D. 2016. Building supply chain resilience through virtual stockpile pooling[J]. Production and Operations Management，25(10)：1745-1762.

Miao S T，Chao X L. 2020. Dynamic joint assortment and pricing optimization with demand learning[J]. Manufacturing and Service Operations Management，23(2)：525-545.

Wu T，Xiao F，Zhang C R，et al. 2018. The green capacitated multi-item lot sizing problem with parallel machines[J]. Computers and Operations Research，98：149-164.

Zhang H N，Chao X L，Shi C. 2018. Technical note—Perishable inventory systems：Convexity results for base-stock policies and learning algorithms under censored demand[J]. Operations Research，66(5)：1276-1286.

Zhang H N，Chao X L，Shi C. 2020. Closing the gap: A learning algorithm for lost-sales inventory systems with lead times[J]. Management Science，66(5)：1962-1980.

附录一

引理 2-1 证明　不失一般性，假设在 $j_1(T)$ 之后的周期中仅有一个 II 类再生点。根据 $P(T)$ 的最优性可得

$$C(T) = C(j_1(T)) + K_{j_1(T)+1} + c\sum_{u=j_1(T)+1}^{j_2(T)} d_u + \sum_{u=j_1(T)+1}^{j_2(T)-1}\sum_{v=u+1}^{j_2(T)} h_u d_v$$

$$+ k_{j_2(T)+1} + o\sum_{u=j_2(T)+1}^{T} d_u + \sum_{u=j_2(T)+1}^{T-1}\sum_{v=u+1}^{T} h_u d_v \tag{2-23}$$

$$< C(j_1(T)) + K_{j_1(T)+1} + c\sum_{u=j_1(T)+1}^{j_2(T)} d_u + \sum_{u=j_1(T)+1}^{j_2(T)-1}\sum_{v=u+1}^{j_2(T)} h_u d_v$$

$$+ c\sum_{u=j_2(T)+1}^{T} d_u + \sum_{u=j_1(T)+1}^{j_2(T)}\sum_{v=j_2(T)+1}^{T} h_u d_v + \sum_{u=j_2(T)+1}^{T-1}\sum_{v=u+1}^{T} h_u d_v$$

由式(2-23)可得

$$c\sum_{u=j_2(T)+1}^{T} d_u + \sum_{u=j_1(T)+1}^{j_2(T)}\sum_{v=j_2(T)+1}^{T} h_u d_v > k_{j_2(T)+1} + o\sum_{u=j_2(T)+1}^{T} d_u \tag{2-24}$$

化简式(2-24)可得

$$c + \sum_{u=j_1(T)+1}^{j_2(T)} h_u - o > k_{j_2(T)+1} \left/ \sum_{u=j_2(T)+1}^{T} d_u > 0 \right.$$

若 $c < o$，则从周期 $j_1(T)+1$ 到 $j_2(T)$ 至少存在一个周期 λ，有 $c + \sum_{u=\lambda}^{j_2(T)} h_u < o$ 成立，$\lambda = j_1(T)+1, j_1(T)+2, \cdots, j_2(T)$。为了简化方程，令 $\lambda = j_1(T)+1$，则有

$$C(T) = C(\lambda-1) + K_\lambda + c\sum_{u=\lambda}^{j_2(T)} d_u + \sum_{u=\lambda}^{j_2(T)-1}\sum_{v=u+1}^{j_2(T)} h_u d_v$$

$$+ k_{j_2(T)+1} + o\sum_{u=j_2(T)+1}^{T} d_u + \sum_{u=j_2(T)+1}^{T-1}\sum_{v=u+1}^{T} h_u d_v \tag{2-25}$$

$$< C(\lambda-1) + K_\lambda + c\sum_{u=\lambda}^{T} d_u + \sum_{u=\lambda}^{T-1}\sum_{v=u+1}^{T} h_u d_v$$

由式(2-25)可得

$$K_\lambda + c\sum_{u=\lambda}^{j_2(T)} d_u + \sum_{u=\lambda}^{j_2(T)-1}\sum_{v=u+1}^{j_2(T)} h_u d_v + k_{j_2(T)+1} + o\sum_{u=j_2(T)+1}^{T} d_u + \sum_{u=j_2(T)+1}^{T-1}\sum_{v=u+1}^{T} h_u d_v$$

$$< K_\lambda + c\sum_{u=\lambda}^{T} d_u + \sum_{u=\lambda}^{T-1}\sum_{v=u+1}^{T} h_u d_v \tag{2-26}$$

若 $T+1$ 期的需求非常大，则有 $od_{T+1} \gg \left(c + \sum_{u=\lambda}^{j_2(T)} h_u\right) d_{T+1}$ 成立，在这种情形下，可以得

出如下不等式：

$$K_\lambda + c\sum_{u=\lambda}^{j_2(T)} d_u + \sum_{u=\lambda}^{j_2(T)-1}\sum_{v=u+1}^{j_2(T)} h_u d_v + k_{j_2(T)+1} + o\sum_{u=j_2(T)+1}^{T} d_u + \sum_{u=j_2(T)+1}^{T-1}\sum_{v=u+1}^{T} h_u d_v$$

$$+ \left(o + \sum_{u=j_2(T)+1}^{T} h_u\right)d_{T+1} > K_\lambda + c\sum_{u=\lambda}^{T} d_u + \sum_{u=\lambda}^{T-1}\sum_{v=u+1}^{T} h_u d_v + \left(c + \sum_{u=\lambda}^{j_2(T)} h_u + \sum_{u=j_2(T)+1}^{T} h_u\right)d_{T+1} \tag{2-27}$$

由式(2-27)进一步可得

$$C(\lambda-1) + K_\lambda + c\sum_{u=\lambda+1}^{j_2(T)} d_u + \sum_{u=\lambda}^{j_2(T)-1}\sum_{v=u+1}^{j_2(T)} h_u d_v + k_{j_2(T)+1} + o\sum_{u=j_2(T)+1}^{T+1} d_u + \sum_{u=j_2(T)+1}^{T}\sum_{v=u+1}^{T+1} h_u d_v$$

$$> C(\lambda-1) + K_\lambda + c\sum_{u=\lambda}^{T+1} d_u + \sum_{u=\lambda}^{T}\sum_{v=u+1}^{T+1} h_u d_v \tag{2-28}$$

不等式(2-28)意味着在周期 λ 生产满足从周期 $j_2(T)+1$ 到周期 $T+1$ 需求的成本要小于周期 $j_2(T)+1$ 外包满足从周期 $j_2(T)+1$ 到周期 $T+1$ 需求的成本。因此，在 $P(T+1)$ 的最优解中可能存在 $j(T+1) = j_1(T+1) < j(T)$。

定理2-2 证明 证明此定理需要考虑四种情形。情形 1： $j(T) = j_1(T)$ 和 $j(T+1) = j_1(T+1)$。情形 2： $j(T) = j_2(T)$ 和 $j(T+1) = j_2(T)$。情形 3： $j(T) = j_1(T)$ 和 $j(T+1) = j_2(T+1)$。情形 4： $j(T) = j_2(T)$ 和 $j(T+1) = j_1(T+1)$。

情形 1 由 $j_1(T)$ 的定义可得 $j_1(T+1)$ 是 $P(T+1)$ 最优解中最后一个 I 类再生点。运用反证法证明 $j_1(T+1) \geqslant j_1(T)$，假设在 $P(T+1)$ 的最优解中有 $j_1(T+1) < j_1(T)$ 成立。

由式(2-7)～式(2-11)可得

$$C_{j_1(T)}(T+1) = C_{j_1(T)}(T) + \left(c + \sum_{u=j_1(T)+1}^{T} h_u\right)d_{T+1} \tag{2-29}$$

和

$$C(T+1) = C_{j_1(T+1)}(T+1) = C_{j_1(T+1)}(T) + \left(c + \sum_{u=j_1(T+1)+1}^{T} h_u\right)d_{T+1} \tag{2-30}$$

若 $C(T+1) = C_{j_1(T+1)}(T+1) \leqslant C_{j_1(T)}(T+1)$，则

$$C_{j_1(T+1)}(T) + \left(c + \sum_{u=j_1(T+1)+1}^{T} h_u\right)d_v \leqslant C_{j_1(T)}(T) + \left(c + \sum_{u=j_1(T)+1}^{T} h_u\right)d_v \tag{2-31}$$

由假设 $j_1(T+1) < j_1(T)$ 可得

$$C_{j_1(T+1)}(T) + \sum_{u=j_1(T+1)+1}^{j_1(T)} h_u d_{T+1} \leqslant C_{j_1(T)}(T) \tag{2-32}$$

若 $\displaystyle\sum_{u=j_1(T+1)+1}^{j_1(T)} h_u d_{T+1} > 0$，则 $C_{j_1(T+1)}(T) < C_{j_1(T)}(T)$。由 $C(T) = C_{j_1(T)}(T)$ 可得 $C_{j_1(T+1)}(T) \geqslant C_{j_1(T)}(T)$。即由假设 $j_1(T+1) < j_1(T)$ 得出了矛盾的结论，因此可得 $j_1(T+1) \geqslant j_1(T)$。

情形 2 此种情形下的证明类似情形 1，这里略。

情形 3 同样假设在 $P(T+1)$ 的最优解中有 $j_2(T+1) < j_1(T)$ 成立。

由式(2-7)～式(2-11)也可得

$$C_{j_1(T)}(T+1) = C_{j_1(T)}(T) + \left(c + \sum_{u=j_1(T)+1}^{T} h_u\right)d_{T+1} \tag{2-33}$$

和

$$C(T+1) = C_{j_2(T+1)}(T+1) = C_{j_2(T+1)}(T) + \left(o + \sum_{u=j_2(T+1)+1}^{T} h_u\right)d_{T+1} \tag{2-34}$$

若 $C(T+1) = C_{j_2(T+1)}(T+1) \leqslant C_{j_1(T)}(T+1)$，则有

$$C_{j_2(T+1)}(T) + \left(o + \sum_{u=j_2(T+1)+1}^{T} h_u\right)d_{T+1} \leqslant C_{j_1(T)}(T) + \left(c + \sum_{u=j_1(T)+1}^{T} h_u\right)d_{T+1} \tag{2-35}$$

由假设 $j_2(T+1) < j_1(T)$ 可得

$$C_{j_2(T+1)}(T) + \left(o + \sum_{u=j_2(T+1)+1}^{j_1(T)} h_u d_{T+1} - c\right) \leqslant C_{j_1(T)}(T) \tag{2-36}$$

若 $o > c$，则有 $\left(o + \sum_{u=j_2(T+1)+1}^{j_1(T)} h_u - c\right)d_{T+1} > 0$，进一步可得 $C_{j_2(T+1)}(T) < C_{j_1(T)}(T)$。

又若 $C(T) = C_{j_1(T)}(T)$，则有 $C_{j_2(T+1)}(T) \geqslant C_{j_1(T)}(T)$。与假设 $j_2(T+1) < j_1(T)$ 得出了矛盾的结论，因此可得 $j_2(T+1) \geqslant j_1(T)$。

情形 4 由引理 2-1 可得在 $P(T+1)$ 的最优解中最后一个再生点可能存在关系 $j(T+1) = j_1(T+1) < j(T) = j_2(T)$。仍然采用反证法证明 $j_1(T+1) \geqslant j_1(T)$。

不失一般性，假设在 $P(T)$ 的最优解中周期 $j_1(T)$ 之后仅有一个 II 类再生点。由 $P(T)$ 的最优性可得

$$\begin{aligned}
C(T) &= C(j_1(T)) + K_{j_1(T)+1} + c\sum_{u=j_1(T)+1}^{j_2(T)} d_u + \sum_{u=j_1(T)+1}^{j_2(T)-1}\sum_{v=u+1}^{j_2(T)} h_u d_v \\
&\quad + k_{j_2(T)+1} + o\sum_{u=j_2(T)+1}^{T} d_u + \sum_{u=j_2(T)+1}^{T-1}\sum_{v=u+1}^{T} h_u d_v \\
&< C(j_1(T)) + K_{j_1(T)+1} + c\sum_{u=j_1(T)+1}^{j_2(T)} d_u + \sum_{u=j_1(T)+1}^{j_2(T)-1}\sum_{v=u+1}^{j_2(T)} h_u d_v \\
&\quad + c\sum_{u=j_2(T)+1}^{T} d_u + \sum_{u=j_1(T)+1}^{j_2(T)}\sum_{v=j_2(T)+1}^{T} h_u d_v + \sum_{u=j_2(T)+1}^{T-1}\sum_{v=u+1}^{T} h_u d_v
\end{aligned} \tag{2-37}$$

由式 (2-37) 可得

$$c + \sum_{u=j_1(T)+1}^{j_2(T)} h_u - o > k_{j_2(T)+1} \bigg/ \sum_{v=j_2(T)+1}^{T} d_v > 0 \tag{2-38}$$

由式 (2-7) ~ 式 (2-11) 可得

$$\begin{aligned}
C_{j_1(T)}(T+1) &= C_{j_1(T)}(T) + \left(c + \sum_{u=j_1(T)+1}^{T} h_u\right)d_{T+1} \\
&> C_{j_2(T)}(T+1) \\
&= C_{j_2(T)}(T) + \left(o + \sum_{u=j_2(T)+1}^{T} h_u\right)d_{T+1}
\end{aligned} \tag{2-39}$$

和

$$C(T+1) = C_{j_1(T+1)}(T+1) = C_{j_1(T+1)}(T) + \left(c + \sum_{u=j_1(T+1)+1}^{T} h_u\right)d_{T+1} \tag{2-40}$$

假设在 $P(T+1)$ 的最优解中有 $j_1(T+1) < j_1(T)$ 成立，接下来需要用反证法证明 $j_1(T+1) < j_1(T)$ 的情形下 $P(T+1)$ 的成本要大于 $j_1(T+1) \geqslant j_1(T)$ 情形下 $P(T+1)$ 的成本。证明过程类似于情形 1，这里略。

引理 2-2 证明 假设在 $P(T)$ 的最优解中从周期 $l(T)+1$ 到周期 T 存在一个生产点（或外包点）λ，$l(T)+1 \leqslant \lambda \leqslant T$。由零库存性质可得，第 $\lambda-1$ 期期末的库存为零，即从周期 λ 到周期 T 的需求由周期 λ 的生产（外包）满足。进一步可得 $K_\lambda + c_\lambda \sum_{u=\lambda}^{T} d_u + \sum_{u=\lambda}^{T-1} \sum_{v=u+1}^{T} h_u d_v \cdot$ $\left(k_\lambda + o_\lambda \sum_{u=\lambda}^{T} d_u + \sum_{u=\lambda}^{T-1} \sum_{v=u+1}^{T} h_u d_v\right)$ 是周期 λ 的生产（外包）满足从周期 λ 到周期 T 需求的成本。从周期 λ 到周期 T 的需求如果由周期 $l(T)$ 的生产满足，则成本为 $c_{l(T)} \sum_{u=\lambda}^{T} d_u + \sum_{u=l(T)}^{\lambda-1} \sum_{u=\lambda}^{T} h_u d_v + \sum_{u=\lambda}^{T-1} \sum_{v=u+1}^{T} h_u d_v$。由 $l(T) = m(T)$ 和 $c_\lambda < o_\lambda$ 可得 $c_{l(T)} \sum_{u=\lambda}^{T} d_u + \sum_{u=l(T)}^{\lambda-1} \sum_{u=\lambda}^{T} h_u d_v < c_\lambda \sum_{u=\lambda}^{T} d_u < o_\lambda \sum_{u=\lambda}^{T} d_u$。进一步可得如下两个重要的不等式：

$$c_{l(T)} \sum_{u=\lambda}^{T} d_u + \sum_{u=l(T)}^{\lambda-1} \sum_{u=\lambda}^{T} h_u d_v + \sum_{u=\lambda}^{T-1} \sum_{v=u+1}^{T} h_u d_v < K_\lambda + c_\lambda \sum_{u=\lambda}^{T} d_u + \sum_{u=\lambda}^{T-1} \sum_{v=u+1}^{T} h_u d_v \tag{2-41}$$

和

$$c_{l(T)} \sum_{u=\lambda}^{T} d_u + \sum_{u=l(T)}^{\lambda-1} \sum_{u=\lambda}^{T} h_u d_v + \sum_{u=\lambda}^{T-1} \sum_{v=u+1}^{T} h_u d_v < k_\lambda + o_\lambda \sum_{u=\lambda}^{T} d_u + \sum_{u=\lambda}^{T-1} \sum_{v=u+1}^{T} h_u d_v \tag{2-42}$$

以上两个不等式说明从周期 λ 到周期 T 需求由周期 $l(T)$ 的生产满足的成本要小于由周期 λ 生产（或外包）满足的成本。这也就说明在 $P(T)$ 的最优解中，若 $l(T) = m(T)$，则从周期 $l(T)+1$ 到周期 T 没有生产点和外包点。

在 $P(T+1)$ 的最优解中，若有 $\left(c_{l(T)} + \sum_{u=l(T)}^{T} h_u\right)d_{T+1} \leqslant \min\{K_{T+1} + c_{T+1}d_{T+1}; k_{T+1} + o_{T+1}d_{T+1}\}$，则从周期 $l(T)+1$ 到周期 $T+1$ 的需求将由周期 $l(T)$ 的生产满足。若有 $\left(c_{l(T)} + \sum_{u=l(T)}^{T} h_u\right)d_{T+1} > K_{T+1} + c_{T+1}d_{T+1} \geqslant k_{T+1} + o_{T+1}d_{T+1}$，从周期 $l(T)+1$ 到周期 T 的需求将由周期 $l(T)$ 的生产满足，周期 $T+1$ 的需求将由 $T+1$ 期的外包满足；若有 $\left(c_{l(T)} + \sum_{u=l(T)}^{T} h_u\right)d_{T+1} > k_{T+1} + o_{T+1}d_{T+1} > K_{T+1} + c_{T+1}d_{T+1}$，从周期 $l(T)+1$ 到周期 T 的需求将由周期 $l(T)$ 的生产满足，周期 $T+1$ 的需求将由 $T+1$ 期的生产满足。因此可得，在 $P(T+1)$ 的最优解中，若 $l(T) = m(T)$，则从周期 $l(T)+1$ 到周期 T 没有生产点和外包点。

定理 2-4 证明 为了证明此定理，需要考虑两种情形：情形 1 为 $l(T+1) > l(T)$；情形 2 为 $g(T+1) > l(T)$。

情形 1 假设在 $P(T+1)$ 的最优解中有 $l(T+1)<l(T)$，由式 $(2-7)$~式 $(2-12)$ 可得

$$C_{l(T)-1}(T+1)=C_{l(T)-1}(T)+\left(c_{l(T)}+\sum_{u=l(T)}^{T}h_u\right)d_{T+1} \tag{2-43}$$

和

$$C(T+1)=C_{l(T+1)-1}(T+1)=C_{l(T+1)-1}(T)+\left(c_{l(T+1)}+\sum_{u=l(T+1)}^{T}h_u\right)d_{T+1} \tag{2-44}$$

若 $C(T+1)=C_{l(T+1)-1}(T+1)\leqslant C_{l(T)-1}(T+1)$，则有

$$C_{l(T+1)-1}(T)+\left(c_{l(T+1)}+\sum_{u=l(T+1)}^{T}h_u\right)d_v\leqslant C_{l(T)-1}(T)+\left(c_{l(T)}+\sum_{u=l(T)}^{T}h_u\right)d_v \tag{2-45}$$

由假设 $l(T+1)<l(T)$ 有

$$C_{l(T+1)-1}(T)+\left(c_{l(T+1)}+\sum_{u=l(T+1)}^{l(T)-1}h_u-c_{l(T)}\right)d_{T+1}\leqslant C_{l(T)-1}(T) \tag{2-46}$$

由式 $(2-13)$ 可得 $\left(c_{l(T+1)}+\sum_{u=l(T+1)}^{l(T)-1}h_u-c_{l(T)}\right)d_{T+1}>0$，因此 $C_{l(T+1)-1}(T)<C_{l(T)-1}(T)$。但由 $C(T)=C_{l(T)-1}(T)$ 可得 $C_{l(T+1)-1}(T)\geqslant C_{l(T)-1}(T)$。因此由假设 $l(T+1)<l(T)$ 得出了矛盾的结果，即可得 $l(T+1)\geqslant l(T)$。

情形 2 证明过程类似于情形 1，假设在 $P(T+1)$ 的最优解中有 $g(T+1)<l(T)$。由式 $(2-7)$~式 $(2-12)$ 可得

$$C_{l(T)-1}(T+1)=C_{l(T)-1}(T)+\left(c_{l(T)}+\sum_{u=l(T)}^{T}h_u\right)d_{T+1} \tag{2-47}$$

和

$$C(T+1)=C_{g(T+1)-1}(T+1)=C_{g(T+1)-1}(T)+\left(o_{g(T+1)}+\sum_{u=g(T+1)}^{T}h_u\right)d_{T+1} \tag{2-48}$$

若 $C(T+1)=C_{g(T+1)-1}(T+1)\leqslant C_{l(T)-1}(T+1)$，则有

$$C_{g(T+1)-1}(T)+\left(o_{g(T+1)}+\sum_{u=g(T+1)}^{T}h_u\right)d_v\leqslant C_{l(T)-1}(T)+\left(c_{l(T)}+\sum_{u=l(T)}^{T}h_u\right)d_v \tag{2-49}$$

由 $g(T+1)<l(T)$ 可得

$$C_{l(T+1)-1}(T)+\left(c_{g(T+1)}+\sum_{u=g(T+1)}^{l(T)-1}h_u-c_{l(T)}\right)d_{T+1}\leqslant C_{l(T)-1}(T) \tag{2-50}$$

由式 $(2-13)$ 可得 $\left(c_{g(T+1)}+\sum_{u=l(T+1)+1}^{l(T)-1}h_u-c_{l(T)}\right)d_{T+1}>0$，因此 $C_{l(T+1)-1}(T)<C_{l(T)-1}(T)$。又由 $C(T)=C_{l(T)-1}(T)$ 可得 $C_{g(T+1)-1}(T)\geqslant C_{l(T)-1}(T)$，与假设 $g(T+1)<l(T)$ 得出了相互矛盾的结论，因此可得 $g(T+1)\geqslant l(T)$。由引理 2-2 的分析过程可知，$g(T+1)$ 不可能等于 $l(T)$，因此 $g(T+1)>l(T)$。

第一种等价算法 令 $C_l(T)$ 代表最后一个生产点为 l 且从周期 $l+1$ 到周期 T 没有外包点时 $P(T)$ 的最优成本，$1\leqslant l\leqslant T$；$C_{l,g_1,g_2,\cdots,g_Q}(T)$ 代表最后一个生产点为 l 且从周期 $l+1$ 到

周期 T 的外包点为 $g_1,g_2,\cdots,g_Q$ 时 $P(T)$ 的最优成本，$1 \leq l < g_1 < g_2 < \cdots < g_Q \leq T$；$C_{g_Q}(T)$ 代表 $P(T)$ 的最优解中没有生产点且 g_Q 是最后一个外包点时 $P(T)$ 的最优成本，$1 \leq g_Q \leq T$。因此可得

$$C(T) = \min\{_{1 \leq l \leq T} C_l(T);_{1 \leq l < g_1 < g_2 < \cdots < g_Q \leq T} C_{l,g_1,g_2,\cdots,g_Q}(T);_{1 \leq g_Q \leq T} C_{g_Q}(T)\} \tag{2-51}$$

接下来需要阐述如何计算 $C_l(T)$、$C_{l,g_1,g_2,\cdots,g_Q}(T)$ 和 $C_{g_Q}(T)$。

令 $C(l,T)$ 代表周期 l 生产满足从第 l 期到第 T 期的需求时发生的成本，因此可得

$$C_l(T) = \min\{C(l-1) + C(l,T)\} \tag{2-52}$$

而

$$C(l,T) = K_l + c_l \sum_{u=l}^{T} d_u + \sum_{u=l}^{T-1} \sum_{v=u+1}^{T} h_u d_v \tag{2-53}$$

令 $C(l,g_1,g_2,\cdots,g_Q,T)$ 代表周期 l 生产和周期 $g_1,g_2,\cdots,g_Q$ 外包满足从第 l 期到第 T 期的需求时发生的成本，因此可得

$$C_{l,g_1,g_2,\cdots,g_Q}(T) = \min\{C(l-1) + C(l,g_1,g_2,\cdots,g_Q,T)\} \tag{2-54}$$

而

$$\begin{aligned}
C(l,g_1,g_2,\cdots,g_Q,T) &= K_l + c_l \sum_{u=l}^{g_1-1} d_u + \sum_{u=l}^{g_1-2} \sum_{v=u+1}^{g_1-1} h_u d_v + \sum_{q=1}^{Q} k_{g_q} + \sum_{q=1}^{Q-1} \sum_{u=g_q}^{g_{q+1}-1} o_{g_q} d_u \\
&\quad + \sum_{q=1}^{Q-1} \sum_{u=g_q}^{g_{q+1}-2} \sum_{v=u+1}^{g_{q+1}-1} h_u d_v + o_{g_Q} \sum_{u=g_Q}^{T} d_u + \sum_{u=g_Q}^{T-1} \sum_{v=u+1}^{T} h_u d_v
\end{aligned} \tag{2-55}$$

令 $C(g_Q,T)$ 代表周期 g_Q 外包满足第 g_Q 期至第 T 期需求时发生的成本，因此可得

$$C_{g_Q}(T) = \min\{C(g_Q-1) + C(g_Q,T)\} \tag{2-56}$$

而

$$C(g_Q,t) = k_{g_Q} + o_{g_Q} \sum_{u=g_Q}^{T} d_u + \sum_{u=g_Q}^{T-1} \sum_{v=u+1}^{T} h_u d_v \tag{2-57}$$

图 2-11 是如何计算 $C(l,T)$、$C(l,g_1,g_2,\cdots,g_Q,T)$ 和 $C(g_Q,T)$ 的示意图。

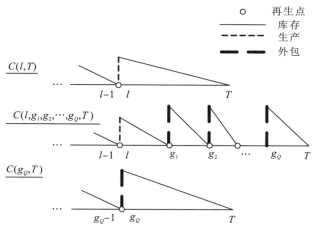

图 2-11　计算 $C(l,T)$、$C(l,g_1,g_2,\cdots,g_Q,T)$ 和 $C(g_Q,T)$ 示意图

第二种等价算法　根据对称性，可以设计出与第一种算法类似的第二种等价算法。令 $C_g(T)$ 代表最后一个外包点为 g 且从周期 $g+1$ 到周期 T 没有生产点时 $P(T)$ 的最优成本，$1 \leqslant g \leqslant T$；$C_{g,l_1,l_2,\cdots,l_R}(T)$ 代表最后一个外包点为 g 且从周期 $g+1$ 到周期 T 的生产点为 $l_1,l_2,\cdots,l_R$ 时 $P(T)$ 的最优成本，$1 \leqslant g < l_1 < l_2 < \cdots < l_R \leqslant T$；$C_{l_R}(T)$ 代表 $P(T)$ 的最优解中没有外包点且 l_R 是最后一个生产点时 $P(T)$ 的最优成本，$1 \leqslant l_R \leqslant T$。因此可得

$$C(T) = \min\{{}_{1 \leqslant g \leqslant T} C_g(T);{}_{1 \leqslant g < l_1 < l_2 < \cdots < l_R \leqslant T} C_{g,l_1,l_2,\cdots,l_R}(T);{}_{1 \leqslant l_R \leqslant T} C_{l_R}(T)\} \qquad (2\text{-}58)$$

$C_g(T)$、$C_{g,l_1,l_2,\cdots,l_R}(T)$ 和 $C_{l_R}(T)$ 的计算如下。

$C(g,T)$ 代表周期 g 外包满足从第 g 期到第 T 期的需求时发生的成本，因此可得

$$C_g(T) = \min\{C(g-1) + C(g,T)\} \qquad (2\text{-}59)$$

而

$$C(g,T) = k_g + o_g \sum_{u=g}^{T} d_u + \sum_{u=g}^{T-1} \sum_{v=u+1}^{T} h_u d_v \qquad (2\text{-}60)$$

$C(g,l_1,l_2,\cdots,l_R,T)$ 代表周期 g 外包和周期 $l_1,l_2,\cdots,l_R$ 生产满足从第 g 期到第 T 期的需求时发生的成本，因此可得

$$C_{g,l_1,l_2,\cdots,l_R}(T) = \min\{C(g-1) + C(g,l_1,l_2,\cdots,l_R,T)\} \qquad (2\text{-}61)$$

而

$$\begin{aligned}
C(g,l_1,l_2,\cdots,l_R,T) = {} & k_g + o_g \sum_{u=g}^{l_1-1} d_u + \sum_{u=g}^{l_1-2} \sum_{v=u+1}^{l_1-1} h_u d_v + \sum_{r=1}^{R} K_{l_r} + \sum_{r=1}^{R-1} \sum_{u=l_r}^{l_{r+1}-1} c_{l_r} d_u \\
& + \sum_{r=1}^{R-1} \sum_{u=l_r}^{l_{r+1}-2} \sum_{v=u+1}^{l_{r+1}-1} h_u d_v + c_{l_R} \sum_{u=l_R}^{T} d_u + \sum_{u=l_R}^{T-1} \sum_{v=u+1}^{T} h_u d_v
\end{aligned} \qquad (2\text{-}62)$$

令 $C(l_R,T)$ 代表周期 l_R 外包满足第 l_R 期至第 T 期需求时发生的成本，因此可得

$$C_{l_R}(T) = \min\{C(l_R-1) + C(l_R,T)\} \qquad (2\text{-}63)$$

而

$$C(l_R,t) = K_{l_R} + c_{l_R} \sum_{u=l_R}^{T} d_u + \sum_{u=l_R}^{T-1} \sum_{v=u+1}^{T} h_u d_v \qquad (2\text{-}64)$$

图 2-12 是如何计算 $C(g,T)$、$C(g,l_1,l_2,\cdots,l_R,T)$ 和 $C(l_R,T)$ 的示意图。

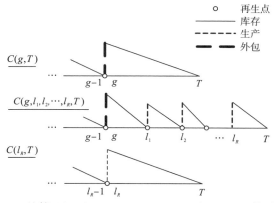

图 2-12　计算 $C(g,T)$、$C(g,l_1,l_2,\cdots,l_R,T)$ 和 $C(l_R,T)$ 的示意图

附录二

定理 3-2 证明 运用反证法，假设在 $P(t)$ 的最优解中有 $i(t+1) < i(t)$，由式(3-4)和式(3-8)可得

$$F(i(t),t) = K_{i(t)} + c_{i(t)}\overline{X}_{i(t)t} + \sum_{u=i(t)}^{t} h_u I_u = K_{i(t)} + c_{i(t)}(\overline{I}_t - \overline{I}_{i(t)-1} + d_{i(t)t}) + \sum_{u=i(t)}^{t} h_u(\overline{I}_t + d_{u+1,t}) \quad (3\text{-}20)$$

$$F(i(t),t+1) = K_{i(t)} + c_{i(t)}\overline{X}_{i(t),t+1} + \sum_{u=i(t)}^{t+1} h_u I_u$$
$$= K_{i(t)} + c_{i(t)}(\overline{I}_{t+1} - \overline{I}_{i(t)-1} + d_{i(t),t+1}) + \sum_{u=i(t)}^{t+1} h_u(\overline{I}_{t+1} + d_{u+1,t+1}) \quad (3\text{-}21)$$

$$F(i(t+1),t) = K_{i(t+1)} + c_{i(t+1)}\overline{X}_{i(t+1)t} + \sum_{u=i(t+1)}^{t} h_u I_u$$
$$= K_{i(t+1)} + c_{i(t+1)}(\overline{I}_t - \overline{I}_{i(t+1)-1} + d_{i(t+1)t}) + \sum_{u=i(t+1)}^{t} h_u(\overline{I}_t + d_{u+1,t}) \quad (3\text{-}22)$$

$$F(i(t+1),t+1) = K_{i(t+1)} + c_{i(t+1)}\overline{X}_{i(t+1),t+1} + \sum_{u=i(t+1)}^{t+1} h_u I_u$$
$$= K_{i(t+1)} + c_{i(t+1)}(\overline{I}_{t+1} - \overline{I}_{i(t+1)-1} + d_{i(t+1),t+1}) + \sum_{u=i(t+1)}^{t+1} h_u(\overline{I}_{t+1} + d_{u+1,t+1}) \quad (3\text{-}23)$$

由式(3-20)和式(3-21)可得

$$F(i(t),t+1) - F(i(t),t) = K_{i(t)} + c_{i(t)}(\overline{I}_{t+1} - \overline{I}_{i(t)-1} + d_{i(t),t+1}) + \sum_{u=i(t)}^{t+1} h_u(\overline{I}_{t+1} + d_{u+1,t+1})$$
$$- \left[K_{i(t)} + c_{i(t)}(\overline{I}_t - \overline{I}_{i(t)-1} + d_{i(t)t}) + \sum_{u=i(t)}^{t} h_u(\overline{I}_t + d_{u+1,t}) \right] \quad (3\text{-}24)$$
$$= c_{i(t)}(\overline{I}_{t+1} - \overline{I}_t + d_{t+1}) + \sum_{u=i(t)}^{t+1} h_u(\overline{I}_{t+1} + d_{u+1,t+1}) - \sum_{u=i(t)}^{t} h_u(\overline{I}_t + d_{u+1,t})$$
$$= c_{i(t)}(\overline{I}_{t+1} - \overline{I}_t + d_{t+1}) + \sum_{u=i(t)}^{t} h_u(\overline{I}_{t+1} - \overline{I}_t + d_{t+1}) + h_{t+1}\overline{I}_{t+1}$$

由式(3-22)和式(3-23)可得

$$F(i(t+1),t+1) - F(i(t+1),t) = K_{i(t+1)} + c_{i(t+1)}(\overline{I}_{t+1} - \overline{I}_{i(t+1)-1} + d_{i(t+1),t+1}) + \sum_{u=i(t+1)}^{t+1} h_u(\overline{I}_{t+1} + d_{u+1,t+1})$$
$$- \left[K_{i(t+1)} + c_{i(t+1)}(\overline{I}_t - \overline{I}_{i(t+1)-1} + d_{i(t+1)t}) + \sum_{u=i(t+1)}^{t} h_u(\overline{I}_t + d_{u+1,t}) \right]$$

$$= c_{i(t+1)}(\overline{I}_{t+1} - \overline{I}_t + d_{t+1}) + \sum_{u=i(t+1)}^{t+1} h_u(\overline{I}_{t+1} + d_{u+1,t+1}) - \sum_{u=i(t+1)}^{t} h_u(\overline{I}_t + d_{u+1,t})$$

$$= c_{i(t+1)}(\overline{I}_{t+1} - \overline{I}_t + d_{t+1}) + \sum_{u=i(t+1)}^{t} h_u(\overline{I}_{t+1} - \overline{I}_t + d_{t+1}) + h_{t+1}\overline{I}_{t+1} \tag{3-25}$$

由式 (3-24) 和式 (3-25) 可得

$$F(i(t+1),t+1) - F(i(t+1),t) - [F(i(t),t+1) - F(i(t),t)]$$

$$= c_{i(t+1)}(\overline{I}_{t+1} - \overline{I}_t + d_{t+1}) + \sum_{u=i(t+1)}^{t} h_u(\overline{I}_{t+1} - \overline{I}_t + d_{t+1}) + h_{t+1}\overline{I}_{t+1}$$

$$- \left[c_{i(t)}(\overline{I}_{t+1} - \overline{I}_t + d_{t+1}) + \sum_{u=i(t)}^{t} h_u(\overline{I}_{t+1} - \overline{I}_t + d_{t+1}) + h_{t+1}\overline{I}_{t+1} \right] \tag{3-26}$$

$$= \left(c_{i(t+1)} + \sum_{u=i(t+1)}^{i(t)-1} h_u - c_{i(t)} \right)(\overline{I}_{t+1} - \overline{I}_t + d_{t+1})$$

又因为 $i(t) = m(t)$，所以由式 (3-9) 可得

$$c_{i(t+1)} + \sum_{u=i(t+1)}^{i(t)-1} h_l - c_{i(t)} > 0 \tag{3-27}$$

由 $\overline{I}_t = Q\lceil d_{1t} / Q \rceil - d_{1t}$ 可得

$$\overline{I}_{t+1} - \overline{I}_t + d_{t+1} = Q\lceil d_{1,t+1} / Q \rceil - d_{1,t+1} - (Q\lceil d_{1t} / Q \rceil - d_{1t}) + d_{t+1}$$

$$= Q\lceil d_{1,t+1} / Q \rceil - Q\lceil d_{1t} / Q \rceil > 0 \tag{3-28}$$

因此由式 (3-27) 和式 (3-28) 可得

$$F(i(t+1),t+1) - F(i(t+1),t) - [F(i(t),t+1) - F(i(t),t)] > 0 \tag{3-29}$$

即

$$F(i(t),t+1) - F(i(t),t) < F(i(t+1),t+1) - F(i(t+1),t) \tag{3-30}$$

由 $F(t+1) = F(i(t+1)-1) + F(i(t+1),t+1)$ 是 $P(t+1)$ 的最优解，因此可得

$$F(t+1) = F(i(t+1)-1) + F(i(t+1),t+1) \leqslant F(i(t)-1) + F(i(t),t+1) \tag{3-31}$$

由式 (3-30) 和式 (3-31) 可得

$$F(i(t+1)-1) + F(i(t+1),t) < F(i(t)-1) + F(i(t),t) \tag{3-32}$$

而由 $F(t)$ 的最优性，即 $F(t) = F(i(t)-1) + F(i(t),t)$，可得

$$F(i(t+1)-1) + F(i(t+1),t) \geqslant F(i(t)-1) + F(i(t),t) \tag{3-33}$$

由假设 $i(t+1) < i(t)$ 得出矛盾，因此可得 $i(t+1) \geqslant i(t)$，即在 $P(t)$ 的最优解中，若有 $i(t) = m(t)$，则最后一个生产点是单调的。

第一种等价算法　$F_i(t)$ 为最后一个生产点为 i 且从周期 i 到周期 t 没有外包点时 $P(t)$ 的最优成本，$1 \leqslant i \leqslant t$；$F_{i,j_1,j_2,\cdots,j_M}(t)$ 为最后一个生产点为 i 且从周期 i 到周期 t 的外包点为 $j_1, j_2, \cdots, j_M$ 时 $P(t)$ 的最优成本，$1 \leqslant i \leqslant j_1 < j_2 < \cdots < j_M \leqslant t$；$F_{j_M}(t)$ 代表 $P(t)$ 的最优解中没有生产点且 j_M 是最后一个外包点时 $P(t)$ 的最优成本，$1 \leqslant j_M \leqslant t$。

根据以上定义可得

$$F(t) = \min \left\{ {}_{0 \leqslant i \leqslant t} F_i(t); {}_{1 \leqslant i \leqslant j_1 < j_2 < \cdots < j_M \leqslant t} F_{i,j_1,j_2,\cdots,j_M}(t); {}_{1 \leqslant j_M \leqslant t} F_{j_M}(t) \right\} \tag{3-34}$$

下面讨论计算 $F_i(t)$、$F_{i,j_1,j_2,\cdots,j_M}(t)$ 和 $F_{j_M}(t)$。

对于 $F_i(t)$ 的计算，因为最后一个生产点为 i 且从周期 i 到周期 t 没有外包决策，令 $F(i,t)$ 代表周期 i 生产满足从第 i 期到第 t 期的需求时发生的成本，包括固定生产成本、变动生产成本以及从第 i 期到第 t 期的库存成本。计算 $F(i,t)$ 最为重要的是需要得出第 i 期的生产数量的特征，类似于 $F^1(g+1,t)$ 的计算中第 $g+1$ 期的生产数量的特征分析，第 $i-1$ 期期末的库存不一定为零，而第 i 期是生产点，又使得第 t 期期末的库存也不一定为零，因此第 i 期的生产数量为 $X_i = \lceil (I_{i-1}+d_{it})/Q \rceil Q$。因此可得

$$F_i(t) = \min\{F(i-1)+F(i,t)\} \tag{3-35}$$

其中

$$
\begin{aligned}
F(i,t) &= K_i + c_i X_i + \sum_{u=i}^{t} h_u I_u \\
&= K_i + c_i \lceil (I_{i-1}+d_{it})/Q \rceil Q + \sum_{u=i}^{t} h_u \left(I_{i-1} + \lceil (I_{i-1}+d_{it})/Q \rceil Q - \sum_{v=i}^{u} d_v \right)
\end{aligned}
\tag{3-36}
$$

对于 $F_{i,j_1,j_2,\cdots,j_M}(t)$ 的计算，因为最后一个生产点为 i 且从周期 i 到周期 t 的外包点为 $j_1,j_2,\cdots,j_M$，令 $F(i,j_1,j_2,\cdots,j_M,t)$ 代表周期 i 生产和周期 $j_1,j_2,\cdots,j_M$ 外包满足从第 i 期到第 t 期的需求时发生的成本，包括固定生产和外包成本、变动生产和外包成本以及从第 i 期到第 t 期的库存成本，第 i 期到第 j_1-1 期的产品需求由第 i 期的生产满足，第 $i-1$ 期期末和第 j_1-1 期期末的库存不一定为零，第 i 期的生产数量为 $X_i = \lceil (I_{i-1}+d_{i,j_1-1})/Q \rceil Q$。从第 j_1 期到第 j_2-1 期的产品需求由第 j_1 期的外包满足，因为 j_1-1 期期末的库存不一定为零，且外包数量没有 Batch 方式的限制，所以第 j_1 期外包的数量为第 j_1 期到第 j_2-1 期的产品需求之和减去第 j_1-1 期期末的库存数量，这使得第 j_2-1 期期末库存数量为零。进一步分析，从第 j_m 期到第 $j_{m+1}-1$ 期的产品需求由第 j_m 期的外包满足，其中 $m=2,3,\cdots,M-1$，且外包数量没有 Batch 方式的限制，因此根据零库存性质可得，第 j_m 期外包的数量为第 j_m 期到第 $j_{m+1}-1$ 期的需求之和，这也使得第 $j_3-1,j_4-1,\cdots,j_M-1$ 期期末库存为零，即 $I_{j_3-1}=I_{j_4-1}=\cdots=I_{j_M-1}=0$。同样，因为从第 j_M 期到第 t 期的产品需求由第 j_M 期的外包满足，同样根据零库存性质可得第 j_M 期外包的数量为第 j_M 期到第 t 期的产品需求之和，所以第 t 期期末的库存为零，即 $I_t=0$。由以上分析可得

$$F_{i,j_1,j_2,\cdots,j_M}(t) = \min\{F(i-1)+F(i,j_1,j_2,\cdots,j_M,t)\} \tag{3-37}$$

而

$$
\begin{aligned}
F(i,j_1,j_2,\cdots,j_M,t) &= K_i + c_i X_i + \sum_{u=i}^{j_1-1} h_u I_u + \sum_{m=1}^{M} k_{j_m} + o_{j_1} O_{j_1} + \sum_{u=j_1}^{j_2-1} h_u I_u + \sum_{m=2}^{M-1}\sum_{u=j_m}^{j_{m+1}-1} o_{j_m} d_u \\
&\quad + \sum_{m=2}^{M-1}\sum_{u=j_m}^{j_{m+1}-2}\sum_{v=u+1}^{j_{m+1}-1} h_u d_v + \sum_{u=j_M}^{t} o_{j_M} d_u + \sum_{u=j_M}^{t-1}\sum_{v=u+1}^{t} h_u d_v \\
&= K_i + c_i \lceil (I_{i-1}+d_{i,j_1-1})/Q \rceil Q + \sum_{u=i}^{j_1-1} h_u \left(I_{i-1} + \lceil (I_{i-1}+d_{i,j_1-1})/Q \rceil Q - \sum_{v=i}^{u} d_v \right)
\end{aligned}
$$

$$+ \sum_{m=1}^{M} k_{j_m} + o_{j_1} \left(\sum_{u=j_1}^{j_2-1} d_u - I_{j_1-1} \right) + \sum_{u=j_1}^{j_2-2} \sum_{v=u+1}^{j_2-1} h_u d_v + \sum_{m=2}^{M-1} \sum_{u=j_m}^{j_{m+1}-1} o_{j_m} d_u$$

$$+ \sum_{m=2}^{M-1} \sum_{u=j_m}^{j_{m+1}-2} \sum_{v=u+1}^{j_{m+1}-1} h_u d_v + \sum_{u=j_M}^{t} o_{j_M} d_u + \sum_{u=j_M}^{t-1} \sum_{v=u+1}^{t} h_u d_v$$

(3-38)

对于 $F_{j_M}(t)$ 的计算，因为最优解中没有生产点且 j_M 是最后一个外包点，令 $F(j_M, t)$ 代表周期 j_M 外包满足从第 j_M 期到第 t 期的需求时发生的成本，包括固定外包成本、变动外包成本以及从第 j_M 期到第 t 期的库存成本。因为第 1 期至第 t 期没有生产点，根据零库存性质可得，第 $j_M - 1$ 期期末库存为零，第 j_M 期外包的数量为第 j_M 期到第 t 期的需求之和，因此第 t 期期末的库存也为零。因此可得

$$F_{j_M}(t) = \min\{F(j_M - 1) + F(j_M, t)\}$$

(3-39)

其中

$$F(j_M, t) = k_{j_M} + o_{j_M} \sum_{u=j_M}^{t} d_u + \sum_{u=j_M}^{t-1} \sum_{v=u+1}^{t} h_u d_v$$

(3-40)

$F(i, t)$、$F(i, j_1, j_2, \cdots, j_M, t)$ 和 $F_{j_M}(t)$ 的计算示意图如图 3-6 所示。

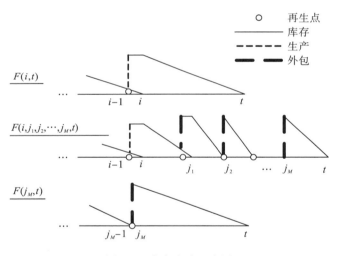

图 3-6　生产方式示意图

第二种等价算法　$F_j(t)$ 为最后一个外包点为 j 且从周期 j 到周期 t 没有生产点时 $P(t)$ 的最优成本，$1 \leqslant j \leqslant t$；$F_{j, i_1, i_2, \cdots, i_R}(t)$ 为最后一个外包点为 j 且从周期 j 到周期 t 的生产点为 $i_1, i_2, \cdots, i_R$ 时 $P(t)$ 的最优成本，$1 \leqslant j < i_1 < i_2 < \cdots < i_R \leqslant t$；$F_{i_R}(t)$ 代表 $P(t)$ 的最优解中没有外包点且 i_R 是最后一个生产点时 $P(t)$ 的最优成本，$1 \leqslant i_R \leqslant t$。

根据以上定义可得

$$F(t) = \min\{_{0 \leqslant j \leqslant t} F_j(t); _{1 \leqslant j < i_1 < i_2 < \cdots < i_R \leqslant t} F_{j, i_1, i_2, \cdots, i_R}(t); _{1 \leqslant i_R \leqslant t} F_{i_R}(t)\}$$

(3-41)

下面讨论计算 $F_j(t)$、$F_{j, i_1, i_2, \cdots, i_R}(t)$ 和 $F_{i_R}(t)$。

对于 $F_j(t)$ 的计算，因为最后一个外包点为 j 且从周期 j 到周期 t 没有生产决策，令

$F(j,t)$ 代表周期 j 外包满足从第 j 期到第 t 期的需求时发生的成本，包括固定外包成本、变动外包成本以及从第 j 期到第 t 期的库存成本。类似于 $F^2(g+1,t)$ 计算中第 $g+1$ 期生产数量的特征分析，从第 j 期到第 t 期的产品需求由第 j 期的外包满足，且第 $g-1$ 期期末的库存不一定为零，因此第 g 期外包的数量为第 g 期到第 t 期的产品需求之和减去第 $g-1$ 期期末的库存数量，这也使得第 t 期期末库存数量恰好为零。因此可得

$$F_j(t) = \min\{F(j-1) + F(j,t)\} \tag{3-42}$$

而

$$F(j,t) = k_j + o_j O_j + \sum_{u=j}^{t} h_u I_u = k_j + o_j\left(\sum_{u=j}^{t} d_u - I_{j-1}\right) + \sum_{u=j}^{t-1}\sum_{v=u+1}^{t} h_u d_v \tag{3-43}$$

对于 $F_{j,i_1,i_2,\cdots,i_R}(t)$ 的计算，因为最后一个外包点为 j 且从周期 j 到周期 t 的生产点为 $i_1,i_2,\cdots,i_R$，令 $F(j,i_1,i_2,\cdots,i_R,t)$ 代表周期 j 外包和周期 $i_1,i_2,\cdots,i_R$ 生产满足从第 j 期到第 t 期的需求时发生的成本，包括固定外包和生产成本、变动外包和生产成本以及从第 j 期到第 t 期的库存成本。从第 j 期到第 i_1 期的产品需求由第 j 期的外包满足，又因为第 $j-1$ 期期末的库存不一定为零，所以第 j 期外包的数量为第 j 期到第 i_1 期的产品需求之和减去第 $j-1$ 期期末的库存数量，这也使得第 i_1-1 期期末库存数量为零。根据 Batch 生产方式可得第 $i_1,i_2,\cdots,i_R$ 期生产数量的特征，$X_{i_r} = \left\lceil (I_{i_r-1} + d_{i_r,i_{r+1}-1})/Q \right\rceil Q$，$r=1,2,\cdots,R-1$，$X_{i_R} = \left\lceil (I_{i_R-1} + d_{i_R t})/Q \right\rceil Q$。第 i_r 期到第 $i_{r+1}-1$ 期中的每周期 u 的库存为 $I_u = \left\lceil (I_{i_r-1} + d_{i_r,i_{r+1}-1})/Q \right\rceil Q - d_{i_r u}$，$r=1,2,\cdots,R-1$，$i_r \leqslant u \leqslant i_{r+1}-1$。第 i_R 期到第 t 期中每周期 u 的库存为 $I_u = \left\lceil (I_{i_R-1} + d_{i_R t})/Q \right\rceil Q - d_{i_R u}$，$i_R \leqslant u \leqslant t$。因此可得

$$F_{j,i_1,i_2,\cdots,i_R}(t) = \min\{F(j-1) + F(j,i_1,i_2,\cdots,i_R,t)\} \tag{3-44}$$

其中

$$\begin{aligned}
F(j,i_1,i_2,\cdots,i_R,t) &= k_j + o_j O_j + \sum_{u=j}^{t} h_u I_u + \sum_{r=1}^{R} K_{i_r} + \sum_{r=1}^{R} c_{i_r} X_{i_r} + \sum_{r=1}^{R-1}\sum_{u=i_r}^{i_{r+1}-1} h_u I_u + \sum_{u=i_R}^{t} h_u I_u \\
&= k_j + o_j\left(\sum_{u=j}^{t} d_u - I_{j-1}\right) + \sum_{u=j}^{t-1}\sum_{v=u+1}^{t} h_u d_v + \sum_{r=1}^{R} K_{i_r} + \sum_{r=1}^{R-1} c_{i_r}\left\lceil (I_{i_r-1} + d_{i_r,i_{r+1}-1})/Q \right\rceil Q \\
&\quad + c_{i_R}\left\lceil (I_{i_R-1} + d_{i_R t})/Q \right\rceil Q + \sum_{r=1}^{R-1}\sum_{u=i_r}^{i_{r+1}-1} h_u\left(\left\lceil (I_{i_r-1} + d_{i_r,i_{r+1}-1})/Q \right\rceil Q - d_{i_r u}\right) \\
&\quad + \sum_{u=i_R}^{t} h_u\left(\left\lceil (I_{i_R-1} + d_{i_R t})/Q \right\rceil Q - d_{i_R u}\right)
\end{aligned} \tag{3-45}$$

对于 $F_{i_R}(t)$ 的计算，由于最优解中没有外包点且 i_R 是最后一个生产点，令 $F(i_R,t)$ 代表周期 i_R 生产满足从第 i_R 期到第 t 期的需求时发生的成本，包括固定生产成本、变动生产成本以及从第 i_R 期到第 t 期的库存成本。因此可得

$$F_{i_R}(t) = \min\{F(i_R-1) + F(i_R,t)\} \tag{3-46}$$

而

$$F(i_R,t) = K_{i_R} + c_{i_R}\overline{X}_{i_Rt} + \sum_{u=i_R}^{t} h_u I_u = K_{i_R} + c_{i_R}(\overline{I}_t - \overline{I}_{i_R-1} + d_{i_Rt}) + \sum_{u=i_R}^{t} h_u(\overline{I}_t + d_{u+1,t}) \tag{3-47}$$

$F(j,t)$、 $F(j,i_1,i_2,\cdots,i_R,t)$ 和 $F(i_R,t)$ 的计算示意图如图 3-7 所示。

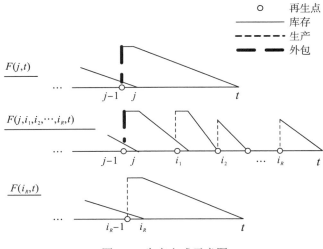

图 3-7　生产方式示意图

附录三

定理 4-2 证明　假设在 $P(T)$ 的最优解中有 $j(T+1) < j(T)$ 成立，因为 $j(T+1) < j(T)$ 且 $X_{j(T)} = \sum\limits_{l=j(T)}^{T} d_l - I_{j(T)-1} \geqslant Q_N$ ，所以 $\sum\limits_{l=j(T)}^{T+1} d_l - I_{j(T)-1} \geqslant Q_N$ ， $\sum\limits_{l=j(T+1)}^{T} d_l - I_{j(T+1)-1} \geqslant Q_N$ ， $\sum\limits_{l=j(T+1)}^{T+1} d_l - I_{j(T+1)-1} \geqslant Q_N$ 。因此由库存平衡条件和式(4-10)可得

$$F(j(T),T) = K + c(1-r_N)\left(\sum_{l=j(T)}^{T} d_l - I_{j(T)-1} \right) + \sum_{l=j(T)}^{T-1}\sum_{k=l+1}^{T} h_l d_k \tag{4-30}$$

$$F(j(T),T+1) = K + c(1-r_N)\left(\sum_{l=j(T)}^{T+1} d_l - I_{j(T)-1} \right) + \sum_{l=j(T)}^{T}\sum_{k=l+1}^{T+1} h_l d_k \tag{4-31}$$

$$F(j(T+1),T) = K + c(1-r_N)\left(\sum_{l=j(T+1)}^{T} d_l - I_{j(T+1)-1} \right) + \sum_{l=j(T+1)}^{T-1}\sum_{k=l+1}^{T} h_l d_k \tag{4-32}$$

$$F(j(T+1),T+1) = K + c(1-r_N)\left(\sum_{l=j(T+1)}^{T+1} d_l - I_{j(T+1)-1} \right) + \sum_{l=j(T+1)}^{T}\sum_{k=l+1}^{T+1} h_l d_{k+1} \tag{4-33}$$

由式(4-30)～式(4-33)可得

$$F(j(T),T+1) - F(j(T),T) = c(1-r_N)\left(\sum_{l=j(T)}^{T+1} d_l - I_{j(T)} \right)$$
$$- c(1-r_N)\left(\sum_{l=j(T)}^{T} d_l - I_{j(T)} \right) + \sum_{l=j(T)}^{T} h_l d_{T+1} \tag{4-34}$$
$$= c(1-r_N)d_{T+1} + \sum_{l=j(T)}^{T} h_l d_{T+1}$$

$$F(j(T+1),T+1) - F(j(T+1),T) = c(1-r_N)\left(\sum_{l=j(T+1)}^{T+1} d_l - I_{j(T+1)} \right)$$
$$- c(1-r_N)\left(\sum_{l=j(T+1)}^{T} d_l - I_{j(T+1)} \right) + \sum_{l=j(T+1)}^{T} h_l d_{T+1} \tag{4-35}$$
$$= c(1-r_N)d_{T+1} + \sum_{l=j(T+1)}^{T} h_l d_{T+1}$$

因为 $j(T+1) < j(T)$ ，所以

$$F(j(T),T+1) - F(j(T),T) < F(j(T+1),T+1) - F(j(T+1),T) \tag{4-36}$$

由于 $F(T+1) = F(j(T+1)-1) + F(j(T+1),T+1)$ 是 $P(T+1)$ 的最优解，因此可得

$$F(T+1) = F(j(T+1)-1) + F(j(T+1),T+1) \leqslant F(j(T)-1) + F(j(T),T+1) \tag{4-37}$$

由式(4-36)和式(4-37)可得

$$F(j(T+1)-1) + F(j(T+1),T) < F(j(T)-1) + F(j(T),T) = F(T) \tag{4-38}$$

　　然而，由于 $F(T) = F(j(T)-1) + F(j(T),T)$ 是 $P(T)$ 的最优解，即 $F(j(T+1)-1) + F(j(T+1),T) \geqslant F(j(T)-1) + F(j(T),T) = F(T)$，表明由假设 $j(T+1) < j(T)$ 得出了相互矛盾的结论，因此可得 $j(T+1) \geqslant j(T)$。

　　定理 4-5 证明　运用反证法证明 $i(T+1) \geqslant i(T)$ 和 $j(T+1) \geqslant j(T)$，需要考虑三种情形：①假设在 $P(T)$ 的最优解中有 $i(T+1) < i(T)$ 和 $j(T+1) < j(T)$ 成立；②假设在 $P(T)$ 的最优解中有 $i(T+1) < i(T)$ 和 $j(T+1) \geqslant j(T)$ 成立；③假设在 $P(T)$ 的最优解中有 $i(T+1) \geqslant i(T)$ 和 $j(T+1) < j(T)$ 成立。因为情形③的证明与情形②类似，所以以下内容证明情形①和②，省略情形③的证明。

　　情形①：$i(T+1) < i(T)$ 和 $j(T+1) < j(T)$。

　　若 $P(T)$ 的最优解有 $i(T+1) < i(T)$ 成立，则因为 $i(T+1) < i(T)$ 且 $X_{j(T)} = \sum\limits_{l=i(T)+1}^{T} d_l - I_{i(T)} \geqslant Q_N$，所以 $\sum\limits_{l=i(T)+1}^{T+1} d_l - I_{i(T)} \geqslant Q_N$，$\sum\limits_{l=i(T+1)+1}^{T} d_l - I_{i(T+1)} \geqslant Q_N$，$\sum\limits_{l=i(T+1)+1}^{T+1} d_l - I_{i(T+1)} \geqslant Q_N$。因此由库存平衡条件和式(4-18)可得

$$F(i(T)+1, j(T), T) = K + c(1-r_N)\left(\sum_{l=i(T)+1}^{T} d_l - I_{i(T)}\right) + b_{i(T)+1}(d_{i(T)+1} - I_{i(T)})$$
$$+ \sum_{l=i(T)+2}^{j(T)-1} \sum_{k=i(T)+2}^{l} b_l d_k + \sum_{l=j(T)}^{T-1} \sum_{k=l+1}^{T} h_l d_k \tag{4-39}$$

$$F(i(T)+1, j(T), T+1) = K + c(1-r_N)\left(\sum_{l=i(T)+1}^{T+1} d_l - I_{i(T)}\right) + b_{i(T)+1}(d_{i(T)+1} - I_{i(T)})$$
$$+ \sum_{l=i(T)+2}^{j(T)-1} \sum_{k=i(T)+2}^{l} b_l d_k + \sum_{l=j(T)}^{T} \sum_{k=l+1}^{T+1} h_l d_k \tag{4-40}$$

$$F(i(T+1)+1, j(T+1), T) = K + c(1-r_N)\left(\sum_{l=i(T+1)+1}^{T} d_l - I_{i(T+1)}\right) + b_{i(T+1)+1}(d_{i(T+1)+1} - I_{i(T+1)})$$
$$+ \sum_{l=i(T+1)+2}^{j(T+1)-1} \sum_{k=i(T+1)+2}^{l} b_l d_k + \sum_{l=j(T+1)}^{T-1} \sum_{k=l+1}^{T} h_l d_k \tag{4-41}$$

$$F(i(T+1)+1, j(T+1), T+1) = K + c(1-r_N)\left(\sum_{l=i(T+1)+1}^{T+1} d_l - I_{i(T+1)}\right) + b_{i(T+1)+1}(d_{i(T+1)+1} - I_{i(T+1)})$$
$$+ \sum_{l=i(T+1)+2}^{j(T+1)-1} \sum_{k=i(T+1)+2}^{l} b_l d_k + \sum_{l=j(T+1)}^{T} \sum_{k=l+1}^{T+1} h_l d_k \tag{4-42}$$

由式(4-39)～式(4-42)可得

$$F(i(T)+1, j(T), T+1) - F(i(T)+1, j(T), T) = c(1-r_N)d_{T+1} + \sum_{l=j(T)}^{T} h_l d_{T+1} \tag{4-43}$$

$$F(i(T+1)+1, j(T+1), T+1) - F(i(T+1)+1, j(T+1), T) = c(1-r_N)d_{T+1} + \sum_{l=j(T+1)}^{T} h_l d_{T+1} \tag{4-44}$$

因为 $j(T+1) < j(T)$，所以可得 $\sum\limits_{l=j(T)}^{T} h_l d_{T+1} < \sum\limits_{l=j(T+1)}^{T} h_l d_{T+1}$，进一步可得

$$F(i(T)+1,j(T),T+1)-F(i(T)+1,j(T),T)$$
$$< F(i(T+1)+1,j(T+1),T+1)-F(i(T+1)+1,j(T+1),T) \tag{4-45}$$

由 $F(T)=F(i(T))+F(i(T)+1,j(T),T)$ 是 $P(T)$ 的最优解可得

$$F(T)=F(i(T))+F(i(T)+1,j(T),T) \leqslant F(i(T+1))+F(i(T+1)+1,j(T+1),T) \tag{4-46}$$

由式（4-45）和式（4-46）可得

$$F(i(T))+F(i(T)+1,j(T),T+1) < F(i(T+1))+F(i(T+1)+1,j(T+1),T+1)=F(T+1) \tag{4-47}$$

然而，根据 $F(i(T+1))+F(i(T+1)+1,j(T+1),T+1)=F(T+1)$ 是 $P(T+1)$ 的最优解，可得 $F(i(T))+F(i(T)+1,j(T),T+1) \geqslant F(i(T+1))+F(i(T+1)+1,j(T+1),T+1)$。说明由假设 $i(T+1)<i(T)$ 和 $j(T+1)<j(T)$ 得出了相互矛盾的结论，因此可得 $i(T+1) \geqslant i(T)$ 和 $j(T+1) \geqslant j(T)$。

情形②： $i(T+1)<i(T)$ 和 $j(T+1) \geqslant j(T)$。

由 $F(T)=F(i(T))+F(i(T)+1,j(T),T)$ 是 $P(T)$ 的最优解可得 $F(T)=F(i(T))+F(i(T)+1,j(T),T) \leqslant F(i(T+1))+F(i(T+1)+1,j(T),T)$，即

$$F(i(T))+K+c(1-r_N)\left(\sum_{l=i(T)+1}^{T} d_l - I_{i(T)}\right)+b_{i(T)+1}(d_{i(T)+1}-I_{i(T)})+\sum_{l=i(T)+2}^{j(T)-1}\sum_{k=i(T)+2}^{l} b_l d_k + \sum_{l=j(T)}^{T-1}\sum_{k=l+1}^{T} h_l d_k$$
$$\leqslant F(i(T+1))+K+c(1-r_N)\left(\sum_{l=i(T+1)+1}^{T} d_l - I_{i(T+1)}\right)$$
$$+b_{i(T+1)+1}(d_{i(T+1)+1}-I_{i(T+1)})+\sum_{l=i(T+1)+2}^{j(T)-1}\sum_{k=i(T+1)+2}^{l} b_l d_k + \sum_{l=j(T)}^{T-1}\sum_{k=l+1}^{T} h_l d_k \tag{4-48}$$

化简式（4-48）可得

$$F(i(T))+c(1-r_N)\left(\sum_{l=i(T)+1}^{T} d_l - I_{i(T)}\right)+b_{i(T)+1}(d_{i(T)+1}-I_{i(T)})+\sum_{l=i(T)+2}^{j(T)-1}\sum_{k=i(T)+2}^{l} b_l d_k$$
$$\leqslant F(i(T+1))+c(1-r_N)\left(\sum_{l=i(T+1)+1}^{T} d_l - I_{i(T+1)}\right)+b_{i(T+1)+1}(d_{i(T+1)+1}-I_{i(T+1)}) \tag{4-49}$$
$$+\sum_{l=i(T+1)+2}^{j(T)-1}\sum_{k=i(T+1)+2}^{l} b_l d_k$$

进一步有如下两个等式成立：

$$\sum_{l=i(T)+2}^{j(T+1)-1}\sum_{k=i(T)+2}^{l} b_l d_k - \sum_{l=i(T)+2}^{j(T)-1}\sum_{k=i(T)+2}^{l} b_l d_k = \sum_{l=j(T)}^{j(T+1)-1}\sum_{k=i(T)+2}^{l} b_l d_k \tag{4-50}$$

$$\sum_{l=i(T+1)+2}^{j(T+1)-1}\sum_{k=i(T+1)+2}^{l} b_l d_k - \sum_{l=i(T+1)+2}^{j(T)-1}\sum_{k=i(T+1)+2}^{l} b_l d_k = \sum_{l=j(T)}^{j(T+1)-1}\sum_{k=i(T+1)+2}^{l} b_l d_k \tag{4-51}$$

因为 $i(T+1)<i(T)$，所以可得 $\sum_{l=j(T)}^{j(T+1)-1}\sum_{k=i(T)+2}^{l} b_l d_k < \sum_{l=j(T)}^{j(T+1)-1}\sum_{k=i(T+1)+2}^{l} b_l d_k$，即可得

$$\sum_{l=i(T)+2}^{j(T+1)-1}\sum_{k=i(T)+2}^{l} b_l d_k - \sum_{l=i(T)+2}^{j(T)-1}\sum_{k=i(T)+2}^{l} b_l d_k < \sum_{l=i(T+1)+2}^{j(T+1)-1}\sum_{k=i(T+1)+2}^{l} b_l d_k - \sum_{l=i(T+1)+2}^{j(T)-1}\sum_{k=i(T+1)+2}^{l} b_l d_k \tag{4-52}$$

而由式（4-49）和式（4-52）可得

$$F(i(T)) + c(1-r_N)\left(\sum_{l=i(T)+1}^{T} d_l - I_{i(T)}\right) + b_{i(T)+1}(d_{i(T)+1} - I_{i(T)}) + \sum_{l=i(T)+2}^{j(T+1)-1}\sum_{k=i(T)+2}^{l} b_l d_k$$

$$\leqslant F(i(T+1)) + c(1-r_N)\left(\sum_{l=i(T+1)+1}^{T} d_l - I_{i(T+1)}\right) + b_{i(T+1)+1}(d_{i(T+1)+1} - I_{i(T+1)}) \quad (4\text{-}53)$$

$$+ \sum_{l=i(T+1)+2}^{j(T+1)-1}\sum_{k=i(T+1)+2}^{l} b_l d_k$$

而在式(4-53)不等号两侧同时加上 $K + c(1-r_N)d_{T+1} + \sum_{l=j(T+1)}^{T}\sum_{k=l+1}^{T+1} h_l d_k$，可得

$$F(i(T)) + K + c(1-r_N)\left(\sum_{l=i(T)+1}^{T+1} d_l - I_{i(T)}\right) + b_{i(T)+1}(d_{i(T)+1} - I_{i(T)})$$

$$+ \sum_{l=i(T)+2}^{j(T+1)-1}\sum_{k=i(T)+2}^{l} b_l d_k + \sum_{l=j(T+1)}^{T}\sum_{k=l+1}^{T+1} h_l d_k$$

$$= F(i(T)) + F(i(T)+1, j(T+1), T+1) \quad (4\text{-}54)$$

$$< F(i(T+1)) + K + c(1-r_N)\left(\sum_{l=i(T+1)+1}^{T+1} d_l - I_{i(T+1)}\right)$$

$$+ b_{i(T+1)+1}(d_{i(T+1)+1} - I_{i(T+1)}) + \sum_{l=i(T+1)+2}^{j(T+1)-1}\sum_{k=i(T+1)+2}^{l} b_l d_k + \sum_{l=j(T+1)}^{T}\sum_{k=l+1}^{T+1} h_l d_k$$

$$= F(i(T+1)) + F(i(T+1)+1, j(T+1), T+1) = F(T+1)$$

根据 $F(i(T+1)) + F(i(T+1)+1, j(T+1), T+1) = F(T+1)$ 是 $P(T+1)$ 的最优解，可得 $F(i(T)) + F(i(T)+1, j(T+1), T+1) \geqslant F(i(T+1)) + F(i(T+1)+1, j(T+1), T+1)$。说明由假设 $i(T+1) < i(T)$ 得出了相互矛盾的结论，因此可得 $i(T+1) \geqslant i(T)$。

附录四

定理 5-7 证明　在 $P(t)$ 的最优解中，若至少有一个产品 1 的生产点和一个产品 2 的生产点，即 $i \geqslant 1$，$j \geqslant 1$，则根据动态规划循环式(5-21)～式(5-24)分别讨论四种情形。

情形 1　由式(5-20)、式(5-21)～式(5-24)可得

$$F(i,j,t+1) = F(i,j,t) + \min \left\{ \begin{array}{l} \left(c_{1i} + \sum\limits_{l=i}^{t} h_{1l}\right) d_{1,t+1} + \left(c_{2j} + \sum\limits_{l=j}^{t} h_{2l}\right) d_{2,t+1}; s_{1,t+1} d_{1,t+1} + s_{2,t+1} d_{2,t+1}; \\ s_{1,t+1} d_{1,t+1} + \left(c_{2j} + \sum\limits_{l=j}^{t} h_{2l}\right) d_{2,t+1}; \left(c_{1i} + \sum\limits_{l=i}^{t} h_{1l}\right) d_{1,t+1} + s_{2,t+1} d_{2,t+1} \end{array} \right\}$$

$$\tag{5-32}$$

由式(5-32)可得

$$F(i(t+1), j(t+1), t+1) = F(i(t+1), j(t+1), t)$$

$$+ \min \left\{ \begin{array}{l} \left(c_{1i(t+1)} + \sum\limits_{l=i(t+1)}^{t} h_{1l}\right) d_{1,t+1} + \left(c_{2j(t+1)} + \sum\limits_{l=j(t+1)}^{t} h_{2l}\right) d_{2,t+1}; s_{1,t+1} d_{1,t+1} + s_{2,t+1} d_{2,t+1}; \\ s_{1,t+1} d_{1,t+1} + \left(c_{2j(t+1)} + \sum\limits_{l=j(t+1)}^{t} h_{2l}\right) d_{2,t+1}; \left(c_{1i(t+)} + \sum\limits_{l=i(t+1)}^{t} h_{1l}\right) d_{1,t+1} + s_{2,t+1} d_{2,t+1} \end{array} \right\} \tag{5-33}$$

和

$$F(i(t), j(t), t+1) = F(i(t), j(t), t)$$

$$+ \min \left\{ \begin{array}{l} \left(c_{1i(t)} + \sum\limits_{l=i(t)}^{t} h_{1l}\right) d_{1,t+1} + \left(c_{2j(t)} + \sum\limits_{l=j(t)}^{t} h_{2l}\right) d_{2,t+1}; s_{1,t+1} d_{1,t+1} + s_{2,t+1} d_{2,t+1}; \\ s_{1,t+1} d_{1,t+1} + \left(c_{2j(t)} + \sum\limits_{l=j(t)}^{t} h_{2l}\right) d_{2,t+1}; \left(c_{1i(t)} + \sum\limits_{l=i(t)}^{t} h_{1l}\right) d_{1,t+1} + s_{2,t+1} d_{2,t+1} \end{array} \right\} \tag{5-34}$$

由 $F(t+1) = F(i(t+1), j(t+1), t+1)$ 是 $P(t+1)$ 的最优解，可得

$$F(i(t+1), j(t+1), t+1) \leqslant F(i(t), j(t), t+1) \tag{5-35}$$

由式(5-33)可得 $F(i(t+1), j(t+1), t+1)$ 与 $F(i(t+1), j(t+1), t)$ 之间存在四种等式关系，由式(5-34)可得 $F(i(t), j(t), t+1)$ 和 $F(i(t), j(t), t)$ 之间也存在四种等式关系。因此，由式(5-35)得出 $F(i(t+1), j(t+1), t)$ 与 $F(i(t), j(t), t)$ 的关系则需要考虑 16 种情形。以下内容仅选取一种情形给出证明过程，其余情形不再赘述具体的证明过程。

若

$$F(i(t), j(t), t+1) = F(i(t), j(t), t) + \left(c_{1i(t)} + \sum\limits_{l=i(t)}^{t} h_{1l}\right) d_{1,t+1} + \left(c_{2j(t)} + \sum\limits_{l=j(t)}^{t} h_{2l}\right) d_{2,t+1} \tag{5-36}$$

和

$$F(i(t+1), j(t+1), t+1) = F(i(t+1), j(t+1), t) + \left(c_{1i(t+1)} + \sum_{l=i(t+1)}^{t} h_{1l} \right) d_{1,t+1}$$

$$+ \left(c_{2j(t+1)} + \sum_{l=j(t+1)}^{t} h_{2l} \right) d_{2,t+1} \tag{5-37}$$

采用反证法，需要考虑三种情形：①假设在 $P(t+1)$ 的最优解中有 $i(t+1) < i(t)$ 和 $j(t+1) < j(t)$ 成立；②假设在 $P(t+1)$ 的最优解中有 $i(t+1) \geqslant i(t)$ 和 $j(t+1) < j(t)$ 成立；③假设在 $P(t+1)$ 的最优解中有 $i(t+1) < i(t)$ 和 $j(t+1) \geqslant j(t)$ 成立。因为情形②和情形③的证明与情形①类似，因此以下证明情形①，而省略情形②和情形③的证明。假设 $i(t+1) < i(t)$ 和 $j(t+1) < j(t)$，由式(5-35)可得

$$F(i(t+1), j(t+1), t) + \left(c_{1i(t+1)} + \sum_{l=i(t+1)}^{t} h_{1l} \right) d_{1,t+1} + \left(c_{2j(t+1)} + \sum_{l=j(t+1)}^{t} h_{2l} \right) d_{2,t+1}$$

$$\leqslant F(i(t), j(t), t) + \left(c_{1i(t)} + \sum_{l=i(t)}^{t} h_{1l} \right) d_{1,t+1} + \left(c_{2j(t)} + \sum_{l=j(t)}^{t} h_{2l} \right) d_{2,t+1} \tag{5-38}$$

由假设 $i(t+1) < i(t)$ 和 $j(t+1) < j(t)$，化简式(5-38)可得

$$F(i(t+1), j(t+1), t) + \left(c_{1i(t+1)} + \sum_{l=i(t+1)}^{i(t)-1} h_{1l} - c_{1i(t)} \right) d_{1,t+1}$$

$$+ \left(c_{2j(t+1)} + \sum_{l=j(t+1)}^{j(t)-1} h_{2l} - c_{2j(t)} \right) d_{2,t+1} \leqslant F(i(t), j(t), t) \tag{5-39}$$

由 $i(t) = m(1t)$ 和 $j(t) = m(2t)$ 以及 $m(1t)$ 和 $m(2t)$ 的定义可得

$$\left(c_{1i(t+1)} + \sum_{l=i(t+1)}^{i(t)-1} h_{1l} - c_{1i(t)} \right) d_{1,t+1} > 0 \tag{5-40}$$

和

$$\left(c_{2j(t+1)} + \sum_{l=j(t+1)}^{j(t)-1} h_{2l} - c_{2j(t)} \right) d_{2,t+1} > 0 \tag{5-41}$$

因此可得 $F(i(t+1), j(t+1), t) < F(i(t), j(t), t)$。而由 $F(t) = F(i(t), j(t), t)$ 是 $P(t)$ 的最优解可得 $F(i(t+1), j(t+1), t) \geqslant F(i(t), j(t), t)$。因此，由假设 $i(t+1) < i(t)$ 和 $j(t+1) < j(t)$ 得出了相互矛盾的结论。由此可得在 $P(t+1)$ 的最优解中有 $i(t+1) \geqslant i(t)$ 和 $j(t+1) \geqslant j(t)$。

若 $F(i(t+1), j(t+1), t+1) = F(i(t+1), j(t+1), t) + s_{1,t+1}d_{1,t+1} + s_{2,t+1}d_{2,t+1}$，则直接可得 $i(t+1) = i(t)$ 和 $j(t+1) = j(t)$。

剩余情形的证明过程类似于以上两种情形的综合，故略。

情形 2　由式(5-22)可得

$$F(i, t+1, t+1) = F(i, t) + \min \left\{ \left(c_{1i} + \sum_{l=i}^{t} h_{1l} \right) d_{1,t+1} + K_{t+1} + k_{2,t+1} + c_{2,t+1}d_{2,t+1}; \right.$$

$$\left. s_{1,t+1}d_{1,t+1} + K_{t+1} + k_{2,t+1} + c_{2,t+1}d_{2,t+1} \right\} \tag{5-42}$$

由式(5-42)可得

$$F(i(t+1),t+1,t+1) = F(i(t+1),t) + \min\left\{\left(c_{1i(t+1)} + \sum_{l=i(t+1)}^{t} h_{1l}\right)d_{1,t+1} + K_{t+1} + k_{2,t+1} + c_{2,t+1}d_{2,t+1};\right.$$
$$\left. s_{1,t+1}d_{1,t+1} + K_{t+1} + k_{2,t+1} + c_{2,t+1}d_{2,t+1}\right\} \tag{5-43}$$

和

$$F(i(t),t+1,t+1) = F(i(t),t) + \min\left\{\left(c_{1i(t)} + \sum_{l=i(t)}^{t} h_{1l}\right)d_{1,t+1} + K_{t+1} + k_{2,t+1} + c_{2,t+1}d_{2,t+1};\right.$$
$$\left. s_{1,t+1}d_{1,t+1} + K_{t+1} + k_{2,t+1} + c_{2,t+1}d_{2,t+1}\right\} \tag{5-44}$$

由式(5-44)可得 $j(t+1) = t+1 > j(t)$，对于 $i(t+1) \geq i(t)$ 的证明，类似于情形 1 中的反证法证明过程，故略。

情形 3 由式(5-23)可得

$$F(t+1,j,t+1) = F(j,t) + \min\left\{K_{t+1} + k_{1,t+1} + c_{1,t+1}d_{1,t+1} + \left(c_{2j} + \sum_{l=j}^{t} h_{2l}\right)d_{2,t+1};\right.$$
$$\left. K_{t+1} + k_{1,t+1} + c_{1,t+1}d_{1,t+1} + s_{2,t+1}d_{2,t+1}\right\} \tag{5-45}$$

而由式(5-45)可得

$$F(t+1,j(t+1),t+1) = F(j(t+1),t) + \min\left\{K_{t+1} + k_{1,t+1} + c_{1,t+1}d_{1,t+1} + \left(c_{2j(t+1)} + \sum_{l=j(t+1)}^{t} h_{2l}\right)d_{2,t+1};\right.$$
$$\left. K_{t+1} + k_{1,t+1} + c_{1,t+1}d_{1,t+1} + s_{2,t+1}d_{2,t+1}\right\} \tag{5-46}$$

和

$$F(t+1,j(t),t+1) = F(j(t),t) + \min\left\{K_{t+1} + k_{1,t+1} + c_{1,t+1}d_{1,t+1} + \left(c_{2j(t)} + \sum_{l=j(t)}^{t} h_{2l}\right)d_{2,t+1};\right.$$
$$\left. K_{t+1} + k_{1,t+1} + c_{1,t+1}d_{1,t+1} + s_{2,t+1}d_{2,t+1}\right\} \tag{5-47}$$

由式(5-47)直接可得 $i(t+1) = t+1 > i(t)$，对于 $j(t+1) \geq j(t)$ 的证明，同样类似于情形 1 中的反证法证明过程，故略。

情形 4 由式(5-24)可得

$$F(t+1,t+1,t+1) = F(t) + K_{t+1} + \sum_{n=1}^{2} k_{n,t+1} + \sum_{n=1}^{2} c_{n,t+1}d_{n,t+1} \tag{5-48}$$

此时 $i(t+1) = t+1 > i(t)$，$j(t+1) = t+1 > j(t)$。

综合以上分析可得，在 $P(t+1)$ 的最优解中，有 $i(t+1) \geq i(t)$ 和 $j(t+1) \geq j(t)$，即两产品最后一个生产点是单调的。

<h1 style="text-align:center">附录五</h1>

定理 6-1 证明　在 $P(T)$ 的最优解中，若 $l(T) \leqslant k(T)$，则

$$F(T) = F(k(T)-1) + F(l(T),k(T),T)$$

运用反证法证明 $l(T+1) \geqslant l(T)$ 和 $k(T+1) \geqslant k(T)$。假设在 $P(T+1)$ 的最优解中有 $l(T+1) \leqslant l(T)$ 和 $k(T+1) < k(T)$，由式(6-7)和式(6-13)可得

$$
\begin{aligned}
F(l(T),k(T),T+1) = {}& c_{l(T)}^1 \sum_{n=1}^{2} \sum_{u=k(T)}^{T+1} d_u^n + \sum_{u=l(T)}^{k(T)-1} \sum_{n=1}^{2} \sum_{v=k(T)}^{T+1} h_u^1 d_v^n + \sum_{u=k(T)}^{T} \sum_{v=u+1}^{T+1} h_u^1 d_v^1 \\
& + \sigma_{k(T)}^2 + c_{k(T)}^2 \sum_{u=k(T)}^{T+1} d_u^2 + \sum_{u=k(T)}^{T} \sum_{v=u+1}^{T+1} h_u^2 d_v^2 \\
= {}& F(l(T),k(T),T) + \left(c_{l(T)}^1 + \sum_{u=l(T)}^{T} h_u^1 \right) d_{T+1}^1 \\
& + \left(c_{l(T)}^1 + \sum_{u=l(T)}^{k(T)-1} h_u^1 + c_{k(T)}^2 + \sum_{u=k(T)}^{T} h_u^2 \right) d_{T+1}^2
\end{aligned}
\tag{6-33}
$$

$$
\begin{aligned}
F(l(T+1),k(T+1),T+1) = {}& c_{l(T+1)}^1 \sum_{n=1}^{2} \sum_{u=k(T+1)}^{T+1} d_u^n + \sum_{u=l(T+1)}^{k(T+1)-1} \sum_{n=1}^{2} \sum_{v=k(T+1)}^{T+1} h_u^1 d_v^n + \sum_{u=k(T+1)}^{T} \sum_{v=u+1}^{T+1} h_u^1 d_v^1 \\
& + \sigma_{k(T+1)}^2 + c_{k(T+1)}^2 \sum_{u=k(T+1)}^{T+1} d_u^2 + \sum_{u=k(T+1)}^{T} \sum_{v=u+1}^{T+1} h_u^2 d_v^2 \\
= {}& F(l(T+1),k(T+1),T) + \left(c_{l(T+1)}^1 + \sum_{u=l(T+1)}^{T} h_u^1 \right) d_{T+1}^2 \\
& + \left(c_{l(T+1)}^1 + \sum_{u=l(T+1)}^{k(T+1)-1} h_u^1 + c_{k(T+1)}^1 + \sum_{u=k(T+1)}^{T} h_u^2 \right) d_{T+1}^2
\end{aligned}
\tag{6-34}
$$

因为 $F(k(T+1)-1) + F(l(T+1),k(T+1),T+1)$ 是 $P(T+1)$ 的最优解，所以可得

$$
\begin{aligned}
F(T+1) = {}& F(k(T+1)-1) + F(l(T+1),k(T+1),T+1) \\
< {}& F(k(T)-1) + F(l(T),k(T),T+1)
\end{aligned}
\tag{6-35}
$$

进一步由式(6-33)～式(6-35)可得

$$
\begin{aligned}
& F(k(T+1)-1) + F(l(T+1),k(T+1),T) + \left(c_{l(T+1)}^1 + \sum_{u=l(T+1)}^{T} h_u^1 \right) d_{T+1}^1 \\
& + \left(c_{l(T+1)}^1 + \sum_{u=l(T+1)}^{k(T+1)-1} h_u^1 + c_{k(T+1)}^1 + \sum_{u=k(T+1)}^{T} h_u^2 \right) d_{T+1}^2 \\
& < F(k(T)-1) + F(l(T),k(T),T) + \left(c_{l(T)}^1 + \sum_{u=l(T)}^{T} h_u^1 \right) d_{T+1}^1 \\
& + \left(c_{l(T)}^1 + \sum_{u=l(T)}^{k(T)-1} h_u^1 + c_{k(T)}^1 + \sum_{u=k(T)}^{T} h_u^2 \right) d_{T+1}^2
\end{aligned}
\tag{6-36}
$$

简化式 (6-36) 可得

$$F(k(T+1)-1)+F(l(T+1),k(T+1),T)+\left(c_{l(T+1)}^1+\sum_{u=l(T+1)}^{T}h_u^1-c_{l(T)}^1-\sum_{u=l(T)}^{T}h_u^1\right)d_{T+1}^1$$

$$+\left(c_{l(T+1)}^1+\sum_{u=l(T+1)}^{k(T+1)-1}h_u^1+c_{k(T+1)}^1+\sum_{u=k(T+1)}^{T}h_u^2-c_{l(T)}^1-\sum_{u=l(T)}^{k(T)-1}h_u^1-c_{k(T)}^1-\sum_{u=k(T)}^{T}h_u^2\right)d_{T+1}^2 \qquad (6\text{-}37)$$

$$< F(k(T)-1)+F(l(T),k(T),T)$$

由引理 6-1 可得

$$\left(c_{l(T+1)}^1+\sum_{u=l(T+1)}^{T}h_u^1-c_{l(T)}^1-\sum_{u=l(T)}^{T}h_u^1\right)d_{T+1}^1+\left(c_{l(T+1)}^1+\sum_{u=l(T+1)}^{k(T+1)-1}h_u^1\right.$$

$$\left.+c_{k(T+1)}^1+\sum_{u=k(T+1)}^{T}h_u^2-c_{l(T)}^1-\sum_{u=l(T)}^{k(T)-1}h_u^1-c_{k(T)}^1-\sum_{u=k(T)}^{T}h_u^2\right)d_{T+1}^2 \geqslant 0 \qquad (6\text{-}38)$$

因此可得 $F(k(T+1)-1)+F(l(T+1),k(T+1),T)<F(k(T)-1)+F(l(T),k(T),T)$。

然而，根据 $F(k(T)-1)+F(l(T),k(T),T)$ 是 $P(T)$ 的最优解，可得 $F(k(T+1)-1)+F(l(T+1),k(T+1),T)>F(k(T)-1)+F(l(T),k(T),T)$，说明由假设 $l(T+1)<l(T)$ 和 $k(T+1)<k(T)$ 得出了相互矛盾的结论，因此可得 $l(T+1)\geqslant l(T)$ 和 $k(T+1)\geqslant k(T)$ 成立。

在 $P(T)$ 的最优解中，若 $l(T)>k(T)$，则

$$F(T)=F(l(T)-1)+F(i(T),k(T),l(T),T)$$

依然运用反证法证明 $i(T+1)\geqslant i(T)$、$l(T+1)\geqslant l(T)$ 和 $k(T+1)\geqslant k(T)$，需要考虑八种情形：①假设在 $P(T+1)$ 的最优解中有 $i(T+1)<i(T)$、$l(T+1)<l(T)$ 和 $k(T+1)<k(T)$ 成立；②假设在 $P(T+1)$ 的最优解中有 $i(T+1)\geqslant i(T)$、$l(T+1)<l(T)$ 和 $k(T+1)<k(T)$ 成立；③假设在 $P(T+1)$ 的最优解中有 $i(T+1)\geqslant i(T)$、$l(T+1)\geqslant l(T)$ 和 $k(T+1)<k(T)$ 成立；④假设在 $P(T+1)$ 的最优解中有 $i(T+1)<i(T)$、$l(T+1)\geqslant l(T)$ 和 $k(T+1)<k(T)$ 成立；⑤假设在 $P(T+1)$ 的最优解中有 $i(T+1)<i(T)$、$l(T+1)\geqslant l(T)$ 和 $k(T+1)\geqslant k(T)$ 成立；⑥假设在 $P(T+1)$ 的最优解中有 $i(T+1)<i(T)$、$l(T+1)<l(T)$ 和 $k(T+1)\geqslant k(T)$ 成立；⑦假设在 $P(T+1)$ 的最优解中有 $i(T+1)\geqslant i(T)$、$l(T+1)<l(T)$ 和 $k(T+1)\geqslant k(T)$ 成立。因为情形②～⑦的证明与情形①类似，因此以下证明情形①，而省略情形②～⑦的证明。

由式 (6-8) 和式 (6-15) 可得

$$F(i(T),k(T),l(T),T+1)=F(i(T),k(T),l(T),T)+\left(c_{l(T)}^1+\sum_{u=l(T)}^{T}h_u^1\right)d_{T+1}^1$$

$$+\left(c_{i(T)}^1+\sum_{u=i(T)}^{k(T)-1}h_u^1+c_{k(T)}^1+\sum_{u=k(T)}^{T}h_u^2\right)d_{T+1}^2 \qquad (6\text{-}39)$$

和

$$F(i(T+1),k(T+1),l(T+1),T+1)=F(i(T+1),k(T+1),l(T+1),T)+\left(c_{l(T+1)}^1+\sum_{u=l(T+1)}^{T}h_u^1\right)d_{T+1}^1$$

$$+\left(c_{i(T+1)}^1+\sum_{u=i(T+1)}^{k(T+1)-1}h_u^1+c_{k(T+1)}^1+\sum_{u=k(T+1)}^{T}h_u^2\right)d_{T+1}^2$$

$$(6\text{-}40)$$

证明过程类似于 $l(T) \leqslant k(T)$ 的情形，故略。

第一种等价算法 假设周期 k 是第 2 级的最后一个生产点，则根据第 1 级的生产点与周期 k 的大小关系考虑两种情形。如果第 1 级的生产点都小于等于周期 k，则假设周期 l 是第 1 级小于等于周期 k 的最大生产点。因此，第 1(2) 级从周期 l 到周期 T 的产品需求由周期 l（l 和 k）生产的产品满足。令 $F(l,k,t)$ 代表周期 l（l 和 k）生产以满足第 1(2) 级从周期 k 到周期 T 需求的成本。若有第 1 级的生产点大于周期 k，则假设 $l_1 < l_2 < \cdots < l_q$ 是大于周期 k 的 q 个第 1 级的生产点，周期 i 是小于等于周期 k 的第 1 级最大的生产点。因此，第 2 级从周期 k 到周期 T 的需求由第 i 期和第 k 期的生产满足，第 1 级从第 k 期到第 $l_1 - 1$ 期的需求由周期 i 的生产满足，第 1 级从第 l_1 期到第 T 期的需求由周期 $l_1, l_2, \cdots, l_q$ 的生产满足。为了符号简便，令 $\boldsymbol{l} = l_1, l_2, \cdots, l_q$。令 $F(i,k,\boldsymbol{l},T)$ 代表周期 i 和 $l_1, l_2, \cdots, l_q$（i 和 k）生产以满足第 1(2) 级从周期 k 到周期 T 需求的成本。根据以上定义，可得如下动态规划算法：

$$F(T) = \min\{\min_{1 \leqslant l \leqslant k \leqslant T} F(k-1) + F(l,k,T); \min_{1 \leqslant i \leqslant k < l_1 < l_2 < \cdots < l_q \leqslant T} F(k-1) + F(i,k,\boldsymbol{l},T)\} \quad (6\text{-}41)$$

其中

$$F(l,k,T) = c_l^1 \sum_{n=1}^{2} \sum_{u=k}^{T} d_u^n + \sum_{u=l}^{k-1} \sum_{n=1}^{2} \sum_{v=k}^{T} h_u^1 d_v^n + \sum_{u=l}^{T-1} \sum_{v=u+1}^{T} h_u^1 d_v^1 + \sigma_k^2 + c_k^2 \sum_{u=k}^{T} d_u^2 + \sum_{u=k}^{T-1} \sum_{v=u+1}^{T} h_u^2 d_v^2 \quad (6\text{-}42)$$

$$F(i,k,\boldsymbol{l},T) = c_i^1\left(\sum_{u=k}^{l_1-1} d_u^1 + \sum_{u=k}^{l_1-1} d_u^2\right) + \sum_{u=i}^{k-1} \sum_{v=k}^{l_1-1} h_u^1 d_v^1 + \sum_{u=k-1}^{l_1-2} \sum_{v=u+1}^{l_1-1} h_u^1 d_v^1 + \sum_{u=i}^{k-1} \sum_{v=k}^{T} h_u^1 d_v^2 + \sigma_k^2 + c_k^1 \sum_{u=k}^{T} d_u^2$$

$$+ \sum_{u=k}^{T-1} \sum_{v=u+1}^{T} h_u^2 d_v^2 + \sum_{f=1}^{q-1}\left(\sigma_{l_f}^1 + c_{l_f}^1 \sum_{u=l_f}^{l_{f+1}-1} d_u^1 + \sum_{u=l_f}^{l_{f+1}-2} \sum_{v=u+1}^{l_{f+1}-1} h_u^1 d_v^1\right) + \sigma_{l_q}^1 + c_{l_q}^1 \sum_{u=l_q}^{T} d_u^1 + \sum_{u=l_q}^{T-1} \sum_{v=u+1}^{T} h_u^1 d_v^1$$

$$(6\text{-}43)$$

第二种等价算法 令 $F(l,i,k,T)$ 代表周期 l 为第 1 级最后一个生产点，周期 k 为第 2 级最后一个生产点，周期 i 为第 1 级小于等于周期 k 的最后一个生产点 $P(T)$ 的最优成本，$1 \leqslant l \leqslant T$，$1 \leqslant i \leqslant k \leqslant T$。若 $k \geqslant l$，则 $i = l$；若 $k < l$，则 $i < l$。因此可得

$$F(T) = \min_{1 \leqslant l \leqslant T, 1 \leqslant i \leqslant k \leqslant T} F(l,i,k,T) \quad (6\text{-}44)$$

令 $V(l,i,k,T)$ 代表满足第 T 期两级需求的变动成本，因此可得

$$F(l,i,k,T) = \min_{1 \leqslant l \leqslant T, 1 \leqslant i \leqslant k \leqslant T}\{F(l,i,k,T-1) + V(l,i,k,T)\} \quad (6\text{-}45)$$

根据 $k \geqslant l$、$k = T$ 和 $l = T$，需要分四种情形讨论计算 $V(l,i,k,T)$：

$$V(l,i,k,T)$$

$$= \min\begin{cases} \left(c_l^1 + \sum_{u=l}^{T-1} h_u^1\right)d_T^1 + \left(c_l^1 + \sum_{u=l}^{k-1} h_u^1\right)d_T^2 + \left(c_k^2 + \sum_{u=k}^{T-1} h_u^2\right)d_T^2, & 1 \leqslant l, k \leqslant T-1, i = l \\[3mm] \left(c_l^1 + \sum_{u=l}^{T-1} h_u^1\right)d_T^1 + \left(c_i^1 + \sum_{u=i}^{k-1} h_u^1\right)d_T^2 + \left(c_k^2 + \sum_{u=k}^{T-1} h_u^2\right)d_T^2, & 1 \leqslant l, k \leqslant T-1, i < l \\[3mm] \sigma_T^1 + c_T^1 d_T^1 + \left(c_i^1 + \sum_{u=i}^{k-1} h_u^1\right)d_T^2 + \left(c_k^2 + \sum_{u=k}^{T-1} h_u^2\right)d_T^2, & l = T, 1 \leqslant k \leqslant T-1, i < l \\[3mm] \left(c_l^1 + \sum_{u=l}^{T-1} h_u^1\right)\sum_{n=1}^{2} d_T^n + \sigma_T^2 + c_T^2 d_T^2, & 1 \leqslant l \leqslant T-1, k = T, i = l \end{cases} \quad (6\text{-}46)$$

附录六

引理 7-1 证明　令 $C_{j_3^*(t)}(t)$ 表示最后一个再生点是 $j_3^*(t)$ 时 $P_3(t)$ 的最优成本，其中，$P_3(t)$ 表示仅存在Ⅲ类再生点的 T-周期问题。$C(j_3^*(t))$ 表示问题 P_3 前 j_3 期的最优成本；$C(j_3^*(t), s_1^*(t), s_2^*(t), t)$ 表示问题 P_3 从第 j_3+1 期到第 T 期的最优成本，其中，生产在 s_1 从产品 1 转换到产品 2，在 s_2 从产品 2 转换到产品 1。假设 $s_2^*(t)$ 是 $P_3(t)$ 最优解的最后一个生产从产品 2 转换到产品 1 的转换点，$s_2^*(t+1)$ 是 $P_3(t+1)$ 最优解的最后一个产品 2 转换到产品 1 的生产转换点。则

$$C_{j_3^*(t)}(t) = C(j_3^*(t)) + C(j_3^*(t), s_1^*(t), s_2^*(t), t) \tag{7-24}$$

对于 $k \in \{0, 1, 2, \cdots, s_2^*(t) - s_1^*(t) - 1\}$，有

$$C(j_3^*(t), s_1^*(t), s_2^*(t), t) \leqslant C(j_3^*(t), s_1^*(t), s_2^*(t) - k, t) \tag{7-25}$$

对于问题 $P_3(t+1)$，有

$$C(j_3^*(t), s_1^*(t), s_2^*(t), t) + \sum_{l=s_2^*(t)}^{t} h_{2l} d_{2,t+1} \leqslant C(j_3^*(t), s_1^*(t), s_2^*(t) - k, t) + \sum_{l=s_2^*(t)-k}^{t} h_{2l} d_{2,t+1} \tag{7-26}$$

又因为

$$C(j_3^*(t), s_1^*(t), s_2^*(t), t+1) = C(j_3^*(t), s_1^*(t), s_2^*(t), t) + \sum_{l=s_2^*(t)}^{t} h_{2l} d_{2,t+1} \tag{7-27}$$

且

$$C(j_3^*(t), s_1^*(t), s_2^*(t) - k, t+1) = C(j_3^*(t), s_1^*(t), s_2^*(t) - k, t) + \sum_{l=s_2^*(t)-k}^{t} h_{2l} d_{2,t+1} \tag{7-28}$$

因此

$$C(j_3^*(t), s_1^*(t), s_2^*(t), t+1) \leqslant C(j_3^*(t), s_1^*(t), s_2^*(t) - k, t+1) \tag{7-29}$$

从而可得 $s_2^*(t+1) \geqslant s_2^*(t)$。证毕。

定理 7-5 证明　分别针对每一类再生点进行分析。

1）Ⅰ类再生点

假设 $j_1^*(t)$ 是 $P(t)$ 最优解的最后一个Ⅰ类再生点，$j_1^*(t+1)$ 是 $P(t+1)$ 最优解的最后一个Ⅰ类再生点。若 $j_1^*(t) = t'$（$0 \leqslant t' < t$），则当 $P(t+1)$ 最优解的最后一个再生点是Ⅰ类再生点时，$j_1^*(t+1) = t$；当 $P(t+1)$ 最优解的最后一个再生点是Ⅱ类或Ⅲ类再生点时，$j_1^*(t+1) = t'$。因此，$j_1^*(t) \leqslant j_1^*(t+1)$。

2）Ⅱ类再生点

假设 $j_2^*(t)$ 是 $P(t)$ 最优解的最后一个Ⅱ类再生点，$j_2^*(t+1)$ 是 $P(t+1)$ 最优解的最后一个Ⅱ类再生点。由于 $C_{j_2^*(t)}(t) = C(j_2^*(t)) + C(j_2^*(t), s_1^*(t), t)$ 和 $C_{j_2^*(t)}(t+1) = C(j_2^*(t)) + C(j_2^*(t), s_1^*(t), t+1)$。

对于 $k \in \{0,1,\cdots,j_2^*(t)\}$，有 $C_{j_2^*(t)}(t) \leqslant C_{j_2^*(t)-k}(t)$。因此，对于 $P(t+1)$ 问题，有

$$C_{j_2^*(t)}(t) + \sum_{l=s_1^*(t)}^{t} h_{1l}d_{1,t+1} \leqslant C_{j_2^*(t)-k}(t) + \sum_{l=s_1^*(t)-k}^{t} h_{1l}d_{1,t+1} \tag{7-30}$$

又因为

$$C_{j_2^*(t)}(t+1) = C_{j_2^*(t)}(t) + \sum_{l=s_1^*(t)}^{t} h_{1l}d_{1,t+1} \tag{7-31}$$

和

$$C_{j_2^*(t)-k}(t+1) = C_{j_2^*(t)-k}(t) + \sum_{l=s_1^*(t)-k}^{t} h_{1l}d_{1,t+1} \tag{7-32}$$

所以 $C_{j_2^*(t)}(t+1) \leqslant C_{j_2^*(t)-k}(t+1)$。从而可得 $j_2^*(t) \leqslant j_2^*(t+1)$。

3）Ⅲ类再生点

假设 $j_3^*(t)$ 是 $P(t)$ 最优解的最后一个Ⅲ类再生点，$j_3^*(t+1)$ 是 $P(t+1)$ 最优解的最后一个Ⅲ类再生点。由于 $C_{j_3^*(t)}(t) = C(j_3^*(t)) + C(j_3^*(t),s_1^*(t),s_2^*(t),t)$，且 $C_{j_3^*(t)}(t+1) = C(j_3^*(t)) + C(j_3^*(t),s_1^*(t),s_2^*(t+1),t+1)$。由引理 7-1 可知，$s_2^*(t) \leqslant s_2^*(t+1)$。为了简化表达式，令 s_2^* 表示 $s_2^*(t)$，s_2^{**} 表示 $s_2^*(t+1)$。对于 $k \in \{0,1,\cdots,j_3^*(t)\}$，有 $C_{j_3^*(t)}(t) \leqslant C_{j_3^*(t)-k}(t)$。考虑问题 $P(t+1)$，有

$$\begin{aligned}
&C_{j_3^*(t)}(t) + \sum_{l=s_2^*}^{s_2^{**}-2}\sum_{p=l+1}^{s_2^{**}-1} h_{1l}d_{1p} - \sum_{l=s_2^*}^{s_2^{**}-2}\sum_{p=l+1}^{s_2^{**}-1} h_{2l}d_{2p} + \sum_{l=s_2^{**}}^{t} h_{2l}d_{2,t+1} \\
&\leqslant C_{j_2^*(t)-k}(t) + \sum_{l=s_2^*}^{s_2^{**}-2}\sum_{p=l+1}^{s_2^{**}-1} h_{1l}d_{1p} - \sum_{l=s_2^*}^{s_2^{**}-2}\sum_{p=l+1}^{s_2^{**}-1} h_{2l}d_{2p} + \sum_{l=s_2^{**}}^{t} h_{2l}d_{2,t+1}
\end{aligned} \tag{7-33}$$

因此 $C_{j_3^*(t)}(t+1) \leqslant C_{j_3^*(t)-k}(t+1)$，从而可得 $j_3^*(t) \leqslant j_3^*(t+1)$。证毕。

引理 7-2 证明　令 $N(t') = \max\{N(1),N(2),\cdots,N(t-1)\}$，假设在 $P(t')$ 的最优解中有 M 个转换点，令 $s_i^m(t')$ 代表第 m 个由产品 i 到产品 j 的转换点，$i,j=1,2$，$i \neq j$，$m=1,2,\cdots,M$；$r_i^m(t')$ 为 $s_i^m(t')$ 之前的最大生产点，$i=1,2$。由以上定义可知 $s_i^M(t')$ 也是最后一个由产品 i 到产品 j 的转换点，因此有 $s_i^M(t') = s_i(t')$，$r_i^M(t') = r_i(t')$。不失一般性，假设 $s_1(t') > s_2(t')$。$s_i(t')$（$s_i^M(t')$）与 $s_i^m(t')$ 的关系如图 7-13 所示。

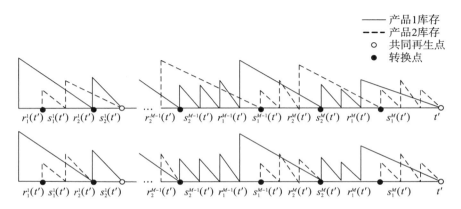

图 7-13　转换点个数示意图

运用反证法，假设在 $P(t)$ 的最优解中有 $N(t) = N(t') - k$ 成立，$k \in \{2,3,\cdots\}$。

若 $N(t) = N(t') - 2n$，$n \in \mathbf{N}_+$，则在 $P(t)$ 的最优解中有 $s_1(t) > s_2(t)$ 成立。由 $P(t')$ 的最优性可得

$$C(t') = C(s_1^M(t') - 1) + K + \sum_{l=s_1^M(t')-1}^{t'-1} \sum_{k=l+1}^{t'} h_{1l} d_{1k} \tag{7-34}$$

其中

$$C(s_1^M(t') - 1) = C(s_2^M(t') - 1) + K + \min\left\{ \sum_{l=s_2^M(t')}^{s_1^M(t')-1} \omega d_{2l}, \sum_{l=s_2^M(t')-1}^{s_1^M(t')-2} \sum_{k=l+1}^{s_1^M(t')-1} h_{2l} d_{2k} \right\}$$

由此可得

$$C(t') = C(s_2^M(t') - 1) + 2K + \min\left\{ \sum_{l=s_2^M(t')}^{s_1^M(t')-1} \omega d_{2l}, \sum_{l=s_2^M(t')-1}^{s_1^M(t')-2} \sum_{k=l+1}^{s_1^M(t')-1} h_{2l} d_{2k} \right\} + \sum_{l=s_1^M(t')-1}^{t'-1} \sum_{k=l+1}^{t'} h_{1l} d_{1k} \tag{7-35}$$

类似地

$$C(t') = C(s_1^{M-1}(t') - 1) + 3K + \sum_{l=s_1^{M-1}(t')-1}^{s_2^M(t')-2} \sum_{k=l+1}^{s_2^M(t')-1} h_{1l} d_{1k} + \min\left\{ \sum_{l=s_2^M(t')}^{s_1^M(t')-1} \omega d_{2l}, \sum_{l=s_2^M(t')-1}^{s_1^M(t')-2} \sum_{k=l+1}^{s_1^M(t')-1} h_{2l} d_{2k} \right\}$$
$$+ \sum_{l=s_1^M(t')-1}^{t'-1} \sum_{k=l+1}^{t'} h_{1l} d_{1k} \tag{7-36}$$

和

$$C(t') = C(s_2^{M-1}(t') - 1) + 4K + \min\left\{ \sum_{l=s_2^{M-1}(t')}^{s_1^{M-1}(t')-1} \omega d_{2l}, \sum_{l=s_2^{M-1}(t')-1}^{s_1^{M-1}(t')-2} \sum_{k=l+1}^{s_1^{M-1}(t')-1} h_{2l} d_{2k} \right\}$$
$$+ \sum_{l=s_1^{M-1}(t')-1}^{s_2^M(t')-2} \sum_{k=l+1}^{s_2^M(t')-1} h_{1l} d_{1k} + \min\left\{ \sum_{l=s_2^M(t')}^{s_1^M(t')-1} \omega d_{2l}, \sum_{l=s_2^M(t')-1}^{s_1^M(t')-2} \sum_{k=l+1}^{s_1^M(t')-1} h_{2l} d_{2k} \right\} + \sum_{l=s_1^M(t')-1}^{t'-1} \sum_{k=l+1}^{t'} h_{1l} d_{1k} \tag{7-37}$$

以上迭代过程可以一直重复进行下去，最后得出一般形式。为了简化表达式，令

$$H_1(\lambda) = \sum_{l=s_1^{\lambda-1}(t')-1}^{s_2^{\lambda}(t')-2} \sum_{k=l+1}^{s_2^{\lambda}(t')-1} h_{1l} d_{1k}, \quad H_2(\lambda) = \sum_{l=s_2^{\lambda}(t')-1}^{s_1^{\lambda}(t')-2} \sum_{k=l+1}^{s_1^{\lambda}(t')-1} h_{2l} d_{2k}, \quad W(\lambda) = \sum_{l=s_2^{\lambda}(t')}^{s_1^{\lambda}(t')-1} \omega d_{2l}$$

则对于 $n = 0,1,2,\cdots,M-1$，可以得出如下一般表达形式：

$$C(t') = C(s_1^{M-n}(t') - 1) + (2n+1)K + \sum_{q=1}^{n} H_1(M - n + q) + \sum_{l=s_1^M(t')-1}^{t'-1} \sum_{k=l+1}^{t'} h_{1l} d_{1k}$$
$$+ \sum_{q=1}^{n} [\min\{W(M - n + q), H_2(M - n + q)\}] \tag{7-38}$$

$$C(t') = C(s_2^{M-n}(t') - 1) + (2n+2)K + \sum_{q=0}^{n} [\min\{W(M - n + q), H_2(M - n + q)\}]$$
$$+ \sum_{q=1}^{n} H_1(M - n + q) + \sum_{l=s_1^M(t')-1}^{t'-1} \sum_{k=l+1}^{t'} h_{1l} d_{1k} \tag{7-39}$$

对于 $n = 1,2,\cdots,M-1$，由式 (7-38) 可得

$$C(s_1^{M-n}(t')-1)+K+\sum_{l=s_1^{M-n}(t')-1}^{t'-1}\sum_{k=l+1}^{t'}h_{1l}d_{1k}>C(s_1^{M-n}(t')-1)+K+2nK$$

$$+\sum_{q=1}^{n}H_1(M-n+q)+\sum_{q=1}^{n}[\min\{W(M-n+q),H_2(M-n+q)\}]+\sum_{l=s_1^{M}(t')-1}^{t'-1}\sum_{k=l+1}^{t'}h_{1l}d_{1k} \tag{7-40}$$

又因为

$$\sum_{l=s_1^{M-n}(t')-1}^{t'}\sum_{k=t'+1}^{t}h_{1l}d_{1k}+\sum_{l=t'+1}^{t-1}\sum_{k=l+1}^{t}h_{1l}d_{1k}>\sum_{l=s_1^{M}(t')-1}^{t'}\sum_{k=t'+1}^{t}h_{1l}d_{1k}+\sum_{l=t'+1}^{t-1}\sum_{k=l+1}^{t}h_{1l}d_{1k} \tag{7-41}$$

由式(7-40)和式(7-41)可得

$$C(s_1^{M-n}(t')-1)+K+\sum_{l=s_1^{M-n}(t')-1}^{t}\sum_{k=l+1}^{t}h_{1l}d_{1k}>C(s_1^{M-n}(t')-1)+K+2nK+\sum_{l=s_1^{M}(t')-1}^{t-1}\sum_{k=l+1}^{t}h_{1l}d_{1k}$$

$$+\sum_{q=1}^{n}H_1(M-n+q)+\sum_{q=1}^{n}[\min\{W(M-n+q),H_2(M-n+q)\}] \tag{7-42}$$

$$=C(s_1^{M}(t')-1)+K+\sum_{l=s_1^{M}(t')-1}^{t-1}\sum_{k=l+1}^{t}h_{1l}d_{1k}$$

式(7-42)说明在$N(t)=N(t')-2n$下$P(t)$的成本要高于在$N(t)=N(t')$下$P(t)$的成本,因此$N(t)=N(t')-2n$不成立, $n=1,2,\cdots,M-1$。

若

$$C(s_2^{M}(t')-1)+K+\min\left\{\sum_{l=s_2^{M}(t')-1}^{t-1}\sum_{k=l+1}^{t}h_{2l}d_{2k},\sum_{l=s_2^{M}(t')}^{t}\omega d_{2l}\right\}$$

$$\leqslant C(s_2^{M}(t')-1)+2K+\min\{H_2(M),W(M)\}+\sum_{l=s_2^{M}(t')-1}^{t-1}\sum_{k=l+1}^{t}h_{1l}d_{1k} \tag{7-43}$$

则有$N(t)=N(t')-1$成立。

式(7-43)说明在$N(t)=N(t')-1$情形下$P(t)$的成本要小于$N(t)=N(t')$的情形,表明$P(t)$的解中存在转换点个数比$P(t')$少一个的情形。

由式(7-39)也可得

$$C(s_2^{M-n}(t')-1)+K+\min\left\{\sum_{l=s_2^{M-n}(t')}^{s_1^{M}(t')-1}\omega d_{2l},\sum_{l=s_2^{M-n}(t')-1}^{s_1^{M}(t')-2}\sum_{k=l+1}^{s_1^{M}(t')-1}h_{2l}d_{2k}\right\}$$

$$>C(s_2^{M-n}(t')-1)+K+2nK$$

$$+\sum_{q=1}^{n}H_1(M-n+q)+\sum_{q=0}^{n}[\min\{W(M-n+q),H_2(M-n+q)\}] \tag{7-44}$$

又因为

$$\sum_{l=s_1^{M}(t')}^{t}\omega d_{2l}=\sum_{l=s_1^{M}(t')}^{t}\omega d_{2l} \tag{7-45}$$

$$\sum_{l=s_2^{M-n}(t')-1}^{s_1^{M}(t')-1}\sum_{k=s_1^{M}(t')}^{t}h_{2l}d_{2k}+\sum_{l=s_1^{M}(t')}^{t-1}\sum_{k=l+1}^{t}h_{2l}d_{2k}>\sum_{l=s_2^{M}(t')-1}^{s_1^{M}(t')-1}\sum_{k=s_1^{M}(t')}^{t}h_{2l}d_{2k}+\sum_{l=s_1^{M}(t')}^{t-1}\sum_{k=l+1}^{t}h_{2l}d_{2k} \tag{7-46}$$

则由式(7-44)~式(7-46)可得

$$C(s_2^{M-n}(t')-1)+K+\min\left\{\sum_{l=s_2^{M-n}(t')}^{t}\omega d_{2l},\sum_{l=s_2^{M-n}(t')-1}^{t-1}\sum_{k=l+1}^{t}h_{2l}d_{2k}\right\}$$

$$>C(s_2^{M-n}(t')-1)+K+2nK$$

$$+\sum_{q=1}^{n}H_1(M-n+q)+\sum_{q=0}^{n}[\min\{W(M-n+q),H_2(M-n+q)\}]\qquad(7\text{-}47)$$

$$+\min\left\{\sum_{l=s_1^{M}(t')}^{t}\omega d_{2l},\sum_{l=s_1^{M}(t')-1}^{s_1^{M}(t')-1}\sum_{k=s_1^{M}(t')}^{t}h_{2l}d_{2k}+\sum_{l=s_1^{M}(t')}^{t-1}\sum_{k=l+1}^{t}h_{2l}d_{2k}\right\}$$

$$=C(s_2^{M}(t')-1)+K+\min\left\{\sum_{l=s_2^{M}(t')}^{t}\omega d_{2l},\sum_{l=s_2^{M}(t')-1}^{t-1}\sum_{k=l+1}^{t}h_{2l}d_{2k}\right\}$$

式（7-47）说明在 $N(t)=N(t')-(2n+1)$ 下 $P(t)$ 的成本要高于在 $N(t)=N(t')-1$ 下 $P(t)$ 的成本，因此 $N(t)=N(t')-(2n+1)$ 不成立，$n\in\mathbf{N}_+$。

综合以上分析可得 $N(t)\geqslant\max\{N(1),N(2),\cdots,N(t-1)\}-1$。

定理 7-7 证明 （1）若 $N(t)=\max\{N(1),N(2),\cdots,N(t^*-1)\}$，则 $P(t)$ 的最优解中转换点的个数在 $P(1),P(2),\cdots,P(t^*-1)$ 的最优解中是最大的。从引理 7-2 可得 $N(t^*)\geqslant N(t)-1$。

①若 $N(t^*)=N(t)-1$，在 $P(t)$ 的最优解中 $s_i(t)>s_j(t)$，$i,j=1,2$，$i\neq j$，则由引理 7-2 可得 $r_i^l(t^*)=t^*>t\geqslant s_i(t)>r_i(t)$，$r_j^l(t^*)=s_j(t)>r_j(t)$。

②若 $N(t^*)=N(t)$，在 $P(t)$ 的最优解中 $s_1(t)>s_2(t)$，则有 $r_1^l(t)=r_1(t)$ 和 $r_2^l(t)=t$ 成立。在 $P(t^*)$ 的最优解中有 $s_1(t^*)>s_2(t^*)$、$r_2^l(t^*)=t^*$、$r_1^l(t^*)=r_1(t^*)$ 成立。因为有 $r_2^l(t^*)=t^*>t\geqslant s_1(t)>s_2(t)>r_2(t)$ 成立，显然可得 $r_2^l(t^*)>r_2(t)$。

采用反证法证明 $r_1^l(t^*)\geqslant r_1(t)$，因为 $r_1^l(t)=r_1(t)$，$r_1^l(t^*)=r_1(t^*)$，假设 $r_1^l(t^*)=r_1(t^*)<r_1(t)$。由式（7-20）可得

$$C(r,s,t^*,t^*)=C(r,s,t,t)+\sum_{l=r}^{t}\sum_{k=t+1}^{t^*}h_{1l}d_{1k}+\sum_{l=t+1}^{t^*-1}\sum_{k=l+1}^{t^*}h_{1l}d_{1k}\qquad(7\text{-}48)$$

由式（7-24）和式（7-48）可得

$$C(r_1(t),s_1(t),t^*,t^*)=C(r_1(t),s_1(t),t,t)+\sum_{l=r_1(t)}^{t}\sum_{k=t+1}^{t^*}h_{1l}d_{1k}+\sum_{l=t+1}^{t^*-1}\sum_{k=l+1}^{t^*}h_{1l}d_{1k}\qquad(7\text{-}49)$$

$$C(r_1(t^*),s_1(t^*),t^*,t^*)=C(r_1(t^*),s_1(t^*),t,t)+\sum_{l=r_1(t^*)}^{t}\sum_{k=t+1}^{t^*}h_{1l}d_{1k}+\sum_{l=t+1}^{t^*-1}\sum_{k=l+1}^{t^*}h_{1l}d_{1k}\qquad(7\text{-}50)$$

由 $C(t^*)$ 为 $P(t^*)$ 的最优成本，即 $C(t^*)=C(r_1(t^*),s_1(t^*),t^*,t^*)$ 可得

$$C(t^*)=C(r_1(t^*),s_1(t^*),t^*,t^*)\leqslant C(r_1(t),s_1(t),t^*,t^*)\qquad(7\text{-}51)$$

由式（7-49）～式（7-51）可得

$$C(r_1(t^*),s_1(t^*),t,t)+\sum_{l=r_1(t^*)}^{t}\sum_{k=t+1}^{t^*}h_{1l}d_{1k}+\sum_{l=t+1}^{t^*-1}\sum_{k=l+1}^{t^*}h_{1l}d_{1k}$$
$$\leqslant C(r_1(t),s_1(t),t,t)+\sum_{l=r_1(t)}^{t}\sum_{k=t+1}^{t^*}h_{1l}d_{1k}+\sum_{l=t+1}^{t^*-1}\sum_{k=l+1}^{t^*}h_{1l}d_{1k}\qquad(7\text{-}52)$$

化简式(7-52)可得$C(r_1(t^*),s_1(t^*),t,t)+\sum\limits_{l=r_1(t^*)}^{r_1(t)-1}\sum\limits_{k=t+1}^{t^*}h_{1l}d_{1k}\leqslant C(r_1(t),s_1(t),t,t)$。

因为$\sum\limits_{l=r_1(t^*)}^{r_1(t)-1}\sum\limits_{k=t+1}^{t^*}h_{1l}d_{1k}>0$，所以有$C(r_1(t^*),s_1(t^*),t,t)<C(r_1(t),s_1(t),t,t)$。但是由于$C(t)$为$P(t)$的最优成本，即$C(t)=C(r_1(t),s_1(t),t,t)$，可得$C(r_1(t),s_1(t^*),t,t)\geqslant C(r_1(t),s_1(t),t,t)$。因此，由假设$r_1^l(t^*)=r_1(t^*)<r_1(t)$得出矛盾的结论，由此可得$r_1^l(t^*)\geqslant r_1(t)$。

③若$N(t^*)=N(t)$，在$P(t)$的最优解中$s_2(t)>s_1(t)$，则$r_1^l(t^*)=t$，$r_2^l(t^*)=r_2(t)$。同样可得在$P(t^*)$的最优解中，有$r_1^l(t^*)=t^*$和$r_2^l(t^*)=r_2(t^*)$成立。由于$r_1^l(t^*)=t^*>s_2(t)>s_1(t)>r_1(t)$成立，可得$r_1^l(t^*)>r_1(t)$。

a. 若$e(t)=t$，$t<e(t^*)<t^*$，则$C(t^*)=C(e(t^*))+\sum\limits_{l=e(t^*)+1}^{t^*}\omega d_{2l}$，又可得在$P(t^*)$的最优解中有$r_2^l(t^*)=r_2(t^*)=r_2(t)$成立，因此可得$r_2^l(t^*)=r_2(t)$。

b. 若$e(t)=t$，$e(t^*)=t^*$，则$C(t^*)=C(r_2(t^*),s_2(t^*),t^*,t^*)$，在$P(t^*)$的最优解中，有$r_1^l(t^*)=t^*$和$r_2^l(t^*)=r_2(t^*)$成立。因为$r_2^l(t)=r_2(t)$，$r_2^l(t^*)=r_2(t^*)$，同样用反证法证明$r_2^l(t^*)\geqslant r_2(t)$，假设$r_2^l(t^*)=r_2(t^*)<r_2(t)$，由式(7-20)可得

$$C(r,s,t^*,t^*)=C(r,s,t,t)+\sum\limits_{l=r}^{t}\sum\limits_{k=t+1}^{t^*}h_{2l}d_{2k}+\sum\limits_{l=t+1}^{t^*-1}\sum\limits_{k=l+1}^{t^*}h_{2l}d_{2k} \tag{7-53}$$

由式(7-24)和式(7-53)可得

$$C(r_2(t),s_2(t),t^*,t^*)=C(r_2(t),s_2(t),t,t)+\sum\limits_{l=r_2(t)}^{t}\sum\limits_{k=t+1}^{t^*}h_{2l}d_{2k}+\sum\limits_{l=t+1}^{t^*-1}\sum\limits_{k=l+1}^{t^*}h_{2l}d_{2k} \tag{7-54}$$

$$C(r_2(t^*),s_2(t^*),t^*,t^*)=C(r_2(t^*),s_2(t^*),t,t)+\sum\limits_{l=r_2(t^*)}^{t}\sum\limits_{k=t+1}^{t^*}h_{2l}d_{2k}+\sum\limits_{l=t+1}^{t^*-1}\sum\limits_{k=l+1}^{t^*}h_{2l}d_{2k} \tag{7-55}$$

同样，由$C(t^*)=C(r_1(t^*),s_1(t^*),t^*,t^*)$可得

$$C(t^*)=C(r_2(t^*),s_2(t^*),t^*,t^*)\leqslant C(r_2(t),s_2(t),t^*,t^*) \tag{7-56}$$

由式(7-54)～式(7-56)可得

$$\begin{aligned}&C(r_2(t^*),s_2(t^*),t,t)+\sum\limits_{l=r_2(t^*)}^{t}\sum\limits_{k=t+1}^{t^*}h_{2l}d_{2k}+\sum\limits_{l=t+1}^{t^*-1}\sum\limits_{k=l+1}^{t^*}h_{2l}d_{2k}\\&\leqslant C(r_2(t),s_2(t),t,t)+\sum\limits_{l=r_2(t)}^{t}\sum\limits_{k=t+1}^{t^*}h_{2l}d_{2k}+\sum\limits_{l=t+1}^{t^*-1}\sum\limits_{k=l+1}^{t^*}h_{2l}d_{2k}\end{aligned} \tag{7-57}$$

化简式(7-57)可得$C(r_2(t^*),s_2(t^*),t,t)+\sum\limits_{l=r_2(t^*)}^{r_2(t)-1}\sum\limits_{k=t+1}^{t^*}h_{2l}d_{2k}\leqslant C(r_2(t),s_2(t),t,t)$。

若$\sum\limits_{l=r_2(t^*)}^{r_2(t)-1}\sum\limits_{k=t+1}^{t^*}h_{2l}d_{2k}>0$，则$C(r_2(t^*),s_2(t^*),t,t)<C(r_2(t),s_2(t),t,t)$。但由$C(t)=C(r_2(t),s_2(t),t,t)$可得$C(r_2(t^*),s_2(t^*),t,t)\geqslant C(r_2(t),s_2(t),t,t)$。由于假设$r_2^l(t^*)=r_2(t^*)<r_2(t)$得出了矛盾的结论，因此可得$r_2^l(t^*)\geqslant r_2(t)$。

c. 若$r_2(t)+1\leqslant e(t)<t$，则从周期$e(t)+1$到周期t产品2的需求由替代满足，进一步可

得 $\sum_{l=r_2(t)}^{k} h_{2l} > \omega$，$k = e(t), e(t)+1, \cdots, t-1$。在 $P(t^*)$ 的最优解中，有 $C(r_2(t)) + K + \sum_{l=r_2(t)}^{e(t)-1} \sum_{k=l+1}^{e(t)} h_{2l} d_{2k} +$

$\sum_{l=e(t)+1}^{t^*} \omega d_{2l} < C(r_2(t)) + K + \sum_{l=r_2(t)}^{t^*-1} \sum_{k=l+1}^{t^*} h_{2l} d_{2k}$ 成立，因此产品 2 在 t^* 周期的需求不会由周期 $r_2(t)$ 的生产满足，而是由产品 1 的替代满足。由此可得，在 $P(t^*)$ 的最优解中有 $r_2^l(t^*) = r_2(t^*) = r_2(t)$ 成立，因此 $r_2^l(t^*) = r_2(t)$。

d. 若 $e(t) = r_2(t)$，则此种情形的证明类似于 $r_2(t)+1 \leqslant e(t) < t$。

④若 $N(t^*) = N(t) + (2n-1)$，在 $P(t)$ 的最优解中，$s_i(t) > s_j(t)$，$n \in \mathbf{N}_+$，则 $r_i^l(t) = r_i(t)$，$r_j^l(t) = t$，又可得 $s_j(t^*) > s_i(t^*)$，$r_i^l(t^*) = t^*$，$r_j^l(t^*) = r_j(t^*) = s_j(t^*) - 1$，$i, j = 1, 2$，$i \neq j$。若 $r_i^l(t^*) = t^* > s_i(t) > r_i(t)$ 和 $r_j^l(t^*) = s_j(t^*) - 1 > s_i(t) > s_j(t) > r_j(t)$ 成立，则 $r_i^l(t^*) > r_i(t)$，$r_j^l(t^*) > r_j(t)$。

⑤若 $N(t^*) = N(t) + 2n$，在 $P(t)$ 的最优解中，若 $s_i(t) > s_j(t)$，$n \in \mathbf{N}_+$，则 $r_i^l(t) = r_i(t)$，$r_v^l(t) = t$，同样可得 $s_i(t^*) > s_j(t^*)$，$r_j^l(t^*) = t^*$，$r_i^l(t^*) = r_i(t^*) = s_i(t^*) - 1$，$i, j = 1, 2$，$i \neq j$。因为 $r_i^l(t^*) = s_i(t^*) - 1 > s_i(t) > r_i(t)$ 和 $r_j^l(t^*) = t^* \geqslant s_i(t^*) > s_j(t^*) > s_i(t) > s_j(t) > r_j(t)$ 成立，则 $r_i^l(t^*) > r_i(t)$，$r_j^l(t^*) > r_j(t)$。

(2) 若 $N(t') = \max\{N(1), N(2), \cdots, N(t^*-1)\}$，在 $P(t')$ 的最优解中，若有 $s_i(t') > s_j(t')$，$t' < t \leqslant t^*-1$，则有 $N(t) = N(t')-1$ 和 $r_i(t) < r_j(t) = r_j(t') < r_i(t') < s_i(t')$ 成立。

①若 $N(t^*) = N(t')-1$，则 $r_i^l(t^*) = t^* > t > r_i(t)$，$r_j^l(t^*) = s_j(t') > r_j(t') = r_j(t)$。

②若 $N(t^*) = N(t')$，$r_i^l(t^*) \geqslant r_i(t')$ 和 $r_j^l(t^*) > r_j(t')$ 的证明与情形 (1) 中的②和③类似，因此省略证明过程。由 $r_i(t) < r_j(t) = r_j(t') < r_i(t') < s_i(t')$ 可得 $r_i^l(t^*) > r_i(t)$，$r_j^l(t^*) > r_j(t)$。

③若 $N(t^*) = N(t') + (2n-1)$，$n \in \mathbf{N}_+$，则有 $s_j(t^*) > s_i(t^*)$、$r_i^l(t^*) = t^*$ 和 $r_j^l(t^*) = r_j(t^*) = s_j(t^*) - 1$ 成立。因为有 $r_i^l(t^*) = t^* \geqslant s_j(t^*) > s_i(t^*) > r_i(t)$ 和 $r_j^l(t^*) = s_j(t^*) - 1 > s_i(t') > s_j(t') > r_j(t') = r_j(t)$ 成立，所以 $r_i^l(t^*) > r_i(t)$，$r_j^l(t^*) > r_j(t)$。

④若 $N(t^*) = N(t') + 2n$，$n \in \mathbf{N}_+$，则有 $s_i(t^*) > s_j(t^*)$、$r_j^l(t^*) = t^*$ 和 $r_i^l(t^*) = r_i(t^*) = s_i(t^*) - 1$ 成立。因为有 $r_i^l(t^*) \geqslant r_i(t') > r_i(t)$ 和 $r_j^l(t^*) = t^* \geqslant s_i(t^*) \geqslant s_i(t') > s_j(t') > r_j(t') = r_j(t)$ 成立，所以 $r_i^l(t^*) > r_i(t)$，$r_j^l(t^*) > r_j(t)$。

综合以上分析可得，在 $P(t^*)$ 的最优解中总有 $r_i^l(t^*) \geqslant r_i(t)$ 和 $r_j^l(t^*) \geqslant r_j(t)$ 成立，$t^* > t$。

附录七

引理 8-1 证明　令 $N(t') = \max\{N(1), N(2), \cdots, N(t-1)\}$。假设 $s_i^m(t)$ 为第 m 个由产品 i 到产品 j 的转换点，$i, j = 1, 2$，$i \neq j$，$m = 1, 2, \cdots, M$。令 $r_i^m(t)$ 为 $s_i^m(t)$ 之前的最大的生产点，$g_1(t)$ 为大于等于 $s_i^m(t)$ 的第一个生产点，$i = 1, 2$。由以上定义可知 $s_i^M(t)$ 也是最后一个由产品 i 到产品 j 的转换点，因此有 $s_i^M(t) = s_i(t)$，$r_i^M(t) = r_i(t)$。若 $s_1^M(t') > s_2^M(t')$，则在 $P(t)$ 的最优解中有 $2M - 1$ 个转换点，$1 \leqslant 2M - 1 \leqslant t' - 1$；若 $s_2^M(t') > s_1^M(t')$，则在 $P(t)$ 的最优解中有 $2M$ 个转换点，$2 \leqslant 2M \leqslant t' - 1$。$s_i(t)$（$s_i^M(t)$）与 $s_i^m(t)$ 的关系如图 8-5 所示。当周期 l 到周期 k 仅有产品 2 的生产点且周期 a 为周期 l 之前产品 1 的最大生产点时，令 $F_2^1(a, l, k)$ 代表满足两产品从周期 l 到周期 k 需求的最小成本之和，包括产品 2 的启动成本、两产品的库存成本以及产品 1 替代产品 2 的替代成本。当周期 l 到周期 k 仅有产品 1 的生产点且周期 a 为周期 l 之前产品 2 的最大生产点时，令 $F_1^2(a, l, k)$ 代表满足两产品从周期 l 到周期 k 的需求的最小成本之和，包括产品 1 的启动成本、两产品的库存成本以及产品 1 替代产品 2 的替代成本。不失一般性，假设 $s_1(t') > s_2(t')$。运用反证法，假设在 $P(t)$ 的最优解中有 $N(t) = N(t') - m$ 成立，$m \in \{2, 3, \cdots, \}$。

若 $N(t') = N(t) - 2n$，$n \in \mathbf{N}_+$，则在 $P(t')$ 的最优解中仍有 $s_1(t) > s_2(t)$ 成立。由 $P(t')$ 的最优性可得

$$C(t') = C(s_1^M(t') - 1) + K + F_2^1(r_1^M(t'), s_1^M(t'), t') \tag{8-31}$$

其中，$C(s_1^M(t') - 1) = C(s_2^M(t') - 1) + K + F_1^2(r_2^M(t'), s_2^M(t'), s_1^M(t') - 1)$。因此可得

$$C(t') = C(s_2^M(t') - 1) + 2K + F_1^2(r_2^M(t'), s_2^M(t'), s_1^M(t') - 1) + F_2^1(r_1^M(t'), s_1^M(t'), t') \tag{8-32}$$

类似地，有

$$
\begin{aligned}
C(t') = {} & C(s_1^{M-1}(t') - 1) + 3K + F_2^1(r_1^{M-1}(t'), s_1^{M-1}(t'), s_2^M(t') - 1) \\
& + F_1^2(r_2^M(t'), s_2^M(t'), s_1^M(t') - 1) + F_2^1(r_1^M(t'), s_1^M(t'), t')
\end{aligned} \tag{8-33}
$$

$$
\begin{aligned}
C(t') = {} & C(s_2^{M-1}(t') - 1) + 4K + F_2^1(r_2^{M-1}(t'), s_2^{M-1}(t'), s_1^{M-1}(t') - 1) \\
& + F_2^1(r_1^{M-1}(t'), s_1^{M-1}(t'), s_2^M(t') - 1) + F_1^2(r_2^M(t'), s_2^M(t'), s_1^M(t') - 1) \\
& + F_2^1(r_1^M(t'), s_1^M(t'), t')
\end{aligned} \tag{8-34}
$$

对于 $n = 0, 1, 2, \cdots$，以上动态规划循环式可以写成如下一般形式：

$$
\begin{aligned}
C(t') = {} & C(s_1^{M-n}(t') - 1) + (2n+1)K + \sum_{q=1}^{n} F_2^1(r_1^{M-n+q-1}(t'), s_1^{M-n+q-1}(t'), s_2^{M-n+q}(t') - 1) \\
& + \sum_{q=1}^{n} F_1^2(r_2^{M-n+q}(t'), s_2^{M-n+q}(t'), s_1^{M-n+q}(t') - 1) + F_2^1(r_1^M(t'), s_1^M(t'), t')
\end{aligned} \tag{8-35}
$$

$$C(t') = C(s_2^{M-n}(t') - 1) + (2n+2)K + \sum_{q=0}^{n} F_1^2(r_2^{M-n+q}(t'), s_2^{M-n+q}(t'), s_1^{M-n+q}(t') - 1)$$

$$+ \sum_{q=1}^{n} F_2^1(r_1^{M-n+q-1}(t'), s_1^{M-n+q-1}(t'), s_2^{M-n+q}(t') - 1) + F_2^1(r_1^M(t'), s_1^M(t'), t') \tag{8-36}$$

由式(8-35)可得

$$C(s_1^{M-n}(t') - 1) + K + F_2^1(r_1^{M-n}(t'), s_1^{M-n}(t'), t')$$

$$> C(s_1^{M-n}(t') - 1) + K + 2nK + \sum_{q=1}^{n} F_2^1(r_1^{M-n+q-1}(t'), s_1^{M-n+q-1}(t'), s_2^{M-n+q}(t') - 1) \tag{8-37}$$

$$+ \sum_{q=1}^{n} F_1^2(r_2^{M-n+q}(t'), s_2^{M-n+q}(t'), s_1^{M-n+q}(t') - 1) + F_2^1(r_1^M(t'), s_1^M(t'), t')$$

进一步可得

$$C(s_1^{M-n}(t') - 1) + K + F_2^1(r_1^{M-n}(t'), s_1^{M-n}(t'), g(t') - 1)$$

$$> C(s_1^{M-n}(t') - 1) + K + 2nK + \sum_{q=1}^{n} F_2^1(r_1^{M-n+q-1}(t'), s_1^{M-n+q-1}(t'), s_2^{M-n+q}(t') - 1) \tag{8-38}$$

$$+ \sum_{q=1}^{n} F_1^2(r_2^{M-n+q}(t'), s_2^{M-n+q}(t'), s_1^{M-n+q}(t') - 1) + F_2^1(r_1^M(t'), s_1^M(t'), g(t') - 1)$$

又因为 $s_1^{M-n}(t') < s_1^M(t')$，因此有

$$\sum_{l=s_1^{M-n}(t')-1}^{g(t')-1} \sum_{k=g(t')}^{t} h_{1l} d_{1k} + \sum_{l=g(t')-1}^{t-1} \sum_{k=l+1}^{t} h_{1l} d_{1k} > \sum_{l=s_1^M(t')-1}^{g(t')-1} \sum_{k=g(t')}^{t} h_{1l} d_{1k} + \sum_{l=g(t')-1}^{t-1} \sum_{k=l+1}^{t} h_{1l} d_{1k} \tag{8-39}$$

由式(8-39)可得

$$F_2^1(r_1^{M-n}(t'), g(t') - 1, t) > F_2^1(r_1^M(t'), g(t') - 1, t) \tag{8-40}$$

联立式(8-38)和式(8-40)可得

$$C(s_1^{M-n}(t') - 1) + K + F_2^1(r_1^{M-n}(t'), s_1^{M-n}(t'), t)$$

$$> C(s_1^{M-n}(t') - 1) + K + 2nK + \sum_{q=1}^{n} F_2^1(r_1^{M-n+q-1}(t'), s_1^{M-n+q-1}(t'), s_2^{M-n+q}(t') - 1) \tag{8-41}$$

$$+ \sum_{q=1}^{n} F_1^2(r_2^{M-n+q}(t'), s_2^{M-n+q}(t'), s_1^{M-n+q}(t') - 1) + F_2^1(r_1^M(t'), s_1^M(t'), t)$$

式(8-41)说明在 $N(t) = N(t') - 2n$ 的情形下 $P(t)$ 的成本要高于 $N(t) = N(t')$ 情形下的成本，因此 $N(t) = N(t') - 2n$ 不成立，$n \in \mathbf{N}_+$。

如果 $C(s_2^M(t') - 1) + K + F_2^1(r_2^M(t'), s_2^M(t'), t) \leqslant C(s_2^M(t') - 1) + 2K + F_2^1(r_2^M(t'), s_2^M(t'), s_1^M(t') - 1) + F_2^1(r_1^M(t'), s_1^M(t'), t)$ 成立，则说明在 $N(t) = N(t') - 1$ 的情形下 $P(t)$ 的成本要小于等于 $N(t) = N(t')$ 情形下的成本，即说明存在 $P(t)$ 中转换点的个数比 $P(t')$ 中转换点的个数少 1 的情况。

由式(8-36)可得

$$C(s_2^{M-n}(t')-1) + K + F_1^2(r_2^{M-n}(t'), s_2^{M-n}(t'), s_1^M(t')-1)$$

$$> C(s_2^{M-n}(t')-1) + 2nK + K + \sum_{q=0}^{n} F_1^2(r_2^{M-n+q}(t'), s_2^{M-n+q}(t'), s_1^{M-n+q}(t')-1) \tag{8-42}$$

$$+ \sum_{q=1}^{n} F_2^1(r_1^{M-n+q-1}(t'), s_1^{M-n+q-1}(t'), s_2^{M-n+q}(t')-1)$$

又因为 $s_2^{M-n}(t') < s_2^M(t')$ ，因此有

$$\sum_{l=r_2^{M-n}(t')}^{t} h_{2l} \left[\sum_{k \in U_1^1(s_1^M(t'),t)} d_{2k} - \sum_{m=s}^{l} (d_{2m}-y_m) \right] > \sum_{l=r_2^M(t')}^{t} h_{2l} \left[\sum_{k \in U_1^1(s_1^M(t'),t)} d_{2k} - \sum_{m=s}^{l} (d_{2m}-y_m) \right] \tag{8-43}$$

由式(8-43)可得

$$F_1^2(r_2^{M-n}(t'), s_1^M(t'), t) > F_1^2(r_1^M(t'), s_1^M(t'), t) \tag{8-44}$$

联立式(8-42)和式(8-44)可得

$$C(s_2^{M-n}(t')-1) + K + F_1^2(r_2^{M-n}(t'), s_2^{M-n}(t'), t)$$

$$> C(s_2^{M-n}(t')-1) + 2nK + K + \sum_{q=0}^{n} F_1^2(r_2^{M-n+q}(t'), s_2^{M-n+q}(t'), s_1^{M-n+q}(t')-1)$$

$$+ \sum_{q=1}^{n} F_2^1(r_1^{M-n+q-1}(t'), s_1^{M-n+q-1}(t'), s_2^{M-n+q}(t')-1) + F_1^2(r_2^M(t'), s_2^M(t'), t) \tag{8-45}$$

$$= C(s_2^M(t')-1) + K + F_1^2(r_2^M(t'), s_2^M(t'), t)$$

式(8-45)说明在 $N(t) = N(t')-(2n+1)$ 的情形下 $P(t)$ 的成本要高于 $N(t) = N(t')-1$ 情形下的成本，因此 $N(t) = N(t')-(2n+1)$ 不成立，$n \in \mathbf{N}_+$。

从以上分析可以得出 $N(t) \geqslant \max\{N(1), N(2), \cdots, N(t-1)\} - 1$。

定理 8-2 证明　(1)若 $N(t) = \max\{N(1), N(2), \cdots, N(t)\}$，则 $P(t)$ 的最优解中转换点的个数在所有 $P(1), P(2), \cdots, P(t)$ 的最优解中是最大的。由引理 8-1 可得 $N(t+1) \geqslant N(t)-1$。

①若 $N(t+1) = N(t)-1$ 且在 $P(t)$ 的最优解中有 $s_i(t) > s_j(t)$，$i, j = 1, 2$，$i \neq j$，则由引理 8-1 可得 $r_i^l(t+1) \geqslant r_i(t)$ 和 $r_j^l(t+1) = r_j(t)$。

②如果 $N(t+1) = N(t)$ 且在 $P(t)$ 的最优解中有 $s_1(t) > s_2(t)$，则有 $r_1^l(t) = r_1(t)$ 和 $r_2^l(t) = g(t)$ 成立。因为转换点的个数不变，所以在 $P(t+1)$ 的最优解中有 $s_1(t+1) > s_2(t+1)$、$r_1^l(t+1) = r_1(t+1)$ 和 $r_2^l(t+1) = g(t+1)$ 成立。因为有 $g(t) \geqslant s_1(t) > r_1(t) \geqslant s_2(t) > r_2(t)$ 和 $r_2^l(t+1) = g(t+1)$，所以若证明了 $g(t+1) > g(t)$，即证明了 $r_2^l(t+1) > r_2(t)$。采用反证法证明 $r_1^l(t+1) = r_1(t+1) > r_1(t) = r_1^l(t)$ 和 $g(t+1) > g(t)$，需要考虑三种情形：ⓐ假设在 $P(t+1)$ 的最优解中有 $r_1^l(t+1) = r_1(t+1) < r_1(t) = r_1^l(t)$ 和 $g(t+1) < g(t)$ 成立；ⓑ假设在 $P(t+1)$ 的最优解中有 $r_1^l(t+1) = r_1(t+1) \geqslant r_1(t) = r_1^l(t)$ 和 $g(t+1) < g(t)$ 成立；ⓒ假设在 $P(t+1)$ 的最优解中有 $r_1^l(t+1) = r_1(t+1) < r_1(t) = r_1^l(t)$ 和 $g(t+1) \geqslant g(t)$ 成立。因为情形ⓑ和ⓒ的证明与情形ⓐ类似，所以以下证明情形ⓐ，而省略情形ⓑ和ⓒ的证明。由式(8-9)～式(8-11)和式(8-18)～式(8-27)所设计的动态规划可得

$$C(r,s(g_1),\boldsymbol{g},e,t+1) = C(r,s(g_1),\boldsymbol{g},e,t) + \min\left\{\sum_{l=r}^{t}\sum_{i=1}^{2}h_{1l}d_{i,t+1}+\omega d_{2,t+1};\right.$$

$$\left.\sum_{l=r}^{t}h_{1l}d_{1,t+1}+\sum_{l=g}^{t}h_{2l}d_{2,t+1}\right\} \tag{8-46}$$

为了简化动态规划表达式，令 $\boldsymbol{R}(t)=(r_1(t),s_1(t),\boldsymbol{g}(t),e(t))$ ，$M_1(t)=\sum_{l=r_1(t)}^{t}h_{1l}$ ，$M_2(t)=$

$\sum_{l=g(t)}^{t}h_{2l}$ ，$M_1(t+1)=\sum_{l=r_1(t+1)}^{t}h_{1l}$ ，$M_2(t+1)=\sum_{l=g(t+1)}^{t}h_{1l}$ 。

由式(8-30)和式(8-46)及符号 $\boldsymbol{R}(t)$ ，$M_1(t)$ 、$M_2(t)$ 、$M_1(t+1)$ 、$M_2(t+1)$ 的定义可得

$$C(\boldsymbol{R}(t+1),t+1)=C(\boldsymbol{R}(t+1),t)+\min\left\{M_1(t+1)d_{1,t+1}+M_2(t+1)d_{2,t+1};\right.$$

$$\left.M_1(t+1)\sum_{i=1}^{2}d_{i,t+1}+\omega d_{2,t+1}\right\} \tag{8-47}$$

$$C(\boldsymbol{R}(t),t+1)=C(\boldsymbol{R}(t),t)+\min\left\{M_1(t)d_{1,t+1}+M_2(t)d_{2,t+1};M_1(t)\sum_{i=1}^{2}d_{i,t+1}+\omega d_{2,t+1}\right\} \tag{8-48}$$

由式(8-47)可得

$$C(\boldsymbol{R}(t+1),t+1)=C(\boldsymbol{R}(t+1),t)+M_1(t+1)d_{1,t+1}+M_2(t+1)d_{2,t+1} \tag{8-49}$$

或

$$C(\boldsymbol{R}(t+1),t+1)=C(\boldsymbol{R}(t+1),t)+M_1(t+1)\sum_{i=1}^{2}d_{i,t+1}+\omega d_{2,t+1} \tag{8-50}$$

由式(8-48)可得

$$C(\boldsymbol{R}(t),t+1)=C(\boldsymbol{R}(t),t)+M_1(t)d_{1,t+1}+M_2(t)d_{2,t+1} \tag{8-51}$$

$$C(\boldsymbol{R}(t),t+1)=C(\boldsymbol{R}(t),t)+M_1(t)\sum_{i=1}^{2}d_{i,t+1}+\omega d_{2,t+1} \tag{8-52}$$

由 $C(t+1)=C(\boldsymbol{R}(t+1),t+1)$ 可得

$$C(t+1)=C(\boldsymbol{R}(t+1),t+1)\leqslant C(\boldsymbol{R}(t),t+1) \tag{8-53}$$

根据式(8-49)～式(8-52)可知计算式(8-53)需要讨论四种情形：式(8-49)和式(8-51)的组合；式(8-49)和式(8-52)的组合；式(8-50)和式(8-52)的组合；式(8-50)式(8-51)的组合。接下来分别讨论这四种情形。

情形1 由式(8-49)、式(8-51)和式(8-53)可得

$$C(\boldsymbol{R}(t+1),t)+M_1(t+1)d_{1,t+1}+M_2(t+1)d_{2,t+1}\leqslant C(\boldsymbol{R}(t),t)+M_1(t)d_{1,t+1}+M_2(t)d_{2,t+1} \tag{8-54}$$

即 $C(\boldsymbol{R}(t+1),t)+(M_1(t+1)-M_1(t))d_{1,t+1}+(M_2(t+1)-M_2(t))d_{2,t+1}\leqslant C(\boldsymbol{R}(t),t)$ 。而

$$(M_1(t+1)-M_1(t))d_{1,t+1}+(M_2(t+1)-M_2(t))d_{2,t+1}=\left(\sum_{l=r_1(t+1)}^{t}h_{1l}-\sum_{l=r_1(t)}^{t}h_{1l}\right)d_{1,t+1}$$

$$+\left(\sum_{l=g(t+1)}^{t}h_{2l}-\sum_{l=g(t)}^{t}h_{2l}\right)d_{2,t+1}=\sum_{l=r_1(t+1)}^{r_1(t)-1}h_{1l}d_{1,t+1}+\sum_{l=g(t+1)}^{g(t)-1}h_{2l}d_{2,t+1}>0 \tag{8-55}$$

因此由式(8-54)和式(8-55)可得 $C(\boldsymbol{R}(t+1),t)<C(\boldsymbol{R}(t),t)$ 。而由 $C(t)=C(\boldsymbol{R}(t),t)$ 可得 $C(\boldsymbol{R}(t+1),t)\geqslant C(\boldsymbol{R}(t),t)$ ，即由假设 $r_1(t+1)<r_1(t)$ 和 $g(t+1)<g(t)$ 得出了相互矛盾的结论。

因此，在 $P(t+1)$ 的最优解中有 $r_1^l(t+1) = r_1(t+1) > r_1(t) = r_1^l(t)$ 和 $r_2^l(t+1) = g(t+1) > g(t) > r_2(t)$ 成立。

情形 2 由式 (8-49)、式 (8-52) 和式 (8-53) 可得

$$C(\boldsymbol{R}(t+1),t) + M_1(t+1)d_{1,t+1} + M_2(t+1)d_{2,t+1} \leqslant C(\boldsymbol{R}(t),t)$$
$$+ M_1(t)\sum_{i=1}^{2} d_{i,t+1} + \omega d_{2,t+1} \leqslant C(\boldsymbol{R}(t),t) + M_1(t)d_{1,t+1} + M_2(t)d_{2,t+1} \tag{8-56}$$

接下来的证明类似情形 1，略。

情形 3 由式 (8-50)、式 (8-52) 和式 (8-53) 可得

$$C(\boldsymbol{R}(t+1),t) + M_1(t+1)\sum_{i=1}^{2} d_{i,t+1} + \omega d_{2,t+1} \leqslant C(\boldsymbol{R}(t),t) + M_1(t)\sum_{i=1}^{2} d_{i,t+1} + \omega d_{2,t+1} \tag{8-57}$$

即 $C(\boldsymbol{R}(t+1),t) + (M_1(t+1) - M_1(t))\sum_{i=1}^{2} d_{i,t+1} \leqslant C(\boldsymbol{R}(t),t)$。而

$$(M_1(t+1) - M_1(t))d_{1,t+1} = \left(\sum_{l=r_1(t+1)}^{t} h_{1l} - \sum_{l=r_1(t)}^{t} h_{1l} \right)d_{1,t+1} = \sum_{l=r_1(t+1)}^{r_1(t)-1} h_{1l}d_{1,t+1} > 0 \tag{8-58}$$

因此由式 (8-57) 和式 (8-58) 可得 $C(\boldsymbol{R}(t+1),t) < C(\boldsymbol{R}(t),t)$。同样由 $C(t) = C(\boldsymbol{R}(t),t)$ 可得 $C(\boldsymbol{R}(t+1),t) \geqslant C(\boldsymbol{R}(t),t)$，即由假设 $r_1(t+1) < r_1(t)$ 得出了相互矛盾的结论，因此可得在 $P(t+1)$ 的最优解中有 $r_1^l(t+1) = r_1(t+1) > r_1(t) = r_1^l(t)$ 成立，而又由 $r_2^l(t+1) = g(t+1) \geqslant s_1(t+1) > r_1(t+1) > r_1(t) > r_2(t)$ 可得 $r_2^l(t+1) > r_2(t)$。

情形 4 由式 (8-50)、式 (8-51) 和式 (8-53) 可得

$$C(\boldsymbol{R}(t+1),t) + M_1(t+1)\sum_{i=1}^{2} d_{i,t+1} + \omega d_{2,t+1}$$
$$\leqslant C(\boldsymbol{R}(t),t) + M_1(t)d_{1,t+1} + M_2(t)d_{2,t+1} \tag{8-59}$$
$$\leqslant C(\boldsymbol{R}(t),t) + M_1(t)\sum_{i=1}^{2} d_{i,t+1} + \omega d_{2,t+1}$$

接下来的证明类似于情形 3，略。

若 $N(t+1) = N(t)$ 且在 $P(t)$ 的最优解中有 $s_2(t) > s_1(t)$，证明过程类似于 $s_1(t) > s_2(t)$ 的情形，略。

③若 $N(t+1) = N(t) + (2n-1)$ 且在 $P(t)$ 的最优解中有 $s_i(t) > s_j(t)$，$n \in \mathbf{N}_+$，$i,j = 1,2$，$i \neq j$，则有 $s_j(t+1) > s_i(t+1)$，$r_i^l(t+1) > s_i(t) > r_i(t)$，$r_j^l(t+1) \geqslant s_i(t) > r_i(t) \geqslant s_j(t) > r_j(t)$。

④若 $N(t+1) = N(t) + 2n$ 且在 $P(t)$ 的最优解中有 $s_i(t) > s_j(t)$，$n \in \mathbf{N}_+$，$i,j = 1,2$，$i \neq j$，则有 $s_i(t+1) > s_j(t+1)$，$r_i^l(t+1) \geqslant s_j(t+1) > s_i(t) > r_i(t)$，$r_j^l(t+1) \geqslant s_i(t+1) > s_j(t+1) > s_i(t) > s_j(t) > r_j(t)$。

(2) 若 $N(t') = \max\{N(1), N(2), \cdots, N(t)\}$ 且在 $P(t')$ 的最优解中有 $s_i(t') > s_j(t')$，$t' \leqslant t-1$，则 $P(t')$ 的最优解中转换点的个数在所有 $P(1), P(2), \cdots, P(t)$ 的最优解中是最大的。由引理 8-1 可得 $N(t) = N(t') - 1$，$s_i(t') > s_j(t) = s_j(t') > s_i(t) > r_i(t)$，$r_i(t') > r_j(t) = r_j(t') > r_i(t)$，$i,j = 1,2$，$i \neq j$。

①若 $N(t+1)=N(t')-1$ ，则有 $r_i^I(t+1)=g(t+1)\geqslant s_j(t)>s_i(t)>r_i(t)$ 和 $r_j^I(t+1)=r_j(t')=r_j(t)$ ， $i,j=1,2$ ， $i\neq j$ 。

②若 $N(t+1)=N(t')$ ，则 $r_i^I(t+1)\geqslant r_i(t')$ 和 $r_j^I(t+1)\geqslant r_j(t')$ 的证明类似于情形（1）中的情形②，不再赘述。又因为 $r_i(t')>r_j(t)=r_j(t')>r_i(t)$ ，所以可得 $r_i^I(t+1)>r_i(t)$ 和 $r_j^I(t+1)\geqslant r_j(t)$ ， $i,j=1,2$ ， $i\neq j$ 。

③若 $N(t+1)=N(t')+2n-1$ ， $n\in\mathbf{N}_+$ ，则在 $P(t+1)$ 的最优解中有 $s_j(t+1)>s_i(t+1)$ ， $r_i^I(t+1)>s_i(t')>r_i(t')$ ， $r_j^I(t+1)\geqslant s_i(t')>s_j(t')>r_j(t')$ 。又因为 $r_i(t')>r_j(t)=r_j(t')>r_i(t)$ ，所以可得 $r_i^I(t+1)\geqslant r_i(t)$ 和 $r_j^I(t+1)\geqslant r_j(t)$ ， $i,j=1,2$ ， $i\neq j$ 。

④若 $N(t+1)=N(t')+2n$ ， $n\in\mathbf{N}_+$ ，则在 $P(t+1)$ 的最优解中有 $s_i(t+1)>s_j(t+1)$ ， $r_i^I(t+1)\geqslant s_j(t+1)>r_j(t+1)\geqslant s_i(t')>r_i(t')$ ， $r_j^I(t+1)\geqslant s_i(t+1)>s_j(t+1)>s_i(t')>s_j(t')>r_j(t')$ 。又因为 $r_i(t')>r_j(t)=r_j(t')>r_i(t)$ ，所以可得 $r_i^I(t+1)\geqslant r_i(t)$ 和 $r_j^I(t+1)\geqslant r_j(t)$ ， $i,j=1,2$ ， $i\neq j$ 。

根据以上分析可得，在 $P(t+1)$ 的最优解中总是有 $r_i^I(t+1)\geqslant r_i(t)$ 和 $r_j^I(t+1)\geqslant r_j(t)$ 成立， $i,j=1,2$ ， $i\neq j$ 。

附录八

引理 9-1 证明　假设在 $P(t')$ 的最优解中有 M 个转换点，令 $s_i^m(t')$ 代表第 m 个由产品 i 到产品 j 的转换点，$i,j=1,2$，$i \neq j$，$m=1,2,\cdots,M$；$r_i^m(t')$ 为 $s_i^m(t')$ 之前的最大生产点，$g_1^{jm}(t')$ 为大于等于 $s_i^m(t')$ 的第一个生产点，$i,j=1,2$，$i \neq j$。由以上定义可知 $s_i^M(t')$ 也是最后一个由产品 i 到产品 j 的转换点，因此有 $s_i^M(t') = s_i(t')$，$r_i^M(t') = r_i(t')$。不失一般性，假设 $s_1(t') > s_2(t')$。$s_i(t')$（$s_i^M(t')$）与 $s_i^m(t')$ 的关系如图 9-4 所示。

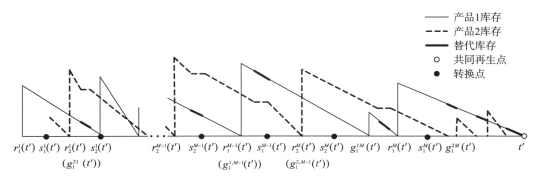

图 9-4　转换点个数示意图

运用反证法，假设在 $P(t)$ 的最优解中有 $N(t) = N(t') - m$ 成立，$m \in \{2,3,\cdots\}$。当周期 l 到周期 k 仅有产品 2 的生产点且周期 a 为周期 l 之前最大的产品 1 的生产点时，令 $F_1^V(a,l,k)$ 代表满足两产品从周期 l 到周期 k 的需求的最小变动成本之和，包括变动生产成本、替代成本和库存成本，$F_1^C(a,l,k)$ 代表周期 a 到周期 k 发生的最小的生产转换成本。当周期 l 到周期 k 仅有产品 1 的生产点且周期 a 为周期 l 之前产品 2 的最大生产点时，令 $F_2^V(a,l,k)$ 代表满足两产品从周期 l 到周期 k 的需求的最小变动成本之和，$F_2^C(a,l,k)$ 代表周期 a 到周期 k 发生的生产转换成本。

若 $N(t) = N(t') - 2n$，$n = 1,2,\cdots$，则在 $P(t)$ 的最优解中有 $s_1(t) > s_2(t)$ 成立。由 $P(t')$ 的最优性可得

$$C(t') = C(g_1^{2M}(t')-1) + F_1^V(r_1^M(t'),g_1^{2M}(t'),t') + F_1^C(r_1^M(t'),g_1^{2M}(t'),t') \tag{9-35}$$

其中 $C(g_1^{2M}(t')-1) = C(g_1^{1M}(t')-1) + F_2^V(r_2^M(t'),g_1^{1M}(t'),g_1^{2M}(t')-1) + F_2^C(r_2^M(t'),g_1^{1M}(t'),g_1^{2M}(t')-1)$，因此可得

$$\begin{aligned} C(t') = {}& C(g_1^{1M}(t')-1) + F_2^V(r_2^M(t'),g_1^{1M}(t'),g_1^{2M}(t')-1) \\ & + F_2^C(r_2^M(t'),g_1^{1M}(t'),g_1^{2M}(t')-1) + F_1^V(r_1^M(t'),g_1^{2M}(t'),t') + F_1^C(r_1^M(t'),g_1^{2M}(t'),t') \end{aligned} \tag{9-36}$$

类似地，有

$$C(t') = C(g_1^{2,M-1}(t')-1) + F_1^V(r_1^{M-1}(t'), g_1^{2,M-1}(t'), g_1^{1M}(t')-1)$$
$$+ F_1^C(r_1^{M-1}(t'), g_1^{2,M-1}(t'), g_1^{1M}(t')-1) + F_2^V(r_2^M(t'), g_1^{1M}(t'), g_1^{2M}(t')-1) \qquad (9\text{-}37)$$
$$+ F_2^C(r_2^M(t'), g_1^{1M}(t'), g_1^{2M}(t')-1) + F_1^V(r_1^M(t'), g_1^{2M}(t'), t') + F_1^C(r_1^M(t'), g_1^{2M}(t'), t')$$

$$C(t') = C(g_1^{1,M-1}(t')-1) + F_2^V(r_2^M(t'), g_1^{1,M-1}(t'), g_1^{2,M-1}(t')-1)$$
$$+ F_2^C(r_2^M(t'), g_1^{1,M-1}(t'), g_1^{2,M-1}(t')-1) + F_1^V(r_1^{M-1}(t'), g_1^{2,M-1}(t'), g_1^{1M}(t')-1)$$
$$+ F_1^C(r_1^{M-1}(t'), g_1^{2,M-1}(t'), g_1^{1M}(t')-1) + F_2^V(r_2^M(t'), g_1^{1M}(t'), g_1^{2M}(t')-1) \qquad (9\text{-}38)$$
$$+ F_2^C(r_2^M(t'), g_1^{1M}(t'), g_1^{2M}(t')-1) + F_1^V(r_1^M(t'), g_1^{2M}(t'), t') + F_1^C(r_1^M(t'), g_1^{2M}(t'), t')$$

对于 $n=1,2,\cdots$，以上动态规划循环式可以写成如下一般形式：

$$C(t') = C(g_1^{2,M-n}(t')-1) + \sum_{q=1}^{n}[F_1^V(r_1^{M-n+q-1}(t'), g_1^{2,M-n+q-1}(t'), g_1^{1,M-n+q}(t')-1)$$
$$+ F_1^C(r_1^{M-n+q-1}(t'), g_1^{2,M-n+q-1}(t'), g_1^{1,M-n+q}(t')-1)]$$
$$+ \sum_{q=1}^{n}[F_2^V(r_2^{M-n+q}(t'), g_1^{1,M-n+q}(t'), g_1^{2,M-n+q}(t')-1) \qquad (9\text{-}39)$$
$$+ F_2^C(r_2^{M-n+q}(t'), g_1^{1,M-n+q}(t'), g_1^{2,M-n+q}(t')-1)]$$
$$+ F_1^V(r_1^M(t'), g_1^{2M}(t'), t') + F_1^C(r_1^M(t'), g_1^{2M}(t'), t')$$

$$C(t') = C(g_1^{1,M-n}(t')-1) + \sum_{q=0}^{n}[F_2^V(r_2^{M-n+q-1}(t'), g_1^{1,M-n+q-1}(t'), g_1^{2,M-n+q-1}(t')-1)$$
$$+ F_2^C(r_2^{M-n+q-1}(t'), g_1^{1,M-n+q-1}(t'), g_1^{2,M-n+q-1}(t')-1)]$$
$$+ \sum_{q=1}^{n}[F_1^V(r_1^{M-n+q-1}(t'), g_1^{2,M-n+q-1}(t'), g_1^{1,M-n+q}(t')-1) \qquad (9\text{-}40)$$
$$+ F_1^C(r_1^{M-n+q-1}(t'), g_1^{2,M-n+q-1}(t'), g_1^{1,M-n+q}(t')-1)]$$
$$+ F_1^V(r_1^M(t'), g_1^{2M}(t'), t') + F_1^C(r_1^M(t'), g_1^{2M}(t'), t')$$

由式 (9-39) 可得

$$C(g_1^{2,M-n}(t')-1) + F_1^V(r_1^{M-n}(t'), g_1^{2,M-n}(t'), t') + F_1^C(r_1^{M-n}(t'), g_1^{2,M-n}(t'), t')$$
$$> C(g_1^{2,M-n}(t')-1) + \sum_{q=1}^{n}[F_1^V(r_1^{M-n+q-1}(t'), g_1^{2,M-n+q-1}(t'), g_1^{1,M-n+q}(t')-1)$$
$$+ F_1^C(r_1^{M-n+q-1}(t'), g_1^{2,M-n+q-1}(t'), g_1^{1,M-n+q}(t')-1)]$$
$$+ \sum_{q=1}^{n}[F_2^V(r_2^{M-n+q}(t'), g_1^{1,M-n+q}(t'), g_1^{2,M-n+q}(t')-1) \qquad (9\text{-}41)$$
$$+ F_2^C(r_2^{M-n+q}(t'), g_1^{1,M-n+q}(t'), g_1^{2,M-n+q}(t')-1)]$$
$$+ F_1^V(r_1^M(t'), g_1^{2M}(t'), t') + F_1^C(r_1^M(t'), g_1^{2M}(t'), t')$$

由 $m(1t')$ 和 $m(2t')$ 的定义及 $r_1^M(t') = r_1(t') = m(1t')$ 和 $g(t') = m(2t')$ 可得，周期 $r_1(t')$（$r_1^M(t')$）生产的产品 1 满足周期 $t'+1$ 到周期 t 的产品 1 需求和部分产品 2 的需求所产生的变动成本，小于周期 $r_1^{M-n}(t')$ 生产的产品 1 满足周期 $t'+1$ 到周期 t 的产品 1 需求和部分产品 2 的需求产生的变动成本；周期 $g(t')$ 生产的产品 2 满足周期 $t'+1$ 到周期 t 的部分产品 2 的需求产生的变动成本，小于周期 $g(t')$ 之前或周期 $g(t')$ 到周期 t' 之间的产品 2 的生产点生产的

产品 2 满足周期 $t'+1$ 到周期 t 的部分产品 2 的需求产生的变动成本，即可得

$$F_1^V(r_1^{M-n}(t'),t'+1,t) > F_1^V(r_1^M(t'),t'+1,t) \tag{9-42}$$

由式 (9-41) 和式 (9-42) 可得

$$
\begin{aligned}
& C(g_1^{2,M-n}(t')-1) + F_1^V(r_1^{M-n}(t'),g_1^{2,M-n}(t'),t') + F_1^C(r_1^{M-n}(t'),g_1^{2,M-n}(t'),t') \\
& \quad + F_1^V(r_1^{M-n}(t'),t'+1,t) + F_1^C(r_1^{M-n}(t'),t'+1,t) \\
& > C(g_1^{2,M-n}(t')-1) + \sum_{q=1}^{n} [F_1^V(r_1^{M-n+q-1}(t'),g_1^{2,M-n+q-1}(t'),g_1^{1,M-n+q}(t')-1) \\
& \quad + F_1^C(r_1^{M-n+q-1}(t'),g_1^{2,M-n+q-1}(t'),g_1^{1,M-n+q}(t')-1)] \\
& \quad + \sum_{q=1}^{n} [F_2^V(r_2^{M-n+q}(t'),g_1^{1,M-n+q}(t'),g_1^{2,M-n+q}(t')-1) \\
& \quad + F_2^C(r_2^{M-n+q}(t'),g_1^{1,M-n+q}(t'),g_1^{2,M-n+q}(t')-1)] \\
& \quad + F_1^V(r_1^M(t'),g_1^{2M}(t'),t') + F_1^C(r_1^M(t'),g_1^{2M}(t'),t') \\
& \quad + F_1^V(r_1^M(t'),t'+1,t) + F_1^C(r_1^M(t'),t'+1,t)
\end{aligned} \tag{9-43}
$$

式 (9-43) 说明在 $N(t) = N(t')-2n$ 下 $P(t)$ 的成本要高于在 $N(t) = N(t')$ 下 $P(t)$ 的成本，因此 $N(t) = N(t')-2n$ 不成立。

如果 $C(g_1^{1M}(t')-1) + F_2^V(r_2^M(t'),g_1^{1M}(t'),t) + F_2^C(r_2^M(t'),g_1^{1M}(t'),t) \leqslant C(g_1^{1M}(t')-1) + F_2^V(r_2^M(t'),g_1^{1M}(t'),g_1^{2M}(t')-1) + F_2^C(r_2^M(t'),g_1^{1M}(t'),g_1^{2M}(t')-1) + F_1^V(r_1^M(t'),g_1^{2M}(t'),t) + F_1^C(r_1^M(t'),g_1^{2M}(t'),t)$ ，则有 $N(t) = N(t')-1$ 成立。

由式 (9-40) 可得

$$
\begin{aligned}
& C(g_1^{1,M-n}(t')-1) + F_2^V(r_2^{M-n}(t'),g_1^{1,M-n}(t'),g_1^{2M}(t')-1) \\
& \quad + F_2^C(r_2^{M-n}(t'),g_1^{1,M-n}(t'),g_1^{2M}(t')-1) \\
& > C(g_1^{1,M-n}(t')-1) + \sum_{q=0}^{n} [F_2^V(r_2^{M-n+q-1}(t'),g_1^{1,M-n+q-1}(t'),g_1^{2,M-n+q-1}(t')-1) \\
& \quad + F_2^C(r_2^{M-n+q-1}(t'),g_1^{1,M-n+q-1}(t'),g_1^{2,M-n+q-1}(t')-1)] \\
& \quad + \sum_{q=1}^{n} [F_1^V(r_1^{M-n+q-1}(t'),g_1^{2,M-n+q-1}(t'),g_1^{1,M-n+q}(t')-1) \\
& \quad + F_1^C(r_1^{M-n+q-1}(t'),g_1^{2,M-n+q-1}(t'),g_1^{1,M-n+q}(t')-1)]
\end{aligned} \tag{9-44}
$$

由 $m(1t')$ 和 $m^-(2t')$ 的定义及 $r_1^M(t') = r_1(t') = m(1t')$ 和 $r_2^M(t') = r_2(t') = m^-(2t')$ 可得，周期 $r_1(t')$ （$r_1^M(t')$）生产的产品 1 满足周期 $t'+1$ 到周期 t 的产品 1 需求和部分产品 2 的需求产生的变动成本，小于周期 $r_1(t')$ 之前和周期 $r_1(t')$ 到周期 t' 之间的产品 1 的生产点生产的产品 1，满足周期 $t'+1$ 到周期 t 的产品 1 需求和部分产品 2 的需求产生的变动成本；周期 $r_2(t')$ （$r_2^M(t')$）生产的产品 2 满足周期 $t'+1$ 到周期 $F_2^V(r_2^{M-n}(t'),g_1^{2M}(t'),t) > F_2^V(r_2^M(t'),g_1^{2M}(t'),t)$ 的部分产品 2 的需求产生的变动成本，小于周期 $r_2^{M-n}(t')$ 生产的产品 2 满足周期 $t'+1$ 到周期 t 的部分产品 2 的需求产生的变动成本，即可得

$$F_2^V(r_2^{M-n}(t'),g_1^{2M}(t'),t) > F_2^V(r_2^M(t'),g_1^{2M}(t'),t) \tag{9-45}$$

又由式 (9-44) 和式 (9-45) 可得

$$C(g_1^{1,M-n}(t')-1) + F_2^V(r_2^{M-n}(t'),g_1^{1,M-n}(t'),g_1^{2M}(t')-1)$$
$$+ F_2^C(r_2^{M-n}(t'),g_1^{1,M-n}(t'),g_1^{2M}(t')-1) + F_2^V(r_2^{M-n}(t'),g_1^{2M}(t'),t)$$
$$> C(g_1^{1,M-n}(t')-1) + \sum_{q=0}^{n}[F_2^V(r_2^{M-n+q-1}(t'),g_1^{1,M-n+q-1}(t'),g_1^{2,M-n+q-1}(t')-1)$$
$$+ F_2^C(r_2^{M-n+q-1}(t'),g_1^{1,M-n+q-1}(t'),g_1^{2,M-n+q-1}(t')-1)]$$
$$+ \sum_{q=1}^{n}[F_1^V(r_1^{M-n+q-1}(t'),g_1^{2,M-n+q-1}(t'),g_1^{1,M-n+q}(t')-1)$$
$$+ F_1^C(r_1^{M-n+q-1}(t'),g_1^{2,M-n+q-1}(t'),g_1^{1,M-n+q}(t')-1)] + F_2^V(r_2^{M}(t'),g_1^{2M}(t'),t)$$

(9-46)

式(9-46)说明在 $N(t)=N(t')-(2n+1)$ 下 $P(t)$ 的成本要高于在 $N(t)=N(t')-1$ 下 $P(t)$ 的成本，因此 $N(t)=N(t')-(2n+1)$ 不成立，$n=1,2,\cdots$。

定理 9-2 证明 因为 $s_1(t)>s_2(t)$ 情形与 $s_2(t)>s_1(t)$ 情形的证明类似，所以以下内容在 $s_1(t)>s_2(t)$ 的情形下证明此定理，省略 $s_2(t)>s_1(t)$ 情形下的证明。

(1)由引理 9-1 可得，在 $P(t)$ 的最优解中，若 $s_1(t)>s_2(t)$、$r_2(t)=m^-(2t)$、$r_1(t)=m(1t)$ 和 $g(t')=m(2t')$ 成立，则 $N(t^*)\geqslant N(t)-1$，$t^*>t$。若 $N(t^*)=N(t)-1$，则由引理 9-1 可得 $r_1^l(t^*)>t>r_1(t)$，$r_2^l(t^*)=r_2(t)$。

(2)在 $P(t)$ 的最优解中，若有 $s_1(t)>s_2(t)$、$r_2(t)=m^-(2t)$、$r_1(t)=m(1t)$ 和 $g(t')=m(2t')$ 成立，则 $r_1^l(t)=r_1(t)$，$r_2^l(t)=g(t)$。以下内容证明 $r_1^l(t+1)\geqslant r_1(t)$ 和 $r_2^l(t+1)>r_2(t)$，只需重复证明过程即可得到 $r_1^l(t^*)\geqslant r_1(t)$ 和 $r_2^l(t^*)>r_2(t)$，$t^*\geqslant t+1$。若 $N(t+1)=N(t)$，则在 $P(t+1)$ 的最优解中仍然存在 $s_1(t+1)>s_2(t+1)$，且 $r_1^l(t+1)=r_1(t+1)$，$r_2^l(t+1)=g(t+1)$。因为 $g(t)>r_2(t)$ 和 $r_2^l(t+1)=g(t+1)$，所以若证明了 $g(t+1)\geqslant g(t)$，则即证明了 $r_2^l(t+1)>r_2(t)$。又因为 $r_1(t+1)\geqslant r_1(t)$，则若证明了 $r_1(t+1)\geqslant r_1(t)$，即证明了 $r_1^l(t+1)\geqslant r_1(t)$。

采用反证法证明 $r_1(t+1)\geqslant r_1(t)$，$g(t+1)\geqslant g(t)$，需要考虑三种情形：①假设在 $P(t+1)$ 的最优解中有 $r_1(t+1)<r_1(t)$ 和 $g(t+1)<g(t)$ 成立；②假设在 $P(t+1)$ 的最优解中有 $r_1(t+1)\geqslant r_1(t)$ 和 $g(t+1)<g(t)$ 成立；③假设在 $P(t+1)$ 的最优解中有 $r_1(t+1)<r_1(t)$ 和 $g(t+1)\geqslant g(t)$ 成立。因为情形②和③的证明与情形①类似，所以以下证明情形①，而省略情形②和③的证明。

由式(9-8)、式(9-9)、式(9-12)～式(9-14)可得

$$C(r,s,\boldsymbol{g},e,t+1) = C(r,s,\boldsymbol{g},e,t) + \min\left\{\left(c_{1r}+\sum_{l=r}^{t}h_{1l}\right)d_{1,t+1}+\left(c_{2g}+\sum_{l=g}^{t}h_{2l}\right)d_{2,t+1};\right.$$
$$\left.\left(c_{1r}+\sum_{l=r}^{t}h_{1l}\right)(d_{1,t+1}+d_{2,t+1})+\omega_{t+1}d_{2,t+1}\right\}$$

(9-47)

为了进一步简化动态规划循环式，令 $\boldsymbol{R}(t)=(r_1(t),s_1(t),\boldsymbol{g}(t),e(t))$，$M_1(t)=c_{1r_1(t)}+\sum_{l=r_1(t)}^{t}h_{1l}$、$M_2(t)=c_{2g(t)}+\sum_{l=g(t)}^{t}h_{2l}$、$M_1(t+1)=c_{1r_1(t+1)}+\sum_{l=r_1(t+1)}^{t}h_{1l}$ 和 $M_2(t+1)=c_{2g(t+1)}+\sum_{l=g(t+1)}^{t}h_{2l}$。由以上定义可知，$M_1(t)$（$M_2(t)$）代表在第 $r_1(t)$（$g(t)$）期生产产品 1(2)满足第 $t+1$ 期产品 1(2)需求

的边际成本。类似地，$M_1(t+1)$（$M_2(t+1)$）代表在第 $r_1(t+1)$（$g(t+1)$）期生产产品 1（2）满足第 $t+1$ 期产品 1（2）需求的边际成本。

由式（9-31）、式（9-47）和 $R(t)$、$R(t+1)$、$M_1(t)$、$M_2(t)$、$M_1(t+1)$ 和 $M_2(t+1)$ 定义可得

$$C(R(t+1),t+1) = C(R(t+1),t) + \min\Big\{ M_1(t+1)d_{1,t+1} + M_2(t+1)d_{2,t+1};$$
$$M_1(t+1)\sum_{i=1}^{2} d_{i,t+1} + \omega_{t+1}d_{2,t+1} \Big\} \tag{9-48}$$

和

$$C(R(t),t+1) = C(R(t),t) + \min\Big\{ M_1(t)d_{1,t+1} + M_2(t)d_{2,t+1}; M_1(t)\sum_{i=1}^{2} d_{i,t+1} + \omega_{t+1}d_{2,t+1} \Big\} \tag{9-49}$$

由 $C(t+1) = C(R(t+1),t+1)$ 可得

$$C(t+1) = C(R(t+1),t+1) \leqslant C(R(t),t+1) \tag{9-50}$$

由式（9-48）可得

$$C(R(t+1),t+1) = C(R(t+1),t) + M_1(t+1)d_{1,t+1} + M_2(t+1)d_{2,t+1} \tag{9-51}$$

或者

$$C(R(t+1),t+1) = C(R(t+1),t) + M_1(t+1)\sum_{i=1}^{2} d_{i,t+1} + \omega_{t+1}d_{2,t+1} \tag{9-52}$$

类似地，由式（9-49）可得

$$C(R(t),t+1) = C(R(t),t) + M_1(t)d_{1,t+1} + M_2(t)d_{2,t+1} \tag{9-53}$$

$$C(R(t),t+1) = C(R(t),t) + M_1(t)\sum_{i=1}^{2} d_{i,t+1} + \omega_{t+1}d_{2,t+1} \tag{9-54}$$

由式（9-51）～式（9-54）可知，要计算式（9-50）需要考虑四种组合情形：式（9-51）和式（9-53）的组合；式（9-51）和式（9-54）的组合；式（9-52）和式（9-54）的组合；式（9-52）和式（9-53）的组合。接下来分别讨论这四种情形。

情形 1 由式（9-50）、式（9-51）和式（9-53）可得

$$C(R(t+1),t) + M_1(t+1)d_{1,t+1} + M_2(t+1)d_{2,t+1} \leqslant C(R(t),t) + M_1(t)d_{1,t+1} + M_2(t)d_{2,t+1} \tag{9-55}$$

即

$$C(R(t+1),t) + (M_1(t+1) - M_1(t))d_{1,t+1} + (M_2(t+1) - M_2(t))d_{2,t+1} \leqslant C(R(t),t) \tag{9-56}$$

由假设 $r_1(t) = m(1t)$ 和 $g(t) = m(2t)$ 可得

$$(M_1(t+1) - M_1(t))d_{1,t+1} + (M_2(t+1) - M_2(t))d_{2,t+1}$$
$$= \left(c_{1r_1(t+1)} + \sum_{l=r_1(t+1)}^{r_1(t)-1} h_{1l} - c_{1r_1(t)} \right)d_{1,t+1} + \left(c_{1g(t+1)} + \sum_{l=g(t+1)}^{g(t)-1} h_{1l} - c_{1g(t)} \right)d_{2,t+1} > 0 \tag{9-57}$$

由式（9-57）可得 $C(R(t+1),t) < C(R(t),t)$，但由 $C(t) = C(R(t),t)$ 可得 $C(R(t+1),t) \geqslant C(R(t),t)$。因此由假设 $r_1(t+1) < r_1(t)$ 和 $g(t+1) < g(t)$ 得出了相互矛盾的结论，可得在 $P(t+1)$ 的最优解中有 $r_1(t+1) \geqslant r_1(t)$ 和 $g(t+1) \geqslant g(t)$ 成立，即有 $r_1^I(t+1) \geqslant r_1(t)$ 和 $r_2^I(t+1) \geqslant r_2(t)$ 成立。

情形 2 由式（9-50）、式（9-51）和式（9-54）可得

$$C(\boldsymbol{R}(t+1),t) + M_1(t+1)d_{1,t+1} + M_2(t+1)d_{2,t+1}$$

$$\leqslant C(\boldsymbol{R}(t),t) + M_1(t)\sum_{i=1}^{2}d_{i,t+1} + \omega_{t+1}d_{2,t+1} \tag{9-58}$$

$$\leqslant C(\boldsymbol{R}(t),t) + M_1(t)d_{1,t+1} + M_2(t)d_{2,t+1}$$

接下来的证明类似情形 1，略。

情形 3　由式(9-50)、式(9-52)和式(9-54)可得

$$C(\boldsymbol{R}(t+1),t) + M_1(t+1)\sum_{i=1}^{2}d_{i,t+1} + \omega_{t+1}d_{2,t+1} \leqslant C(\boldsymbol{R}(t),t) + M_1(t)\sum_{i=1}^{2}d_{i,t+1} + \omega_{t+1}d_{2,t+1} \tag{9-59}$$

即

$$C(\boldsymbol{R}(t+1),t) + (M_1(t+1) - M_1(t))\sum_{i=1}^{2}d_{i,t+1} \leqslant C(\boldsymbol{R}(t),t) \tag{9-60}$$

由假设 $r_1(t) = m(1t)$ 可得

$$(M_1(t+1) - M_1(t))\sum_{i=1}^{2}d_{i,t+1} = \left(c_{1r_1(t+1)} + \sum_{l=r_1(t+1)}^{r_1(t)-1}h_{1l} - c_{1r_1(t)} \right)\sum_{i=1}^{2}d_{i,t+1} > 0 \tag{9-61}$$

由式(9-61)可得 $C(\boldsymbol{R}(t+1),t) < C(\boldsymbol{R}(t),t)$，而由 $C(t) = C(\boldsymbol{R}(t),t)$ 可得 $C(\boldsymbol{R}(t+1),t) \geqslant C(\boldsymbol{R}(t),t)$。因此，由假设 $r_1(t+1) < r_1(t)$ 得出了相互矛盾的结论。故在 $P(t+1)$ 的最优解中有 $r_1(t+1) \geqslant r_1(t)$，即 $r_1^l(t+1) \geqslant r_1(t)$ 成立。

情形 4　由式(9-50)、式(9-52)和式(9-53)可得

$$C(\boldsymbol{R}(t+1),t) + M_1(t+1)\sum_{i=1}^{2}d_{i,t+1} + \omega_{t+1}d_{2,t+1}$$

$$\leqslant C(\boldsymbol{R}(t),t) + M_1(t)d_{1,t+1} + M_2(t)d_{2,t+1} \tag{9-62}$$

$$\leqslant C(\boldsymbol{R}(t),t) + M_1(t)\sum_{i=1}^{2}d_{i,t+1} + \omega_{t+1}d_{2,t+1}$$

接下来的证明类似情形 3，略。

③在 $P(t)$ 的最优解中若有 $s_1(t) > s_2(t)$、$r_2(t) = m^-(2t)$、$r_1(t) = m(1t)$ 和 $g(t) = m(2t)$ 成立，则 $r_1^l(t) = r_1(t)$ 和 $r_2^l(t) = g(t)$。若 $N(t^*) = N(t) + (2n-1)$，$n \in \mathbf{N}_+$，则在 $P(t^*)$ 的最优解中，有 $s_2(t^*) > s_1(t^*)$，又因为 $r_1^l(t^*) \geqslant s_2(t^*) > s_1(t) > r_1(t)$ 和 $r_2^l(t^*) > s_1(t) > s_2(t) > r_2(t)$，所以可得 $r_1^l(t^*) > r_1(t)$ 和 $r_2^l(t^*) > r_2(t)$。

④在 $P(t)$ 的最优解中若有 $s_1(t) > s_2(t)$、$r_2(t) = m^-(2t)$、$r_1(t) = m(1t)$ 和 $g(t) = m(2t)$ 成立，则 $r_1^l(t) = r_1(t)$ 和 $r_2^l(t) = g(t)$。若 $N(t^*) = N(t) + 2n$，$n \in \mathbf{N}_+$，则在 $P(t^*)$ 的最优解中，仍有 $s_1(t^*) > s_2(t^*)$，又因为 $r_1^l(t^*) \geqslant s_2(t^*) > s_1(t) > r_1(t)$ 和 $r_2^l(t^*) \geqslant s_1(t^*) > s_2(t^*) > s_1(t) > r_2(t)$，所以可得 $r_1^l(t^*) > r_1(t)$ 和 $r_2^l(t^*) > r_2(t)$。

附录九

引理 10-1 证明　令 $s_i^m(t)$ 代表第 m 个由产品 i 到产品 j 的转换点，$i,j=1,2$，$i \neq j$，$m=1,2,\cdots,M$。令 $r_i^m(t)$ 为 $s_i^m(t)$ 之前的最大的生产点，$g_i^{im}(t)$ 为大于等于 $s_i^m(t)$ 的第一个生产点，$i=1,2$。由以上定义可知 $s_i^M(t)$ 也是最后一个由产品 i 到产品 j 的转换点，因此有 $s_i^M(t)=s_i(t)$，$r_i^M(t)=r_i(t)$。不失一般性，假设 $s_1(t)>s_2(t)$。$s_i(t)$ $(s_i^M(t))$ 与 $s_i^m(t)$ 的关系如图 10-13 所示。运用反证法，假设在 $P(t+1)$ 的最优解中有 $N(t+1)=N(t)-k$ 成立，$k \in \{2,3,\cdots\}$。当周期 l 到周期 k 仅有产品 2 的生产点且周期 a 为周期 l 之前产品 1 的最大的生产点时，令 $F_1^V(a,l,k)$ 代表满足两产品从周期 l 到周期 k 的需求的最小变动成本之和，包括变动生产成本、替代成本和库存成本；$F_1^C(a,l,k)$ 代表周期 a 到周期 k 发生的最小的生产转换成本。当周期 l 到周期 k 仅有产品 1 的生产点且周期 a 为周期 l 之前产品 2 的最大的生产点时，令 $F_2^V(a,l,k)$ 代表满足两产品从周期 l 到周期 k 的需求的最小变动成本之和，$F_2^C(a,l,k)$ 代表周期 a 到周期 k 发生的生产转换成本，则在 $P(t)$ 的最优解中有 $s_1(t)>s_2(t)$ 成立。由 $P(t)$ 的最优性可得

$$C(t)=C(g_1^{2M}(t)-1)+F_1^V(r_1^M(t),g_1^{2M}(t),t)+F_1^C(r_1^M(t),g_1^{2M}(t),t) \tag{10-27}$$

其中

$$C(g_1^{2M}(t)-1)=C(g_1^{1M}(t)-1)+F_2^V(r_2^M(t),g_1^{1M}(t),g_1^{2M}(t)-1)+F_2^C(r_2^M(t),g_1^{1M}(t),g_1^{2M}(t)-1)$$
$$\tag{10-28}$$

因此可得

$$\begin{aligned}C(t)=&C(g_1^{1M}(t)-1)+F_2^V(r_2^M(t),g_1^{1M}(t),g_1^{2M}(t)-1)+F_2^C(r_2^M(t),g_1^{1M}(t),g_1^{2M}(t)-1)\\&+F_1^V(r_1^M(t),g_1^{2M}(t),t)+F_1^C(r_1^M(t),g_1^{2M}(t),t)\end{aligned} \tag{10-29}$$

同理可得

$$\begin{aligned}C(t)=&C(g_1^{2,M-1}(t)-1)+F_1^V(r_1^{M-1}(t),g_1^{2,M-1}(t),g_1^{1M}(t)-1)+F_1^C(r_1^{M-1}(t),g_1^{2,M-1}(t),g_1^{1M}(t)-1)\\&+F_2^V(r_2^M(t),g_1^{1M}(t),g_1^{2M}(t)-1)+F_2^C(r_2^M(t),g_1^{1M}(t),g_1^{2M}(t)-1)+F_1^V(r_1^M(t),g_1^{2M}(t),t)\\&+F_1^C(r_1^M(t),g_1^{2M}(t),t)\end{aligned}$$
$$\tag{10-30}$$

$$\begin{aligned}C(t)=&C(g_1^{1,M-1}(t)-1)+F_2^V(r_2^{M-1}(t),g_1^{1,M-1}(t),g_1^{2,M-1}(t)-1)+F_2^C(r_2^{M-1}(t),g_1^{1,M-1}(t),g_1^{2,M-1}(t)-1)\\&+F_1^V(r_1^{M-1}(t),g_1^{2,M-1}(t),g_1^{1M}(t)-1)+F_1^C(r_1^{M-1}(t),g_1^{2,M-1}(t),g_1^{1M}(t)-1)\\&+F_2^V(r_2^M(t),g_1^{1M}(t),g_1^{2M}(t)-1)+F_2^C(r_2^M(t),g_1^{1M}(t),g_1^{2M}(t)-1)+F_1^V(r_1^M(t),g_1^{2M}(t),t)\\&+F_1^C(r_1^M(t),g_1^{2M}(t),t)\end{aligned}$$
$$\tag{10-31}$$

对于 $n=1,2,\cdots$，以上动态规划循环式可以写成如下一般形式：

$$C(t) = C(g_1^{2,M-n}(t)-1) + \sum_{q=1}^{n}\Big[F_1^V(r_1^{M-n+q-1}(t), g_1^{2,M-n+q-1}(t), g_1^{1,M-n+q}(t)-1)$$

$$+ F_1^C(r_1^{M-n+q-1}(t), g_1^{2,M-n+q-1}(t), g_1^{1,M-n+q}(t)-1)\Big] + \sum_{q=1}^{n}\Big[F_2^V(r_2^{M-n+q}(t), g_1^{1,M-n+q}(t), g_1^{2,M-n+q}(t)-1)$$

$$+ F_2^C(r_2^{M-n+q}(t), g_1^{1,M-n+q}(t), g_1^{2,M-n+q}(t)-1)\Big] + F_1^V(r_1^M(t), g_1^{2M}(t), t) + F_1^C(r_1^M(t), g_1^{2M}(t), t)$$

$$（10\text{-}32）$$

$$C(t) = C(g_1^{1,M-n}(t)-1) + \sum_{q=0}^{n}\Big[F_2^V(r_2^{M-n+q}(t), g_1^{1,M-n+q}(t), g_1^{2,M-n+q}(t)-1)$$

$$+ F_2^C(r_2^{M-n+q}(t), g_1^{1,M-n+q}(t), g_1^{2,M-n+q}(t)-1)\Big] + \sum_{q=1}^{n}\Big[F_1^V(r_1^{M-n+q-1}(t), g_1^{2,M-n+q-1}(t), g_1^{1,M-n+q}(t)-1)$$

$$+ F_1^C(r_1^{M-n+q-1}(t), g_1^{2,M-n+q-1}(t), g_1^{1,M-n+q}(t)-1)\Big] + F_1^V(r_1^M(t), g_1^{2M}(t), t) + F_1^C(r_1^M(t), g_1^{2M}(t), t)$$

$$（10\text{-}33）$$

由式（10-32）可得

$$C(g_1^{2,M-n}(t)-1) + F_1^V(r_1^{M-n}(t), g_1^{2,M-n}(t), t) + F_1^C(r_1^{M-n}(t), g_1^{2,M-n}(t), t)$$

$$> C(g_1^{2,M-n}(t)-1) + \sum_{q=1}^{n}\Big[F_1^V(r_1^{M-n+q-1}(t), g_1^{2,M-n+q-1}(t), g_1^{1,M-n+q}(t)-1)$$

$$+ F_1^C(r_1^{M-n+q-1}(t), g_1^{2,M-n+q-1}(t), g_1^{1,M-n+q}(t)-1)\Big]$$

$$+ \sum_{q=1}^{n}\Big[F_2^V(r_2^{M-n+q}(t), g_1^{1,M-n+q}(t), g_1^{2,M-n+q}(t)-1)$$

$$+ F_2^C(r_2^{M-n+q}(t), g_1^{1,M-n+q}(t), g_1^{2,M-n+q}(t)-1)\Big]$$

$$+ F_1^V(r_1^M(t), g_1^{2M}(t), t) + F_1^C(r_1^M(t), g_1^{2M}(t), t)$$

$$（10\text{-}34）$$

由 $m(1t)$ 和 $m(2t)$ 的定义及 $r_1^M(t)=r_1(t)=m(1t)$ 和 $g(t)=m(2t)$ 可得，周期 $r_1(t)$（$r_1^M(t)$）生产的产品 1 满足周期 $t+1$ 的产品 1 的需求和产品 2 的需求（若周期 $t+1$ 产品 2 的需求由产品 1 替代满足）产生的变动成本，小于周期 $r_1^{M-n}(t)$ 生产的产品 1 满足周期 $t+1$ 的产品 1 的需求和产品 2 的需求产生的变动成本；若周期 $t+1$ 的产品 2 的需求由产品 2 本身满足，则周期 $g(t)$ 生产的产品 2 满足周期 $t+1$ 的产品 2 的需求产生的变动成本小于周期 $g(t)$ 之前的产品 2 的生产点生产的产品 2 满足周期 $t+1$ 的部分产品 2 的需求产生的变动成本。即可得

$$F_1^V(r_1^{M-n}(t), t+1, t+1) > F_1^V(r_1^M(t), t+1, t+1)$$

$$（10\text{-}35）$$

由式（10-34）和式（10-35）可得

$$C(g_1^{2,M-n}(t)-1) + F_1^V(r_1^{M-n}(t), g_1^{2,M-n}(t), t) + F_1^C(r_1^{M-n}(t), g_1^{2,M-n}(t), t)$$

$$+ F_1^V(r_1^{M-n}(t), t+1, t+1) + F_1^C(r_1^{M-n}(t), t+1, t+1)$$

$$> C(g_1^{2,M-n}(t)-1) + \sum_{q=1}^{n}\Big[F_1^V(r_1^{M-n+q-1}(t), g_1^{2,M-n+q-1}(t), g_1^{1,M-n+q}(t)-1)$$

$$+ F_1^C(r_1^{M-n+q-1}(t), g_1^{2,M-n+q-1}(t), g_1^{1,M-n+q}(t)-1)\Big]$$

$$+ \sum_{q=1}^{n} \left[F_2^V \left(r_2^{M-n+q}(t), g_1^{1,M-n+q}(t), g_1^{2,M-n+q}(t) - 1 \right) + F_2^C \left(r_2^{M-n+q}(t), g_1^{1,M-n+q}(t), g_1^{2,M-n+q}(t) - 1 \right) \right]$$

$$+ F_1^V \left(r_1^M(t), g_1^{2M}(t), t \right) + F_1^C \left(r_1^M(t), t+1, t+1 \right) + F_1^V \left(r_1^M(t), g_1^{2M}(t), t \right) + F_1^C \left(r_1^M(t), t+1, t+1 \right)$$

$$(10\text{-}36)$$

式 (10-36) 说明在 $N(t+1) = N(t) - 2n$ 下 $P(t)$ 的成本要高于在 $N(t+1) = N(t)$ 下 $P(t)$ 的成本, 因此 $N(t+1) = N(t) - 2n$ 不成立, $n = 1, 2, \cdots$。

若如下不等式成立, 则说明 $N(t+1) = N(t) - 1$ 成立, 即

$$C \left(g_1^{1M}(t) - 1 \right) + F_2^V \left(r_2^M(t), g_1^{1M}(t), t \right) + F_2^C \left(r_2^M(t), g_1^{1M}(t), t+1 \right)$$

$$\leqslant C \left(g_1^{1M}(t) - 1 \right) + F_2^V \left(r_2^M(t), g_1^{1M}(t), g_1^{2M}(t) - 1 \right)$$

$$+ F_2^C \left(r_2^M(t), g_1^{1M}(t), g_1^{2M}(t) - 1 \right) + F_1^V \left(r_1^M(t), g_1^{2M}(t), t+1 \right) + F_1^C \left(r_1^M(t), g_1^{2M}(t), t+1 \right)$$

由式 (10-33) 可得

$$C \left(g_1^{1,M-n}(t) - 1 \right) + F_2^V \left(r_2^{M-n}(t), g_1^{1,M-n}(t), g_1^{2M}(t) - 1 \right) + F_2^C \left(r_2^{M-n}(t), g_1^{1,M-n}(t), g_1^{2M}(t) - 1 \right)$$

$$> C \left(g_1^{1,M-n}(t) - 1 \right) + \sum_{q=0}^{n} \left[F_2^V \left(r_2^{M-n+q}(t), g_1^{1,M-n+q}(t), g_1^{2,M-n+q}(t) - 1 \right) \right.$$

$$+ F_2^C \left(r_2^{M-n+q}(t), g_1^{1,M-n+q}(t), g_1^{2,M-n+q}(t) - 1 \right) \Big]$$

$$+ \sum_{q=1}^{n} \left[F_1^V \left(r_1^{M-n+q-1}(t), g_1^{2,M-n+q-1}(t), g_1^{1,M-n+q}(t) - 1 \right) \right.$$

$$+ F_1^C \left(r_1^{M-n+q-1}(t), g_1^{2,M-n+q-1}(t), g_1^{1,M-n+q}(t) - 1 \right) \Big]$$

$$(10\text{-}37)$$

由 $m(1t)$ 和 $m^-(2t)$ 的定义及 $r_1^M(t) = r_1(t) = m(1t)$ 和 $r_2(t) = m^-(2t)$ 可得, 周期 $r_1(t)$ ($r_1^M(t)$) 生产的产品 1 满足周期 $t+1$ 的产品 1 的需求和产品 2 的需求 (若周期 $t+1$ 产品 2 的需求由产品 1 替代满足) 产生的变动成本, 小于周期 $r_1^{M-n}(t)$ 生产的产品 1 满足周期 $t+1$ 的产品 1 的需求和产品 2 的需求产生的变动成本; 若周期 $t+1$ 产品 2 的需求由产品 2 本身满足, 周期 $r_2(t)$ 生产的产品 2 满足周期 $t+1$ 的产品 2 的需求产生的变动成本, 小于周期 $r_2(t)$ 之前的产品 2 的生产点生产的产品 2 满足周期 $t+1$ 的部分产品 2 的需求产生的变动成本。即可得

$$F_2^V \left(r_2^{M-n}(t), g_1^{2M}(t), t+1 \right) > F_2^V \left(r_2^M(t), g_1^{2M}(t), t+1 \right) \qquad (10\text{-}38)$$

又由式 (10-37) 和式 (10-38) 可得

$$C \left(g_1^{1,M-n}(t) - 1 \right) + F_2^V \left(r_2^{M-n}(t), g_1^{1,M-n}(t), g_1^{2M}(t) - 1 \right)$$

$$+ F_2^C \left(r_2^{M-n}(t), g_1^{1,M-n}(t), g_1^{2M}(t) - 1 \right) + F_2^V \left(r_2^{M-n}(t), g_1^{2M}(t), t+1 \right)$$

$$> C \left(g_1^{1,M-n}(t) - 1 \right) + \sum_{q=0}^{n} \left[F_2^V \left(r_2^{M-n+q}(t), g_1^{1,M-n+q}(t), g_1^{2,M-n+q}(t) - 1 \right) \right.$$

$$+ F_2^C \left(r_2^{M-n+q}(t), g_1^{1,M-n+q}(t), g_1^{2,M-n+q}(t) - 1 \right) \Big] \qquad (10\text{-}39)$$

$$+ \sum_{q=1}^{n} \left[F_1^V \left(r_1^{M-n+q-1}(t), g_1^{2,M-n+q-1}(t), g_1^{1,M-n+q}(t) - 1 \right) \right.$$

$$+ F_1^C \left(r_1^{M-n+q-1}(t), g_1^{2,M-n+q-1}(t), g_1^{1,M-n+q}(t) - 1 \right) \Big]$$

$$+ F_2^V \left(r_2^M(t), g_1^{2M}(t), t+1 \right)$$

式(10-39)说明在 $N(t+1) = N(t) - (2n+1)$ 下 $P(t)$ 的成本要高于在 $N(t+1) = N(t)-1$ 下的成本，因此 $N(t+1) = N(t) - (2n+1)$ 不成立，$n = 1, 2, \cdots$。综合以上分析可得 $N(t+1) \geqslant N(t) - 1$。

引理 10-1 给出了 $P(t)$ 的最优解中转换点个数存在的下界条件。

定理 10-3 证明 以下内容在 $s_1(t) > s_2(t)$ 的情形下证明生产点的单调性质，即只考虑 $C(t) = C^1(r_i(t), s_i(t), \boldsymbol{g}(t), e(t), t)$ 的情形。在 $s_1(t) = s_2(t)$ 且由产品 1 转换到产品 2 是第二次生产转换情形下生产点的单调性质的证明与 $s_1(t) > s_2(t)$ 的情形相同。根据对称性，在 $s_2(t) > s_1(t)$ 或 $s_1(t) = s_2(t)$ 且由产品 2 转换到产品 1 是第二次生产转换的情形下生产点的单调性质的证明与 $s_1(t) > s_2(t)$ 的情形类似，这里不再赘述。

(1)从引理 10-1 可得，在 $P(t)$ 的最优解中若有 $s_1(t) > s_2(t)$、$r_2(t) = m^-(2t)$、$r_1(t) = m(1t)$ 和 $g(t) = m(2t)$ 成立，则有 $N(t+1) \geqslant N(t) - 1$。若 $N(t+1) = N(t) - 1$，则又由引理 10-1 可得 $r_1^l(t+1) > t > r_1(t)$ 和 $r_2^l(t+1) = r_2(t)$ 成立。

(2)在 $P(t)$ 的最优解中若有 $s_1(t) > s_2(t)$、$r_2(t) = m^-(2t)$、$r_1(t) = m(1t)$ 和 $g(t) = m(2t)$，则 $r_1^l(t) = r_1(t)$ 和 $r_2^l(t) = g(t)$。若 $N(t+1) = N(t)$，则在 $P(t+1)$ 的最优解中仍然是 $s_1(t+1) > s_2(t+1)$、$r_1^l(t+1) = r_1(t+1)$ 和 $r_2^l(t+1) = g(t+1)$。因为 $r_1^l(t+1) = r_1(t+1)$，所以若证明了 $r_1(t+1) \geqslant r_1(t)$，即证明了 $r_1^l(t+1) \geqslant r_1(t)$。类似地，因为 $g(t) > r_2(t)$ 和 $r_2^l(t+1) = g(t+1)$，所以若证明了 $g(t+1) \geqslant g(t)$，即证明了 $r_2^l(t+1) > r_2(t)$。

采用反证法证明 $r_1(t+1) \geqslant r_1(t)$ 和 $g(t+1) \geqslant g(t)$。需要考虑三种情形：①假设在 $P(t+1)$ 的最优解中有 $r_1(t+1) \geqslant r_1(t)$ 和 $g(t+1) < g(t)$ 成立；②假设在 $P(t+1)$ 的最优解中有 $r_1(t+1) \geqslant r_1(t)$ 和 $g(t+1) < g(t)$ 成立；③假设在 $P(t+1)$ 的最优解中有 $r_1(t+1) < r_1(t)$ 和 $g(t+1) \geqslant g(t)$ 成立。因为情形②和③的证明与情形①类似，因此以下证明情形①，而省略情形②和③的证明。由式(10-8)、式(10-10)~式(10-19)可得

$$
\begin{aligned}
C^1(r, s, \boldsymbol{g}, e, t+1) = C^1(r, s, \boldsymbol{g}, e, t) + \min \Bigg\{ & \left(c_{1r} + \sum_{l=r}^{t} h_{1l}\right) d_{1,t+1} + \left(c_{2g} + \sum_{l=g}^{t} h_{2l}\right) d_{2,t+1}; \\
& \left(c_{1r} + \sum_{l=r}^{t} h_{1l}\right)(d_{1,t+1} + d_{2,t+1}) + \omega_{12,t+1} d_{2,t+1}; \\
& \left(c_{2g} + \sum_{l=g}^{t} h_{2l}\right)(d_{1,t+1} + d_{2,t+1}) + \omega_{21,t+1} d_{1,t+1} \Bigg\}
\end{aligned}
\tag{10-40}
$$

为了进一步简化动态规划循环式，令 $\boldsymbol{R}(t) = (r_1(t), s_1(t), \boldsymbol{g}(t), e(t))$，$\boldsymbol{R}(t+1) = (r_1(t+1), s_1(t+1), \boldsymbol{g}(t+1), e(t+1))$，$M_1(t) = c_{1r_1(t)} + \sum_{l=r_1(t)}^{t} h_{1l}$，$M_2(t) = c_{2g(t)} + \sum_{l=g(t)}^{t} h_{2l}$，$M_1(t+1) = c_{1r_1(t+1)} + \sum_{l=r_1(t+1)}^{t} h_{1l}$ 和 $M_2(t+1) = c_{2g(t+1)} + \sum_{l=g(t+1)}^{t} h_{2l}$。

由式(10-22)、式(10-40)及 $\boldsymbol{R}(t)$、$\boldsymbol{R}(t+1)$、$M_1(t)$、$M_2(t)$、$M_1(t+1)$ 和 $M_2(t+1)$ 的定义可得

$$C^1(\boldsymbol{R}(t), t+1) = C^1(\boldsymbol{R}(t), t) + \min\left\{ M_1(t)d_{1,t+1} + M_2(t)d_{2,t+1}; \atop M_1(t)\sum_{i=1}^{2} d_{i,t+1} + \omega_{12,t+1}d_{2,t+1}; M_2(t)\sum_{i=1}^{2} d_{i,t+1} + \omega_{21,t+1}d_{1,t+1} \right\} \tag{10-41}$$

和

$$C^1(\boldsymbol{R}(t+1), t+1) = C^1(\boldsymbol{R}(t+1), t) + \min\left\{ M_1(t+1)d_{1,t+1} + M_2(t+1)d_{2,t+1}; \atop M_1(t+1)\sum_{i=1}^{2} d_{i,t+1} + \omega_{12,t+1}d_{2,t+1}; M_2(t+1)\sum_{i=1}^{2} d_{i,t+1} + \omega_{21,t+1}d_{1,t+1} \right\} \tag{10-42}$$

由 $C^1(t+1) = C^1(\boldsymbol{R}(t+1), t+1)$ 可得

$$C^1(t+1) = C^1(\boldsymbol{R}(t+1), t+1) \leqslant C^1(\boldsymbol{R}(t), t+1) \tag{10-43}$$

根据式(10-41)可得

$$C^1(\boldsymbol{R}(t), t+1) = C^1(\boldsymbol{R}(t), t) + M_1(t)d_{1,t+1} + M_2(t)d_{2,t+1} \tag{10-44}$$

或者

$$C^1(\boldsymbol{R}(t), t+1) = C^1(\boldsymbol{R}(t), t) + M_1(t)\sum_{i=1}^{2} d_{i,t+1} + \omega_{12,t+1}d_{2,t+1} \tag{10-45}$$

或者

$$C^1(\boldsymbol{R}(t), t+1) = C^1(\boldsymbol{R}(t), t) + M_2(t)\sum_{i=1}^{2} d_{i,t+1} + \omega_{21,t+1}d_{1,t+1} \tag{10-46}$$

根据式(10-42)可得

$$C^1(\boldsymbol{R}(t+1), t+1) = C^1(\boldsymbol{R}(t+1), t) + M_1(t+1)d_{1,t+1} + M_2(t+1)d_{2,t+1} \tag{10-47}$$

或者

$$C^1(\boldsymbol{R}(t+1), t+1) = C^1(\boldsymbol{R}(t+1), t) + M_1(t+1)\sum_{i=1}^{2} d_{i,t+1} + \omega_{12,t+1}d_{2,t+1} \tag{10-48}$$

或者

$$C^1(\boldsymbol{R}(t+1), t+1) = C^1(\boldsymbol{R}(t+1), t) + M_2(t+1)\sum_{i=1}^{2} d_{i,t+1} + \omega_{21,t+1}d_{1,t+1} \tag{10-49}$$

由式(10-44)～式(10-49)可知,要计算式(10-43)需要考虑九种组合情形,接下来具体讨论这九种情形。

情形 1 由式(10-43)、式(10-44)和式(10-47)可得

$$C^1(\boldsymbol{R}(t+1), t) + M_1(t+1)d_{1,t+1} + M_2(t+1)d_{2,t+1} \leqslant C^1(\boldsymbol{R}(t), t) + M_1(t)d_{1,t+1} + M_2(t)d_{2,t+1} \tag{10-50}$$

化简式(10-50)可得

$$C^1(\boldsymbol{R}(t+1), t) + (M_1(t+1) - M_1(t))d_{1,t+1} + (M_2(t+1) - M_2(t))d_{2,t+1} \leqslant C^1(\boldsymbol{R}(t), t) \tag{10-51}$$

由 $m(it)$ 定义引申出的不等式关系以及假设 $r_1(t) = m(1t)$ 和 $g(t) = m(2t)$ 可得

$$(M_1(t+1) - M_1(t))d_{1,t+1} + (M_2(t+1) - M_2(t))d_{2,t+1}$$
$$= \left(c_{1r_1(t+1)} + \sum_{l=r_1(t+1)}^{r_1(t)-1} h_{1l} - c_{1r_1(t)} \right)d_{1,t+1} + \left(c_{2g(t+1)} + \sum_{l=g(t+1)}^{g(t)-1} h_{2l} - c_{2g(t)} \right)d_{2,t+1} > 0 \tag{10-52}$$

由式(10-51)和式(10-52)可得 $C^1(\boldsymbol{R}(t+1),t) < C^1(\boldsymbol{R}(t),t)$。

然而，由 $C(t) = C^1(\boldsymbol{R}(t),t)$ 可得 $C^1(\boldsymbol{R}(t+1),t) \geq C^1(\boldsymbol{R}(t),t)$。由假设 $r_1(t+1) < r_1(t)$ 和 $g(t+1) < g(t)$ 得出了相互矛盾的结论。因此可得 $r_1(t+1) \geq r_1(t)$ 和 $g(t+1) \geq g(t)$，即可得 $r_1^l(t+1) \geq r_1(t)$ 和 $r_2^l(t+1) > r_2(t)$。

情形 2   由式(10-43)、式(10-44)和式(10-48)可得

$$C^1(\boldsymbol{R}(t+1),t) + M_1(t+1)d_{1,t+1} + M_2(t+1)d_{2,t+1} \leq C^1(\boldsymbol{R}(t),t) + M_1(t)\sum_{i=1}^{2}d_{i,t+1} + \omega_{12,t+1}d_{2,t+1} \tag{10-53}$$
$$\leq C^1(\boldsymbol{R}(t),t) + M_1(t)d_{1,t+1} + M_2(t)d_{2,t+1}$$

接下来的证明与情形 1 相同，略。

情形 3   由式(10-43)、式(10-44)和式(10-49)可得

$$C^1(\boldsymbol{R}(t+1),t) + M_1(t+1)d_{1,t+1} + M_2(t+1)d_{2,t+1} \leq C^1(\boldsymbol{R}(t),t) + M_2(t)\sum_{i=1}^{2}d_{i,t+1} + \omega_{21,t+1}d_{1,t+1} \tag{10-54}$$
$$\leq C^1(\boldsymbol{R}(t),t) + M_1(t)d_{1,t+1} + M_2(t)d_{2,t+1}$$

接下来的证明同样与情形 1 相同，略。

情形 4   由式(10-43)、式(10-45)和式(10-49)可得

$$C^1(\boldsymbol{R}(t+1),t) + M_1(t+1)\sum_{i=1}^{2}d_{i,t+1} + \omega_{12,t+1}d_{2,t+1} \leq C^1(\boldsymbol{R}(t),t) + M_1(t)\sum_{i=1}^{2}d_{i,t+1} + \omega_{12,t+1}d_{2,t+1} \tag{10-55}$$

化简可得

$$C^1(\boldsymbol{R}(t+1),t) + (M_1(t+1) - M_1(t))\sum_{i=1}^{2}d_{i,t+1} \leq C^1(R(t),t) \tag{10-56}$$

由 $m(it)$ 引申出的不等式关系以及假设 $r_1(t) = m(1t)$ 可得

$$M_1(t+1) - M_1(t) = \left(c_{1r_1(t+1)} + \sum_{l=r_1(t+1)}^{r_1(t)-1} h_{1l} - c_{1r_1(t)} \right)(d_{1,t+1} + d_{2,t+1}) > 0 \tag{10-57}$$

由式(10-56)和式(10-57)可得 $C(r_1(t+1),s(t+1),\boldsymbol{g}(t+1),e(t+1),t) < C(r_1(t),s_1(t),\boldsymbol{g}(t),e(t),t)$。

然而，由 $C(t) = C^1(\boldsymbol{R}(t),t)$ 可得 $C^1(\boldsymbol{R}(t+1),t) \geq C^1(\boldsymbol{R}(t),t)$。由假设 $r_1(t+1) < r_1(t)$ 得出了相互矛盾的结论，因此可得 $r_1(t+1) \geq r_1(t)$，即可得 $r_1^l(t+1) \geq r_1(t)$。

情形 5   由式(10-43)、式(10-45)和式(10-47)可得

$$C^1(\boldsymbol{R}(t+1),t) + M_1(t+1)\sum_{i=1}^{2}d_{i,t+1} + \omega_{12,t+1}d_{2,t+1} \leq C^1(\boldsymbol{R}(t),t) + M_1(t)d_{1,t+1} + M_2(t)d_{2,t+1}$$
$$\leq C^1(\boldsymbol{R}(t),t) + M_1(t)\sum_{i=1}^{2}d_{i,t+1} + \omega_{12,t+1}d_{2,t+1} \tag{10-58}$$

接下来的证明与情形 4 相同，略。

情形 6   由式(10-43)、式(10-45)和式(10-49)可得

$$C^1(\boldsymbol{R}(t+1),t) + M_1(t+1)\sum_{i=1}^{2} d_{i,t+1} + \omega_{12,t+1}d_{2,t+1} \leqslant C^1(\boldsymbol{R}(t),t) + M_2(t)\sum_{i=1}^{2} d_{i,t+1} + \omega_{21,t+1}d_{1,t+1}$$

$$\leqslant C^1(\boldsymbol{R}(t),t) + M_1(t)\sum_{i=1}^{2} d_{i,t+1} + \omega_{12,t+1}d_{2,t+1} \tag{10-59}$$

接下来的证明同样与情形 4 相同，略。

情形 7、8 和 9 分别是式(10-43)、式(10-46)和式(10-49)的组合，式(10-43)、式(10-46)和式(10-47)的组合以及式(10-43)、式(10-46)和式(10-48)的组合。情形 7、8 和 9 的证明与情形 4、5 和 6 的证明过程类似，基本思路是由假设 $g(t+1) < g(t)$ 推导出相互矛盾的结论，得出 $g(t+1) \geqslant g(t)$，即得出 $r_2^l(t+1) > r_2(t)$，故略。

(3) 在 $P(t)$ 的最优解中若有 $s_1(t) > s_2(t)$、$r_2(t) = m^-(2t)$、$r_1(t) = m(1t)$ 和 $g(t) = m(2t)$，则 $r_1^l(t) = r_1(t)$ 和 $r_2^l(t) = g(t)$。若 $N(t+1) = N(t)+1$，则在 $P(t+1)$ 的最优解中有 $s_2(t+1) > s_1(t+1)$。因为 $r_1^l(t+1) \geqslant s_2(t+1) > s_1(t) > r_2(t)$ 和 $r_2^l(t+1) > s_1(t) > s_2(t) > r_2(t)$，所以可得 $r_i^l(t+1) > r_i(t)$ 和 $r_2^l(t+1) > r_2(t)$。

附录十

定理 11-3 证明 假设 $i < j \leqslant k \leqslant t \leqslant T$，$i$、$j(i < j)$ 为两个生产点，在 SP 最优解 Ω^* 中，若有 $Z_{jk}^* = d_k$ 和 $Z_{it}^* = d_t$ 成立，则说明库存管理后进先出规则是较优的；若有 $Z_{jk}^* = d_k$ 和 $Z_{it}^* = 0$ 成立，则先进先出规则是较优的。若证明将后进先出规则改为先进先出规则成本不会增加，则也证明了对于周期 k（$k \geqslant j$），若 $Z_{jk}^* > 0$，则有 $Z_{it}^* = 0$ 对于任意周期 t（$k \leqslant t \leqslant T$）成立。

若 $Z_{jk}^* = d_k$，则有 $c_j A_{jk}^j + \sum_{l=j}^{k-1} A_{lk}^j h_{jl} \leqslant p_k$。根据变动生产成本、库存成本和缺货成本之间的关系，讨论如下四种情形。

情形 1： $c_i A_{it}^i + \sum_{l=i}^{t-1} A_{lt}^i h_{il} > p_t$。

情形 2： $c_i A_{it}^i + \sum_{l=i}^{t-1} A_{lt}^i h_{il} \leqslant p_t$，$c_i A_{ik}^i + \sum_{l=i}^{k-1} A_{lk}^i h_{il} \leqslant p_k$，$c_j A_{jt}^j + \sum_{l=j}^{t-1} A_{lt}^j h_{jl} \leqslant p_t$。

情形 3： $c_i A_{it}^i + \sum_{l=i}^{t-1} A_{lt}^i h_{il} \leqslant p_t$，$c_i A_{ik}^i + \sum_{l=i}^{k-1} A_{lk}^i h_{il} > p_k$。

情形 4： $c_i A_{it}^i + \sum_{l=i}^{t-1} A_{lt}^i h_{il} \leqslant p_t$，$c_j A_{jt}^j + \sum_{l=j}^{t-1} A_{lt}^j h_{jl} > p_t$。

情形 1 中的不等式意味着第 i 期生产满足第 t 期 1 单位需求的变动生产和库存成本之和要大于第 t 期 1 单位需求损失的成本。其他情形中不等式的含义类似于情形 1，这里不再赘述。

对于情形 1，若 $c_i A_{it}^i + \sum_{l=i}^{t-1} h_{il} A_{lt}^i > p_t$，则对于任意 t，直接可得 $Z_{it}^* = 0$，$k < t \leqslant T$。

对于情形 2，$i < j$ 是 SP 的最优解 Ω^+ 中两个生产点，假设存在 $Z_{jk}^+ = d_k$ 和 $Z_{it}^+ = d_t$。通过令 $Z_{it}^* = 0$ 和 $Z_{jt}^* = d_t$ 变换最优解 Ω^+ 来获得一个可行解 Ω^*。在可行解 Ω^* 中有 $X_i^* = X_i^+ - A_{it}^i d_t$，$X_j^* = X_j^+ + A_{jt}^j d_t$；$I_{il}^* = I_{il}^+ - A_{lt}^i d_t$，$i \leqslant l \leqslant t-1$；$I_{jl}^* = I_{jl}^+ + A_{lt}^j d_t$，$j \leqslant l \leqslant t-1$。可行解 Ω^* 中的其余变量与最优解 Ω^+ 保持一致。$V(\Omega^+)$ 代表后进先出规则下的最优成本，$V(\Omega^*)$ 代表先进先出规则下的最优成本。若能够证明 $V(\Omega^+) \geqslant V(\Omega^*)$，即证明将后进先出规则改为先进先出规则成本不会增加，而

$$V(\Omega^+) - V(\Omega^*) = c_i A_{it}^i d_t + \sum_{l=i}^{t-1} h_{il} A_{lt}^i d_t - c_j A_{jt}^j d_t - \sum_{l=j}^{t-1} h_{jl} A_{lt}^j d_t$$

$$= \left(c_i A_{it}^i + \sum_{l=i}^{t-1} h_{il} A_{lt}^i - c_j A_{jt}^j - \sum_{l=j}^{t-1} h_{jl} A_{lt}^j \right) \cdot d_t$$

$$= \left(c_i A_{it}^i + \sum_{l=i}^{k-1} h_{il} A_{lt}^i - c_j A_{jt}^j - \sum_{l=j}^{k-1} h_{jl} A_{lt}^j \right) \cdot d_t + \left(\sum_{l=k}^{t-1} h_{il} A_{lt}^i - \sum_{l=k}^{t-1} h_{jl} A_{lt}^j \right) \cdot d_t$$

$$\text{(11-17)}$$

由引理 11-1 可得，$\left(c_i A_{it}^i + \sum_{l=i}^{k-1} h_{il} A_{lt}^i - c_j A_{jt}^j - \sum_{l=j}^{k-1} h_{jl} A_{lt}^j \right) \cdot d_t \geqslant 0$，由第 11 章中的假设 1 和

定义 A_{kt}^i 可得 $\left(\sum_{l=k}^{t-1} h_{il} A_{lt}^i - \sum_{l=k}^{t-1} h_{jl} A_{lt}^j \right) \cdot d_t \geqslant 0$，因此 $V(\Omega^+) - V(\Omega^*) \geqslant 0$。

对于情形 3，因为 $c_j A_{jk}^j + \sum_{l=j}^{k-1} h_{jl} A_{lk}^j \leqslant p_k$ 和 $c_i A_{ik}^i + \sum_{l=i}^{k-1} h_{il} A_{lk}^i > p_k$，所以有

$$c_j A_{jk}^j + \sum_{l=j}^{k-1} h_{jl} A_{lk}^j < c_i A_{ik}^i + \sum_{l=i}^{k-1} h_{il} A_{lk}^i \tag{11-18}$$

根据第 11 章中的假设 2 和定义 A_{kt}^i 可得

$$c_j A_{jk}^j A_{kt}^i + \sum_{l=j}^{k-1} A_{lk}^j A_{kt}^i h_{jl} + \sum_{l=k}^{k-1} A_{lt}^i h_{il} < c_i A_{ik}^i A_{kt}^i + \sum_{l=k}^{k-1} A_{lk}^i A_{kt}^i h_{il} + \sum_{l=k}^{t-1} A_{lt}^i h_{il} = c_i A_{it}^i + \sum_{l=i}^{t-1} A_{lt}^i h_{il} \tag{11-19}$$

即

$$c_j A_{jt}^j + \sum_{l=j}^{t-1} A_{lt}^j h_{jl} = c_j A_{jk}^j A_{kt}^j + \sum_{l=j}^{k-1} A_{lk}^j A_{kt}^j h_{jl} + \sum_{l=k}^{t-1} A_{lt}^j h_{jl}$$

$$< c_j A_{jk}^j A_{kt}^i + \sum_{l=j}^{k-1} A_{lk}^j A_{kt}^i h_{jl} + \sum_{l=k}^{t-1} A_{lt}^i h_{il} \tag{11-20}$$

因为有 $c_i A_{it}^i + \sum_{l=i}^{t-1} A_{lt}^i h_{il} \leqslant p_t$，$c_j A_{jt}^j + \sum_{l=j}^{t-1} A_{lt}^j h_{jl} < p_t$，接下来的证明类似情形 2，故略。

对于情形 4，因为 $c_i A_{it}^i + \sum_{l=i}^{t-1} A_{lt}^i h_{il} \leqslant p_t$ 和 $c_j A_{jt}^j + \sum_{l=j}^{t-1} A_{lt}^j h_{jl} > p_t$，所以

$$c_i A_{it}^i + \sum_{l=i}^{t-1} A_{lt}^i h_{il} < c_j A_{jt}^j + \sum_{l=j}^{t-1} A_{lt}^j h_{jl} \tag{11-21}$$

将不等式（11-21）变形为如下形式：

$$c_i A_{it}^i + \sum_{l=i}^{k-1} A_{lt}^i h_{il} + \sum_{l=k}^{t-1} A_{lt}^i h_{il} < c_j A_{jt}^j + \sum_{l=j}^{k-1} A_{lt}^j h_{jl} + \sum_{l=k}^{t-1} A_{lt}^j h_{jl} \tag{11-22}$$

由假设 2 和 A_{kt}^i 的定义可得 $c_i A_{it}^i + \sum_{l=i}^{k-1} A_{lt}^i h_{il} < c_j A_{jt}^j + \sum_{l=j}^{k-1} A_{lt}^j h_{jl}$，即

$$c_i A_{ik}^i A_{kt}^i + \sum_{l=i}^{k-1} h_{il} A_{lk}^i A_{kt}^i < c_j A_{jk}^j A_{kt}^j + \sum_{l=j}^{k-1} h_{jl} A_{lk}^j A_{kt}^j \tag{11-23}$$

进一步可得

$$c_i A_{ik}^i A_{kt}^j + \sum_{l=i}^{k-1} h_{il} A_{lk}^i A_{kt}^j \leqslant c_i A_{ik}^i A_{kt}^i + \sum_{l=i}^{k-1} h_{il} A_{lk}^i A_{kt}^i < c_j A_{jk}^j A_{kt}^j + \sum_{l=j}^{k-1} h_{jl} A_{lk}^j A_{kt}^j \tag{11-24}$$

化简不等式（11-24）可得 $c_i A_{ik}^i + \sum_{l=i}^{k-1} h_{il} A_{lk}^i < c_j A_{jk}^j + \sum_{l=j}^{k-1} h_{jl} A_{lk}^j$。

因为 $c_j A_{jk}^j + \sum_{l=j}^{k-1} h_{jl} A_{lk}^j \leqslant p_k$，$c_j A_{jk}^j + \sum_{l=j}^{k-1} A_{lk}^i h_{il} \leqslant p_k$，接下来的证明类似情形 2，故略。

综上可得，对于周期 k（$k \geqslant j$），若 $Z_{jk}^* > 0$，则有 $Z_{it}^* = 0$ 对于任意周期 t（$k \leqslant t \leqslant T$）成立。

11.3 节中时变成本问题的等价算法。

在阐述等价算法之前，首先定义如下方程：

$$R(i,q,t') = p_{t'} - c_i A_{it'}^i - \sum_{l=i}^{t} h_l A_{lt'}^i, \quad 1 \leqslant i \leqslant q \leqslant t' \leqslant T \tag{11-25}$$

$R(i,q,t')$ 是衡量第 t' 期的需求是满足还是损失的边际成本，若 $R(i,q,t') < 0$，则第 t' 期的需求完全损失。对于周期 t'，$q \leqslant t'$，若 $R(i,q,t') \geqslant 0$，则定义周期 t' 在周期集合 U_1 中；若 $R(i,q,t') < 0$，则定义周期 t' 在集合 U_2 中。

令 $C(i,q,t)$ 代表 SP 中最后一个生产点 i 生产的产品满足第 q 期至第 t 期的需求时的最优成本，$1 \leqslant i \leqslant q \leqslant t \leqslant T$。$T(i,q,t)$ 代表在 i 期生产满足在 U_1 中周期需求的变动生产成本、库存成本以及在 U_2 中需求损失成本之和。根据 $T(i,q,t)$ 的定义可得

$$T(i,q,t) = c_i \sum_{k \in U_1} A_{ik}^i d_k + \sum_{k=i}^{t} \sum_{l \in U_1} h_k A_{kl}^i d_l + \sum_{k=q}^{t} \sum_{l \in U_1} h_k \left[A_{kl}^i d_l - \sum_{j=q}^{k} (d_j - S_j) \right] + \sum_{k \in U_2} p_k d_k \tag{11-26}$$

若 SP 的最优解中没有生产点，则 $V(t) = \sum_{l=1}^{t} p_l d_l$。动态规划算法的初始值为 $V(1) = \min\{C(1,1,1); p_1 d_1\} = \min\{\sigma_1 + c_1 d_1; p_1 d_1\}$。则对于 $t \geqslant 2$，设计如下动态规划算法：

$$V(t) = \min \left\{ {}_{1 \leqslant i \leqslant q \leqslant t} C(i,q,t); \sum_{l=1}^{t} p_l d_l \right\} \tag{11-27}$$

根据从周期 q 到周期 t 的需求是被满足还是损失，分两种情形计算 $C(i,q,t)$。

情形 1 若 $\sigma_i + c_i \sum_{k \in U_1} A_{ik}^i d_k + \sum_{k=i}^{t} \sum_{l \in U_1} h_k A_{kl}^i d_l + \sum_{k=q}^{t} \sum_{l \in U_1} h_k \left[A_{kl}^i d_l - \sum_{j=q}^{k} (d_j - S_j) \right] > \sum_{k \in U_1} p_k d_k$，则

从周期 q 到周期 t 的全部需求都损失，因此可得

$$C(i,q,t) = V(q-1) + \sum_{k=q}^{t} p_k d_k \tag{11-28}$$

情形 2 若 $\sigma_i + c_i \sum_{k \in U_1} A_{ik}^i d_k + \sum_{k=i}^{t} \sum_{l \in U_1} h_k A_{kl}^i d_l + \sum_{k=q}^{t} \sum_{l \in U_1} h_k \left[A_{kl}^i d_l - \sum_{j=q}^{k} (d_j - S_j) \right] \leqslant \sum_{k \in U_1} p_k d_k$，则

从周期 q 到周期 t 的需求部分周期被满足，部分周期的需求全部损失，因此可得

$$C(i,q,t) = V(q-1) + T(i,q,t) \tag{11-29}$$

计算 $C(i,q,t)$ 的值需要 $O(T^2)$ 次，$i = 1,2,\cdots,t$，$q = 1,2,\cdots,t$，$t = 1,2,\cdots,T$。对于固定

的 i 和 t，需要考虑 $O(t-i+1)$ 次 q 的值，$i \leq q \leq t$。因此以上算法的时间复杂度为 $O(T^3)$。

11.4 节中非时变成本问题的等价算法。

首先定义如下方程：

$$R(i,t') = p_t - c_i A_{it'}^i - \sum_{l=i}^{t} h_l A_{it'}^i , \quad 1 \leq i \leq t' \leq T \tag{11-30}$$

对于任意周期 t'，$i \leq t' \leq t$，若 $R(i,t') \geq 0$，则定义周期 t' 在集合 U_1 中。若 $R(i,t') < 0$，则定义周期 t' 在集合 U_2 中。令 $C(i,t)$ 代表 SP 中最后一个生产点 i 生产的产品满足第 i 期至第 t 期的需求时的最优成本，$1 \leq i \leq t \leq T$；$T(i,t)$ 代表在 i 期生产满足在 U_1 中周期需求的变动生产成本、库存成本以及在 U_2 中的需求损失成本之和，因此可得

$$T(i,t) = c_i \sum_{k \in U_1} A_{ik}^i d_k + \sum_{k=i}^{t} \sum_{l \in U_1} h_k \left[A_{kl}^i d_l - \sum_{j=i}^{k} (d_i - S_i) \right] + \sum_{k \in U_2} p_k d_k \tag{11-31}$$

若 SP 的最优解中没有生产点，同样有 $V(t) = \sum_{l=1}^{t} p_l d_l$。对于 $t \geq 2$，动态规划算法如下：

$$V(t) = \min \left\{ {}_{1 \leq i \leq t} C(i,t); \sum_{l=1}^{t} p_l d_l \right\} \tag{11-32}$$

而初始值为 $V(1) = \min\{V(1,1); p_1 d_1\} = \min\{\sigma_1 + c_1 d_1; p_1 d_1\}$。

根据从周期 i 到周期 t 的需求是被满足还是损失，可以分两种情形计算 $C(i,t)$。

情形 1 若 $\sigma_i + c_i \sum_{k \in U_1} A_{ik}^i d_k + \sum_{k=i}^{t} \sum_{l \in U_1} h_k \left[A_{kl}^i d_l - \sum_{j=i}^{k} (d_i - S_i) \right] > \sum_{k \in U_1} p_k d_k$，从周期 q 到周期 t 的全部需求都损失，因此可得

$$C(i,t) = V(i-1) + \sum_{k=i}^{t} p_k d_k \tag{11-33}$$

情形 2 若 $\sigma_i + c_i \sum_{k \in U_1} A_{ik}^i d_k + \sum_{k=i}^{t} \sum_{l \in U_1} h_k \left[A_{kl}^i d_l - \sum_{j=i}^{k} (d_i - S_i) \right] \leq \sum_{k \in U_1} p_k d_k$，则从周期 q 到周期 t 的需求部分周期被满足，部分周期损失，因此可得

$$C(i,t) = V(i-1) + T(i,t) \tag{11-34}$$

附录十一

定理 12-1 证明　由约束（12-2）～（12-4）可得 $\sum_{l=1}^{i} I_{li} = \sum_{l=1}^{i-1}(1-\alpha_{l,i-1})I_{l,i-1} + X_i - d_i$ ，又

由约束（12-5）可得 $\sum_{l=1}^{i} I_{li} = \sum_{l=1}^{i-1}(1-\alpha_{l,i-1})I_{l,i-1} + X_i - d_i \leqslant I^{\max}$ 。运用反证法，假设定理 12-1

中等式不成立，即 $\left(I^{\max} + d_i - X_i^* - \sum_{l=1}^{i-1}(1-\alpha_{l,i-1})I_{l,i-1}^* \right) \cdot \left(\sum_{l=1}^{i-1}(1-\alpha_{l,i-1})I_{l,i-1}^* + X_i^* - \sum_{k=i}^{t} A_{ik}^i d_k \right) \cdot$

$X_i^* = 0$ ，即 $X_i^* > 0$ 、$\sum_{k=i+1}^{t+1} A_{ik}^i d_k < \sum_{l=1}^{i-1}(1-\alpha_{l,i-1})I_{l,i-1}^* + X_i^* - d_i < \sum_{k=i+1}^{t+1} A_{ik}^i d_k \leqslant I^{\max}$　和 $\sum_{l=1}^{i-1}(1-\alpha_{l,i-1}) \cdot$

$I_{l,i-1}^* + X_i^* - d_i < I^{\max} \leqslant \sum_{k=i}^{t} A_{ik}^i d_k$ 成立。

令 $\Delta = \min\left\{ I^{\max} + d_i - X_i^* - \sum_{l=1}^{i-1}(1-\alpha_{l,i-1})I_{l,i-1}^*, \sum_{l=1}^{i-1}(1-\alpha_{l,i-1})I_{l,i-1}^* + X_i^* - \sum_{k=i}^{t} A_{ik}^i d_k \right\}$ ，由假设可

得 $\Delta > 0$ 。构造如下两个可行解 Ω^{**} 和 Ω^{***} ，令

$$Z_{it}^* = Z_{it}^{**} + \Delta / A_{it}^i , \quad Z_{jt}^* = Z_{jt}^{**} - \Delta / A_{it}^i$$

$$X_i^* = X_i^{**} + \Delta , \quad X_j^* = X_j^{**} - (\Delta / A_{it}^i) \cdot A_{jt}^j$$

$$I_{ik}^* = I_{ik}^{**} + \Delta / A_{ik}^i , \quad i \leqslant k \leqslant t$$

$$I_{jk}^* = I_{jk}^{**} - (\Delta / A_{it}^i) \cdot A_{kt}^j , \quad j \leqslant k \leqslant t$$

$$Z_{it}^* = Z_{it}^{***} - \Delta / A_{it}^i , \quad Z_{jt}^* = Z_{jt}^{***} + \Delta / A_{it}^i$$

$$X_i^* = X_i^{***} - \Delta , \quad X_j^* = X_j^{***} + (\Delta / A_{it}^i) \cdot A_{jt}^j$$

$$I_{ik}^* = I_{ik}^{***} - \Delta / A_{ik}^i , \quad i \leqslant k \leqslant t$$

$$I_{jk}^* = I_{jk}^{***} + (\Delta / A_{it}^i) \cdot A_{kt}^j , \quad j \leqslant k \leqslant t$$

可行解 Ω^{**} 和 Ω^{***} 中的其他变量与最优解 Ω^* 中的变量一致。这两个可行解的成本不会低于最优解的成本，因此可得 $V(\Omega^{**}) - V(\Omega^*) \geqslant 0$ 和 $V(\Omega^{***}) - V(\Omega^*) \geqslant 0$ ，化简整理可得

$$V(\Omega^{**}) - V(\Omega^*) = c_i(X_i^* - \Delta) - c_i X_i^* + \sum_{k=i}^{t-1} h_{ik}(I_{ik}^* - \Delta / A_{ik}^i) - \sum_{k=i}^{t-1} h_{ik} I_{ik}^*$$

$$+ c_j \left[X_j^* + (\Delta / A_{it}^i) \cdot A_{jt}^j \right] - c_j X_j^* + \sum_{k=j}^{t-1} h_{jk} \left[I_{jk}^* + (\Delta / A_{ik}^i) \cdot A_{kt}^j \right] - \sum_{k=j}^{t-1} h_{jk} I_{jk}^* \geqslant 0$$

$$(12\text{-}44)$$

$$V(\Omega^{***}) - V(\Omega^{*}) = c_i(X_i^{*} + \Delta) - c_i X_i^{*} + \sum_{k=i}^{t-1} h_{ik}(I_{ik}^{*} + \Delta / A_{ik}^{i}) - \sum_{k=i}^{t-1} h_{ik} I_{ik}^{*}$$

$$+ c_j \left[X_j^{*} - (\Delta / A_{it}^{i}) \cdot A_{jt}^{j} \right] - c X_j^{*} + \sum_{k=j}^{t-1} h_{jk} \left[I_{jk}^{*} - (\Delta / A_{ik}^{i}) \cdot A_{kt}^{j} \right] - \sum_{k=j}^{t-1} h_{jk} I_{jk}^{*} \geqslant 0$$

$$(12\text{-}45)$$

整理式（12-44）和式（12-45）可得

$$\left[c_i + \sum_{k=i}^{t-1} h_{ik}(1 / A_{ik}^{i}) - c_j - \sum_{k=j}^{t-1} h_{jk}(1 / A_{ik}^{i}) \cdot A_{kt}^{j} \right] \Delta = 0 \qquad (12\text{-}46)$$

当且仅当 $\Delta = 0$ 时，[]内表达式取任意值都有式（12-46）成立。与假设 $\Delta > 0$ 相矛盾，因此可得 $\Delta = 0$，即 $\left(I^{\max} + d_i - X_i^{*} - \sum_{l=1}^{i-1}(1 - \alpha_{l,i-1}) I_{l,i-1}^{*} \right) \cdot \left(\sum_{l=1}^{i-1}(1 - \alpha_{l,i-1}) I_{l,i-1}^{*} + X_i^{*} - \sum_{k=i}^{t} A_{ik}^{i} d_k \right) \cdot X_i^{*} = 0$ 成立。

定理 12-2 证明　在 T-周期问题中，假设存在一个最优解 Ω^{+}，有 $Z_{jk}^{+} > 0$ 和 $Z_{it}^{+} > 0$ 对于 $i < j \leqslant k < t \leqslant T$ 成立。令 $\varepsilon = \min\{Z_{it}^{+}, Z_{jk}^{+} / A_{kt}^{j}\} > 0$，按照如下规则建立一个新的可行解 Ω^{*}：

$$Z_{it}^{*} = Z_{it}^{+} - \varepsilon, \quad Z_{jt}^{*} = Z_{jt}^{+} + \varepsilon$$

$$Z_{ik}^{*} = Z_{ik}^{+} - A_{kt}^{j} \varepsilon, \quad Z_{jk}^{*} = Z_{jk}^{+} - A_{kt}^{j} \varepsilon$$

$$X_i^{*} = X_i^{+} - A_{ik}^{i}(A_{kt}^{i} - A_{kt}^{j}) \varepsilon, \quad X_j^{*} = X_j^{+}$$

$$I_{il}^{*} = I_{il}^{+} - A_{lk}^{i}(A_{kt}^{i} - A_{kt}^{j}) \varepsilon, \quad i \leqslant l \leqslant k-1$$

$$I_{jl}^{*} = I_{jl}^{+}, \quad j \leqslant l \leqslant k-1$$

$$I_{il}^{*} = I_{il}^{+} - A_{lt}^{i} \varepsilon, \quad I_{jl}^{*} = I_{jl}^{+} + A_{lt}^{j} \varepsilon, \quad k \leqslant l \leqslant t-1$$

可行解 Ω^{*} 中的其他变量与最优解 Ω^{+} 中的变量一致，若 $\varepsilon = Z_{it}^{+}$，则 $Z_{it}^{*} = 0$；若 $\varepsilon = Z_{jk}^{+} / A_{kt}^{j}$，则 $Z_{jk}^{*} = 0$。下面证明 $V(\Omega^{*}) \leqslant V(\Omega^{+})$。

$$V(\Omega^{+}) - V(\Omega^{*}) = c_i \left[X_i^{*} + A_{ik}^{i}(A_{kt}^{i} - A_{kt}^{j}) \varepsilon \right] - c_i X_i^{*} + \sum_{l=i}^{k-1} \left\{ h_{il} \left[I_{il}^{*} + A_{lk}^{i}(A_{kt}^{i} - A_{kt}^{j}) \varepsilon \right] - h_{il} I_{il}^{*} \right\}$$

$$+ \sum_{l=k}^{t-1} [h_{il}(I_{il}^{*} + A_{lt}^{i} \varepsilon) - h_{il}(I_{il}^{*}) + h_{jl}(I_{jl}^{*} - A_{lt}^{j} \varepsilon) - h_{jl}(I_{jl}^{*})] \qquad (12\text{-}47)$$

$$= c_i A_{ik}^{i}(A_{kt}^{i} - A_{kt}^{j}) \varepsilon + \sum_{l=i}^{k-1} [h_{il} A_{lk}^{i}(A_{kt}^{i} - A_{kt}^{j}) \varepsilon] + \sum_{l=k}^{t-1} (h_{il} A_{lt}^{i} - h_{jl} A_{lt}^{j}) \varepsilon$$

由 $A_{kt}^{i} \geqslant A_{kt}^{j}$，$i < j \leqslant k < t$，以及第 12 章中的假设 2 可得 $V(\Omega^{*}) \leqslant V(\Omega^{+})$。

定理 12-12 证明　若 $Z_{jk}^{*} > 0$，则有 $c_j A_{jk}^{j} + \sum_{l=j}^{k-1} A_{lk}^{j} h_{jl} \leqslant s_k$。

(1) 若 $c_i A_{it}^{i} + \sum_{l=i}^{t-1} A_{lt}^{i} h_{il} > s_t$，则有 $Z_{it}^{*} = 0$。

(2) 若 $c_i A_{it}^{i} + \sum_{l=i}^{t-1} A_{lt}^{i} h_{il} \leqslant s_t$，$c_i A_{ik}^{i} + \sum_{l=i}^{k-1} A_{lk}^{i} h_{il} \leqslant s_k$，则有 $c_j A_{jt}^{j} + \sum_{l=j}^{t-1} A_{lt}^{j} h_{jl} \leqslant s_t$。

在 $P(T)$ 中，假设存在一个最优解 Ω^+，有 $Z_{ik}^+ > 0$ 和 $Z_{it}^+ > 0$ 对于 $i < j \leqslant k < t \leqslant T$ 成立。令 $\varepsilon = \min\{Z_{it}^+, Z_{jk}^+ / A_{kt}^j\} > 0$，按照如下规则建立一个新的可行解 Ω^*：

$$Z_{it}^* = Z_{it}^+ - \varepsilon, \quad Z_{jt}^* = Z_{jt}^+ + \varepsilon$$

$$Z_{ik}^* = Z_{ik}^+ - A_{kt}^j\varepsilon, \quad Z_{jk}^* = Z_{jk}^+ - A_{kt}^j\varepsilon$$

$$X_i^* = X_i^+ - A_{ik}^i(A_{kt}^i - A_{kt}^j)\varepsilon, \quad X_j^* = X_j^+$$

$$I_{il}^* = I_{il}^+ - A_{lk}^i(A_{kt}^i - A_{kt}^j)\varepsilon, \quad I_{jl}^* = I_{jl}^+, \quad i \leqslant l \leqslant k-1$$

$$I_{il}^* = I_{il}^+ - A_{lt}^i\varepsilon, \quad I_{jl}^* = I_{jl}^+ + A_{lt}^j\varepsilon, \quad k \leqslant l \leqslant t-1$$

可行解 Ω^* 中的其他变量与最优解 Ω^+ 中的变量一致，若 $\varepsilon = Z_{it}^+$，则 $Z_{it}^* = 0$；若 $\varepsilon = Z_{jk}^+ / A_{kt}^j$，则 $Z_{jk}^* = 0$。下面证明 $V(\Omega^+) \geqslant V(\Omega^*)$：

$$V(\Omega^+) - V(\Omega^*) = c_i[X_i^* + A_{ik}^i(A_{kt}^i - A_{kt}^j)\varepsilon] - c_iX_i^* + \sum_{l=i}^{k-1}\left\{h_{il}\left[I_{il}^* + A_{lk}^i(A_{kt}^i - A_{kt}^j)\varepsilon\right]h_{il}I_{il}^*\right\}$$

$$+ \sum_{l=k}^{t-1}[h_{il}(I_{il}^* + A_{lt}^i\varepsilon) - h_{il}I_{il}^* + h_{jl}(I_{jl}^* - A_{lt}^j\varepsilon) - h_{jl}I_{jl}^*]$$

$$= c_iA_{ik}^i(A_{kt}^i - A_{kt}^j)\varepsilon + \sum_{l=i}^{k-1}[h_{il}A_{lk}^i(A_{kt}^i - A_{kt}^j)\varepsilon] + \sum_{l=k}^{t-1}(h_{il}A_{lt}^i - h_{jl}A_{lt}^j)\varepsilon$$

由 $A_{kt}^i \geqslant A_{kt}^j$ $(i < j \leqslant k < t)$ 及 $h_{il} \geqslant h_{jl}$ $(i < j \leqslant k < l \leqslant t-1)$，可得 $V(\Omega^+) \geqslant V(\Omega^*)$。

（3）若 $c_iA_{it}^i + \sum_{l=i}^{t-1}A_{lt}^ih_{il} \leqslant s_t$，则 $c_jA_{jt}^j + \sum_{l=j}^{t-1}A_{lt}^jh_{jl} > s_t$。

由 $c_iA_{it}^i + \sum_{l=i}^{t-1}A_{lt}^ih_{il} < c_jA_{jt}^j + \sum_{l=j}^{t-1}A_{lt}^jh_{jl}$，可得 $c_iA_{it}^i + \sum_{l=i}^{k-1}A_{lt}^ih_{il} + \sum_{l=k}^{t-1}A_{lt}^ih_{il} < c_jA_{jt}^j + \sum_{l=j}^{k-1}A_{lt}^jh_{jl} + \sum_{l=k}^{t-1}A_{lt}^jh_{jl}$，由假设（1）和（2）以及 A_{kt}^i 的定义可得 $c_iA_{it}^i + \sum_{l=i}^{k-1}A_{lt}^ih_{il} < c_jA_{jt}^j + \sum_{l=j}^{k-1}A_{lt}^jh_{jl}$，变形为

$c_iA_{ik}^iA_{kt}^i + \sum_{l=i}^{k-1}h_{il}A_{lk}^iA_{kt}^i < c_jA_{jk}^jA_{kt}^j + \sum_{l=j}^{k-1}h_{jl}A_{lk}^jA_{kt}^j$，同样由假设（1）和（2）及 A_{kt}' 的定义可得

$c_iA_{ik}^iA_{kt}^j + \sum_{l=i}^{k-1}h_{il}A_{lk}^iA_{kt}^j < c_iA_{ik}^iA_{kt}^i + \sum_{l=i}^{k-1}h_{il}A_{lk}^iA_{kt}^i < c_jA_{jk}^jA_{kt}^j + \sum_{l=j}^{k-1}h_{jl}A_{lk}^jA_{kt}^j$，因此可得 $c_iA_{ik}^i + \sum_{l=i}^{k-1}h_{il}A_{lk}^i < c_jA_{jk}^j + \sum_{l=j}^{k-1}h_{jl}A_{lk}^j$，又由 $c_jA_{jk}^j + \sum_{l=j}^{k-1}A_{lk}^jh_{jl} \leqslant s_k$，可得 $c_iA_{it}^i + \sum_{l=i}^{k-1}A_{lk}^ih_{il} < s_k$。

在 $P(T)$ 中，假设存在一个最优解 Ω^+，有 $Z_{jk}^+ > 0$ 和 $Z_{it}^+ > 0$ 对于 $i < j \leqslant k < t \leqslant T$ 成立。令 $\varepsilon = Z_{jk}^+ / A_{kt}^j > 0$，则当 $Z_{jk}^* = Z_{jk}^+ - A_{kt}^j\varepsilon = 0$ 时的成本 t $V(\Omega^*)$ 小于 $Z_{jk}^+ > 0$ 的成本 $V(\Omega^+)$，证明过程类似于（2）。

（4）若 $c_iA_{it}^i + \sum_{l=i}^{t-1}A_{lt}^ih_{il} \leqslant s_t$，则 $c_iA_{ik}^i + \sum_{l=i}^{k-1}A_{lk}^ih_{il} > s_k$。

由 $c_jA_{jk}^j + \sum_{l=j}^{k-1}A_{lk}^jh_{jl} < c_iA_{ik}^i + \sum_{l=i}^{k-1}A_{lk}^ih_{il}$，假设（1）和（2）以及 A_{kt}^i 定义可得

$$c_j A_{jk}^j A_{kt}^i + \sum_{l=j}^{k-1} A_{lk}^j A_{kt}^i h_{jl} + \sum_{l=k}^{t-1} A_{lt}^i h_{il} < c_i A_{ik}^i A_{kt}^i + \sum_{l=i}^{k-1} A_{lk}^i A_{kt}^i h_{il} + \sum_{l=k}^{t-1} A_{lt}^i h_{il} = c_i A_{it}^i + \sum_{l=i}^{t-1} A_{lt}^i h_{il}$$

又由假设 (1) 和 (2) 以及 A_{kt}^i 的定义得

$$c_j A_{jt}^j + \sum_{l=j}^{t-1} A_{lt}^j h_{jl} = c_j A_{jk}^j A_{kt}^i + \sum_{l=j}^{k-1} A_{lk}^j A_{kt}^i h_{jl} + \sum_{l=k}^{t-1} A_{lt}^j h_{jl} < c_j A_{jk}^j A_{kt}^i + \sum_{l=j}^{k-1} A_{lk}^j A_{kt}^i h_{jl} + \sum_{l=k}^{t-1} A_{lt}^i h_{il}$$

又因为 $c_i A_{it}^i + \sum_{l=i}^{t-1} A_{lt}^i h_{il} \leqslant s_t$，可得 $c_j A_{jt}^j + \sum_{l=j}^{t-1} A_{lt}^j h_{jl} < s_t$。

在 $P(T)$ 中，假设存在一个最优解 Ω^+，有 $Z_{jk}^+ > 0$ 和 $Z_{it}^+ > 0$ 对于 $i < j \leqslant k < t \leqslant T$ 成立。令 $\varepsilon = Z_{it}^+ > 0$，则当 $Z_{it}^* = Z_{it}^+ - \varepsilon = 0$ 时的成本 $V(\Omega^*)$ 小于 $Z_{it}^+ > 0$ 的成本 $V(\Omega^+)$，证明过程类似于 (2)，略。

附录十二

定理 13-2(1)的证明 假设问题SP(t)的最优解为Ω^+，对于周期k和t，$j \leq k \leq t$，有$z_{jk}^{n+} = d_k^n$，$z_{it}^{n+} = d_t^n$。通过令$z_{it}^{n*} = 0$和$z_{jt}^{n*} = d_t^n$来修改最优解Ω^+获得一个新的可行解Ω^*。由第13章评论1可得，在新的可行解Ω^*中有$x_i^{n*} = x_i^{n+} - A_{it}^{ni}d_t^n$，$x_j^{n*} = x_j^{n+} + A_{jt}^{nj}d_t^n$，$y_{il}^{n*} = y_{il}^{n+} - A_{lt}^{ni}d_t^n$ $(i \leq l \leq t-1)$，$y_{jl}^{n*} = y_{jl}^{n+} + A_{lt}^{nj}d_t^n$ $(j \leq l \leq t-1)$。新的可行解Ω^*中的其他参数与最优解Ω^+保持一致。接下来需要说明$V(\Omega^+) \geq V(\Omega^*)$，而

$$V(\Omega^+) - V(\Omega^*) = c_i^n A_{it}^{ni}d_t^n + \sum_{l=i}^{t-1} h_{il}^n A_{lt}^{ni}d_t^n - c_j^n A_{jt}^{nj}d_t^n - \sum_{l=j}^{t-1} h_{jl}^n A_{lt}^{nj}d_t^n$$

$$= \left(c_i^n A_{it}^{ni} + \sum_{l=i}^{t-1} h_{il}^n A_{lt}^{ni} - c_j^n A_{jt}^{nj} - \sum_{l=j}^{t-1} h_{jl}^n A_{lt}^{nj} \right) \cdot d_t^n \tag{13-19}$$

$$= \left(c_i^n A_{it}^{ni} + \sum_{l=i}^{k-1} h_{il}^n A_{lt}^{ni} - c_j^n A_{jt}^{nj} - \sum_{l=j}^{k-1} h_{jl}^n A_{lt}^{nj} \right) \cdot d_t^n + \left(\sum_{l=k}^{t-1} h_{il}^n A_{lt}^{ni} - \sum_{l=k}^{t-1} h_{jl}^n A_{lt}^{nj} \right) \cdot d_t^n$$

由第13章假设2和A_{kt}^{ni}的定义可得$\left(\sum_{l=k}^{t-1} h_{il}^n A_{lt}^{ni} - \sum_{l=k}^{t-1} h_{jl}^n A_{lt}^{nj} \right) \cdot d_t^n \geq 0$。由第13章假设2和引理13-1可得$\left(c_i^n A_{it}^{ni} + \sum_{l=i}^{k-1} h_{il}^n A_{lt}^{ni} - c_j^n A_{jt}^{nj} - \sum_{l=j}^{k-1} h_{jl}^n A_{lt}^{nj} \right) \cdot d_t^n \geq 0$，因此可得$V(\Omega^+) \geq V(\Omega^*)$。

定理 13-2(2)的证明 证明类似于(1)，假设在问题SP(t)的最优解中Ω^+，对于周期k和t $(j \leq k \leq t)$，有$w_{ik}^+ = d_k^2$，$w_{it}^+ = d_t^2$ $(j \leq k \leq t)$。通过令$w_{it}^* = 0$和$w_{jt}^* = d_t^2$来修改最优解Ω^+获得一个新的可行解Ω^*。由第13章评论1和产品1替代产品2可得，在新的可行解Ω^*中有$x_i^{1*} = x_i^{1+} - A_{it}^{1i}d_t^2$，$x_j^{1*} = x_j^{1+} + A_{jt}^{1j}d_t^2$，$y_{il}^{1*} = y_{il}^{1+} - A_{lt}^{1i}d_t^2$ $(i \leq l \leq t-1)$，$y_{jl}^{1*} = y_{jl}^{1+} + A_{lt}^{1j}d_t^2$ $(j \leq l \leq t-1)$。新的可行解Ω^*中的其他参数与最优解Ω^+保持一致。接下来同样需要说明$V(\Omega^+) \geq V(\Omega^*)$，而

$$V(\Omega^+) - V(\Omega^*) = c_i^1 A_{it}^{1i}d_t^2 + \sum_{l=i}^{t-1} h_{il}^1 A_{lt}^{1i}d_t^2 - c_j^1 A_{jt}^{1j}d_t^2 - \sum_{l=j}^{t-1} h_{jl}^1 A_{lt}^{1j}d_t^2$$

$$= \left(c_i^1 A_{it}^{1i} + \sum_{l=i}^{t-1} h_{il}^1 A_{lt}^{1i} - c_j^1 A_{jt}^{1j} - \sum_{l=j}^{t-1} h_{jl}^1 A_{lt}^{1j} \right) \cdot d_t^2 \tag{13-20}$$

$$= \left(c_i^1 A_{it}^{1i} + \sum_{l=i}^{k-1} h_{il}^1 A_{lt}^{1i} - c_j^1 A_{jt}^{1j} - \sum_{l=j}^{k-1} h_{jl}^1 A_{lt}^{1j} \right) \cdot d_t^2 + \left(\sum_{l=k}^{t-1} h_{il}^1 A_{lt}^{1i} - \sum_{l=k}^{t-1} h_{jl}^1 A_{lt}^{1j} \right) \cdot d_t^2$$

由第13章假设2和A_{kt}^{ni}的定义可得$\left(\sum_{l=k}^{t-1} h_{il}^1 A_{lt}^{1i} - \sum_{l=k}^{t-1} h_{jl}^1 A_{lt}^{1j} \right) \cdot d_t^2 \geq 0$。由第13章假设2和引理13-1可得$\left(c_i^1 A_{it}^{1i} + \sum_{l=i}^{k-1} h_{il}^1 A_{lt}^{1i} - c_j^1 A_{jt}^{1j} - \sum_{l=j}^{k-1} h_{jl}^1 A_{lt}^{1j} \right) \cdot d_t^2 \geq 0$。因此有$V(\Omega^+) \geq V(\Omega^*)$。

附录十三

定理 14-1(1)的证明   假设 $i < j$ 是产品 n 的两个生产点。在最优解 Ω^+ 中，令 $z_{it}^{n+} > 0$ ($z_{jk}^{n+} > 0$)代表第 t (k)期产品 n 的需求由第 i (j)期生产的产品 n 满足，$t > k \geqslant j$。令 $\varepsilon = \min\{z_{it}^{n+}, z_{jk}^{n+} / A_{kt}^{nj}\}$。通过以下规则更改最优解 Ω^+ 获得一个新的可行解 Ω^*，令

$$z_{it}^{n*} = z_{it}^{n+} - \varepsilon, \quad z_{jt}^{n*} = z_{jt}^{n+} + \varepsilon,$$

$$z_{ik}^{n*} = z_{ik}^{n+} + A_{kt}^{nj}\varepsilon, \quad z_{jk}^{n*} = z_{jk}^{n+} - A_{kt}^{nj}\varepsilon$$

$$x_i^{n*} = x_i^{n+} - A_{ik}^{ni}(A_{kt}^{ni} - A_{kt}^{nj})\varepsilon, \quad x_j^{n*} = x_j^{n+}$$

$$y_{il}^{n*} = y_{il}^{n+} - A_{lk}^{ni}(A_{kt}^{ni} - A_{kt}^{nj})\varepsilon, \quad y_{jl}^{n*} = y_{jl}^{n+}, \quad i \leqslant l \leqslant k-1$$

$$y_{il}^{n*} = y_{il}^{n+} - A_{lt}^{ni}\varepsilon, \quad y_{jl}^{n*} = y_{jl}^{n+} + A_{lt}^{nj}\varepsilon, \quad k \leqslant l \leqslant t-1$$

可行解 Ω^* 的其余变量与最优解 Ω^+ 的变量保持一致。若 $\varepsilon = z_{it}^{n+}$，则有 $z_{it}^{n*} = 0$；若 $\varepsilon = z_{jk}^{n+} / A_{kt}^{nj}$，则有 $z_{jk}^{n*} = 0$。下面需要证明 $V(\Omega^*) \leqslant V(\Omega^+)$，由于

$$V(\Omega^+) - V(\Omega^*) = c_i^n A_{ik}^{ni}(A_{kt}^{ni} - A_{kt}^{nj})\varepsilon + \sum_{l=i}^{k-1} h_{il}^n A_{lk}^{ni}(A_{kt}^{ni} - A_{kt}^{nj})\varepsilon + \sum_{l=k}^{t-1} h_{il}^n A_{lt}^{ni}\varepsilon - \sum_{l=k}^{t-1} h_{jl}^n A_{lt}^{nj}\varepsilon$$

$$\geqslant \sum_{l=k}^{t-1} h_{il}^n A_{lt}^{ni}\varepsilon - \sum_{l=k}^{t-1} h_{jl}^n A_{lt}^{nj}\varepsilon \tag{14-25}$$

由第 14 章假设 1 和 2 可得 $\left(\sum_{l=k}^{t-1} h_{il}^n A_{lt}^{ni} - \sum_{l=k}^{t-1} h_{jl}^n A_{lt}^{nj}\right) \cdot \varepsilon \geqslant 0$，因此可得 $V(\Omega^+) \geqslant V(\Omega^*)$。

定理 14-1(2)的证明   假设 $i < j$ 是产品 1 的两个生产点。在最优解 Ω^+ 中，令 w_{it}^+ (w_{jk}^+)代表第 t (k)期产品 2 的需求由第 i (j)期生产的产品 1 替代满足，$t > k \geqslant j$，假设 $w_{it}^+ > 0$ 和 $w_{jk}^+ > 0$。令 $\varepsilon = \min\{w_{it}^+, w_{jk}^+ / A_{kt}^{1j}\}$。通过以下规则更改最优解 Ω^+ 获得一个新的可行解 Ω^*，令

$$w_{it}^* = w_{it}^+ - \varepsilon, \quad w_{jt}^* = w_{jt}^+ + \varepsilon,$$

$$w_{ik}^* = w_{ik}^+ + A_{kt}^{1j}\varepsilon, \quad w_{jk}^* = w_{jk}^+ - A_{kt}^{1j}\varepsilon,$$

$$x_i^{1*} = x_i^{1+} - A_{ik}^{1i}(A_{kt}^{1i} - A_{kt}^{1j})\varepsilon, \quad x_j^{1*} = x_j^{1+},$$

$$y_{il}^{1*} = y_{il}^{1+} - A_{lk}^{1i}(A_{kt}^{1i} - A_{kt}^{1j})\varepsilon, \quad i \leqslant l \leqslant k-1$$

$$y_{jl}^{1*} = y_{jl}^{1+}, \quad j \leqslant l \leqslant k-1$$

$$y_{il}^{1*} = y_{il}^{1+} - A_{lt}^{1i}\varepsilon, \quad y_{jl}^{1*} = y_{jl}^{1+} + A_{lt}^{1j}\varepsilon, \quad k \leqslant l \leqslant t-1$$

同样，可行解 Ω^* 的其余变量与最优解 Ω^+ 的变量保持一致。若 $\varepsilon = w_{it}^+$，则有 $w_{it}^* = 0$；若 $\varepsilon = w_{jk}^+ / A_{kt}^{1j}$，则有 $w_{jk}^* = 0$。下面证明 $V(\Omega^*) \leqslant V(\Omega^+)$。

$$V(\Omega^+) - V(\Omega^*) = c_i^1 A_{ik}^{1i}(A_{kt}^{1i} - A_{kt}^{1j})\varepsilon + \sum_{l=i}^{k-1} h_{il}^1 A_{lk}^{1i}(A_{kt}^{1i} - A_{kt}^{1j})\varepsilon + \sum_{l=k}^{t-1} h_{il}^1 A_{lt}^{1i}\varepsilon - \sum_{l=k}^{t-1} h_{jl}^1 A_{lt}^{1j}\varepsilon \tag{14-26}$$

$$\geqslant \sum_{l=k}^{t-1} h_{il}^1 A_{lt}^{1i}\varepsilon - \sum_{l=k}^{t-1} h_{jl}^1 A_{lt}^{1j}\varepsilon$$

由第 14 章假设 1 和 2 可得 $\left(\sum_{l=k}^{t-1} h_{il}^1 A_{lt}^{1i} - \sum_{l=k}^{t-1} h_{jl}^1 A_{lt}^{1j} \right) \cdot \varepsilon \geqslant 0$，因此可得 $V(\Omega^+) \geqslant V(\Omega^*)$。

定理 14-2(1) 的证明　由约束（14-2）、（14-4）和（14-6）可得 $\sum_{l=1}^{i} y_{li}^1 = \sum_{l=1}^{i-1}(1-\alpha_{l,i-1}^1)y_{l,i-1}^1 +$ $x_i^1 - d_i^1 - \sum_{l=1}^{i} w_{li}$。类似地，由约束（14-3）和（14-5）可得 $\sum_{l=1}^{i} y_{li}^2 = \sum_{l=1}^{i-1}(1-\alpha_{l,i-1}^2)y_{l,i-1}^2 + x_i^2 - \sum_{l=1}^{i} z_{li}^2$。

而由约束 （14-7）和（14-9）可得 $\sum_{l=1}^{i-1}(1-\alpha_{l,i-1}^1)y_{l,i-1}^1 + x_i^1 - d_i^1 + \sum_{l=1}^{i-1}(1-\alpha_{l,i-1}^2)y_{l,i-1}^2 + x_i^2 - d_i^2 \leqslant I^{\max}$。

假设在最优解 Ω^* 中存在：

$$x_i^{1*} \cdot \left(\sum_{l=1}^{i-1}(1-\alpha_{l,i-1}^1)y_{l,i-1}^{1*} + x_i^{1*} - \sum_{k=i}^{t} A_{ik}^{1i}d_k^1 - \sum_{k\in U_1} A_{ik}^{1i}d_k^2 \right)$$

$$\cdot \left(y^{\max} + d_i^1 + d_i^2 - x_i^{1*} - \sum_{l=1}^{i-1}(1-\alpha_{l,i-1}^1)y_{l,i-1}^{1*} - x_i^{2*} - \sum_{l=1}^{i-1}(1-\alpha_{l,i-1}^2)y_{l,i-1}^{2*} \right) \neq 0$$

即有 $x_i^{1*} > 0$，$\sum_{l=1}^{i-1}(1-\alpha_{l,i-1}^1)y_{l,i-1}^{1*} + x_i^{1*} - \sum_{k=i}^{t} A_{ik}^{1i}d_k^1 - \sum_{k\in U_1} A_{ik}^{1i}d_k^2 > 0$ 和 $y^{\max} + d_i^1 + d_i^2 - x_i^{1*} - \sum_{l=1}^{i-1}(1-\alpha_{l,i-1}^1)$ $y_{l,i-1}^{1*} - x_i^{2*} - \sum_{l=1}^{i-1}(1-\alpha_{l,i-1}^2)y_{l,i-1}^{2*} > 0$ 成立。

令　$\Delta = \min \left\{ \sum_{l=1}^{i-1}(1-\alpha_{l,i-1}^1)y_{l,i-1}^{1*} + x_i^{1*} - \sum_{k=i}^{t} d_k^1 - \sum_{k\in U_1} d_k^2, y^{\max} + d_i^1 + d_i^2 - x_i^{1*} - \sum_{l=1}^{i-1}(1-\alpha_{l,i-1}^1)y_{l,i-1}^{1*} - \right.$ $\left. x_i^{2*} - \sum_{l=1}^{i-1}(1-\alpha_{l,i-1}^2)y_{l,i-1}^{2*} \right\}$，由假设可得 $\Delta > 0$。

假设 $i < j$ 是两个生产点，构造如下两个可行解 Ω^{**} 和 Ω^{***}，令

$$z_{it}^{1*} = z_{it}^{1**} + \Delta / A_{it}^{1i} \ (w_{it}^* = w_{it}^{**} + \Delta / A_{it}^{1i}), \quad z_{jt}^{1*} = z_{jt}^{1**} - \Delta / A_{it}^{1i} \ (w_{jt}^* = w_{jt}^{**} - \Delta / A_{it}^{1i})$$

$$x_i^{1*} = x_i^{1**} + \Delta, \quad x_j^{1*} = x_j^{1**} - (\Delta / A_{it}^{1i}) \cdot A_{jt}^{1j}$$

$$y_{ik}^{1*} = y_{ik}^{1**} + \Delta / A_{ik}^{1i}, \quad i \leqslant k \leqslant t-1$$

$$y_{jk}^{1*} = y_{jk}^{1**} - (\Delta / A_{it}^{1i}) \cdot A_{kt}^{1j}, \quad j \leqslant k \leqslant t-1$$

$$z_{it}^{1*} = z_{it}^{1***} - \Delta / A_{it}^{1i} \ (w_{it}^* = w_{it}^{***} - \Delta / A_{it}^{1i}), \quad z_{jt}^{1*} = z_{jt}^{1***} + \Delta / A_{it}^{1i} \ (w_{jt}^* = w_{jt}^{***} + \Delta / A_{it}^{1i})$$

$$x_i^{1*} = x_i^{1***} - \Delta, \quad x_j^{1*} = x_j^{1***} + (\Delta / A_{it}^{1i}) \cdot A_{jt}^{1j}$$

$$y_{ik}^{1*} = y_{ik}^{1***} - \Delta / A_{ik}^{1i}, \quad i \leqslant k \leqslant t-1$$

$$y_{jk}^{1*} = y_{jk}^{1***} + (\Delta / A_{it}^{1i}) \cdot A_{kt}^{1j}, \quad j \leqslant k \leqslant t-1$$

可行解 Ω^{**} 和 Ω^{***} 的其他变量与最优解 Ω^* 的变量保持一致。因为可行解的成本不会低于最优解的成本，所以可得 $V(\Omega^{**}) - V(\Omega^*) \geqslant 0$ 和 $V(\Omega^{***}) - V(\Omega^*) \geqslant 0$，即有

$$c_j^1 \cdot (\Delta / A_{it}^{1i}) \cdot A_{jt}^{1j} - c_i^1 \cdot \Delta + \sum_{k=j}^{t-1} h_{jk}^1 \cdot (\Delta / A_{it}^{1i}) \cdot A_{kt}^{1j} - \sum_{k=i}^{t-1} h_{ik}^1 \cdot (\Delta / A_{ik}^{1i}) \geqslant 0 \tag{14-27}$$

和

$$c_i^1 \cdot \Delta - c_j^1 \cdot (\Delta / A_{it}^{1i}) \cdot A_{jt}^{1j} + \sum_{k=i}^{t-1} h_{ik}^1 \cdot (\Delta / A_{ik}^{1i}) - \sum_{k=j}^{t-1} h_{jk}^1 \cdot (\Delta / A_{it}^{1i}) \cdot A_{kt}^{1j} \geqslant 0 \tag{14-28}$$

或者有

$$c_j^1 \cdot (\Delta / A_{it}^{1i}) \cdot A_{jt}^{1j} - c_i^1 \cdot \Delta + \sum_{k=j}^{t-1} h_{jk}^1 \cdot (\Delta / A_{it}^{1i}) \cdot A_{kt}^{1j} - \sum_{k=i}^{t-1} h_{ik}^1 \cdot (\Delta / A_{ik}^{1i}) - (s_t - s_t) \cdot (\Delta / A_{it}^{1i}) \geqslant 0 \tag{14-29}$$

和

$$c_i^1 \cdot \Delta - c_j^1 \cdot (\Delta / A_{it}^{1i}) \cdot A_{jt}^{1j} + \sum_{k=i}^{t-1} h_{ik}^1 \cdot (\Delta / A_{ik}^{1i}) - \sum_{k=j}^{t-1} h_{jk}^1 \cdot (\Delta / A_{it}^{1i}) \cdot A_{kt}^{1j} + (s_t - s_t) \cdot (\Delta / A_{it}^{1i}) \geqslant 0 \tag{14-30}$$

若式（14-27）和式（14-28）或式（14-29）和式（14-30）同时成立，则如下等式成立：

$$\left[c_i^1 - c_j^1 \cdot (1 / A_{it}^{1i}) \cdot A_{jt}^{1j} + \sum_{k=i}^{t-1} h_{ik}^1 \cdot (1 / A_{ik}^{1i}) - \sum_{k=j}^{t-1} h_{jk}^1 \cdot (1 / A_{it}^{1i}) \cdot A_{kt}^{1j} \right] \cdot \Delta = 0 \tag{14-31}$$

当且仅当 $\Delta = 0$ 时，式（14-31）在 $c_i^1 - c_j^1 \cdot (1 / A_{it}^{1i}) \cdot A_{jt}^{1j} + \sum_{k=i}^{t-1} h_{ik}^1 \cdot (1 / A_{ik}^{1i}) - \sum_{k=j}^{t-1} h_{jk}^1 \cdot (1 / A_{it}^{1i}) \cdot A_{kt}^{1j}$

为任何值的情形下都成立。这与假设 $\Delta > 0$ 相矛盾，因此可得定理所述性质成立。

定理 14-2(2) 的证明类似于定理 14-2(1)，故略。

定理 14-3 的证明 由 $V(t)$ 和 $V(t+1)$ 的定义可得 $V(t) = V(i(1t), i(2t), t)$ 和 $V(t+1) = V(i(1,t+1), i(2,t+1), t+1)$。假设在 SP$(t+1)$ 的最优解中有 $i(1,t+1) < i(1t)$ 和 $i(2,t+1) < i(2t)$ 成立。根据式（14-20）～式（14-24）设计的前向动态规划算法可得

$$
\begin{aligned}
V(i(1t), i(2t), t+1) =\ & V(i(1t), i(2t), t) + \left(c^1 A_{i(1t),t+1}^{1i(1t)} + \sum_{l=i(1t)}^{t} h_{i(1t),l}^1 A_{l,t+1}^{1i(1t)} \right) d_{t+1}^1 \\
& + \min \left\{ c^2 A_{i(2t),t+1}^{2i(2t)} + \sum_{l=i(2t)}^{t} h_{i(2t)l}^2 A_{l,t+1}^{2i(2t)}, c^1 A_{i(1t),t+1}^{1i(1t)} \right. \\
& \left. + \sum_{l=i(1t)}^{t} h_{i(1t),l}^1 A_{l,t+1}^{1i(1t)} + s_{t+1} \right\} d_{t+1}^2
\end{aligned} \tag{14-32}
$$

$$
\begin{aligned}
V(i(1,t+1), i(2,t+1), t+1) =\ & V(i(1,t+1), i(2,t+1), t) + \left(c^1 A_{i(1,t+1),t+1}^{1i(1,t+1)} + \sum_{l=i(1,t+1)}^{t} h_{i(1,t+1),l}^1 A_{l,t+1}^{1i(1,t+1)} \right) d_{t+1}^1 \\
& + \min \left(c^2 A_{i(2,t+1),t+1}^{2i(2,t+1)} + \sum_{l=i(2,t+1)}^{t} h_{i(2,t+1)l}^2 A_{l,t+1}^{2i(2,t+1)}, c^1 A_{i(1,t+1),t+1}^{1i(1,t+1)} \right. \\
& \left. + \sum_{l=i(1,t+1)}^{t} h_{i(1,t+1),l}^1 A_{l,t+1}^{1i(1,t+1)} + s_{t+1} \right\} d_{t+1}^2
\end{aligned} \tag{14-33}
$$

由式(14-32)可得

$$V(i(1t),i(2t),t+1) = V(i(1t),i(2t),t) + \left(c^1 A_{i(1t),t+1}^{1i(1t)} + \sum_{l=i(1t)}^{t} h_{i(1t),l}^1 A_{l,t+1}^{1i(1t)} \right) d_{t+1}^1$$

$$+ \left(c^2 A_{i(2t),t+1}^{2i(2t)} + \sum_{l=i(2t)}^{t} h_{i(2t)l}^2 A_{l,t+1}^{2i(2t)} \right) d_{t+1}^2 \qquad (14\text{-}34)$$

或

$$V(i(1t),i(2t),t+1) = V(i(1t),i(2t),t) + \left(c^1 A_{i(1t),t+1}^{1i(1t)} + \sum_{l=i(1t)}^{t} h_{i(1t),l}^1 A_{l,t+1}^{1i(1t)} \right) d_{t+1}^1$$

$$+ \left(c^1 A_{i(1t),t+1}^{1i(1t)} + \sum_{l=i(1t)}^{t} h_{i(1t),l}^1 A_{l,t+1}^{1i(1t)} + s_{t+1} \right) d_{t+1}^2 \qquad (14\text{-}35)$$

由式（14-33）可得

$$V(i(1,t+1),i(2,t+1),t+1) = V(i(1,t+1),i(2,t+1),t) + \left(c^1 A_{i(1,t+1),t+1}^{1i(1,t+1)} + \sum_{l=i(1,t+1)}^{t} h_{i(1,t+1),l}^1 A_{l,t+1}^{1i(1,t+1)} \right) d_{t+1}^1$$

$$+ \left(c^2 A_{i(2,t+1),t+1}^{2i(2,t+1)} + \sum_{l=i(2,t+1)}^{t} h_{i(2,t+1)l}^2 A_{l,t+1}^{2i(2,t+1)} \right) d_{t+1}^2$$

$$(14\text{-}36)$$

$$V(i(1,t+1),i(2,t+1),t+1) = V(i(1,t+1),i(2,t+1),t) + \left(c^1 A_{i(1,t+1),t+1}^{1i(1,t+1)} \right.$$

$$\left. + \sum_{l=i(1,t+1)}^{t} h_{i(1,t+1),l}^1 A_{l,t+1}^{1i(1,t+1)} \right) d_{t+1}^1 \qquad (14\text{-}37)$$

$$+ \left(c^1 A_{i(1,t+1),t+1}^{1i(1,t+1)} + \sum_{l=i(1,t+1)}^{t} h_{i(1,t+1),l}^1 A_{l,t+1}^{1i(1,t+1)} + s_{t+1} \right) d_{t+1}^2$$

由 $V(t+1) = V(i(1,t+1),i(2,t+1),t+1)$ 是 $P(t+1)$ 的最优解可得

$$V(i(1,t+1),i(2,t+1),t+1) \leqslant V(i(1t),i(2t),t+1) \qquad (14\text{-}38)$$

根据式（14-34）～式（14-37）可知，计算式（14-38）需要讨论四种情形，即式（14-34）和式（14-36）的组合、式（14-34）和式（14-37）的组合、式（14-35）和式（14-37）的组合、式（14-35）和式（14-36）的组合，接下来分别讨论这四种情形。

情形 1 由式（14-34）、式（14-36）和式（14-38）可得

$$V(i(1,t+1),i(2,t+1),t) + \left(c^1 A_{i(1,t+1),t+1}^{1i(1,t+1)} + \sum_{l=i(1,t+1)}^{t} h_{i(1,t+1),l}^1 A_{l,t+1}^{1i(1,t+1)} \right) d_{t+1}^1$$

$$+ \left(c^2 A_{i(2,t+1),t+1}^{2i(2,t+1)} + \sum_{l=i(2,t+1)}^{t} h_{i(2,t+1)l}^2 A_{l,t+1}^{2i(2,t+1)} \right) d_{t+1}^2 \leqslant V(i(1t),i(2t),t) \qquad (14\text{-}39)$$

$$+ \left(c^1 A_{i(1t),t+1}^{1i(1t)} + \sum_{l=i(1t)}^{t} h_{i(1t),l}^1 A_{l,t+1}^{1i(1t)} \right) d_{t+1}^1 + \left(c^2 A_{i(2t),t+1}^{2i(2t)} + \sum_{l=i(2t)}^{t} h_{i(2t)l}^2 A_{l,t+1}^{2i(2t)} \right) d_{t+1}^2$$

整理式（14-39）可得

$$V(i(1,t+1),i(2,t+1),t) + \left(c^1 A_{i(1,t+1),i(1t)}^{1i(1,t+1)} + \sum_{l=i(1,t+1)}^{i(1t)-1} h_{i(1,t+1),l}^1 A_{l,i(1t)}^{1i(1,t+1)} - c^1 \right) d_{t+1}^1$$

$$+ \left(c^2 A_{i(2,t+1),i(2t)}^{2i(2,t+1)} + \sum_{l=i(2,t+1)}^{t} h_{i(2,t+1)l}^2 A_{l,i(2t)}^{2i(2,t+1)} - c^2 \right) d_{t+1}^2 \leqslant V(i(1t),i(2t),t) \qquad (14\text{-}40)$$

因为

$$\left(c^1 A_{i(1,t+1),i(1t)}^{1i(1,t+1)} + \sum_{l=i(1,t+1)}^{i(1t)-1} h_{i(1,t+1),l}^1 A_{l,i(1t)}^{1i(1,t+1)} - c^1\right) d_{t+1}^1$$

$$+ \left(c^2 A_{i(2,t+1),i(2t)}^{2i(2,t+1)} + \sum_{l=i(2,t+1)}^{t} h_{i(2,t+1)l}^2 A_{l,i(2t)}^{2i(2,t+1)} - c^2\right) d_{t+1}^2 > 0$$

因此可得

$$V(i(1,t+1),i(2,t+1),t) < V(i(1t),i(2t),t) \tag{14-41}$$

而由 $V(t) = V(i(1t),i(2t),t)$ 可得 $V(i(1,t+1),i(2,t+1),t) \geqslant V(i(1t),i(2t),t)$，即由假设 $i(1,t+1) < i(1t)$ 和 $i(2,t+1) < i(2t)$ 得出了相互矛盾的结论。因此可得 $i(1,t+1) \geqslant i(1t)$ 和 $i(2,t+1) \geqslant i(2t)$。进一步由 $i(t)$ 的定义可得 $i(t+1) \geqslant i(t)$。

情形 2 由式(14-34)、式(14-37)和式(14-38)可得

$$V(i(1,t+1),i(2,t+1),t) + \left(c^1 A_{i(1,t+1),t+1}^{1i(1,t+1)} + \sum_{l=i(1,t+1)}^{t} h_{i(1,t+1),l}^1 A_{l,t+1}^{1i(1,t+1)}\right) d_{t+1}^1 + \left(c^2 A_{i(2,t+1),t+1}^{2i(2,t+1)}\right.$$

$$\left. + \sum_{l=i(2,t+1)}^{t} h_{i(2,t+1)l}^2 A_{l,t+1}^{2i(2,t+1)}\right) d_{t+1}^2 \leqslant V(i(1t),i(2t),t) + \left(c^1 A_{i(1t),t+1}^{1i(1t)} + \sum_{l=i(1t)}^{t} h_{i(1t),l}^1 A_{l,t+1}^{1i(1t)}\right) d_{t+1}^1 \tag{14-42}$$

$$+ \left(c^1 A_{i(1t),t+1}^{1i(1t)} + \sum_{l=i(1t)}^{t} h_{i(1t),l}^1 A_{l,t+1}^{1i(1t)} + s_{t+1}\right) d_{t+1}^2 \leqslant V(i(1t),i(2t),t) + \left(c^1 A_{i(1t),t+1}^{1i(1t)}\right.$$

$$\left. + \sum_{l=i(1t)}^{t} h_{i(1t),l}^1 A_{l,t+1}^{1i(1t)}\right) d_{t+1}^1 + \left(c^2 A_{i(2t),t+1}^{2i(2t)} + \sum_{l=i(2t)}^{t} h_{i(2t)l}^2 A_{l,t+1}^{2i(2t)}\right) d_{t+1}^2$$

接下来的证明类似于情形 1，略。

情形 3 由式(14-35)、式(14-37)和式(14-38)可得

$$V(i(1,t+1),i(2,t+1),t+1) = V(i(1,t+1),i(2,t+1),t) + \left(c^1 A_{i(1,t+1),t+1}^{1i(1,t+1)}\right.$$

$$\left. + \sum_{l=i(1,t+1)}^{t} h_{i(1,t+1),l}^1 A_{l,t+1}^{1i(1,t+1)}\right) d_{t+1}^1 + \left(c^1 A_{i(1,t+1),t+1}^{1i(1,t+1)}\right.$$

$$\left. + \sum_{l=i(1,t+1)}^{t} h_{i(1,t+1),l}^1 A_{l,t+1}^{1i(1,t+1)} + s_{t+1}\right) d_{t+1}^2 \tag{14-43}$$

$$\leqslant V(i(1t),i(2t),t) + \left(c^1 A_{i(1t),t+1}^{1i(1t)} + \sum_{l=i(1t)}^{t} h_{i(1t),l}^1 A_{l,t+1}^{1i(1t)}\right) d_{t+1}^1$$

$$+ \left(c^1 A_{i(1t),t+1}^{1i(1t)} + \sum_{l=i(1t)}^{t} h_{i(1t),l}^1 A_{l,t+1}^{1i(1t)} + s_{t+1}\right) d_{t+1}^2$$

整理式(14-43)可得

$$V(i(1,t+1),i(2,t+1),t) + \left(c^1 A_{i(1,t+1),i(1t)}^{1i(1,t+1)} + \sum_{l=i(1,t+1)}^{i(1t)-1} h_{i(1,t+1),l}^1 A_{l,i(1t)}^{1i(1,t+1)} - c^1\right)(d_{t+1}^1 + d_{t+1}^2) \tag{14-44}$$

$$\leqslant V(i(1t),i(2t),t)$$

因为 $\left(c^1 A_{i(1,t+1),i(1t)}^{1i(1,t+1)} + \sum_{l=i(1,t+1)}^{i(1t)-1} h_{i(1,t+1),l}^1 A_{l,i(1t)}^{1i(1,t+1)} - c^1\right)(d_{t+1}^1 + d_{t+1}^2) > 0$ ，因此可得

$$V(i(1,t+1),i(2,t+1),t) < V(i(1t),i(2t),t) \tag{14-45}$$

而由 $V(t) = V(i(1t),i(2t),t)$ 可得 $V(i(1,t+1),i(2,t+1),t) \geq V(i(1t),i(2t),t)$ ，与由假设 $i(1,t+1) < i(1t)$ 和 $i(2,t+1) < i(2t)$ 得出了相互矛盾的结论。因此可得 $i(1,t+1) \geq i(1t)$ 和 $i(2,t+1) \geq i(2t)$ ，即 $i(t+1) \geq i(t)$ 。

情形 4 由式（14-35）、式（14-36）和式（14-38）可得

$$V(i(1,t+1),i(2,t+1),t+1) = V(i(1,t+1),i(2,t+1),t) + \left(c^1 A_{i(1,t+1),t+1}^{1i(1,t+1)}\right.$$

$$\left. + \sum_{l=i(1,t+1)}^{t} h_{i(1,t+1),l}^1 A_{l,t+1}^{1i(1,t+1)}\right)d_{t+1}^1 + \left(c^1 A_{i(1,t+1),t+1}^{1i(1,t+1)}\right.$$

$$\left. + \sum_{l=i(1,t+1)}^{t} h_{i(1,t+1),l}^1 A_{l,t+1}^{1i(1,t+1)} + s_{t+1}\right)d_{t+1}^2$$

$$V(i(1t),i(2t),t) + \left(c^1 A_{i(1t),t+1}^{1i(1t)} + \sum_{l=i(1t)}^{t} h_{i(1t),l}^1 A_{l,t+1}^{1i(1t)}\right)d_{t+1}^1 + \left(c^2 A_{i(2t),t+1}^{2i(2t)} + \sum_{l=i(2t)}^{t} h_{i(2t)l}^2 A_{l,t+1}^{2i(2t)}\right)d_{t+1}^2$$

$$\leq V(i(1t),i(2t),t) + \left(c^1 A_{i(1t),t+1}^{1i(1t)} + \sum_{l=i(1t)}^{t} h_{i(1t),l}^1 A_{l,t+1}^{1i(1t)}\right)d_{t+1}^1$$

$$+ \left(c^1 A_{i(1t),t+1}^{1i(1t)} + \sum_{l=i(1t)}^{t} h_{i(1t),l}^1 A_{l,t+1}^{1i(1t)} + s_{t+1}\right)d_{t+1}^2 \tag{14-46}$$

接下来的证明类似情形 3，略。

索　引